Журнал «Звезда»
Санкт-Петербург
1997

П 53

Полухина В.

«Бродский глазами современников». Сб-к интервью. — СПб.: «Журнал «Звезда», 1997. — 336с.

ISBN 5—7439—0029—9                        ББК 84.Р7

Редактор Виктор Куллэ

Рисунок на обложке Михаила Шемякина —
«Метафизический портрет И. Бродского»

Журнал «Звезда» выражает искреннюю благодарность издательству THE MACMILLAN PRESS LTD, любезно предоставившему редакции право на публикацию книги в России.

Журнал «Звезда» также благодарит АО «Банк «Санкт-Петербург» за помощь в издании этой книги.

# ВАЛЕНТИНА ПОЛУХИНА

## *БРОДСКИЙ ГЛАЗАМИ СОВРЕМЕННИКОВ*

---

# VALENTINA POLUKHINA

## *BRODSKY THROUGH THE EYES OF HIS CONTEMPORARIES*

„Величие Иосифа Бродского как поэта связано с его предположением, что жизнь должна измеряться требованиями искусства, но не наоборот. Эти беседы демонстрируют, что его дружба оказывает равно возвышающее и стимулирующее воздействие на одаренных современников. Бродский возник как своеобразный озонный слой, сам по себе предохраняющий и увеличивающий вероятность поэтической жизни в наше время. Беседы, действительно, исполнены жизни и весомо свидетельствуют о высокой силе Иосифа."

Шеймус Хини,
лауреат Нобелевской премии по литературе (1995)

В рецензии на английское издание сборника интервью Валентины Полухиной известный эссеист Петр Вайль писал: „У этой книги один серьезный недостаток: она еще не напечатана по-русски. И называется пока „Brodsky through the Eyes of his Contemporaries", а не „Бродский глазами современников", как будет называться в скором, очень надеюсь, будущем, когда выйдет, наконец, в России". Будущее оказалось не таким уж скорым. Лишь по прошествии пяти лет с момента публикации английской версии книга выходит к русскому читателю. Уже после смерти Бродского.

Книга профессора Полухиной резко отличается от многочисленных публикаций на смерть поэта. Это отнюдь не очередной венок на свежую еще могилу, скорее — свидетельство удивительной жизнестойкости творческой экспансии Бродского. Сборник изначально задумывался как попытка восполнить один из существенных пробелов, характерных для большинства трудов, посвященных его творчеству. Интервью, взятые Валентиной Полухиной, вводят фигуру Бродского в общий контекст отечественной поэзии второй половины века. Поэт, представлявшийся при жизни либо мраморным монументом, либо неисчерпаемой кладовой версификационных находок, либо объектом идеологических спекуляций и личных амбиций, превращается в живого участника литературного процесса.

Смерть Бродского, безусловно, изменила нечто в составе воздуха, которым дышит каждый пишущий сегодня на русском языке. Многие из авторов сборника ныне, вероятно, хотели бы что-то подправить в своих тогдашних высказываниях. При подготовке русской версии книги редакция сознательно оставила все как есть. Как было сказано при жизни поэта. Единственное изменение — адаптация справочного аппарата для русского читателя с учетом новейших публикаций за истекшие пять лет. Эта работа была выполнена редактором русского издания Виктором Куллэ, составившим указатели имен и произведений Бродского и значительно расширившим, а зачастую переписавшим заново примечания к ряду интервью. Им же выполнены переводы на русский язык интервью с Роем Фишером и Дереком Уолкоттом и стихотворений Венцловы, Уолкотта и Фишера.

Был такой жанр в советском литературоведении —„Имярек в воспоминаниях современников" — что-то вроде фотографий в обнимку с памятником. Предлагаемый сборник, надеемся, отличается от него не только названием. Чем дальше от нас день смерти поэта, тем более насущной для современников становится необходимость вглядеться в построенное им „гигантское здание странной архитектуры". „Светильник светил, и тропа расширялась..."

Валентина Полухина — старший преподаватель русской литературы в Килском университете (Англия), доктор филологических наук, автор многочисленных статей о творчестве Ахматовой, Бродского, Булгакова, Пастернака, Хлебникова, Цветаевой и других русских поэтов и писателей; некоторые из них специально написаны для таких энциклопедических изданий, как "The Fontana Biographical Companion to Modern Thought"(1983), "Great Foreign-Language Writers"(1984), "Contemporary Foreign-Language Writers"(1984). Полухина — автор первой монографии о поэзии Бродского на английском языке "Joseph Brodsky: A Poet for Our Time"(CUP, 1989), редактор (совместно с Львом Лосевым) сборника статей "Brodsky's Poetics and Aesthetics"(The Macmillan Press, 1990), редактор посвященного жанровой клавиатуре Бродского специального выпуска журнала "Russian Literature", автор (совместно с Юлле Пярли) „Словаря тропов Бродского (на материале сборника 'Часть речи')" (Тарту, 1995).

В настоящее время продолжает работу над „Словарем тропов Бродского", работает над монографией "Joseph Brodsky: Self Portrait", занимается подготовкой сборника интервью поэта.

## ВВЕДЕНИЕ

Поскольку поэты в своих стихах, как правило, разговаривают чаще друг с другом, чем с нами, их читателями, как бы мы себе ни льстили, предполагая обратное, меня всегда занимало, что они думают друг о друге, как высоко или низко оценивают своего собрата по перу. Причем не в застольных беседах, а в интервью с почти незнакомым человеком, который не скрывает от них, что эти интервью будут опубликованы. Многие из моих собеседников были застигнуты врасплох и не имели времени обдумать свои мысли — тем ценнее и интереснее их спонтанные ответы. Другие пожалели о сказанном и отказались быть включенными в этот сборник, представляющий собой серию бесед с поэтами разных национальностей об эстетике, поэтике и идеях самого молодого из Нобелевских лауреатов по литературе (1987), Иосифа Александровича Бродского — поэта самобытного, парадоксального и требовательного.

Выбор поэтов был продиктован прежде всего стремлением к объективности, увы, не всегда достигнутой. Помимо представителей „петербургской школы" (Евгения Рейна, Анатолия Наймана, Александра Кушнера и примыкающей к ним Натальи Горбаневской), в сборнике участвуют поэты несколько иной, чем у Бродского, поэтической ориентации (Белла Ахмадулина, Лев Лосев, Владимир Уфлянд, Яков Гордин, Елена Ушакова), более молодого поколения (Михаил Мейлах, Виктор Кривулин, Юрий Кублановский, Елена Шварц, Ольга Седакова, Алексей Парщиков, Виктор Куллэ) и несхожего культурного наследия (Томас Венцлова, Чеслав Милош, Рой Фишер, Дерек Уолкотт). К сожалению, не все из приглашенных смогли (или захотели) принять участие в обсуждении их знаменитого современника.

Ведущая интервью формулировала вопросы с учетом конкретного миро-текста каждого поэта-собеседника, преследуя определенные цели, в частности: прозондировать философские посылки творчества Бродского; объяснить его озабоченность категориями языка и времени; понять, к чему ведет его убежденность в приоритете эстетики над этикой, разума над чувством, поэзии над верой; обсудить вклад Бродского в русскую культуру и степень его участия в духовном возрождении нации; обосновать неоднократно проводимое сравнение Бродского с Пушкиным; наметить поэтическую и культурную значимость как отдельных произведений Бродского, так и всего его творчества в целом. Учитывая высказывание Бродского о том, что „биография поэта — в его гласных и шипящих, в его метрах, рифмах и метафорах" [L:164], ударение было сделано на проблемах поэтики Бродского, а не на перипетиях его биографии.

Имея дело с поэтом, принадлежащим, по крайней мере, трем культурам, живущим ежегодно и подолгу в нескольких странах, пишущим на двух языках, казалось просто необходимым привлечь к участию в разговоре его английских и американских коллег. С Роем Фишером и Дереком Уолкоттом обсуждались в основном проблемы перевода и влияния на поэтику Бродского англосаксонской традиции, в частности поэзии Т.С.Элиота, Фроста, Одена и английских метафизиков. Чеслав Милош и Томас Венцлова, будучи друзьями Бродского и авторами замечательных статей о его поэзии и прозе, которых история их стран сделала поэтами двуязычными, свободно владеющими русским, оказались в уникальном положении, которое позволяет им авторитетно комментировать как русские, так и английские тексты Бродского. В разговорах с 20-ю поэтами в разной мере затронуты почти все магистральные темы Бродского. Интервьюер надеется, что каждая из бесед, окрашена ли она суровой критикой или доброжелательной оценкой, поможет нам лучше понять поэта, ведущего интенсивный диалог с мировой культурой и „своего рода тяжбу" с Творцом (Кублановский).

Автором сборника руководило также просветительское желание представить читателю тех поэтов из окружения Бродского, которые по разным причинам мало ему доступны, поэтов чрезвычайно одаренных и в высшей степени эрудированных, о которых Бродский писал: „Никто не знал литературу и историю лучше, чем эти люди, никто не умел писать по-русски лучше, чем они, никто не презирал наше время сильнее" [L:29/HH:27]. Их творчество образует огромный пласт культуры, который еще предстоит открыть и осмыслить — и не только западному, но и русскому читателю. Некоторые из них в полной мере разделили печальный опыт Бродского. Почти никто, за исключением Кушнера и Ахмадулиной, до недавнего времени не публиковался у себя на родине. Горбаневская, Кублановский и Мейлах пережили арест, тюрьму и „психиатрическое лечение". Лосев и Венцлова были вынуждены эмигрировать. Оставшиеся на родине зарабатывали на жизнь переводами (Найман, Седакова), сочинением киносценариев и пьес для детей (Рейн, Уфлянд), перешли на прозу (Гордин), стали учеными (Мейлах, Седакова) или становятся таковыми (Парщиков, Куллэ). Все они, от прославленного Александра Кушнера до недавно начавшей писать стихи Елены Ушаковой, сохранили свою внутреннюю независимость и глубокое уважение читателя, в частности те из них, кто широко публиковался на Западе (Шварц, Кривулин, Седакова).

Между этими поэтами настолько мало общего, что вряд ли еще раз они соберутся под одной обложкой. Тем важнее для нас их интерпретации и оценки поэзии Бродского. Оценивая и осмысляя творчество Бродского, каждый из них в определенном смысле оценивает и свой вклад в русскую культуру. Почти все участвующие в сборнике поэты представлены стихотворением, посвященным или адресованным Бродскому, а то и просто написанным не без мысли о нем, а также небольшой вступительной статьей.

Автор пользуется случаем выразить особую признательность Михаилу Шемякину, который разрешил использовать свой „Метафизический портрет Бродского" для обложки этого сборника. Самое замечательное, что поэтика этого портрета в высшей степени созвучна поэтике самого Бродского, в частности тому, как Бродский рисует свой поэтический автопортрет: отстраненно, фрагментарно, „в ироническом ключе".

Проект этого сборника было бы гораздо труднее осуществить без щедрой финансовой помощи Британской Академии Наук и дружеской поддержки моих коллег по кафедре русских исследований Килского университета.

Любовь Николаевна Киселева (Тарту) любезно взяла на себя роль сурового редактора, прочитав всю русскую часть рукописи и сделав ценные замечания. Виктор Куллэ подготовил к печати русское издание сборника, выполнил переводы стихотворений и интервью Венцловы, Уолкотта и Фишера, заново переработал справочный аппарат. А мое английское издательство "The Macmillan Press" не менее любезно дало согласие на русскую публикацию этой книги. Русское издание расширено за счет интервью с Беллой Ахмадулиной, опубликованного в сборнике "Brodsky's Poetics & Aesthetics", и с Виктором Куллэ, частично опубликованного в "Essays in Poetics" (Vol.17, No.2, 1992).

*Валентина Полухина (Keele University)*
*Англия*


# СПИСОК УСЛОВНЫХ СОКРАЩЕНИЙ


Для повторяющихся ссылок на стихотворения и прозу Бродского приняты следующие сокращения:

С — „Стихотворения и поэмы" (Inter-Language Literary Associates: New York, 1965);

О — „Остановка в пустыне" (Издательство им.Чехова: Нью-Йорк, 1970);

К — „Конец прекрасной эпохи. Стихотворения 1964-71" (Ardis: Ann Arbor, 1977);

Ч — „Часть речи. Стихотворения 1972-76" (Ardis: Ann Arbor, 1977);

PS — "A Part of Speech" (Farrar, Straus & Giroux: New York and Oxford, 1980);

НСА — „Новые стансы к Августе. Стихи к М.Б. 1962-82" (Ardis: Ann Arbor, 1983);

У — „Урания" (Ardis: Ann Arbor, 1987);

L — "Less Than One: Selected Essays" (Viking Penguin: New York, Toronto and Harmondsworth, 1986; Penguin Books: Harmondsworth, 1987);

TU — "To Urania: Selected Poems 1965-85" (Farrar, Straus & Giroux: New York, 1988).

Ссылки на отечественные публикации приводятся через косую черту. В основу их положены подготовленные Г.Ф.Комаровым „Сочинения Иосифа Бродского" в четырех томах („Пушкинский фонд": Санкт-Петербург, I том — 1992; II том — 1992; III том — 1994, IV том — 1995). Поскольку данное издание охватывает корпус произведений Бродского не полностью, в системе ссылок учитывается составленный В.П.Голышевым сборник „Набережная неисцелимых. Тринадцать эссе" („Слово": Москва, 1992):

I, II, III, IV — тома „Сочинений Иосифа Бродского";
НН — „Набережная неисцелимых".

Дополнительные библиографические сведения содержатся в примечаниях к каждому интервью.

Евгений Борисович Рейн родился 29 декабря 1935 года в Ленинграде. Поэт, переводчик, сценарист. Закончил Ленинградский Технологический институт (1959), работал инженером. С 1962 года живет литературным трудом. Стихи начал писать с 11 лет, первое стихотворение опубликовано в июле 1953 года в газете „Ленинградская здравница". В сборники включены только стихи, написанные после 1956 года. Уже к концу 50-х годов Рейн стал известен среди поэтов своей исключительной эрудицией, безупречным поэтическим вкусом и огромным обаянием — необходимые качества ментора. „Я выучил дюжину учеников, / Шесть негодяев, шесть мучеников..." В то время как некоторые его ученики опубликовали по две дюжины книг, Рейну пришлось ждать почти 30 лет выхода своего первого сборника **„Имена мостов"** (1984). Он зарабатывал на жизнь публикациями научно-популярных очерков в журналах для детей („Костер" и „Искра"), написал 12 детских книг. В 1970 году поэт переехал в Москву. Много переводил (древних и современных индийских поэтов, Киплинга, поэзию народов СССР), писал сценарии для документальных фильмов. После погрома неподцензурного альманаха **„МетрОполь"** (1979), в который Рейн включил 23 своих стихотворения, он на несколько лет был лишен всякой работы. Уже готовая к публикации книга стихов была отложена на 5 лет. Только в годы перестройки вышли сборники **„Береговая полоса"** (1989), **„Темнота зеркал"** (1990), небольшая книга стихов **„Непоправимый день"** в библиотеке журнала „Огонек" (1990), **„Избранное"** (1992), **„Нежносмо..."** (1992), книга поэм **„Предсказание"** (1994), **„Сапожок. Книга итальянских стихов"** (1995).

Стихи Рейна привлекают читателя высоким мастерством, благородством тона и жизнелюбием. Любовь к открытому цвету, к некоей деформации, к определенным сценам выдает его увлеченность новейшей французской живописью (стихотворение „Яблоко" и поэма „Рембо"), а присутствие низкой лексики и некоторая ораторская установка свидетельствуют, что в молодости Рейн пережил влияние футуризма. Интерес к его поэзии в России и на Западе заметно растет, его часто приглашают на международные конференции, поэтические фестивали, в западные университеты с чтением стихов и с лекциями. В 1991 году в Америке вышла книга Рейна **„Против часовой стрелки"**, с предисловием Бродского[1].

# ПРОЗАИЗИРОВАННЫЙ ТИП ДАРОВАНИЯ

*Интервью с Евгением Рейном*
*24 апреля 1990 года, Москва*

— *Бродский считает вас одним из лучших поэтов, пишущих сегодня по-русски* [2]. *Вы с ним согласны?*

— Это сложный вопрос. Я высоко ценю мнение Бродского, сам же отношусь достаточно трудно к такой проблеме. Никто из сочиняющих стихи не считает себя дурным поэтом. Я вообще против какого-то выделения очень узкой группы поэтов, наименования их неким авангардом качества. Надеюсь, что я не принадлежу ко второму и третьему сорту. Это все, что я могу сказать.

— *Он же сказал о вас, цитирую: „Это единственный человек на земле, с чьим мнением я более или менее считался и считаюсь по сей день. Если у меня был какой-нибудь мэтр, то таким мэтром был он"* [3], — *то есть вы. К чему вас обязывает быть мэтром Бродского?*

— Это опять-таки сложный вопрос. Иосиф, действительно, много раз в разных редакциях говорил приблизительно это. Я не могу всемерно его прокомментировать, потому что не вполне понимаю, что Иосиф вкладывает, какое содержание, в эти слова. Исторически все было приблизительно так. Дело в том, что я на пять лет старше Иосифа. И когда мы познакомились — это был 59-й год. — Иосифу было 19 лет, а мне — 24. Очень сложно и невозможно сейчас подробно описать, как тогда в Ленинграде составлялись литературные группировки, кто был во главе, кто не был во главе [4]. Но во всяком случае, в очень узкой группе поэтов мне принадлежало определенное первенство [5]. Первенство, может быть, просто связанное с тем, что я был старше остальных на год или на два; может быть, с тем, что я уже написал какие-то достаточно известные в ленинградских кругах стихи; может быть, связанное с определенной эрудицией, по тем временам затруднительной. Что касается каких-то отношений „учителя—ученика", то в буквальном смысле, мне кажется, их не было. Просто произошла довольно интересная и удивительная история. Иосиф, которого я повстречал замечательно одаренным, но, в известной степени, эклектичным поэтом, тогда искал и разрабатывал свою собственную систему. Я уже писал довольно определенные стихи, и мне было поздно, как мне казалось, — может быть, это было ошибочно и даже наверняка ошибочно, — что-либо менять принципиальное в тех своих стихах. Однако я видел какие-то новые возможности в русском стихосложении: новые возможности влияний, новые возможности тематические, возможности привлечения какого-то психологического анализа, сближения стиха с прозой. И все эти вещи я, естественно, как-то излагал, рассказывал, делился с Иосифом ими. Я даже не всегда помнил, что именно я говорил, но оказалось, что Иосиф это запоминал. В одной из его статей я прочел пересказ даже довольно длинной нашей беседы тех лет о всякого рода вариантах поэтики [6]. Возможно, вот из этих вещей и сложилось то самое мнение, которое вы сформулировали в своем вопросе.

— *Бродский неоднократно отмечал тот факт, что вы в свое время дали ему один из наиболее ценных советов по части стихосложения, а именно, сводить к минимуму количество прилагательных в стихотворении* [7]. *Не вспомните ли вы, когда и по поводу каких конкретно стихотворений он получил от вас такой совет?*

— Вы знаете, не помню. Я помню приблизительно, что такой разговор был. Более того, это мое мнение, которого я довольно долго придерживался и которое пытался как-то применить к собственным стихам. Но я говорил, что начал писать стихи очень рано. Так что я опирался в основном на опыт советской поэзии 20-х годов, который включал не только Мандельштама, Пастернака и Заболоцкого, но и таких поэтов, как Луговской, Сельвинский, что в общем как-то связало меня уже по рукам и ногам. Я не могу припомнить буквально, в каком именно случае я говорил то, что цитирует Иосиф. Но, так как я действительно едва ли не по сей день держусь этого мнения, я, безусловно, ему это говорил.

— *Кого вы считаете своим учителем?*

— У меня было довольно много учителей. Я учился везде, где мог, но наиболее сильное влияние на меня оказали Блок, Анненский и Мандельштам.

— *У вас есть стихотворение „Десять лет спустя, или Взгляд за окно на Манеж и на площадь"* [8], *ритмически и синтаксически напоминающее стихи Бродского „Уходить из любви, в яркий солнечный день, безвозвратно"* [C:41-42] *и „Все равно ты не слышишь, все равно не услышишь ни слова"* [C:92-93/I:160-61] [9]. *Кто с кем в них аукается?*

— Это очень сложно сказать. Это и есть то, что Бродский называет нашей связью. Наступил какой-то момент, когда у нас появились какие-то общие и мелодические, и словарные, и образные, и, может быть, даже мировоззренческие ситуации. Вы, кстати, очень тонко это заметили. Стихотворение „Десять лет спустя..." — пример того, как наши стихи сближались не нарочито, а в силу того, что у нас были общие площадки, с которых мы писали.

— *Во 2-м томе „Антологии у Голубой Лагуны" Кузьминского* [10] *можно найти рядом ваши стихи „За четыре года умирают люди" и Бродского „Через два года / высохнут акации"* [I:27], *оба датированы 1958-59 гг., под шапкой „Ху из ху"* [11].

— Вы знаете, я никогда не видел этой страницы Кузьминского. Я видел далеко не все тома. Мне кажется, что стихотворение „За четыре года" написано чуть ли не до знакомства с Иосифом. Это невероятно старое стихотворение, посвященное моему другу Михаилу Красильникову [12]. Стихотворение Бродского, приводимое Кузьминским, мне вообще неизвестно. Оно из каких-то совсем ранних стихотворений. Надо сказать, что он в то время иногда попадал под обаяние некоторых ленинградских поэтов, чрезвычайно кратковременное, как Горбовского, например [13], а потом переходил на какие-то другие мотивы.

— *А нет ли у вас с Бродским общего источника? Упомянутые выше стихи, его и ваши, ритмически напоминают пастернаковские „Помешай мне, попробуй. Приди, покусись потушить / Этот приступ печали, гремящий сегодня, как ртуть в пустоте Торричелли"* [14].

— Вы знаете, может быть и так. Но это довольно опасная мера суждения. Дело в том, что в русском языке очень небольшое количество размеров, но огромное количество ритмов. Одинаковое количество стоп и одинаковое количество разно расставленных ударений не всегда означает близость. Близость означает то, что называется ритмом, то есть дыхание стиха. Вот если бы мы воспользовались знаменитым пастернаковским ритмом из „Девятьсот пятого года":

> Приедается все.
> Лишь тебе не дано примелькаться.
> Дни проходят,
> И годы проходят,
> И тысячи, тысячи лет...[15] —

это бы что-нибудь значило.

— *Вы читаете на манер Бродского.*

— Или он на мой манер. Если же мы просто повторяем одинаковую сетку ямба или анапеста, этим ничего доказать нельзя.

— *Я пришла просить вас „припомнить ясно все, что было", говоря вашими словами, и если не „без веры, без сомненья", то хотя бы „без пыла". Скажите, когда вы лично начали усматривать в Бродском черты гениальности?*

— Это было так. Я познакомился с Иосифом, если мне не изменяет память, в октябре 1959 года в квартире у Славинского, которую он тогда снимал в Ново-Благодатном переулке города Ленинграда. Ко мне подошел ныне существующий в Париже Леонид Ентин и сказал, что здесь сейчас присутствует человек, который пишет стихи и мучительно всем читает эти стихи: не можешь ли ты его выслушать и, наконец, разрешить эту проблему — и познакомил меня с Иосифом. Через несколько дней Иосиф пришел ко мне домой и читал свои стихи. Они мне не очень понравились. Если меня не покидает память, он находился в периоде, когда для него главными учителями были переводные поэты из журнала „Иностранная литература": Назым Хикмет, Янис Рицос, но в русском варианте это было малоплодотворным. Но даже тогда что-то меня задело. Потом он на все лето уехал в одну из своих экспедиций. Осенью он пришел ко мне и прочитал совершенно другие стихи. Сейчас мне уже трудно вспомнить, что это были за стихи, по-моему, „Памяти Феди Добровольского" [С:37-38][16], „Воротишься на родину" [С:58-59/I:87][17]. И это уже были очень хорошие стихи. Шли годы. По-моему, в 61-м году появились стихи очень замечательные. Во-первых, это были большие стихи, которые мы тогда не умели писать. Кроме Бродского, написать никто их не мог. Такие вещи, как „Петербургский роман" [I:64-83][18], „Исаак и Авраам" [С:137-55/I:268-82] — это поэмы огромные. Уже были написаны „Стансы" [С:63/I:225] и посвященное мне стихотворение „Рождественский романс" [С:76-77/I:150-51], которое, совершенно вне посвящения, кажется мне по сей день замечательным. И, наконец, первые стихи, пришедшие из ссылки, „Новые стансы к Августе" [О:156-60/I:386-90], я считаю стихами великими, абсолютно первоклассными, выдающимися. Таким образом, где-то в 1961-62 годах мое мнение о Бродском уже поднялось до максимальной отметки [19].

— *Расскажите, пожалуйста, как и когда вы познакомили Иосифа с Ахматовой?*

— Это было вот как. Я об этом, кажется, уже писал. Я ездил в Бостон на Ахматовскую конференцию (осень 1989 года), и сейчас вот эти воспоминания, которые я там читал, должны появиться в журнале „Звезда". Там это все довольно подробно описано. Я знал Ахматову уже несколько лет. Не то что я был коротко принят в доме, но, во всяком случае, если я звонил, то получал приглашение и приходил с визитом, читал стихи. Иногда ко мне Анна Андреевна обращалась за чисто физической помощью: я упаковывал ее библиотеку, когда она переезжала и т.д. Мне очень хотелось объяснить ей, что существует выдающийся поэт Бродский, потому что со временем я убедился в том, что Ахматова совершенно не ретроград, потому что можно быть великим поэтом, но замкнуться в своем старом времени и уже не принимать новой поэзии. Совершенно ничего подобного. Анна Андреевна любила и ценила левую поэзию, она очень ценила позднего Хлебникова, она очень ценила Элиота. И однажды я рассказал Иосифу все, что я знал об Ахматовой, и сказал, что, если он хочет, то мы к ней поедем. Мы назначили какое-то число, было лето, конец лета, и поехали в Комарово, в так называемую „Будку", то есть на дачу Анны Андреевны. Тут есть одна очень забавная деталь, потому что я много лет спустя не мог припомнить, какого именно числа это было. И вдруг я вспомнил одну вещь: пока мы ехали к Анне Андреевне, громадные репродукторы, которые теперь исчезли из советской жизни и которые тогда то включались, то отключались, сообщали советскому народу о том, что происходит, и пока мы ехали, репродукторы сообщили о том, что в космос запущен космонавт Титов. Это было 7 августа 1961 года. Именно в этот день я привез Иосифа к Анне Андреевне.

— *Это очень важно, потому что сам Иосиф называет то 61-й год, то 62-й. И я в своей книге о Бродском после окончательной сверки с ним исправила 61-й год на 62-й* [20]. *Теперь следует исправить еще раз.*

— У Анны Андреевны были какие-то иностранцы, и она попросила нас подождать. И мы пошли выкупаться на Щучье озеро. Надо сказать, что Иосиф великолепно владел (или владеет) фотоаппаратом. С ним был фотоаппарат „Лейка" в этот день, и он много снимал. Так забавно получилось, что у меня остались только фотографии, которые он сделал на озере. А где те фотографии, которые он отщелкал на даче, я не знаю, может быть, они до сих пор где-то есть. Мне как-то Азадовский сказал, что он видел одну из этих групповых фотографий, где Бродский, Ахматова и я [21]. Видимо, Бродский передал кому-то фотоаппарат, и тот человек щелкнул нас. В тот вечер Иосиф читал стихи, и я почему-то совершенно не помню, что сказала Ахматова. Может быть, она ничего не сказала, потому что Анна Андреевна была величайшим мастером ответить как-то чрезвычайно односложно, не обидеть человека и вместе с тем, пока у нее не сложилось какого-то твердого мнения, она не пускалась в подробные рассуждения [22]. Мы все люди маловоспитанные, выросшие на пустыре, а она выросла в другой обстановке, она знала, как и когда следует себя вести, поэтому я не помню никаких ее суждений. Помню только, что шел разговор о герметизме, о темных стихах, о том, что поэт имеет право быть непонятным, если он сам что-то имеет в виду внутри своих стихов. И я припоминаю, по-моему, зимой этого или следующего года Иосиф поселился в Комарово и виделся с Анной Андреевной очень часто.

— *Не кажется ли вам, что это было зимой 1963 года, потому что у него есть цикл „Песни счастливой зимы"* [23]?

— Да, это я помню хорошо, потому что он жил на даче Раисы Львовны Берг[24], где и я бывал и иногда ночевал.

— *Согласны ли вы с теми исследователями творчества Бродского, которые считают, что многолетнее общение с Ахматовой никак не отразилось на его идиостиле[25]?*

— Это довольно сложный вопрос, сложный и коварный. Я думаю, что они не правы в том смысле, что, конечно же, отразилось, но у Бродского нет прямой стилистической связи с Ахматовой. Влияние Ахматовой прослеживается в очень важных вещах, но утопленных куда-то во второй ряд: в каком-то культурном слое, в каком-то нравственном отношении, в цене слова, в психологизме. Если говорить о его поэтике, то, мне кажется, Иосиф долгое время находился под довольно сильным влиянием Цветаевой. И это очевидно, если сравнить некоторые вещи. Тут не нужно пользоваться оптическими инструментами, чтобы это увидеть. Тем более что это все происходило у меня на глазах. Я помню, как появились первые списки больших вещей Цветаевой: „Крысолова", „Поэмы горы", „Поэмы конца" — и, скажем, такая вещь Иосифа, как „Шествие" [С:156-222/I:95-149] — она, безусловно, с ними связана самым прямым образом.

— *Насколько мне известно, вы навещали его в ссылке. Наблюдали ли вы в его самочувствии, в его отношении к случившемуся — там, в северной деревне — ту же степень отстранения, которая чувствуется в его стихах, написанных в течение этих 18 месяцев ссылки 1964-65 годов?*

— Вы знаете, я приехал к Иосифу спустя какое-то немалое время после того, как он попал в ссылку. По-моему, в мае 1965 года. Я был у него к 25-летию. Я застал его в хорошем состоянии, не было никакого пессимизма, никакого распада, никакого нытья. Хотя, честно признаться, я получил от него до этого некоторое количество трагических и печальных писем, что абсолютно можно понять. Но лично, когда я приехал — вместе с Найманом кстати — перед нами был бодрый, дееспособный, совершенно не сломленный человек. Хотя в эту секунду еще не было принято никаких решений о его освобождении, он мог еще просидеть всю пятерку. Так получилось, что Найман уехал, а я остался. Иосиф, нарушив какой-то арестантский режим, вынужден был неделю провести в изоляторе местной милиции. И когда Иосиф уходил, он мне оставил кучу своих стихов, написанных там, чтобы я его дождался. Я как раз эту неделю его и дожидался, что было замечательно, потому что это была уже поздняя весна, очень красивое на севере время, была спокойная хорошая изба, где мне никто не мешал читать, гулять и все такое. И когда я прочел все эти стихи, я был поражен, потому что это был один из наиболее сильных, благотворных периодов Бродского, когда его стихи взяли последний перевал. После этого они уже иногда сильно видоизменяются, но главная высота была набрана именно там, в Норенской, — и духовная высота, и метафизическая высота. Так что я как раз нашел, что он в этом одиночестве в северной деревне, совершенно несправедливо и варварски туда загнанный, он нашел в себе не только душевную, но и творческую силу выйти на наиболее высокий перевал его поэзии.

— *Вы думаете, что личная трагедия, которую он тогда переживал, тоже как-то сказалась на его состоянии?*

— Да, безусловно. Это, пожалуй, было единственное, что имело для него значение. Он больше всего думал и говорил об этом. И звонок из

Ленинграда значил для него больше всего. Я помню, что несколько слов о Марине [26] и всей этой ситуации занимали его гораздо больше, чем бесконечные разговоры о действиях в пользу его освобождения.

— *Как вы переживали его отсутствие после 1972 года?*

— Чрезвычайно тяжело. Тут надо сказать, что я очень люблю Иосифа по-человечески. Мне он интересен. Мне нравится, как он говорит. Мне нравится, как он шутит, сам тон его поведения — все это для меня интересно и привлекательно. Я бы хотел как-то ясно и точно объяснить, что я не принадлежу к той полусумасшедшей бродскомании, которая сейчас процветает как в СССР, так и за границей. Для меня Иосиф остался тем, каким был в 20, в 25 лет. Я не воспринимаю его такой всемирной звездой, новым Элвисом Пресли мировой литературы. И его какие-то бытовые качества, его доброта, манера его шуток, его поведение, в общем-то все, из чего складывается человек, — все это мне необыкновенно симпатично. И когда он уехал, я всего этого лишился. Я лишился этого дважды, потому что сам я параллельно этому переселился в Москву. А надо сказать, что Иосиф человек чрезвычайно петроградский, ленинградский, петербургский, как угодно. Он Москву, мне кажется, не очень любит, и сам он вырос целиком на той ленинградской почве, которая и меня вырастила, и наших приятелей. Таким образом, я лишился как этой почвы, так и наиболее симпатичного ее представителя. И это было очень суровое испытание: эмиграция, сиротство, как будто бы я переселился в какую-нибудь Сахару, в Австралию, где мне ничего не напоминает о моей бывшей жизни.

— *Расскажите о вашей встрече с Бродским после долгой разлуки. Она, кажется, состоялась в Америке?*

— Да, она была в Америке, по-моему, 18 сентября 1988 года. Я прилетел по вызову Йельского университета. Это был прямой авиарейс, довольно долгий, что-то около восьми часов летел самолет. И, конечно, я готовился к встрече с Иосифом. Америка меня поразила тем, что очередь на оформление документов была гораздо дольше, чем в СССР, и я, наверное, час с лишним простоял в этой очереди и потом пошел по длинному коридору к выходу. Я смотрел и никого не видел, и вдруг я услышал голос Иосифа: „Куда ты смотришь?" В первую минуту я его почти не узнал, как он, возможно, меня. Он мне показался чрезвычайно изменившимся, в том числе и физически. Он меня приехал встречать с одной нашей общей приятельницей, Асей Пекуровской. Мы долго ехали до Гринвич Виллидж — наверное, час из аэропорта — и с каждой минутой Иосиф как бы для меня молодел. Вот это удивительно интересный эффект. Он становился все более и более прежним человеком. Ну, я все видел: что с зубами что-то не так и с прической так же, как и у меня, — но в общем возвращался прежний Иосиф. И когда мы приехали, посидели минут 20, что-то выпивали, о чем-то говорили, зашел Барышников и мы отправились в ресторан; и буквально уже через несколько минут, когда мы сидели за столиком, передо мной сидел совершенно прежний человек. Я нахожу, что из всех людей, которых я встретил в эмиграции, моих приятелей, которых я после многих лет разлуки заново увидел, он наиболее сохранившийся человек по существу: у него не переменились ни манеры, ни привычки, ни словечки. Ну разве что вмешались какие-то англо-американские дела, что-то добавилось такое из английского менталитета, но по существу он остался тем человеком, которого я знал в старом Ленинграде.

— *Какие качественно новые явления вы заметили в его поэтике и метафизике после России?*

— Это вопрос, на который вот так с ходу ответить сложно. Он может быть темой довольно обширного исследования. Я думаю, что одна из наиболее важных вещей, которая характеризует новейшую поэзию Бродского, это то, что собрано под названием „Часть речи" [Ч:75-96/II:397-416] — не книга, а цикл, потому что там он окончательно нашел свой новый язык. Он сделал, может быть, главное открытие свое, а может, в известной степени, и всеобщее, отказавшись от педалирования темперамента, от того, что так характерно для всей русской лирики — темпераментной, теплокровной, надрывной ноты. Вот в этих стихах, „Часть речи", темперамент понижен, и сама мелодика, она довольно холодна и однообразна. В ней есть что-то схожее с тем, как протекает и утекает время. Оно ведь не имеет темперамента. Оно напоминает какое-то северное море, которое такими однообразными волнами накатывается на берег. И вот это вот открытие, вот это соединение своей поэзии с темпом времени — с таким не очень ярким, белесым, не надрывным, а, наоборот, размеренным, ровным, бесконечным темпом времени — оно и стало определять главное, что есть мотор какой-то, двигатель его поэзии. Я не помню дат.

— *Цикл „Часть речи" написан в 1975-76 годах.*

— Хотя потом он написал определенное количество и драматических, романтических стихов, типа „Лагуны" [Ч:40-43/II:318-21], „Декабря во Флоренции" [Ч:111-13/II:383-85]. Тем не менее основной тон стал определяться именно поэтикой „Части речи", и она мне представляется наиболее замечательной, потому что позволила ему невероятно расширить масштаб своей поэзии. Его эклоги и масса воспоминательных стихотворений, и вообще все, что входит в „Уранию", основано на стихах, которые составляют „Часть речи". Это и представляется мне его метафизически главным достижением в русской поэзии.

— *С вами легко согласиться, потому что и сам Бродский ваше мнение о его поэтике подтверждает, стремясь приблизиться по нейтральности тона своих стихов к движению маятника* [27]. *А свое эссе о Кавафисе он так и назвал „Песнь маятника" [L:53-68/IV:165-77]* [28].

— Я рад, что я что-то понял.

— *Можно ли, по-вашему, связать его тематику, концепцию и поэтику, поставив в центр время?*

— Я думаю, да. Забавно, что мы все время крутимся около одной темы. Я приглашен в Мидлберри на симпозиум, посвященный 50-летию Иосифа. И когда я думал о теме своего сообщения, то это было как раз об эстетике времени в творчестве Бродского, как он обыгрывает время. Я еще полностью не сформулировал для себя, но направление моих мыслей — поэтика времени у Бродского. Она и мне как раз очень интересна, потому что я помню несколько наших разговоров, очень давних, на эту тему. Во всяком случае, у меня есть материал для этого.

— *Не могли бы вы, хотя бы пунктиром, очертить тот фундамент, на котором, по-вашему, зиждется поэтический универсум Бродского?*

— Опять же это вопрос, на который должна отвечать целая конференция, не я один. Мне довольно трудно сейчас что-то сказать на эту тему. Думаю, что он действительно метафизик прежде всего. Религиозная часть его поэзии — это ни в коем случае не поэзия религиозного экстаза, и ни в коем случае не поэзия, скажем, церковной детализации и соборности, хотя он и написал такое стихотворение, как „Сретенье" [Ч:20-22/II:287-89]. Тем не менее, если всмотреться внимательно во все, что он написал, он, как и все замечательные поэты, идет по лезвию между теизмом и атеизмом. Он никогда не может встать ни на чью сторону. Конечно, он не вульгарный безбожник, но в его стихах совершенно нельзя найти благолепия церковного, того, что, скажем, отмечало отчетливо религиозную поэзию Хомякова или поэзию некоторых новых поэтов, например, Кублановского — то есть людей, которые считают себя и практически церковными людьми. Мне кажется, у Иосифа этого нет. Религиозные мотивы его поэзии — это те размышления о высшем, о метафизическом, о божественном, которые присутствуют в любой поэзии, которая занимается экзистенциальными проблемами бытия, которая не может обойтись без высшего начала, без Бога.

— *В одном из интервью он сказал, что если бы он начал творить какую-то теологию, это была бы теология языка* [29]. *Почему он считает нужным так выделять язык, превращая его в некую модель мира?*

— Я думаю, это и есть одна из его главных идей. И не случайно она, может быть я ошибаюсь, возникла именно в эмиграционный период, когда он оказался вне России. Так как поэзия не может обойтись без своего мира, без своего дома, без своего материала, а Россия отдалилась, то необходимо было найти какую-то ей замену, может быть, даже лучшую, чем она сама, та реальная прагматическая Россия, среди которой вот живу, например, я. Заменой этой России и выступил язык — как наиболее концентрированная, очищенная и избавленная от иногда гнетущей реальности вещь, как лучшая маска России.

— *Что порождает предельное напряжение поэтической дикции Бродского при его сознательном движении к метонимическому полюсу языка, то есть по направлению к прозе?*

— Как Пушкин сказал, проза требует мыслей и мыслей. Я заметил одну довольно странную вещь. Когда я читал его эссе о Византии [L:393-446/IV:126-64] [30], я заметил там один странный прием: там есть довольно много абзацев, довольно много положений, которые уже описаны историками, решены, находятся в энциклопедиях, в каких-то книгах, а Иосиф явно обходит все эти уже найденные решения и пытается решить заново. Таким образом он задает своему мозгу огромную задачу — разрешить ситуации, которые огромны в историческом масштабе: борьбу крестоносцев, судьбы Востока, характер восточных деспотий. И спрятать концы того, что он об этом знает. Он заново, включая на полную мощность свою мыслительную систему, как-то все это решает, дает новые ответы. Проза движется за счет того, что он, без всяких ссылок на предшественников, интеллектуально решает свою задачу. Приблизительно нечто подобное происходит и в стихах. Мне кажется, верхний слой его стихов обладает прежде всего двумя очень могучими, с повышенной энергетикой, качествами. Первое — это мыслительный процесс, потому что нигде нет банальности, почти нигде нет заимствований, даже изящных, которые в высшей степени приняты и ничуть не осуждаются в поэзии; но Иосиф пытается решить все по-своему, всегда могучим образом работает его мозг. И второе — это его совершенно замечательный зрительный аппарат. У него особым образом устроено зрение, могучее какое-то такое, которое сразу создает точные фигуры — как некий очень усовершенствованный фотоаппарат для съемки больших масштабов, которые употребляются на самолетах. Вот так же работает его зрение, которое замечает иногда и континенты, а иногда и бегущую кошку или разломанную бочку на земле. Это все свойства какого-то прозаизированного характера, прозаизированного типа дарования, который, видимо, и позволил ему стать последним крупным новатором русской поэзии. Потому что все, что связано с чистой игрой в слова, и что так сейчас процветает в Москве... Может быть, я ретроград, но мне это кажется чрезвычайно эфемерным, потому что сегодня оно есть, а завтра его нету. В то время как Иосиф создал целую новую систему, основанную на выживании условной поэтики, потому что вся русская поэзия, замечательная и великая, она во многом износила свои поэтические средства, будучи условной поэзией. И он, внеся такое количество прозаизированных элементов и в мысли, и в зрение, а зрение — это значит картина, это описание, это внешний покров, это фактура...

— *...и в выборе словаря...*

— ...и в выборе словаря, который всегда определяется: или условный словарь поэзии, или точный определенный словарь прозы — он как бы вступил в новый город и прошел в нем, может быть, несколько кварталов пока, а за этим лежат новые улицы, новые площади, какие-то новые поселения, о которых еще никто ничего не знает, в то время как мы все еще находимся в глубине континента. Вот этот город Бродского, который он обрел и в который он вошел при помощи своего прозаизирования, — он существует.

— *Выходит ли Бродский за пределы русской культурной парадигмы и даже русского менталитета?*

— Я думаю, да.

— *В какой степени здесь вмешивается англосаксонская поэзия, которую Бродский так любил и любит?*

— Я думаю, чрезвычайно вмешивается. Тут следовало бы, наверное, сказать что-то точное, со ссылками на каких-то английских и американских поэтов, которых я опять же знаю только в переводах. Это довольно давняя история, и тут я могу сослаться на его собственные слова. Он говорил о том, что надо сменить союзника, что союзником русской поэзии всегда была французская и латинская традиция, в то время как мы полностью пренебрежительны к англо-американской традиции, что байронизм, который так много значил в начале XIX века, был условным, что это был байронизм личности, но что из языка, из поэтики было воспринято чрезвычайно мало, и что следует обратиться именно к опыту англо-американской поэзии. И уже тогда он называл те самые вещи, о которых мы сегодня говорили, то есть отсутствие завышенного, крикливого темперамента; прозаизирование; изменение масштаба: почти всегда масштаб лирического стихотворения упирается в масштаб автора, что это неправильно, что масштаб должен быть больше, это может быть масштаб страны, масштаб континента, масштаб какой-то мыслительной идеи, каковой является религия или социология.

— *Или время?*

— Да, да.

— *Не усматриваете ли вы некоторый парадокс в том, что Бродский, поэт элитарный и сознающий свою величину, призывает себя и читателя к скромности и смирению?*

— У меня это не вызывает удивления, потому что это и есть настоящий аристократизм. Только нувориш, только какой-нибудь разжиревший буржуа будет бить во все барабаны. Кроме того, я думаю, что здесь есть еще более глубокий слой — это попытка уйти от такой пресловутой русской романтической позы поэта, который является полным противопоставлением толпе: „Подите прочь! Какое дело поэту мирному до вас". Бродский, как, впрочем, и некоторые другие поэты, Кушнер, например, — я мог бы назвать еще две-три фамилии... В этом даже есть привкус нового мышления: не вне, не „пасти народы", как говорил Гумилев, не крик с кафедры и с амвона, — а полное слияние с толпой. Кажется, у Бродского есть такая строчка в „Лагуне": „совершенный никто, человек в плаще" [Ч:40/II:318]. Вот эта попытка быть „человеком в плаще" — это тоже драгоценная находка.

— *Как вам видится лирический герой Бродского? Это не только „человек в плаще", это и „человек в коричневом" [У:38/II:336], а чаще всего — просто человек, а еще чаще он вообще представлен синекдохой: тело, шаги, мозг. Не происходит ли тут полное вытеснение лирического „я" из стихотворения?*

— Да, это очень интересно — то, что вы говорите. Об этом надо было бы подумать. Безусловно, происходит некоторое вытеснение. Во всяком случае, он всегда старался себя отдалить от полубога, каким на протяжении многих веков в самых разных поэзиях являлся поэт, — к чему-то заурядному: постоянное упоминание о кариесе зубном, о разваливающейся плоти, о выпадающих волосах, то есть какое-то соединение себя со всем, что уничтожает время, со всем, что разрушается вместе с плотью [31]. Это достаточно интересная вещь, о ней надо подумать.

— *Присутствует ли тема России в стихах Бродского, написанных после эмиграции? Очевидна ли она для советского читателя, или она спрятана?*

— Это зависит, мне кажется, от текстов. Есть стихи, целиком посвященные России, например, замечательное „Падучая звезда, тем паче — астероид" [У:70-73/II:419-22]. Проходит она во всех стихах, эта тема. Но тут есть какая-то одна странность, которую я не могу так быстро сформулировать. Мне кажется, он уже видит Россию, в известной степени, оторванной от себя — как некий остров, как некую Атлантиду, закончившую определенный исторический этап и погрузившуюся в океан истории — и описывает этот затопленный остров. То, что так или иначе почти во всех его стихах присутствует или явно, или подпольно тема России, — это совершенно очевидно.

— *Как вы оцениваете прозу Бродского, в частности его пьесы?*

— Пьесы Бродского не показались мне абсолютно выдающимися произведениями. Однако в них присутствует все то, что замечательно характеризует Бродского: великолепная фантазия, первоклассный интеллектуализм, умение играть тоном, то его повысить, то снизить. В общем, это интересные и утонченные произведения. „Мрамор" [IV:247-308] [32] мне, скорее всего, нравится, „Демократия" [IV:309-33] [33], пожалуй, меньше. Во всяком случае, это мне интересно.

— *Вам не кажется, что он продолжает и в прозе обдумывать две-три своих излюбленных темы — тему Империи, тему после конца христианства, когда культура разрешена, но лишена своего духовного центра?*

— Безусловно. Тут я даже не в силах ничего добавить, просто я согласен с вами.

— *Расскажите об одном из первых вечеров поэзии Бродского в Москве после получения им Нобелевской премии, на котором вы председательствовали.*

— Это был самый первый вечер. Он был очень скромен. Я потом вел несколько десятков вечеров Бродского в обширных залах, при большом стечении публики, при участии знаменитых артистов и т.д. А самый первый был очень скромен, и в этом есть что-то, мне кажется, даже милое. Он был в подмосковном городе Пушкино, в районной библиотеке. Надо отдать должное библиотекарям и руководителям литературного кружка. Это было сразу после получения Нобелевской премии, и наше начальство глядело на Бродского довольно зверски, а они добились права проведения этого вечера в маленьком помещении, где негде было яблоку упасть, было столько людей. Одна актриса читала стихи Иосифа, а несколько человек о нем говорили. А потом пошли огромные вечера в Доме литераторов, в домах культуры, платные вечера, бесплатные вечера, где собирались сотни людей, где принимали участие всякие наши звезды, вроде Михаила Козакова, где показывались фильмы об Иосифе, прокручивались кассеты с его голосом.

— *Будучи опубликованными в России в виде доступных книг, в какой мере его стихи способны повлиять на сознание советского читателя и произвести в нем изменения к лучшему?*

— Вы знаете, этот вопрос для меня мучительно сложный. Тираж произведений Бродского в Советском Союзе огромный. Я имею в виду тираж не „по Гутенбергу", а машинописный, ксерокопированный. Он превосходит многие книги официальных поэтов. Сейчас в „Художественной литературе" выходит однотомник Бродского — дело начиналось еще при мне, но потом я отступил, потому что я не текстолог. Выходит тиражом 50 тысяч [34]. Почти все литераторы, которые как-то вовлечены в судьбы нашей словесности, уже знакомы со стихами Иосифа. С ними знакомо подавляющее большинство молодых поэтов, с ними знакомо подавляющее большинство интеллигенции. У меня есть опасение, что этот 50-тысячный тираж немедленно станет высокоденежным раритетом и уйдет к каким-то библиофилам на полку, что он ничего существенного не изменит. Кстати, 25 апреля в „Литературной газете" появится целая полоса его стихов [35].

— *Я знаю, у меня взяли интервью для „Литературной газеты" для круглого стола [36]. Но параллельно с „Худлитом" выходит сборник в Минске, за который отвечает Уфлянд, потом, кажется, в Волгограде и, наконец, в Ленинграде [37]. Итого три-четыре книжки почти одновременно. Что-то должно дойти до рядового читателя?*

— Безусловно. Я опираюсь на то, что будет сделана одна, хорошо вычитанная самим Иосифом, книга. Но если выйдет несколько книг, кто знает... Дело в том, что у нас произошла явная европеизация отношений с поэзией, то есть она, в общем, перестала интересовать общество.

— *А, может быть, это здоровые отношения?*

— Да, я сам так считаю. Я уверен в том, что времена Евтушенко и Вознесенского, когда были стотысячные тиражи, митинги на стадионах, и когда считалось, что они ответят на все роковые вопросы времени, прошли. Это невероятно сложный вопрос — что ответит рядовой читатель. Будем надеяться, что лучшие из них увидят, что это первоклассная литература. А те люди, которые связаны с культурой какой-то пуповиной, какой-то живой нитью — они уже знают эти стихи. Ну, они получат том.

— *Какие из стихов Бродского вы не включили бы в его „Избранное"?*

— Я не очень люблю определенное количество его ранних стихов, которые, кстати сказать, весьма популярны, вроде „Пилигримов" [С:66-67/I:24] и т.д. Мне вообще нравится, что Иосиф пишет в последнее время, но лет семь тому назад у него был такой механистический период. Я сейчас даже не в силах перечислить все, но там есть стихи, которые, мне кажется, сделаны несколько компьютерным образом. Но так нельзя судить поэта. Я это говорю, и сам недоволен своими словами, потому что поэзия есть некий процесс, и необходимо любить и ценить поэта и воспринимать его творчество как некий поток, где есть перепады, где есть пробелы, как результат жизни. А так как жизнь свою не выстроишь по линейке, то и невозможно судить о том, где хуже, где лучше. Жизнь совпадает со стихами.

— *Я знаю, что у вас есть несколько стихотворений, посвященных и обращенных к Иосифу. Какое из них вы позволили бы включить в этот сборник?*

— Это очень старое стихотворение, написанное в 1974 году, то есть 16 лет тому назад. Это первое стихотворение, обращенное к Иосифу после отъезда. У меня есть еще несколько стихотворений, ему посвященных, но пусть здесь будет это первое стихотворение.

## В НОВУЮ АНГЛИЮ [38]

И.Б.

На первом этаже выходят окна в сад,
Который низкоросл и странно волосат
От паутины и нестриженных ветвей.
Напротив особняк, в особняке детсад,
Привозят в семь утра измученных детей.
Пойми меня хоть ты, мой лучший адресат!

Так много лет прошло, что наша связь скорей
Психоанализ, чем почтовый разговор.
Привозят в семь утра измученных детей,
А в девять двадцать пять я выхожу во двор.
Я точен, как радар, я верю в ритуал —
Порядок — это жизнь, он времени сродни.
По этому всему, пространство есть провал,
И ты меня с лучом сверхсветовым сравни!

А я тебя сравню с приветом и письмом,
И с трескотней в ночном эфире и звонком,
С конвертом, что пригрет за пазухой тайком
И склеен второпях слезой и языком.
Зачем спешил почтарь? Уже ни ты, ни я
Не сможем доказать вины и правоты,
Не сможем отменить обиды и нытья,
И все-таки любви, которой я и ты
Грозили столько раз за письменным столом.

Мой лучший адресат, напитки и плоды
Напоминают нам, что мы еще живем.
Семья не только кровь, земля не только шлак,
И слово не совсем опустошенный звук!
Когда-нибудь нас всех накроет общий флаг,
Когда-нибудь нас всех припомнит общий друг!

Пока ты, как Улисс, глядишь из-за кулис
На сцену, где молчит худой троянский мир,
И вовсе не Гомер, а пылкий стрекулист
Напишет о тебе, поскольку нем Кумир.

## ПРИМЕЧАНИЯ

[1] См. Иосиф Бродский, „Трагический элегик. О поэзии Евгения Рейна". Эссе написано как предисловие к кн. Рейна „Против часовой стрелки" (Hermitage: Tenafly, N.J., 1991, С. 5-13)). В России опубликовано в журнале „Знамя" (No. 7, 1991, С. 180-84) и в качестве предисловия к „Избранному" Рейна („Третья волна": Москва-Париж-Нью-Йорк, 1992, стр.5-13). Английские переводы стихов Рейна см. „Metropol" (New-York/London, 1982), tr. by H.W.Tjasma, P. 64-84.

[2] Иосиф Бродский в интервью Анни Эпельбуан сказал: „На мой взгляд, это самый интересный, самый значительный поэт на сегодня" (Иосиф Бродский, „Европейский воздух над Россией" („Странник", No. 1, 1991, С. 36)). См. также выступление Бродского на вечере Евгения Рейна в Культурном центре эмигрантов из Советского Союза в Нью-Йорке 29 сентября 1988 года („Стрелец", No. 10, 1988, С. 38-39).

[3] Иосиф Бродский, „Настигнуть утраченное время", интервью Джону Глэду („Время и Мы", No. 97, 1987, С. 165). В России перепечатано в альманахе „Время и Мы" („Время и Мы"/„Искусство": Москва/Нью-Йорк, 1990), С. 283-97 и в книге Глэда „Беседы в изгнании" („Книжная палата": М., 1991, С. 122-31).

[4] О „неофициальной" поэзии Ленинграда конца 50-х — начала 60-х см. подборку материалов в „Новом литературном обозрении" (No. 14, 1995, С. 165-314), там же избранная библиография, составленная Иваном Ахметьевым и Владиславом Кулаковым. См. также интервью с Анатолием Найманом в настоящем издании.

[5] Из статьи Владимира Уфлянда „Один из витков истории Питерской культуры" (альманах „Петрополь" (Л-д), Вып. 3, 1991, С. 108-15): „В объединении Технологического института царил Евгений Рейн со своей поэмой о Рембо и тихо, но ярко блистали Анатолий Найман и Дмитрий Бобышев" (С. 110).

[6] Рейн, вероятно, имеет в виду некоторые из интервью Бродского, в частности, Наталье Горбаневской: „Быть может, самое святое, что у нас есть — это наш язык..." („Русская мысль", 3 февраля 1983 г., С. 8-9) и Джону Глэду (Ibid.), в которых обсуждаются проблемы русской поэзии и поэтики.

[7] Бродский в интервью Горбаневской, вспоминает: „Я у него [у Рейна] многому научился. Один урок он мне преподал просто в разговоре. Он сказал: 'Иосиф, ... в стихотворении должно быть больше существительных, чем прилагательных, даже чем глаголов. Стихотворение должно быть написано так, что если ты на него положишь некую волшебную скатерть, которая убирает прилагательные и глаголы, а потом поднимешь ее, то бумага все-таки будет еще черна, там останутся существительные: стол, стул, лошадь, собака, обои, кушетка...'. Это, может быть, единственный или главный урок по части стихосложения, который я в своей жизни услышал" (Ibid., С. 9). Сходное воспоминание см. в выступлении Бродского на вечере Рейна в Нью-Йорке 29 сентября 1988 (Ibid.) и в интервью Джону Глэду (Ibid.).

[8] Евгений Рейн, „Нежносмо..." („Раритет-537": М., 1992, С. 56-57).

[9] „Посвящение Глебу Горбовскому" („Уходить из любви..."), датированное 4 сентября 1961 г. (по „самиздатскому" „Собранию сочинений" Бродского, составленному и отредактированному Владимиром Марамзиным (том 1, „Стихи и поэмы 1957-62",

Л-д, 1974; далее — [МС-1]), опубликовано без ведома автора в 1965 году в книге „Стихотворения и поэмы" и в альманахе „Воздушные пути" (Нью-Йорк, Вып. IV, 1965, С. 61-62). Больше на русском языке не переиздавалось. „Письмо к А.Д." („Все равно ты не слышишь...") также не переиздавалось до включения в I том „Сочинений Иосифа Бродского". Поэт относился к своим вещам этого периода довольно скептически (см. интервью с Томасом Венцловой в настоящем издании).

[10] Константин Кузьминский с Георгием Ковалевым собрал и издал 9 томов „Антологии новейшей русской поэзии у Голубой Лагуны в 13 томах": K.K.Kuzminsky & G.L.Kovalev (Eds.), "The Blue Lagoon Anthology of Modern Russian Poetry" (Oriental Research Partners: Newtonville, Mass./ N.Y., 1980-86. — Vols. 1, 2A, 2B, 3A, 3B, 4A, 4B, 5A, 5B).

[11] "The Blue Lagoon Anthology of Modern Russian Poetry", Ibid., Vol. 2B, 1986, С. 233.

[12] О Михаиле Красильникове см. статьи Уфлянда „Один из витков истории Питерской культуры" (Ibid.), Льва Лосева „Тулупы мы" ("The Blue Lagoon Anthology of Modern Russian Poetry", Ibid., Vol. 1, 1980, С. 141-49; перепечатано в „Новом литературном обозрении", No. 14, 1995, С. 209-15), Вадима Крейденкова „Футурист 50-х годов" и Соломона Гозиаса „О Красильникове" ("The Blue Lagoon...", Ibid., Vol. 5A, 1986, С. 559-84). Стихи Красильникова опубликованы в 1 томе антологии „У Голубой Лагуны" (С. 156-58) и в журнале „Аврора" (No. 10, 1991, С. 45-47).

[13] Горбовскому посвящено упомянутое выше стихотворение „Уходить из любви..." [С:41-42] и датированный 9 декабря 1960 г. (по [МС-1]) „Сонет к Глебу Горбовскому" („Мы не пьяны. Мы, кажется, трезвы") [С:40], никогда не переиздававшиеся автором и не вошедшие в „Сочинения Иосифа Бродского". В России „Сонет к Глебу Горбовскому" был перепечатан в первом выпуске альманаха „Петрополь" (Л-д, 1990, С. 12). Бродский в интервью Анни Эпельбуан отмечает, что, сделав „официальную карьеру", „Горбовский ..., к сожалению, превратился в довольно посредственного автора не без проблесков таланта. И конечно же, это поэт более талантливый, чем, скажем, Евтушенко, Вознесенский, Рождественский, кто угодно. И тем не менее, как ни грустно признать, это все-таки второй сорт" (Ibid., С. 36). Горбовский писал о Бродском в своих мемуарах „Остывшие следы. Записки литератора" („Лениздат": Л-д, 1991, С. 217, 247, 269, 279-81, 283, 290, 362). О Горбовском „неофициального" периода см. статью Славы Гозиаса „Несколько слов о Глебе Горбовском" („Новый журнал", Нью-Йорк, No. 162, С. 153-68; перепечатано в „Русском разъезде", Вып. 1, 1993). Ранние стихи поэта опубликованы Алексеем Хвостенко в парижском журнале „Эхо" (No. 3, 1978, С. 50-55) и К.Кузьминским в антологии „У Голубой Лагуны" (Ibid., Vol. 1, С. 431-83). Там же см. материалы о данном периоде поэта (Vol. 1, С. 425; Vol. 5A, С. 585-626). Уже в настоящее время ранние стихи собраны Горбовским в книгу „'Сижу на нарах...' (Из непечатного)" („Редактор": СПб., 1992).

[14] Пастернак Б.Л., „Собрание сочинений в пяти томах" („Худож. литература": М., т. 1, 1989, С. 196).

[15] Пастернак Б.Л., „Собрание сочинений в пяти томах", Ibid., С. 293.

[16] Верлибр 1960 года „Памяти Феди Добровольского" („Мы продолжаем жить"), не вошедший в „Сочинения Иосифа Бродского", был перепечатан в первом выпуске альманаха „Петрополь" (Ibid., С. 12-13). Возможно, Рейн имеет в виду написанную в том же году и примыкающую к нему „Песенку о Феде Добровольском" („Желтый ветер маньчжурский") [С:36], в России опубликованную в кн. Бродский И. „Форма времени. Стихотворения, эссе, пьесы в 2-х томах" („Эридан": Минск, 1992, т. 1, С. 72).

[17] Анахронизм. Стихотворение „Воротишься на родину. Ну что ж..." входит в цикл „Июльское интермеццо" [I:84-94], написание которого связано с экспедицией в Якутию летом 1961 года.

[18] Поэма в трех частях „Петербургский роман", датированная первой половиной 1961 года, не включалась в доотъездные авторские сборники [С] и [О]. Вероятно, здесь сыграли свою роль цензурные соображения, т.к. в гл. 7-9 прямо фигурирует „Литейный, бежевая крепость, / подъезда четвертый кгб": „...хвала тебе, госбезопасность, / людскому разуму хула..." [I:68-69]. В позднейших машинописных экземплярах гл.7 была целиком опущена, а гл.8-9 даны в значительно сокращенной редакции. Полный текст „Петербургского романа" (с вариантами редакций поэмы) сохранился в [МС-1] (С. 108-34). Поэма была опубликована через 30 лет после написания, в 1 томе „Сочинений Иосифа Бродского".

[19] Некоторая путаница с датами. „Исаак и Авраам" написан в 1963 году, а „Новые стансы к Августе" датированы 1964 годом.

[20]
V.Polukhina, "Joseph Brodsky: A Poet for Our Time" (Cambridge University Press, 1989, P. 8). 1962 год фигурирует в беседе Бродского с С.Волковым: „Вспоминая Анну Ахматову" („Континент", No. 53, 1987, С. 337-82). См. отдельное издание: „Бродский об Ахматовой. Диалоги с Соломоном Волковым" („Независимая газета": М., 1992, С. 6). См. также интервью Джону Глэду „Настигнуть утраченное время" (Ibid., С. 288).

[21]
Бродский фотографировал Ахматову несколько раз. Ряд снимков воспроизведен в кн. Amanda Height, "Anna Akhmatova. A Poetic Pilgrimage" (Oxford University Press, 1976). Воспоминания об этом см. „Бродский об Ахматовой", Ibid., С. 25.

[22]
Стихи Бродского, заканчивавшего в то время работу над „Июльским интермеццо" [I:84-94] и находящегося на подступах к „Шествию" [C:156-222/I:95-149], понравиться Ахматовой, конечно же, не могли. Да и сам поэт признавался, что некоторое время не понимал „с кем он имеет дело". Бродский, по собственному признанию, „был нормальный молодой советский человек", довольно смутно разбиравшийся в полузапретной поэзии „серебряного века": „'Сероглазый король' был решительно не для меня, как и 'правая рука', 'перчатка с левой руки' — все это не представлялось мне такими уж большими поэтическими достижениями" („Бродский об Ахматовой", Ibid., С. 7). Поэт вспоминал, что „когда ... Рейн предложил меня свести к Ахматовой, я чрезвычайно удивился: а что, Ахматова жива?" („Настигнуть утраченное время", Ibid., С. 288).

[23]
Цикл „Песни счастливой зимы" (1962-64) полностью опубликован Львом Лосевым в альманахе „Часть речи" (No. 2/3, Нью-Йорк, 1981/82, С. 47-62) с его же послесловием: „Первый лирический цикл Иосифа Бродского" (С. 63-68).

[24]
Р.Л.Берг — дочь академика Берга, у которого когда-то учился отец поэта. Вероятно, Бродский снимал дачу в Комарово в первую из „счастливых зим" (1962-63), поскольку вторая (1963-64) прошла, по воспоминаниям Лосева, „в непрерывном бегстве" („Часть речи", No. 2/3, С. 67). Бродский рассказывает об этой зиме, когда они с Ахматовой „виделись буквально каждый день", в беседах с Соломоном Волковым (Ibid., С. 7, 25).

[25]
V.Polukhina, "Joseph Brodsky: A Poet for Our Time" (Ibid, P. 9). См. также: В.Полухина, „Ахматова и Бродский (к проблеме притяжений и отталкиваний)" („Ахматовский сборник", Париж, Vol. I, 1989, С. 143-53).

[26]
Марианна Павловна Басманова, подруга поэта, известная читателям под инициалами М.Б.

[27]
„...если есть какая-либо эволюция, то она в стремлении нейтрализовать всякий лирический элемент, приблизить его к звуку, производимому маятником, т.е. чтобы было больше маятника, чем музыки." („Настигнуть утраченное время", Ibid., С. 295).

[28]
Joseph Brodsky, "Pendulum's Song" [L:53-68]. Эссе написано по-английски в 1975 году и опубликовано под названием "On Cavafy's Side" ("The New York Review", Vol. XXIV, No. 2, 17 February 1977, P. 32-34). Авторизованный перевод Лосева: „На стороне Кавафиса" впервые опубликован в парижском журнале „Эхо" (No. 2, 1978, С. 142-52).

[29]
„Быть может, самое святое, что у нас есть — это наш язык...", интервью Н.Горбаневской, Ibid., С. 8.

[30]
Эссе „Путешествие в Стамбул" написано в июне 1985 года и впервые опубликовано в „Континенте" (No. 46, 1985, С. 67-111). Английский перевод: "Flight from Byzantium", tr. by Alan Myers with author, originally in "The New Yorker" (Vol. 61, No. 36, 1985, October 28, P. 39-80).

[31]
В многочисленных интервью поэт выделяет тему времени не только как сквозную, но и как основополагающую для своего творчества: „Дело в том, что то, что меня более всего интересует и всегда интересовало на свете ... — это время и тот эффект, какой оно оказывает на человека ... то, что время делает с человеком, как оно его трансформирует. С другой стороны, это всего лишь метафора того, что, вообще, время делает с пространством и с миром" („Настигнуть утраченное время", Ibid., С. 285).

[32]
Пьеса „Мрамор" написана в 1982 года и впервые опубликована в израильском журнале „Двадцать два" (No. 32, 1983, С. 3-59); отдельное издание: „Мрамор" (Ardis: Ann Arbor, 1984). Английский перевод: "Marbles: A Play in Three Acts", trans. Alan Myers with the author, "Comparative Criticism" (Cambridge, Vol.VII, 1985, P. 199-243). Отдельное издание: "Marbles. A Play in Three Acts" (Farrar, Straus & Giroux: New York, 1989).

[33]
„Демократия!" впервые опубликована в „Континенте" (No. 62, 1990, С. 14-42). Отдельным двуязычным изданием: „Демократия! Одноактная пьеса" / "Democratie! Piece

en un acte", tr.fr. Veronique Schiltz (A Die, 1990). Английский перевод: "Democracy", trans. by Alan Myers ("Granta", No. 30, Winter 1990, P. 199-233). В 1993 году Бродский опубликовал второй акт пьесы: "Democracy, Act II" ("Partisan Review", Vol. 60, No. 2, Spring 1993, P. 184-94; 260-88).

[34] Бродский И., „Часть речи. Избранные стихи 1962-1989", составитель Эдуард Безносов ("Худож. лит-ра": М., 1990).

[35] Бродский И., „Только пепел знает, что значит сгореть дотла..." („Литературная газета", 25 апреля 1990 года, С. 6).

[36] В беседе приняли участие критик Виктор Ерофеев, поэты Юрий Кублановский и Александр Кушнер, литературоведы Дмитрий Урнов и Валентина Полухина („Литературная газета", 16 мая 1990 года, С. 6).

[37] В августе 1990 года вышли первые два отечественных сборника стихов Бродского: „Назидание", сост. В.Уфлянд („Смарт"/„Эридан": Л-д/Минск, 1990) и „Осенний крик ястреба", сост. О.Абрамович („ИМА-пресс": Л-д, 1990). После этого, помимо многочисленных публикаций в периодике, в 1990-95 годах вышли книги: „Стихотворения Иосифа Бродского", сост. Г.Комаров („АЛГА-Фонд": Л-д, 1990); „Часть речи. Избранные стихи 1962-1989 годов", сост. Э.Безносов („Худ. лит.": М., 1990); „Стихотворения" („Полиграфия": М., 1990); „Стихотворения", сост. Я.Гордин („Eesti Raamat": Таллинн, 1991); „Письма римскому другу", сост. Е.Чижова („Экслибрис": Л-д, 1991); „Баллада о маленьком буксире" („Детская литература": Л-д, 1991); „Холмы. Большие стихотворения и поэмы", сост. Я.Гордин („Киноцентр": СПб, 1991); „Бог сохраняет все", сост. В.Куллэ („Миф": М., 1992); „Форма времени. Стихотворения, эссе, пьесы в 2-х томах", сост. В.Уфлянд („Эридан": Минск, 1992); „Рождественские стихи" („Независимая газета": М., 1992); „Набережная неисцелимых. Тринадцать эссе", сост. В.Голышев („Слово": М., 1992); „Избранное" („Библиотека новой русской поэзии", 1 том), сост. Г.Комаров („Третья волна"/„Нейманис": Москва/Мюнхен, 1993); „Каппадокия" („Петербургское соло", Вып. 10) (СПб, 1993); „Избранные стихотворения 1957-1992" (серия „Лауреаты Нобелевской премии"), сост. Э.Безносов („Панорама": М., 1994; „Пересеченная местность. Путешествия с комментариями", сост. П.Вайль („Независимая газета": М., 1995); „В окрестностях Атлантиды: новые стихотворения", сост. Г.Комаров („Пушкинский фонд": СПб, 1995); „Сочинения Иосифа Бродского", сост. Г.Комаров („Пушкинский фонд": СПб, I-IV тома, 1992-1995).

[38] Евгений Рейн, „Избранное" („Третья волна": Москва-Париж-Нью-Йорк, 1992, С. 57-58).

Анатолий Генрихович Найман родился 23 апреля 1936 года в Ленинграде. Поэт, прозаик, переводчик, эссеист. Окончил Ленинградский Технологический институт (1959). Вместе с Бобышевым, Бродским и Рейном принадлежал к кругу опекаемых Ахматовой молодых поэтов. С 1962 года и до конца ее жизни Найман был литературным секретарем Ахматовой, вместе с ней он переводил Леопарди в 1964 году[1]. Автор замечательных воспоминаний: **„Рассказы о Анне Ахматовой"** (1989), которые в 1991 году вышли по-английски с предисловием Бродского[2]. В Москве, где Найман живет с 1968 года, опубликованы его переводы поэзии трубадуров, старопровансальских и старофранцузских романов[3]. Он также переводил Бодлера, Браунинга, Гельдерлина, Джона Донна, Т.С.Элиота и Паунда.

В юношеских стихах Наймана слышатся голоса Блока, Пастернака и Заболоцкого, а в зрелом возрасте он следует акмеистическому канону, пользуясь классическими размерами, чистейшим словарем, изысканным синтаксисом и архитектурной композицией. Для Наймана основной единицей стихотворения является не фраза, а слово, к которому он относится как к драгоценному материалу. Своей возвышенной духовностью, абстрактной образностью и медитативно-элегическим тоном, окрашенным иронией, Найман близок поэтике Бродского, питающейся из того же источника. В послесловии к **„Стихотворениям Анатолия Наймана"** (1989), первому сборнику поэта, Бродский отмечал, что в творчестве Наймана „двух последних десятилетий нота христианского смирения звучит со все возрастающей чистотой и частотой, временами заглушая напряженный лиризм и полифонию его ранних стихотворений"[4]. Найман написал одну из первых серьезных статей о творчестве Бродского, которая появилась в качестве вступления к сборнику „Остановка в пустыне" под инициалами Н.Н.[5]. Несколько его последующих эссе, докладов и статей о Бродском отличаются тонкими наблюдениями, глубоким анализом и блистательным слогом[6]. В последнее время стихи Наймана широко представлены в отечественной периодике[7]. В 1993 году вышел второй сборник Наймана, **„Облака в конце века"**[8], готовится к изданию новая книга стихов под условным названием **„Точное время"**. В 1992 году в Лондоне вышла книга прозы **„'Статуя Командира' и другие рассказы"**[9]. Найман продолжает работу над прозой, он опубликовал в периодике роман **„Поэзия и неправда"**, завершил работу над книгой рассказов **„Славный конец бесславных поколений"**[10].

# СГУСТОК ЯЗЫКОВОЙ ЭНЕРГИИ [11]

*Интервью с Анатолием Найманом*
*13 июля 1989 года, Ноттингем*

— *Расскажите о вашем первом впечатлении от встречи с Иосифом.*

— Я думаю, что это было году в 58-м, наверное [12]. Тут может быть ошибка в полгода. Если это так, то мне было 22, ему 18. И в 22 года у меня, смешно сказать, уже была некоторая репутация, которая казалась мне тогда не некоторой, а весьма основательной, то есть в том кругу Ленинграда, который интересовался поэзией. А он был достаточно широк, несмотря на свою арифметическую узость. И вот приходит 18-летний юноша, мальчишка, про которого уже известно, что он громок, что он там выступал, сям выступал, оттуда его выгнали, здесь не знали, что с ним делать. Я хочу подчеркнуть, что это не надо воспринимать как что-то касающееся конкретно Бродского. Тогда он был не один такой. Это в молодом поэте есть. Говорю по собственному опыту и по тому, что наблюдал тогда и наблюдаю с тех пор всю жизнь. В поэте есть то, что люди называют настырностью. Ему во что бы то ни стало надо прочесть только что написанное стихотворение. Причем, как сказал поэт, „чем больше пьешь, тем больше хочется, а жажда все не отпускает" [13]. И только что ты прочитал, услышал отзыв, — причем, разумеется, когда тебе 18 или 20 лет, какой бы ты ни услышал отзыв, ты вынимаешь из него только ту часть, которая свидетельствует о том, что твоему слушателю стихотворение понравилось, во всяком случае, не не понравилось... Так вот, едва только ты выжал одного слушателя, ты сразу же ищешь другого, как такой ненасытный паук. Таким был, естественно, в 18 лет и Бродский, но умножьте на то, что мы знаем о нем о позднейшем, то есть, что это сильный темперамент, энергия, и вот вы получите этого рыжего малого. Его все время в краску бросало. Если про него, тогдашнего, сказать, что он побледнел, это значит, что он остался просто румяным. И это не качество, а существо. И это не только мое впечатление. За это я сохранил к нему до сих пор нежность настоящую. С первого раза, в те его 18 лет, я увидел перед собой человека, которому было невыносимо почти все то хамство, почти весь тот ужас, почти вся та пошлость, которая и есть окружающий его мир. Более того, так же точно его мучили его собственные стихи. Он читал стихи, и почти все в них во время чтения ему не нравилось. То есть вообще стихи его были им очень любимы, это было видно, что он любит эти стихи. И вместе с тем, он почти все время себя перебивал жестами, ударами, знаменитыми своими ударами по лбу, от которых другой бы лоб давно раскололся, проборматываниями каких-то строчек, потому что они ему казались явно никуда не годными, какими-то прокрикиваниями, торопливостью какой-то в чтении других строчек. Короче говоря, он читал, реагируя беспрерывно на чтение собственного стихотворения. Но стихи были слишком экспрессивны для меня тогда. В них было очень много крика и очень мало структуры.

Это я говорю нынешними словами, а тогда они просто показались мне лишними в моей жизни. Мне этого было не нужно. Поэтому я запомнил только одно стихотворение, наверное, это известное стихотворение, но я больше с ним никогда не сталкивался, как и вообще со стихами того времени. Я не перечитывал Бродского, а книжку, которую он мне, кстати говоря, подарил, у меня украли. И когда мне иногда нужно обратиться к этой книжке, я только вспоминаю вора, которого я знаю. Тех стихов, короче говоря, я больше не видел. Это были стихи, в которых, я помню, были большие вагоны [14]. И вдруг это стихотворение на фоне всего этого крика, на фоне чуждого мне поэтического хаоса, — вдруг втянуло меня в себя. Как всегда бывает, знаете, ты слушаешь ушами, головой, и вдруг клюнуло куда-то и пробило оболочку. Я сказал после этой встречи: „Да, благодарю вас. Да, спасибо". Мы тогда подчеркнуто были какими-то такими неслыханными сэрами и джентльменами, которых на свете не бывает, то есть в реальности. По-моему, он пришел ко мне от Рейна: тогда это тоже учитывалось, от кого и к кому кто пришел. Тогда очень важна была рекомендация. Если не ошибаюсь, мне позвонил Рейн и сказал: „К тебе придет вот такой малый". Он пришел и сказал: „Меня к вам Рейн послал". И я потом Рейну сказал, что ну, все, да, понятно, талант, но у меня, мол, другие заботы сейчас. Я это к тому хочу сказать, что никакой пылкой дружбы сначала не возникло. И так проходили недели. Ну, в молодости ты особенно эгоист, это всем известно. Я хочу, чтоб это было понятно, чтоб не было такого впечатления, что вот жил в Ленинграде, было в нем звездное небо, состоящее из звездочек той или иной величины, потом вдруг вспыхнула невероятная звезда. На самом деле, я вспоминаю, таких тогдашних Бродских было человека три в Ленинграде. Одного даже звали Иосиф. Ну, фамилия там какой-нибудь Бейн [15]. И еще кто-то такой. Тоже такие громкие, громкоголосые евреи, которые читали стихи. Их все время тоже выпихивали откуда-то. С ними была связана репутация, подрывавшая миропорядок. Так что он был не один такой тогда. Он жил в атмосфере общего неприятия, неприятия человека, от которого можно ждать неприятностей, однако сдобренной преданностью и любовью к нему нескольких людей. Например, очень преданной ему тогда была Оля Бродович и еще несколько человек. Нежность к нему и теплота возникали непроизвольно: как, например, у меня — несмотря на ту первую отчужденность.

*— А как он примкнул к вашей группе?*

— Не то чтобы у нас было какое-нибудь специальное заседание совета, чтоб Бродский примкнул. Прошло некоторое время, и оказалось, что мы беспрерывно видимся и даже проводим массу времени вместе, знаем все друг про друга. Хотя в это время мы женились, у нас были какие-то путешествия, какие-то увлечения и т.д., но впечатление того, что мы проводим массу времени вместе, оставалось. Во-первых, скажем, возлияния, чтение стихов в каких-то небольших собраниях, может быть, даже еже-вечернее в какие-то сезоны определенные, но, кроме того, еще и жажда чтения стихов друг другу. Мы жили примерно в одном районе. От Рейна до меня было ходьбы 5 минут, а до Бродского от нас было 4 или 5 остановок. И он жил как бы на середине между Бобышевым и нами. Что касается меня, то несколько раз в день он мне звонил, я ему звонил. У него была, например, такая „остроумная" шутка. Он звонил — при том, что телефоны прослушивались явно, и даже люди стояли в некоторые минуты у подъездов, особенно когда иностранцы какие-то приезжали —

он звонил и говорил: „Але, это квартира Наймана? Это вам из КеГеБе звонят". И чтение стихов по телефону, и чтение стихов при встрече. Я описал в книге, как он читал мне „Большую элегию Джону Донну" [C:130-36/I:247-51], только что написанную, еще горячую, в железнодорожных кассах, к ужасу всех стоящих в очереди за билетами [16]. Надо сказать, что антагонизма между группками нашими не было [17]. Разумеется, мы уважали больше всего себя. Например, я говорил кому-то: „Если бы я хотел писать такие стихи, как ты, я писал бы такие стихи, как ты. Но я пишу такие, какие пишу я, потому что мне их хочется писать". Скажем, была группа: Еремин, Уфлянд, Кулле, Виноградов и Лосев (Леша Лифшиц) [18]. И мы к ним относились, как к друзьям. Мы отдавали должное тому, что они пишут. Из Москвы приезжали... Долгое время в моем сознании, и не только в моем, безусловным поэтическим лидером времени, бесспорным, был Стась Красовицкий [19], москвич. Их было три очень талантливых поэта — Красовицкий, Хромов и Чертков [20]. Я ни с кем совершенно не собираюсь вступать в полемику. Я просто действительно их считаю замечательными русскими поэтами. Другое дело, что Красовицкий в начале 60-х годов отказался от поэзии. Хромов продолжал писать. С Чертковым свои случились всякие злоключения. Не говоря уже о том, что он попал в лагерь, потом уехал за границу и т.д. Мы смотрели друг на друга с некоторым высокомерием, но все понимали, что высокомерие — это просто тот костюм, который надо на себя надевать. А на самом деле мы относились друг к другу с искренней доброжелательностью. Честно говоря, с некоторым недоверием смотрели на так называемую группу „горняков". У них был курс на публикацию. И они все очень быстро стали публиковаться [21].

— *Кто входил в эту группу?*

— Британишский, Кушнер, Агеев, Кумпан, Битов, Королева, Горбовский. Они были безусловно одаренные люди. Горбовского мы очень любили. Вообще, талант — вещь очень редкая, как мы знаем. И в таланте есть обаяние. Если человек не совсем уж сбрендил на себе и не все время думает о том, как ему сохранить скорлупу, в которую он себя запер, то талант его очень легко пленяет. А Горбовский был и, я думаю, есть, никуда это не ушло, необыкновенно талантлив. Тут не надо было задумываться, за что любить его стихи [22]. Мы их любили так же, как его поведение. (Так же и Голявкина: это талантливый прозаик, совершенно недооцененный. Он несколько замечательных книг издал. Тут тоже была пленительность таланта.) Что касается остальных „горняков", или членов литературного объединения Горного института, то их держали немного взаперти, как в таком хорошем колледже, знаете, чтобы они не путались с уличными, хотя они из себя изображали как раз уличных. Но они могли заразиться от нас наплевательским отношением ко всему, что могло быть названо сколько-нибудь официальным. А тогда, да и до последнего времени, нельзя было ничего напечатать без хотя бы тонкого яда официальности.

На особом несколько положении стоит Кушнер, потому что ему удалось застолбить свое место в первых вышедших книгах, то есть с самого начала он получил право на свой голос, на свой тембр голоса, на индивидуальную, ненавязчивую интонацию. Что касается остальных, то давность бьет содержание. Когда я кого-то из них встречаю, я знаю, вот более или менее „свой" человек. Очень многое можно сказать полусловами. Но то, что они писали, мне никогда в рот не лезло. Честно говоря, это было еще и скучно очень...

На чем мы остановились?.. В те годы, когда тебе 23-4-5-7, фокусировка подворачивается довольно быстро. Итак, какая-то в нас четверых появилась сплоченность. Мы понимали... мы могли сказать о стихах друг друга в каком-то мычании или в точной фразе, неожиданно прозвучавшей, мы сказали уже что-то такое, что потом требовались какие-то жесты или какие-то „бу-бу" или „му-му" для того, чтобы была понятна твоя оценка того, что твой товарищ написал. Так продолжалось до 64 года, когда начались некоторые личные события в нашей жизни. И тогда прошла трещина в личных отношениях. То, что нас сплотило несколько лет тому назад, отменить уже было нельзя, да и не нужно было отменять. Но прошла личная трещина, и постепенно судьбы разошлись, и не потому что это вот наши конкретные судьбы, а потому что совершенно естественно, когда собираются четыре индивидуальности, то они расходятся. И можно только удивляться тому, что они так близко сходятся.

— *Именно потому, что никому из вас не надо было занимать ни ума, ни таланта, как началось и заметно ли было выделение Иосифа среди вас, и чем? Или тогда, до 64 года, до возвращения из ссылки, он как поэт среди вас не выделялся? Когда вы начали сознавать то, что мы сейчас зовем Бродский?*

— Давайте я буду только за себя отвечать. Тут мы переходим, собственно, к самому существу этого интервью. Сначала я отвечу на ваш конкретный вопрос. Он очень быстро рос, что называется. Я употребляю слово „рос" в метафизическом смысле. Эти четыре года разницы сохранялись. И вместе с тем через 3-4 года мы были ровня во всех смыслах. Мы не ощущали его более молодым ни в каком смысле. А дальше я буду отвечать только за себя. Дальше началось то, что называется известностью. Сперва знаменитый судебный процесс. Он стал фигурой под прожекторами. Он вел себя на процессе безукоризненно. Он показал то, что было для меня, знаете, щемящим. Была в его поведении такая привлекательность, от которой даже щемило сердце. Он все время был беззащитным человеком, при этом в той степени высоты человеческой, что можно было, посмотрев на его поведение во время процесса и во все это время, вдруг вспомнить, что человеки, они вот такие могут быть, а не только совершать непорядочные, неблагородные или обыкновенные поступки, не только жить обыкновенной жизнью. Вдруг увидели, что вот это вот незащищенное, в каждую секунду готовое к гибели существо держится с таким достоинством. Этому стало сопутствовать радио. Знаете, тогда Би-Би-Си или „Голос Америки" были как голоса из заоблачных высей. И вот „Голос" говорит: „Бродский... Бродский... Иосиф Бродский". То есть начинается вот эта сторона славы. Подавляющее большинство людей тогда начали восклицать: „Она пришла! Она пришла сама!"[23] Это были люди, которые начали говорить: „А вы знаете, какие он стихи замечательные пишет!" Он не стал писать стихи более замечательные, чем он писал до того, как „Голос Америки" и Би-Би-Си начали повторять его имя. Не то чтобы что-то качественное изменилось в нем, но после условного „Голоса Америки" вдруг эти стихи оказались замечательными. Это имеет, как сейчас говорят, обратную связь. Это подействовало и на самого Бродского. Ну, я знаю этот механизм на себе: ты как-то должен себя вести соответствующим образом.

Я могу утверждать, что Иосиф не был высокого мнения о людях, которые его окружали. Он этого не скрывал и как-то даже давал понять людям, что он о них невысокого мнения. И вот изумление мое: людям было приятно, что он показывает, что он о них невысокого мнения. Им ведь нужен товарищ Сталин в самых разных областях. Я этого всего совершенно не принимал. Больше того, когда видишь, что все заодно, то начинаешь этому все больше и больше сопротивляться. Я, естественно, очень сознательно к этому относился и отделял вот эту пену от того, какие стихи он пишет. Но я помню момент, когда первое стихотворение огорчило меня и сразу было мною не принято. Это стихотворение „Остановка в пустыне" [О:166-68/II:11-13]. В этом стихотворении была какая-то поучительность, которая шла рядом с поэзией, а поэзия ничего не терпит рядом с собой. И, естественно, она ее разрушала. Кроме того, там появилось „мы": „И от чего мы больше далеки: / от православья или эллинизма?" [II:13]. Что это такое „мы"? Кто эти „мы"? Я понимаю, когда Ахматова пишет „мы" — это Мандельштам, Гумилев, Нарбут и Зенкевич. А когда „мы" — это „давайте, ребята! Мы — единомышленники", тут, во-первых, появляется недолжная спекулятивность на этом „мы": с одной стороны, ты вербуешь людей, так сказать, их обнимая за плечи, и говоришь: „мы заодно", а с другой стороны, они с радостью пристраиваются. И получается: „мы" — это народ такой, поэзии противопоказанный [24]. Все-таки это не эпическая вещь, а лирика. В этих стихах какая-то была советскость, неизбежная такая советскость, от которой не надо отказываться, но которую надо замечать в себе. (Я сейчас занимаюсь не похвалами, а тем, что считаю существенным отметить.)

Дальше прошло еще несколько лет спаянности и начавшегося расхождения, одновременно действующих, как мне кажется сейчас. Вслед за ними еще личные события, и я уехал из Ленинграда в Москву. Наши расхождения мы даже оформили в словах, хотя это вовсе не означало, что мы стали не любить друг друга [25]. Какие-то были разовые разговоры, какие-то поздравления друг друга. Перед отъездом он приехал проститься, хотя мы несколько лет до этого почти не виделись.

Теперь вы, кажется, спросили, когда мы начали осознавать, кто такой Бродский. Мы — это, повторяю, я. И опять-таки — „осознавать". Ведь я могу не понимать содержания, которое вы вкладываете в слова „осознали, кто такой Бродский". „Кто такой Бродский" у меня, наверное, не то, что „кто такой Бродский" у вас. Я могу вам сказать, пронзительность его стихов сказалась уже в 1962 году. Если я не ошибаюсь, это стихотворение примерно 62-го года, там есть строчки:

> Да не будет дано
> умереть мне вдали от тебя,
> в голубиных горах,
> кривоногому мальчику вторя...

— „Стансы городу" [С:69/I:184].

— Да. Вот эта строчка „кривоногому мальчику вторя". (Которую я запомнил по-своему, кстати сказать.) Потом, конечно, вот этот гул, ухваченный в „Большой элегии Джону Донну" [С:130-36/I:247-51], когда он действительно определился как Бродский. Это стихотворение, которое можно взять и сказать: „Вот Бродский и сейчас, по прошествии 27 лет". Потом совершенно уникальный по тому времени „Исаак и Авраам" [С:137-

55/I:268-82]. Потом это было им разработано, и разработки, как всегда, уменьшают величину сделанного. Не увеличивают, а уменьшают. „Исаак и Авраам" — это разгон языка на тысячу строк, на пять-восемь тысяч слов, и тоже на такой высокой ноте. Ну, и потом ничего лучшего, чем „Кенигсберг" ("Einem Alten Architekten in Rom") [O:144-47/I:375-78], ничего лучшего я у Бродского не знаю: „Чик, чик-чирик, чик-чик — посмотришь вверх" [I:377]. Эта музыка во мне с его голоса всю жизнь живет. И я думаю, будет жить до конца моих дней. Когда я говорю, что я ничего лучшего у Бродского не знаю, это не значит, что я не знаю равного этому. Скажем, „Осенний крик ястреба" [У:49-52/II:377-80] совершенно замечательные стихи, о которых, если хотите, я могу потом сказать два слова отдельно.

— *Скажите сейчас. Почти все интервьюируемые мною поэты выделяют это стихотворение, но никто не сказал, почему.*

— Мне кажется, что в нашей молодости для нас, во всяком случае, для него и для меня, особняком стояли стихи Баратынского „Осень". Это вершина русской поэзии, которую ты всегда чувствуешь и звук которой определяет вообще весь шум мироздания. Имея перед собой вот эту „Осень", я пытался что-то такое делать в своих стихах. Я подходил к этой теме однажды, дважды, и одну из попыток даже считаю удачной, но совершенно в ином плане. Я, как говорится, не схватил „Осени" Баратынского, но сделал что-то другое.

Я думаю, что стихи „Осенний крик ястреба" — это вариация на тему „Осени" и версия „Осени" Баратынского [26]. Сейчас, когда говорят в таких превосходных степенях о Бродском, мне как раз не хочется этим заниматься (а вы знаете, что у меня на это есть права и основания, как у человека, который 25 лет тому назад соединил в одной фразе Бродского и Пушкина) [27]. Но это стихотворение, может быть, стоящее вровень с „Осенью" Баратынского, и я не буду на этот счет распространяться просто для того, чтобы не увеличивать хор превозношений.

— *Известно, что Анна Андреевна всех вас призывала к краткости и якобы Иосифу удалось ее переубедить. Действительно ли это так? Как она принимала его большие вещи?*

— Мне кажется, что это легенда, что она призывала нас к краткости. вы не припомните, кто вам это сказал?

— *Это сказал Бобышев в статье „Ахматовские сироты"* [28].

— Мне кажется, это позднейшая интерполяция, как сейчас говорят. Ни к чему она нас не призывала. Другое дело, что и не призывая — то есть словами, — она нас к этому призывала своей манерой.

Может быть, так стоило бы сказать. Она принимала нас такими, какие мы есть, потому мы и могли ее так беспримесно любить: она нам ничего совершенно не навязывала. И кто хотел писать длинно, кто хотел писать криво и кто хотел писать плохо, она разрешала все. Я понимаю, что имеет в виду Бобышев, но такого сказать я не могу. Я могу сказать вот какую вещь насчет Анны Андреевны, насчет длиннот и всего такого. Она высоко оценила поэму „Исаак и Авраам" [С:137-55/I:268-82], хотя, как вы понимаете, эти стихи были в манере совсем ей чуждой. Но не ее, правда, было учить, что такое поэтический талант, она это слышала за версту. А вот когда, не помню уж, из деревни, а может быть, не из деревни, я привез ей какие-то его стихи на библейский сюжет, она сказала раздраженно: „Эту тему нельзя эксплуатировать. На библейский сюжет стихи можно писать один раз". Я думаю, это довольно существенное замечание, но скорее характеризующее Ахматову, а не Бродского.

— *Как по-вашему, следовал ли Бродский акмеистическому канону? Тут некоторые считают Бродского последним акмеистом.*

— Знаете, по моему убеждению, „последний акмеист", „предпоследний акмеист" — все это чушь. Мы все прошли через акмеизм. Все-таки акмеизм — это замечательная выучка. Знаете, как у Вазари есть такое место в книге, когда он защищает Микеланджело, делающего статую борющихся Геракла и Кака, и говорит о другом скульпторе, я не помню его имени, как ужасно тот портит мрамор. Надо ведь заплатить большие деньги за каррарский мрамор, и потом его не испортить. Иначе ты прогоришь. А слова... считается: это испорчу — возьму другое. Так вот, акмеизм учит, что слова — это каррарский мрамор, который надо не испортить, иначе тебе больше не дадут денег на дальнейшую работу. Всякий человек, относящийся с некоторым уважением к тому, что он делает, должен пройти эту выучку. Мы эту выучку прошли. Разница между нами и очень многими, многими нашими сверстниками заключается в том, что мы писали не фразами, не идиомами, а словами. После того, как мы научились использовать слова, мы могли, если хотели, начать писать вообще на жаргоне. Кстати, Иосиф это виртуозно и часто делал. Но вначале была вот такая выучка. Если акмеизм — не просто красивое слово, которое мы употребим, чтобы показать себе и собеседнику, что тоже не лыком шиты, а что-то оно значит, — то Бродский никакой не акмеист. А вообще Ахматова, я вчера говорил об этом в докладе [29], учила нас не поэзии, не поэтическому ремеслу, — ему тоже, но походя, и кому было нужно, тот учился. Это был факультатив. Бродский, безусловно, прошел школу Ахматовой, но только в том виде, в каком я о ней говорил. Она не давала нам уроков. Она просто создавала атмосферу определенного состава воздуха. Так я отвечаю на ваш вопрос [30].

— *А чем, вы думаете, оправдано и оправдано ли это многословие Бродского? И в чем потребность внутренняя у него самого к такому обширному лингвистическому пространству?*

— Эти, так называемые, длинные стихи и вообще все эти длинноты, о которых столько уже было сказано и плохого и хорошего, это, собственно говоря, и есть Бродский. Он заставил работать на поэзию язык. Это не совсем то, что можно сказать про каждого поэта. Это можно сказать, во-первых, только про некоторых, да и то с натяжкой, а про Бродского, по-моему, безо всякой натяжки. Он нашел все спрятанные тайные штепсели энергосистемы русской грамматики, — простите мне эту замысловатую метафору, — к которым подключившись и дав первоначальный импульс, он дальше может только следить за тем, чтоб напряжение не падало. Конечно, такое слежение предполагает страшное внутреннее напряжение, внимательность, затрату сил большую. Работает грамматика, работают языковые конструкции. Короче говоря, он дает русскому языку ту самую свободу, которую дает хорошей лошади хороший наездник: и не сдерживая ее, и, вместе с тем, заставляя бежать по нужной ему дорожке.

— *Говоря о языке, мне хотелось бы процитировать Бродского: „Биография писателя в том, как он обрабатывает родной язык"* [31]. *Что главное в его лингвистической биографии?*

— Видите, все-таки применительно к Бродскому нельзя сказать „обрабатывает язык". Конечно, каждый поэт обрабатывает язык. Но я возвращаюсь к тому, что только что сказал. Если говорить о Мандельштаме или о Пастернаке, что они обрабатывали язык, то тогда не нужно это говорить о Бродском. Не хочется слезать с этой метафоры: он дает хорошо тренированному им языку свободу скакать по нужной ему дорожке.

*— Это еще не полная картина, ибо язык для Бродского не только и не столько инструмент поэта, но, как он сам утверждает, это „поэт — инструмент языка"* [32]*. Более того, язык для него категория метафизическая, но он может присутствовать и в качестве персонажа стихотворения. В то же время он пользуется грамматическими категориями, звуками, буквами, как рядовыми словами. Я заметила, это есть и в ваших стихах. Начнем с вас. Что такое язык для вас?*

— Я все-таки постараюсь обыграть вас. Сперва отвечу на ваш вопрос, а потом скажу, что это такое для меня... Совершенно правильно. Язык для Бродского, это справедливо, именно то, что он сказал и вы сейчас процитировали. Но скажите, — я считаю, что это просто удачное сравнение мне пришло на ум, — кто выигрывает дистанцию, лошадь или наездник? Пусти эту лошадь просто так, она забежит в свою или чужую конюшню и проиграет. В этом смысле все, что для Бродского язык — это отчасти он сам. Кентавр, всадник на лошади? Бродский действительно такой Кентавр. Позавчера он забавно пошутил [33]. Мы говорили о „Живаго", „Живаго" ему не нравится. (Мне как раз нравится, одному из немногих людей. Но как бы предполагается, что мне „Живаго" тоже должен не нравиться. И я знаю, что в нем должно не нравиться. Тем не менее в нем есть такая нежная атмосфера, которая на меня действует. И потом я люблю нерекордные вещи, вещи с провалами. Они только подчеркивают подлинность этой вещи. Это я говорю в сторону.) Я поймал его на том, что он все время имеет в виду не только роман, а и фильм, которого я, к счастью, не видел. И Иосиф сказал: „Но вы помните, что Цветаева сказала, что Пастернак похож одновременно на араба и его коня. Так вот, Живаго играл Омар Шариф, араб". В том смысле, в каком Пастернак похож одновременно на араба и его коня, и придавая несколько другое содержание, я могу сказать это о Бродском. Здесь такое есть влияние дикого животного, которое мы можем назвать язык, на всадника. Кстати говоря, я думаю, Иосифу бы понравилось это сравнение в том плане, что я оставляю его в качестве поэта только до пояса, а все, что ниже пояса, отдаю дикому животному — языку.

*— Что такое язык для вас?*

— Я выделю два положения. Первое — это последнее по времени. Лет десять или пятнадцать тому назад я, наконец, понял, какого рода полюс поэзии магнетизирует мой язык, ориентирует его соответствующим образом. Это желание точной формулировки. Бывает такая точность формулировки, не приблизительная, а точная формулировка, когда академический язык, скажем, наукообразный, становится поэзией. Вот, например, статьи замечательного ученого-китаиста — он умер примерно в 50-м году — Алексеева. Я читал его книги, и некоторые страницы — это просто высокая поэзия, при том, что он никогда не числился в цехе поэтов. Так вот, эта точность формулировки, когда, собственно, не так нужны точные слова, как нужно точно собрать их в конструкцию. Это в моем случае сильнее сказывается в той прозе, которую я пишу. Книгу, которая у меня вышла сейчас к столетию Ахматовой, я рассматриваю — я могу уже не притворяться, не делать вид, что это всего лишь воспоминания, — некой перспективной прозой, той, которая имеет какое-то будущее. Не конкретно у меня, а вообще в обозримом будущем, как в свое время можно было рассматривать „Охранную грамоту" Пастернака или прозу Мандельштама. А более раннее по времени и продолжающее существовать отношение к языку — это в ту мешанину, которая представляет собой язык народа, в ту мешанину, в которую превращается язык, когда им пользуется множество людей, поэт врезается, как некий мощный магнит, который из этой груды, массы вынимает частицы и соответствующим образом их распределяет, ориентирует и на мгновение создает из аморфного раствора кристалл. И здесь, чтобы сказать коротко, я приведу просто строчки Элиота, которые считаю эпиграфом к тому, что я делаю вот уже больше 25 лет. Это в „Четырех квартетах", в „Little Gidding", там, где он пишет терцинами. Я вам скажу их в моем переводе:

> Коль наше дело — речь, и нас толкнула
> Она очистить диалект толпы,
> А разум наш и впредь и вспять провидеть...

В этих словах сформулировано все мое отношение к языку. Все-таки, согласитесь, это сказал Элиот, но по-русски таким образом сказал я. Наше дело, наша профессия — это речь. Мы, поэты, разговариваем. И она же, эта наша речь, в единственном случае поэта, побуждает и вынуждает нас очистить диалект толпы и за счет этого дает нам провидчество будущего, ну и, чтобы не загружать строчку, и прошлого тоже. То есть прозреть в этой аморфности кристалл, его решетку.

— *Вам не кажется, что Бродский находит духовную опору больше в языке, чем в вере? Если да, то насколько это можно приписать тому факту, что он находится вне языковой реальности, в эмиграции?*

— Думаю, вы совершенно правы. Думаю так не только умозрительно, а и в результате наших разговоров на эту тему. Знаете, у него очень мощная мускулатура как у творческой персоны. И эта мускулатура держит его в хорошем состоянии. В то время, когда, вообще говоря, человек, который оказывается в его положении, должен погибнуть. Не потому, что он оказался в эмиграции, а просто потому, что он опирается только на самого себя. А так как это его „самое себя" и есть сгусток языковой энергии, то, конечно, вы правы. Он опирается на то, что он сделает с языком, на то, что язык сделает с ним. Ну, это тот случай, когда он говорит и тем самым живет. Перефразируя Декарта: „Говорю, то есть существую".

— *Известно ли вам, когда Бродский впервые задумался о Творце? И как бы вы сформулировали его взаимоотношения с Творцом, ибо они неоднозначны и непрозрачны?*

— Не берусь это сделать просто потому, что там много всякого есть. Это дело очень серьезное и требует большой ответственности, чтобы говорить. Я могу только сказать, что я бы не пользовался применительно к Бродскому такими словами, как „Творец" или, вообще говоря, определившимися словами той или иной религии. Я бы пользовался словом „небо". Он, собственно говоря, знает, в каком направлении от него в данную минуту находится небо. Вот это максимально, на что бы я решился, говоря на эту тему. А остальное все же и не мое дело, и не очень мне понятное. Вот в недавнем разговоре мы в очередной раз коснулись этой темы и подтвердилось то, что я и предполагал. Понимаете, „Бхагавад-гита" и „Махабхарата" были прочитаны им, это он мне сказал, раньше, чем Библия [34]. В отличие от меня, все книги, которые он читал, он называет книгами. В то время как для меня Библия не книга.

— *Я посмела коснуться этой темы только в связи с языком. Он сказал как-то, что язык — это такой многоаспектный, многогранный и сложный организм, что он никогда не мог быть создан человеком. Тот, кто нам его дал, больше нас. И в этом смысле слово для Бродского двунаправлено — двуконечно или двуначально: слово есть просто слово и Слово, которое ведет к Духу [35].*

— Ну, я бы мог сейчас вскинуться и заявить о неточности употребления слов в этом сюжете. А если вы настаиваете на их точности, то эта точность употребления для меня совсем неприемлема. Дело в том, что это такая путаница чисто языковая. Вот это „В начале было Слово", на этом же масса спекуляций. Гумилев писал:

И в Евангельи от Иоанна
Сказано, что Слово это Бог [36],

— как если бы это было наше слово. Тогда как здесь Слово употребляется за неимением ничего лучшего, чтобы дать нам понять, что этот мир сотворен Божественным Словом ради Божественного Слова. Просто мы пользуемся этим термином „слово" так же, как когда нам говорят: ад — это сковородка, на которой поджаривают грешников. Может быть, это и сковородка, но это и еще что-то, отстоящее от сковородки на бесчисленное количество световых лет. Точно так же мы пользуемся выражением „В начале было Слово" — но Божественное Слово, не имеющее никакого отношения к нашим здешним словам. Просто нам дано указание, как этим Желанием, этой Волей, или Словом, или Логосом, или Актом был сотворен мир. Ну и называем это Словом.

А что касается заявления Бродского, что язык дается нам не от родителей, не от предков, а откуда-то свыше, то это та правда, которая, кажется, стала уже общим местом. И наука сейчас говорит, что мы в детстве не учимся языку у родителей, а просто выволакиваем его из каких-то генетических кладовых нашего мозга. Причем, там лежат все языки. В России мы учимся русскому, а в окружении англичан мы выволакиваем оттуда английский язык.

— *Чем вы объясняете озабоченность Бродского категорией времени, которой у него противостоит категория языка? Об этом свидетельствует хотя бы то впечатление, которое произвела на него строчка Одена: „Time... worships language..."* [37].

— Я отсылаю вас к своей книге. Я много думал об этом в связи с Ахматовой и написал об этом в книге. Мои мысли о времени, о памяти, о бессмертии, получаемом контрабандой, или о настоящем бессмертии вы найдете в главе, где я цитирую Пушкина:

И славен буду я, доколь в подлунном мире
Жив будет хоть один пиит.

Я там пишу: „славен" — это от „слыть", то есть не знаменитым быть, просто слыть, доколь будет жив хотя бы один поэт на свете. То есть хотя бы один поэт произнесет то слово, которое было произнесено множеством других поэтов [38].

— *В этом смысле Иосиф недалеко от вас отстоит. Он тоже противопоставляет времени язык, память, культуру. В частности, о вашем поколении он сказал, что это люди, которым христианская культура дороже всего на свете, что никто в культуре так не заинтересован, как они [39]. Есть ли у вас в этом плане расхождения с Бродским?*

— Слова „христианская культура" имеют два противоположных значения: когда об этом говорит христианин и когда об этом говорит человек со стороны. Когда я говорил о наших расхождениях, то о самом существенном я не говорил и не собираюсь говорить по ряду причин. Просто за эти два, два с половиной десятилетия я приобрел свой опыт. И я в течение очень долгих лет забывал культуру, в том числе и то, что называется христианской культурой посторонним человеком. Я этому сопротивлялся. Сейчас, когда появляется какая-то большая уверенность, культура постепенно начинает входить в некую гармонию с тем, что можно назвать сопротивлением культуре. Просто для христианина христианская культура — это часть христианства, то есть часть его жизни. В то время как для постороннего человека она может стать богом, которому служат или на которого хотя бы так или иначе ориентируются. В словах „христианская культура" я делаю ударение на „христианская", потому что в христианстве есть вещи поважнее культуры. И я говорю **„христианская** культура". В то время как, мне кажется, Иосиф говорит „христианская **культура**".

— *Вы, конечно, знакомы с его пьесой „Мрамор" [IV:247-308], которая является, в сущности, двойным анахронизмом: в ней речь идет не только об Империи до христианства, но и об Империи постхристианства, где культура разрешена, но духовно выхолощена [40]. Прокомментируйте.*

— Я очень не люблю пьесу „Мрамор". Это очень противная вещь сама по себе. Собственно говоря, это строительство какого-то огромного здания, в то время как можно было всего один кирпич положить на это место и дальше, по моим понятиям, пройти мимо. Она не без остроумия написана. Ее интрига заключается в том, что человек культурой пробивает себе выход на свободу. Швыряя в мусоропровод культуру, он выходит на свободу. В этом есть некоторое остроумие. По существу же, я с этим абсолютно не согласен. Чтобы не говорить громких слов... никто христианство не отменял. И если христианство перестает играть ту общественную роль, которую оно играло в течение двух тысячелетий, то оно не прекращается, а возвращается к каким-то своим уже пройденным периодам, но на новом этапе. Так вот, если мы в самом деле знаем, что Христос — это Сын Божий, если мы со всей, на которую способны, ответственностью произносим слова „я верую в это", то смешно сказать „верую Josephu Brodskomu, который считает, что христианство кончится".

— *Вам не кажется, что эта пьеса еще и на тему „после конца"? У него есть такая неотступная, сквозная тема: после конца любви, после конца жизни в России, после конца христианства. Чем объясняется столь настойчивое присутствие этой темы и попытки Бродского довести ее до логического конца?*

— Я могу тоже только со своей колокольни на это посмотреть. Ситуация после грозы неизменно пленительнее, чем во время грозы. И в этом смысле нас тянет туда для того, чтоб вспомнить и грозу тоже. Или проверить, как мы вели себя во время грозы. Это одна сторона. Ситуация „после" дает нам возможность разобраться в том, что „после", и максимально спокойно разобраться в том, что „во время". И эта сторона очень для меня привлекательна. Она требует ответственности и т.д. А другая сторона, она более безответственная, это — пророчествовать. Здесь я не товарищ пророку.

— *В эссе о Цветаевой Бродский сказал: „Чем чаще поэт делает этот следующий шаг, тем в более изолированном положении он оказывается" [IV:72]* [41]. *Вот эта потребность сделать следующий логический шаг, чувствуется ли она вами во всей эволюции Бродского-поэта?*

— О, да. Здесь он абсолютно честен, конечно. Это то, что меня к нему привлекает с самого начала. Он все время старается делать следующий шаг. И действительно в таком случае поэт всегда остается в одиночестве. У него нет поддержки ни от кого, потому что там он принципиально одинок.

— *А куда его заводит следующий шаг? Как далеко Бродский ушагал от нас, читателей, и от вас, поэтов, его современников?*

— Я бы не так посмотрел на это дело. Понимаете, он каждый раз рассказывает нам — куда, поэтому мы каждый раз с ним. Не то чтобы он ушагал, а мы остались там и наблюдаем за ним. Мы всегда знаем, где он.

— *Если вы знаете, где он, определите вкратце его поэтический мир.*

— Нет. Я не отказываюсь, я просто напомню вам цветаевское: „Поэт — издалека заводит речь. Поэта — далеко заводит речь" [42]. Далеко. Я не критик, чтобы говорить, „куда". Может быть, я отвечу на какие-то другие вопросы поточнее. А на этот — нет.

— *Ну, ответьте хотя бы частично. Какие общекультурные задачи им четко осознаны и решены, и какие из них он сейчас решает?*

— У Фолкнера в его трилогии «Деревушка. Город. Особняк» Гэвин Стивенс говорит: „Ну, вот, я уезжаю, теперь вам держать форпост". В этом смысле Бродский держит какую-то круговую оборону против пошлости, против хаоса, против людей, пытающихся сшибить самые высокие бастионы. Может быть, и не те, на которых находится сам Бродский, но на которых он знает, кто находится, и которые он охраняет от этого напора. Вот, собственно, его миссия. Его взгляд направлен на эти высокие башни. Кстати говоря, может быть, туда он и делает каждый следующий шаг.

— *Не могли бы вы сказать несколько слов об английской струе в его поэзии? Что нового привнес Бродский в русскую поэзию своей любовью к английскому языку?*

— Я думаю, вы совершенно правильно сформулировали вопрос. Такой, как у него, установки, мне кажется, до этого не было в русской поэзии. Это бывало более частно, как, скажем, у Пастернака, например, как-то пунктирно [43]. При обращении к английской поэзии, когда ты впервые натыкаешься даже на перевод каких-то английских стихов, не говоря уже о том, когда ты натыкаешься на самое стихи английские, ты понимаешь, какие винты русской просодии надо подрегулировать, какие конструкции в нее вставить для того, чтобы она дополучила гармонии, в большей полноте обрела свою собственную русскую гармонию по сравнению с той, которая у нее была на своем материале.

— *Назовите стихи Бродского, которые вы считаете шедеврами.*

— Я, по-моему, так-сяк это обозначил. Я не хочу называть их шедеврами. Могу прибавить к тем стихам, которые назвал... (Нет, вообще говоря, это неблагодарное дело — называть стихи хорошего поэта, потому что хочется назвать еще и это, еще и это.)... могу добавить „Горение" [НСА:134-36/III:29-31], „Север крошит металл" [Ч:78/II:398]. Видите ли, со времени его отъезда меня трогали — а я обращаю внимание всегда на то, тронуло или нет меня стихотворение: могут быть замечательные стихи, но не трогающие, тогда мне нет интереса в них, — так вот, трогали меня очень немногие стихи, признаюсь. В то время как в молодости, наоборот, трогали многие. Я назвал „Кенигсберг", потому что „Einem Alten Architekten in Rom" — немножко красиво. „Осенний крик ястреба" и „Горение" я выделяю, и „Исаака и Авраама". Я бы не хотел заниматься перечислением — я, конечно, что-то упущу и потом буду жалеть.

— Интересно, что вы назвали „Горение". В этом стихотворении, по мнению некоторых, есть „самые страшные строчки в русской поэзии"[44]:

> Назорею б та страсть,
> воистину бы воскрес! [III:30]

— Да, на это место очень худая моя реакция, я ее ему высказал. Видите ли, был такой эпизод, когда меня очень хотели поссорить с Бродским именно на том основании, что я якобы сказал, что он безбожник. Я этого, разумеется, не говорил и не думал. И по этому поводу у нас было даже письменное объяснение. Дело в том, что, конечно, эти две строчки никуда не годные во всех смыслах. Они, кроме всего прочего, еще и безвкусные. Но это стихотворение характеризуется не строчками, а силой страсти. Ну, я же не воспитатель Бродского, который говорит: „От этого вам надо освобождаться". Он это написал, и я говорю о стихотворении целиком. Хотя, конечно, это строчки меня оскорбляющие, но я повторяю, что я человек, которому оскорбление не закрывает глаза.

— *Ощущали ли вы отъезд Бродского из Союза?*

— Нет, я уже говорил, что этому предшествовали годы размолвки. В конце концов, это все равно, когда размолвка между людьми, живущими в Москве и в Ленинграде, или в Москве и в Нью-Йорке. Тем более, что бы там ни говорили, мое всегда со мной. Дело не в отъезде Бродского. Дело в том, что вообще с отъездами жизнь стала тусклой. Она была ярче. В некотором смысле тусклая жизнь помогает: не отвлекаешься от чего-то. Но это же не естественная жизнь. Поэтому без Бродского и еще нескольких людей жизнь сделалась тусклой.

— *Я скорее имела в виду поэтическую жизнь. При всей несхожести ваших поэтик у вас есть какие-то точки пересечения, общие источники и т.д. Давало ли его присутствие, а потом его стихи, которые до вас доходили, стимул для ваших собственных стихов?*

— Конечно, когда рядом кто-то тебя будоражит или дразнит, или, наоборот, кто-то пленяет, конечно, лучше, чтоб это было. Но стихи доходили. Еще, знаете, есть такой механизм. Скажем, до тебя доходят стихи, которые тебе не нравятся, которые тебя оставляют совершенно равнодушным, и ты не без охоты делаешь из этого такой вывод: „Ну, если так, тогда абсолютно все равно, там он, здесь, какая разница. Хоть бы и не доходили вообще стихи". То есть ты говоришь это для облегчения собственной жизни. Но стихи доходили. Я повторяю, что они очень редко меня трогали. Мне вообще не по вкусу его длинные стихи, написанные строфами. Поезд должен быть все-таки с ограниченным числом вагонов, потому что где-то на середине срабатывает стрелка и начинается крушение, вторая, третья часть поезда начинает идти мимо рельсов. Когда строфы, вот эти вот вагончики, один похож на другой... Я знаю, к чему это привело, чего он этим добился. Какой-то бывает период, особенно для такого профессионального поэта, как Бродский — а Бродский, в некотором смысле, рекордсмен профессионализма. Для того, чтобы быть рекордсменом, надо владеть всеми приемами того спорта, в котором ты рекордсмен. И надо долго отрабатывать удар или прыжок, толчок. Так вот, это период внутренней работы, каких-то накоплений внутренних. Поэтому это были те годы, которые совпали, может быть, с какими-то специфически психологическими проблемами, тяготами, которые была попытка разрешить формальными приемами. В конце концов, это дает твердую, закаленную мышцу. У него есть такие стихи „Бабочка" [Ч:32-38/II:294-98]. Это одно из моих любимых стихотворений. Однако, упоминая их, я должен умножить армию нелюбителей его длинных стихов, хотя я сам не из этой армии. А умножить я должен, потому что мною переводившиеся трубадуры, они писали тоже строфа в строфу. Но это было восемь, ну, десять строф, но не восемьдесят и не сто.

— *Находясь так долго рядом с Бродским, как вам удалось сохранить полную стилистическую независимость от такого сильного собрата?*

— Нет, у меня был период в начале 60-х годов, когда я пробовал писать так, как он тогда призывал. Он многих тогда призывал: „Напишите рассказ в стихах". Я написал. Есть у меня такие стихи, называются „Стихи по частному поводу", которые я написал после первого моего визита к нему в деревню. А потом я обнаружил в этих стихах синтаксис Бродского. Кратковременное было дело. Но если говорить о взаимном пересечении... — мы беседовали в прошлом сентябре в Нью-Йорке, и он вдруг читает какие-то строчки и говорит: „Погодите, А.Г., это мои или ваши?" И, конечно, есть какие-то пересечения. Наш общий друг сказал нам: „Слушай, у тебя в стихах (то есть у меня): "Когда-нибудь, когда не будет нас", а у Иосифа: „Когда-нибудь, когда не станет нас"[45]. Иосиф сказал: „Я написал это в таком-то году". Я удивился и сказал: „Значит, я позднее". Знаете, это в порядке вещей... Я утверждаю, что, хотя Иосиф отрицает, но как-то вяло довольно... я утверждаю, что в очерке „Less Than One" [L:3-33/HH:8-30], где он рассказывает историю с мальчиком, который ползает под партами и т.д., что этот мальчик учился в моем классе, его зовут Олег Князев. Это такая банальная история, которая, когда ты трешься в одном кругу, где она рассказывается без ссылки на того, кто ее рассказал вначале, ты просто рассказываешь ее как свою. Такие совпадения, они — как из одной бочки огурец берешь. Повторяю, это было кратковременное не влияние, а проба сделать что-то в таком же духе.

— *Можете назвать тех русских поэтов, от Симеона Полоцкого до наших дней, которые помогли Бродскому осознать себя как поэта?*

— Опять здесь следовало бы говорить, анализируя что-то, а так... Я просто знаю, что Баратынский, а остальные?.. Нет, я вам хочу сказать вот какую вещь. Пушкин недаром мелькает в связи с Бродским. Дело в том, что их роднит эпиграмматическая легкость, с которой они реагируют на сиюминутное. Легкость наполненная, а не рифмованная эстрада. Скажем, когда в Лицее Мясоедов на заданную тему „Восход солнца" написал: „Блеснул на Западе румяный царь природы," — и Пушкин тут же сказал: „И изумленные народы / Не знают, что начать, / Ложиться спать или вставать," [46] — то это очень в духе Бродского: быстро и талантливо отреагировать. Вот что я имею в виду конкретно.

— *Не могли бы вы продолжить это сравнение по другому параметру: насколько универсален Бродский?*

— Вообще говоря, это вопрос вопросов. Я сам об этом думаю и не могу на ответе каком-то остановиться. И это, может быть, самое существенное из того, что я говорю. Если нам нужны стихи „мандельштама", мы идем к Мандельштаму (я говорю условно „мандельштама" с маленькой буквы — мы идем к Мандельштаму с большой буквы) и получаем его стихи. Если нам нужны стихи „ахматовой", мы идем к Ахматовой, „цветаевой" — к Цветаевой, „пастернака" — к Пастернаку. Сейчас положение такое. Если нам нужны стихи, я не знаю, „тра-та-тама", мы идем к Бродскому, у него есть эти стихи. Нам нужны стихи „бал-ба-лама", мы идем к Бродскому, у него есть и эти стихи. Короче говоря, я не разделяю тех упреков, которые делаются Бродскому по поводу „поэтической индустрии" — помните, мы вместе с вами смотрели статью, которая называлась „Индустрия магии" [47]. Я ее не прочитал как следует, но вот это слово „индустрия" — обидное слово. Когда меня спрашивали в интервью „Голосу Америки" в связи с Бродским, какое отличие нынешнего времени от того в поэзии, я сказал, что тогда, правомерно или неправомерно, но мы могли через запятую написать: Ахматова, Пастернак, Цветаева, Маяковский и т.д., а сейчас с Бродским через запятую написать никого нельзя. С одной стороны, это свидетельствует о ранге, а с другой стороны — это неблагополучное положение, потому что поэт не может быть синтетичен. Наоборот, он тем более поэт, чем более он узок. За одним исключением, если он по-пушкински универсален. Ну, я оставляю этот вопрос открытым.

— *Мне бы хотелось, чтоб вы сказали несколько слов о своеобразии лиризма в поэзии Бродского в связи с его двумя высказываниями. Во-первых, он утверждает, что „Остановка в пустыне" — его последняя лирическая книга, а во-вторых, он заявляет, что ни о любви, ни о Боге в конце XX века нельзя говорить в лоб [48].*

— Как правило, декларация поэта свидетельствует о состоянии его дел. И если он говорит, что в конце XX века нельзя говорить о любви и о Боге в лоб, то это до той поры, пока кто-то не скажет о любви и о Боге в лоб. Я считаю, что можно, если необходимо; надо только, чтобы это была поэзия. Вообще говоря, я думаю, что я знаю такие стихи XX века, то есть середины и после середины XX века, которые о Боге, и одновременно стихи, которые поэзия. А что касается его лиризма? Ну, „Горение" все-таки сравнительно позднее стихотворение.

— *1981 год.*

— „Ястреб", разве это не лирика?

— *А тема любви?*

— А! Тема любви! Ахматова взяла из Князева две потрясающие строчки. Две, которые у него только и есть: „Любовь прошла, и стали ясны и близки смертные черты". Собственно, здесь очень много всего заключено.

Мы возвращаемся с вами к тому, о чем уже говорили. С одной стороны, поэзия после любви: „ясны и близки", с другой стороны, любовь прошла, больше уж любить нечем, и тогда становятся ясны смертные черты. Может быть, у Бродского всего лишь такой период?

— *В таком случае мы наблюдаем некоторый парадокс. Ведь мы имеем его сборник „Новые стансы к Августе", составленный из стихов, обращенных к одной и той же женщине в течение 20 лет. В истории русской поэзии это уникальный случай.*

— Да, и мне это очень нравится. Это замечательно. Но я допускаю, что, может быть, там есть некоторые натяжки в смысле того, что это одной женщине.

— *Кроме „Сретенья", которое вначале было посвящено Анне Андреевне, все другие стихи адресованы Марине* [49].

— Надо отчетливо видеть разницу между „адресованы" и „посвящены". Посвящены — безусловно! Но содержание ли она всех этих стихов? Может открыться — в каких-то стихах — за первым планом второй, не столь явный. Открыться в том мире, где открывается. Надо мне эту книгу насквозь перечитать. Я повторяю, что вообще это из тех вещей, которые меня так привлекают к Бродскому.

— *Видите ли, почему я завела речь о лиризме. С одной стороны, он включает в себя тему любви и прочие сантименты, а с другой, Бродскому свойственна необычайная сдержанность тона и даже вытеснение всех эмоций на периферию стихотворения, а то и за его пределы. Не оказала ли тут влияние английская поэзия?*

— Это на любителя. У кого как получается. У Мандельштама получалась лирика первыми двумя словами. Берет сердце в горсть и начинает мять его. У Бродского другая линия. Я не знаю, как это связать с английской поэзией.

— *Видимо, трудно, потому что уже в 1962 году, когда почти невозможно заподозрить английское влияние, было написано стихотворение „Я обнял эти плечи и взглянул" [С:96/I:163]* [50]*, из которого лиризм уже вытеснен.*

— Да, да, это блестящая находка. Кстати, это тоже одни из моих любимых стихов, я забыл о них упомянуть. Я довольно часто на них ссылаюсь. Все дальнейшее — это разработка этого стихотворения: горячее сердце, холодная голова.

— *В этом смысле вы согласны с Лосевым, который утверждает, что Бродский как поэт и человек сформировался очень рано и он просто развивает идеи, содержащиеся уже в юношеских стихах?* [51]

— Я у Лосева этого не читал, но, конечно, это так. Единственное, что он здесь говорит нового, это „рано", потому что вообще поэт, всякий поэт, переписывает одно и то же стихотворение, ну, в лучшем случае, десяток своих стихотворений. Любой поэт. Любой. Когда ты смотришь, это оказывается вариация на ту же тему, на которую он когда-то написал. Это не значит, что это вторичные стихи. Они могут быть гораздо лучше первых, но это переписывание тех, первых. В этом случае Бродский не исключение. Другое дело, что правда: рано сформировался. Стихи 1962-го, когда ему было 22 года, — стихи чудесные. Я думаю, что он к 1965 году, в общем, написал все. Исчезни он тогда, погибни или еще что-нибудь, прекрати писать, мы бы все равно имели Бродского.

— *Вы сказали о том, что он безукоризненно вел себя на суде. Вы несколько раз посещали его в ссылке, в деревне Норенской. По стихам, написанным в ссылке, чувствуется, что и там он вел себя благородно, то есть как-то умел отстраниться от случившегося с ним. Как он переносил ссылку?*

— С замечательным достоинством и мужеством. Была одна личная причина, которая не давала ему покоя. И только это. Я говорю только то, что я наблюдал. Что-то могло быть от меня скрыто, чего-то я мог не заметить, — что-то, что на самом деле было. И я готов быть опровергнут, но самое ссылку, самое заключение, работу он переносил почти образцово. Почти, потому что это было трудное дело. Знаете, все в той же книге есть страница, где я говорю, что главное в этом была не отдаленность от дома, не трудность, не быт, а то, что там *надо было* жить. Если бы он сам туда приехал или его туда устроили друзья, он бы провел там столько времени, сколько хотел. А вот то, что он не имел права оттуда выехать... Я его застал не только в ссылке, я его застал в тамошней тюрьме, в один из своих приездов. И там это был совершенно такой обыкновенный заключенный Бродский. Я рассказываю об этом в книге. Я подошел к тюрьме, а из нее вышел Бродский с двумя белыми ведрами, на которых было написано „хлеб" и „вода". Он шел с совершенно, я бы сказал, довольным видом, поскольку дали выйти на улицу и все такое [52].

— *Расскажите, пожалуйста, о том, как вы встретились в Америке после продолжительного интервала и некоторого даже охлаждения в дружбе, о котором вы упомянули выше?*

— Без средостений. Вошел в комнату в его квартире, как входил тысячу раз на Литейном, и квартира была, как уже было замечено много раз, довольно сходной с той квартирой. Конечно, это был другой человек. Совсем ушла сентиментальность — по крайней мере, на первый взгляд. Прежде мы были сентиментальны. Зато что-то другое появилось. Было очень, очень хорошо. Одна только вещь создавала некоторые затруднения... Дело в том, что его ведь все время кто-то о чем-то просит. Во-первых, это занимает много времени. Приходится выключать телефон для того, чтобы просто поговорить. А во-вторых, это меня ограничивало. Мне надо было, например, что-то у него спросить. Из этих вопросов или вообще из разговоров он с поразительным умением выуживал просьбы, которые я не ставил перед ним. Но он их находил. Это трогательно, но и немного затруднительно, согласитесь. Что-то от кавказского общения, когда ты говоришь: „Какая у вас красивая вилка," — и тебе тут же дарят эту вилку.

— *Он просто хотел сделать вам приятное.*

— Он мне сделал приятное: он мне все показал. Я не хочу об этом рассказывать, чтобы этого не лишиться.

— *Я знаю, что у вас есть стихи, посвященные Бродскому. Можно ли их включить в этот сборник интервью с поэтами?*

— Я могу предложить стихотворение, написанное в одно из моих посещений Бродского в ссылке.

# СТИХИ О ВЕЧНОЙ ЮНОСТИ

*И.Б.*

Отставая от суток на треть,
уступив эту треть сновиденью,
привыкаю к сознанью, что впредь
я сюда проберусь еще тенью,
не умеющий делать вреда,
так как призрак, не знающий боли,
безопасен и сам — и тогда
ты моей позавидуешь доле.

Отставая пока что на треть —
и чем дальше, тем больше — от жизни,
должно будет теперь умереть
где-то здесь, но уже не в отчизне;
показалось, наверное, нам,
что тоску мы вдыхаем охотно,
словно воздух оттуда, а там —
ничего, только спишь беззаботно.

На закат, на закат, по стерне
спотыкается шаг постояльца,
чтоб, оплавившись в жидком огне,
жизнь повисла на кончике пальца;
сокращая на треть через лес
расстоянье без помощи зонда,
так как здесь много больше небес,
чем везде, — и чуть-чуть горизонта.

В окоеме терновый венец —
это изгородь с мертвой хребтиной;
распустившийся лист, как птенец,
над замерзшей порхает осиной;
и твой голос относит как дым
от скворешника правды житейской,
сбитый воем глухонемым
и трехсложником речи библейской.

*Норенская. 1965*

## ПРИМЕЧАНИЯ

[1] См. Джакомо Леопарди, „Лирика" („Худож. лит-ра": М., 1967). См. также Дж.Леопарди, „Избранные произведения" („Худож. лит-ра": М., 1989).

[2] Анатолий Найман, „Рассказы о Анне Ахматовой. Из книги 'Конец первой половины XX века'" („Худож. лит-ра": М., 1989). — Anatoly Nayman, "Remembering Akhmatova"; trans. by Wendy Rosslyn (New York/London, 1991).

[3] „Песни трубадуров" (М., 1979); „Фламенка" (М., 1983-84); „Флуар и Бланшефлор" (М., 1985); „Роман о Лисе" (М., 1987); „Роман о семи мудрецах" (М., 1989).

[4] Иосиф Бродский, „Послесловие", в кн. „Стихотворения Анатолия Наймана" (Hermitage: Tenafly, N.J., 1989, С. 90-93).

[5] Н.Н., „Заметки для памяти", в кн. Бродский И. „Остановка в пустыне" (Изд. им. Чехова: Нью-Йорк, 1970, С. 7-15). Предисловие датировано 1964 и 1968 годами.

[6] Анатолий Найман, „Величие поэтического замысла" („Русская мысль", 25 мая 1990; „Специальное приложение: Иосиф Бродский и его современники. К пятидесятилетию поэта", С. II-III). Перепечатано в журнале „Октябрь" (No. 12, 1990, С. 193-198) под названием „Пространство Урании". Анатолий Найман, „Принцип равенства слов в поэзии Иосифа Бродского" (Доклад на международной конференции „Поэзия Иосифа Бродского: культура России и Запада", СПб., 7-9 января 1991 г.).

[7] См. „Арион", „Дружба народов", „Звезда", „Континент", „Новый мир", „Октябрь".

[8] Анатолий Найман, „Облака в конце века" (Hermitage: Tenafly, N.J., 1993).

[9] Анатолий Найман, „'Статуя Командира' и другие рассказы" (Overseas Publications Interchange Ltd: London, 1992).

[10] См. Анатолий Найман, „Буквы, проступающие на стене (фрагмент из книги 'Поэзия и неправда')" („Литературная газета", 21 апреля 1993, С. 6). Роман „Поэзия и неправда" опубликован в журнале „Октябрь" (No.No. 1, 2, 1994). Фрагменты книги „Славный конец бесславных поколений" печатались в „Октябре" (No. 11, 1995; No. 11, 1996).

[11] Опубликовано в кн. „Иосиф Бродский размером подлинника. Сборник, посвященный 50-летию И.Бродского" (Ленинград-Таллинн, 1990, С. 127-53).

[12] Рейн датирует знакомство 1959-м годом.

[13] Строка из стихотворения Николая Асеева.

[14] Анахронизм. Имеются в виду стихи 1960 года „Сад" [С:64-65/I:45]: „Нет, уезжать! / Пускай куда-нибудь // меня влекут громадные вагоны".

[15] Иосиф Залманович Бейн родился в 1934 г. в Риге. Учился на филфаке Рижского университета. В 1971 году эмигрировал в Израиль. Стихи Бейна опубликованы в „Континенте" (No. 12, 1977, С. 120-23; No. 41, 1984, С. 210-13) и антологии „У Голубой Лагуны": K.K.Kuzminsky & G.L.Kovalev (Eds.), "The Blue Lagoon Anthology of Modern Russian Poetry" (Oriental Research Partners: Newtonville, Mass./ N.Y., Vol. 2B, 1986, С. 339).

[16] „Рассказы о Анне Ахматовой", Ibid., С. 72-73.

[17] Владимир Уфлянд в своих воспоминаниях так охарактеризовал общее умонастроение: „Сторонники литературного безвластия козыряли именами Пастернака, Хлебникова, Ахматовой. ... Мандельштам, Гумилев, Цветаева, Кузмин, Крученых и тем более Хармс, Введенский, Клюев тогда только-только по разрозненным строчкам стали возникать из пропасти запрещения. // Вопрос о научной классификации возникающей на глазах новой поэзии в зависимости от степени отношения к авангардизму, модернизму, классицизму и т.д. стоял тогда не особенно остро. Враг у всех, и у архаистов, и у новаторов, был один: социалистический реализм" („Один из витков истории Питерской культуры", „Петрополь", Вып. 3, 1991, С. 109-10).

[18] См. о „филологической школе" статью Льва Лосева „Тулупы мы" ("The Blue Lagoon Anthology of Modern Russian Poetry", Ibid., Vol. 1, 1980, С. 141-49; перепечатано в „Новом литературном обозрении", No. 14, 1995, С. 209-15), См. также В.Уфлянд, „Один из витков истории Питерской культуры" (Ibid., С. 108-15) и его же „Могучая питерская хворь. Заклинание собственной жизнью" („Звезда", No. 1, 1990, С. 179-84).

[19] Станислав Красовицкий родился в Москве в 1935 году. Окончил Институт иностранных языков. В конце 50-х годов был участником литературной группы Леонида Черткова, печатался в „самиздатском" журнале „Феникс". Стихотворения Красовицкого см. „Грани" (No. 52, 1962, С. 114-18), альманах „Аполлон-77" (С. 105-106), „Ковчег" (No. 2, 1978, С. 30-33), „Эхо" (No. 1, 1980, С. 31-49), „Часть речи" (No. 4/5, 1983/4, С. 91-105), "Gnosis Anthology" (New York, 1981, Vol. 2, Р. 164-69), "The Blue Lagoon Anthology" (Ibid., Vol. 1, С. 70-99), „Гнозис" (No. 11, 1995, С. 89-91). В России стихи Красовицкого опубликованы в журналах „Октябрь", (No. 4, 1991), „Новый мир" (No. 4, 1994), в „Антологии Гнозиса" („Медуза": СПб., 1994, С. 99-103). В 1962 году Кра-

совицкий уничтожил свои стихи и запретил их публикацию. Ныне он отец Стефан, священник Русской православной Церкви (зарубежной), снова пишет стихи, но совершенно другие — духовного содержания. В журнале „Гнозис" (No. 10, 1991, С. 140-49; No. 11, 1995, С. 119-36) начата публикация переписки Красовицкого с Дмитрием Бобышевым (1970-71 годы), отчасти проливающая свет на эту крупнейшую и загадочную фигуру в неофициальной российской поэзии. О Красовицком см. Михаил Айзенберг, „Некоторые другие... (Вариант хроники: первая версия)" („Театр", No. 4, 1991, С. 98-118), Виктор Кривулин, „У истоков независимой культуры" („Звезда", No. 1, 1990, С. 184-88) и его же предисловие к публикации в „Октябре": „На пороге двойного бытия" (No. 4, 1991, С. 136).

[20] О литературной группе „инязовцев" см.: Андрей Сергеев, „Мансарда окнами на запад", беседа с Владиславом Кулаковым („Новое литературное обозрение", No. 2, 1993, С. 289-96); Вл.Кулаков, „Отделение литературы от государства. Как это начиналось" („Новый мир", No. 4, 1994, С. 99-112) [с подборкой стихов Г.Андреевой, О.Гриценко, Ст.Красовицкого, А.Сергеева, В.Хромова, Л.Черткова, Н.Шатрова — С. 113-32].

[21] См. статью Владимира Британишского „Студенческое поэтическое движение в начале оттепели" в „Новом литературном обозрении" (No. 14, 1995, С. 167-80), мемуары Глеба Горбовского „Остывшие следы. Записки литератора" („Лениздат": Л-д, 1991) и составленный Андреем Битовым специальный выпуск журнала „Соло" (No. 6, 1991).

[22] См. примечание 13 к интервью с Евгением Рейном в настоящем издании.

[23] Строка из „Северных элегий" Ахматовой:

> Передо мной, безродной, неумелой,
> Открылись неожиданные двери,
> И выходили люди и кричали:
> „Она пришла, она пришла сама!"

(Анна Ахматова, „После всего". Сост. Р.Д.Тименчик (МПИ: М., 1989, С. 215).

[24] Иная трактовка „мы" в стихотворении предложена Львом Лосевым в докладе „Родина и чужбина у Бродского", paper given at The International Conference "Under Eastern Eyes: The Depiction of Western Life in the Works of Russian Writers of the Third Wave of Emigration", London, SSEES, 19-21 September 1989. — Lev Loseff, "Home and Abroad in the Works of Brodskii", in "Under Eastern Eyes. The West as Reflected in Recent Russian Emigre Writing" (Macmillan Press: London, 1991, P. 25-41).

[25] В „Неоконченном" Марамзинского собрания [МС-4] сохранился следующий отрывок Бродского:

> Волшебный хор потерял свой купол.
> Тенор поет своих грязных кукол.
> Друг-баритон —
> звезды, растения, неврастению.
> Бас — приключения под простынею,
> опрокидон.

[26] Эта параллель развивается в докладе Игоря Пильщикова „Бродский и Баратынский: поэзия в поисках контекста". Paper given at International Conference "Russian Culture: Structure and Tradition" (2-6 July 1992, Keele). — Igor Pilshchikov, "Brodsky and Baratynsky", "Literary Tradition and Practice in Russian Culture" („Rodopi": Amsterdam, 1993).

[27] Имеется в виду предисловие А.Наймана к сборнику „Остановка в пустыне" [О:7-15], подписанное инициалами „Н.Н."

[28] Д.Бобышев в статье „Ахматовские сироты" пишет: „...забегая вперед, должен сказать, что к краткости она нас призывала всякий раз в течение первого периода нашего знакомства, пока ее окончательно не "переубедил" Бродский своими длиннейшими поэмами" („Русская мысль", 8 марта 1984, С. 8-9).

[29] Доклад А.Наймана на конференции, посвященной 100-летию со дня рождения А.А.Ахматовой, см. A.Naiman, "Analysis and Interpretation of Anna Akhmatova's 'Tvorchestvo'", in W. Rosslyn (ed.), "The Speech of Unknown Eyes: Akhmatova's Readers on her Poetry" (Astra Press: Nottingham, 1990, Vol. II, P. 225-29).

[30] Бродский вспоминал: „Мы не за похвалой к ней шли, не за литературным признанием или там за одобрением наших опусов. ... она наши души приводила в движение, потому что в ее присутствии ты как бы отказывался от себя, от того душевного, духовного ... уровня, на котором находился, — от 'языка', которым ты говорил с действительностью, в пользу 'языка', которым пользовалась она" („Бродский об Ахматовой. Диалоги с Соломоном Волковым" („Независимая газета": М., 1992, С. 48)).

[31] И.Бродский, „Вектор в ничто", интервью Валентине Полухиной, 10 апреля 1980 г., Ann Arbor, Michigan. Неопубликовано.

[32] И.Бродский, „Быть может, самое святое, что у нас есть — это наш язык...", интервью Наталье Горбаневской („Русская мысль", 3 февраля 1983, С. 9).

[33] В течение июля 1989 г. Бродский находился в Лондоне, где и встретился с А.Найманом накануне Ноттингемской конференции, посвященной 100-летию со дня рождения А.А.Ахматовой, состоявшейся 11-14 июля 1989 г.

[34] См. И.Бродский, „Никакой мелодрамы", интервью Виталию Амурскому („Континент", No. 62, 1990, С. 381-97). В России опубликовано в кн. „Иосиф Бродский размером подлинника" (Ibid., С. 113-26). См. также интервью с М.Мейлахом в настоящем издании.

[35] Из семинара Бродского, проведенного в University of Keele, Newcastle, Staffordshire, England, 8 марта 1978 г.

[36] Николай Гумилев, „Собрание сочинений в четырех томах" („Терра": М., т. 2, 1991, С. 39).

[37] См. подробнее в одном из эссе Бродского об Одене, "To Please a Shadow" [L:359-65]. Эссе „Поклониться тени" в русском переводе Елены Касаткиной см. „Иосиф Бродский. Неизданное в России" („Звезда", No. 1, 1997, С. 8-20).

[38] А.Найман, „Рассказы о Анне Ахматовой", Ibid., С. 98-112.

[39] „Это последнее поколение, для которого культура представляла и представляет главную ценность из тех, какие вообще находятся в распоряжении человека. Это люди, которым христианская цивилизация дороже всего на свете. Они приложили немало сил, чтобы эти ценности сохранить, пренебрегая ценностями того мира, который возникает у них на глазах..." — слова Бродского из французского телефильма "Poete russe — citoyen american". Создатели фильма Виктор Лупан и Кристоф де Понфили, 1989 год. См. также эссе „Меньше единицы" [L:28-30/НН:27-28].

[40] Анализ пьесы „Мрамор" см. Петр Вайль, Александр Генис, „От мира — к Риму", в кн. „Поэтика Бродского" (Hermitage: Tenafly, N.J., 1986, С. 198-206). В России перепечатано в журнале „Искусство Ленинграда" (No. 8, 1990, С. 83-87) в качестве предисловия к публикации пьесы.

[41] Эссе „Поэт и проза" написано по-русски в 1979 г., как предисловие к кн. Марина Цветаева, „Избранная проза в двух томах" (Russica Publishers: New York, 1979, т. I, С. 7-17). Англ. пер. [L:176-94]. В России опубликовано в журнале „Новый мир" (No. 2, 1991, С. 151-57) и в [НН: 59-71].

[42] Строки из стихотворения „Поэты". Марина Цветаева, „Собрание сочинений в семи томах" („Эллис Лак": М., т. 2, 1994, С. 184).

[43] Вячеслав Всеволодович Иванов рассказывал: „Помню, как я поразился, когда совсем еще молодой Бродский в разговоре со мной вдруг высказал мысль, которую я до того слышал только от Пастернака ... И Пастернак и Бродский в разное время мне сказали, что для них английская поэзия — в таком же смысле источник всей европейской, как, скажем, до этого была греческая для всей последующей традиции" (Иванов Вяч. Вс. „По масштабам истории российской словесности", беседа с Михаилом Лемхиным, „Русская мысль". 25 мая 1990; „Специальное приложение: Иосиф Бродский и его современники. К пятидесятилетию поэта", С. XI). См. также Иванов Вяч. Вс., „О Джоне Донне и Иосифе Бродском" („Иностранная литература", No. 9, 1988, С. 180-81).

[44] См. интервью с Юрием Кублановским в настоящем издании.

[45] Из стихотворения „Остановка в пустыне" [O:166-68/II:11-13]. См. о „мы" и „нас" в этом стихотворении выше в настоящем интервью.

[46] На самом деле продолжил строчку Мясоедова не Пушкин, а Илличевский. (См. кн. В.Томашевский, „Пушкин", М.-Л., 1956, С. 703).

[47] Derek Walcott, "Magic Industry" ("The New York Review", November 24, 1988, P. 35-39) — рецензия на кн. Joseph Brodsky, "To Urania" (Farrar, Straus & Giroux: New York, 1988).

[48] И.Бродский, „Вектор в ничто", op. cit.

[49] См. примечание 26 к интервью с Евгением Рейном в настоящем издании.

[50] Этими стихами открывается сборник „Новые стансы к Августе" [НСА:7]. Анализ стихотворения см. Лев Лосев, „Чеховский лиризм у Бродского" („Поэтика Бродского", Ibid., C. 185-97).

[51] Л.Лосев, „Поэзия Иосифа Бродского", семинар в Лондонском университете (SSEES), 30 марта 1984 г. Тезисы доклада. Та же мысль развивается в статье Лосева „Первый лирический цикл Иосифа Бродского" („Часть речи", No. 2/3, 1981/82, C. 63-68).

[52] А.Найман, „Рассказы о Анне Ахматовой", Ibid., C. 137-42.

Яков Аркадьевич Гордин родился 23 декабря 1935 года в Ленинграде. Поэт, драматург, романист и историк. Автор более ста очерков и статей. Стихи начал писать в 1956 году, перед поступлением в Ленинградский университет. В университете был членом Лито, которым руководил Е.И. Наумов. Заметив, что Гордин вышел на „сомнительную" дорогу, Наумов предупредил его: „Упаси тебя Бог тягаться с государством". С 1957 года регулярно выступал с чтением стихов перед студентами в университетских аудиториях и в общежитиях, несколько раз вместе с Бродским. Первый и пока единственный поэтический сборник Гордина **„Пространство"** вышел в 1972 году. Этическая зрелость его стихов отражает опыт армейской службы и пятилетней геологической работы на Крайнем Севере. „Классичные, … бесхитростно граненые"[1] стихи Гордина полны благородства и сдержанности. В отличие от Бродского, он никогда не ставил перед собой формальных задач, и, возможно, поэтому в середине 70-х стихи его надолго оставляют. Гордин полностью переключается на прозу, которую начал писать еще в 1964 году[2]. Список его историко-литературной прозы, приведенный далеко не в полном виде, весьма внушителен: **„Хроника одной судьбы"** (1980) — о жизни первого русского историка В.Н.Татищева; **„Три повести: Гибель Пушкина. После восстания. Мир погибнет, если я остановлюсь"** (1983); **„Три войны Бенито Хуареса"** — роман об участии русского интеллигента в мексиканской революции прошлого века (1983); **„События и люди 14 декабря"** (1985); **„Право на поединок"** (1989) — художественно-документальное повествование о последнем годе жизни Пушкина; **„Мятеж реформаторов"** (1989); **„Русская дуэль"** (1993), **„Дуэли и дуэлянты"** (1996). Внутренняя тема его прозы — желание понять механизм взаимодействия природы, истории и культуры, как бы совместив пастернаковское видение мира, в котором через природу проявляются исторические и культурные пласты, с мандельштамовским, в котором история и культура почти полностью вытесняют природу. Гордин продолжил свою „тяжбу с государством", опубликовав книгу **„Меж рабством и свободой"** (1994) — о попытке ввести конституцию в России после смерти Петра I. Петр в его историософской работе остается одной из центральных фигур, образующих российское единство, в компании Достоевского, провидевшего появление Ленина, самого Ленина и Николая II. Муза снова благосклонна к поэту, в последние годы он вернулся к стихам.

# ТРАГЕДИЙНОСТЬ МИРОВОСПРИЯТИЯ

*Интервью с Яковом Гординым*
*31 мая 1989 года, Париж*

— *Вы один из самых старых друзей Иосифа. Когда и при каких обстоятельствах вы с ним познакомились?*

— Мы познакомились в 1957 году, летом или осенью, а где? Тут у меня туманится память. Мне казалось, что в газете „Смена", потому что там была литконсультация, куда захаживали молодые поэты, поэты разной степени молодости. Но я не убежден в этом.

— *Когда вы начали понимать, что такое Бродский?*

— Ну, я думаю, что в 1958-59 году это уже выяснилось для меня с достаточной определенностью после его первых, теперь кажущихся несколько наивными, но все равно очень сильно действующих стихов, с огромной интонационной потенцией: „Пилигримы" [C:66-67/I:21], „Еврейское кладбище" [C:54-55/I:24]. Да и вообще он очень быстро как-то раскрыл на себя глаза. У меня в этом отношении „благополучная судьба", поскольку я действительно довольно быстро для себя определил его как человека, тогда уже, с чертами гениальности.

— *Определите сейчас, что такое феномен Бродского для русской поэзии на сегодняшний день, или даже шире — для русской культуры.*

— Ничего себе вопрос, для нескольких диссертаций.

— *Ну, хотя бы в одном каком-либо аспекте.*

— В одном аспекте или в нескольких, этот вопрос требует тщательной письменной проработки. Будем говорить о поэзии. Из русской поэзии за несколько десятилетий нашей советской действительности ушла необходимая для культуры, а для русской литературы генетически, казалось бы, неотъемлемая вещь, без которой человек не может в полной мере осознать себя человеком — трагедийность мировосприятия. Советская литература культивировала внетрагедийность жизни, принципиальную. Квазиблагополучие политической системы накладывалось на все, начиная от эмпирики и кончая метафизикой, что, естественно, мертвило и то, и другое, и третье, и пятое и не давало возможности прорыва из псевдокультуры, иногда даже высокого качества, в культуру мирового уровня. И очень немногим это удавалось. Иосиф не единственный здесь, но он один из наиболее сильных и таких стремительных случаев вот этого прорыва. Очевидно, он подсознательно ощущал эту необходимость, поскольку с самого начала остро трагедийная нота звучит в его стихах. Причем, это даже не детерминировалось его жизненными обстоятельствами, его характером. Ну, каждый человек может быть веселее, может быть печальнее, и он, естественно, бывал всяким, но, я думаю, жизненные обстоятельства, склад характера, личности не были здесь определяющими, хотя играли, разумеется, роль. Это была остро ощущаемая культурная задача, как мне кажется.

И это началось с „Пилигримов", с „Гладиаторов" [С:31-32], с замечательного стихотворения „Сад" [С:64-65/I:45] — это уже 60-й год, все равно еще очень молодой человек. Бешеная попытка прорваться в органичное мировосприятие — не жалобная, а трагедийная. Это, мне кажется, чрезвычайно важный момент. И острое желание попробовать все. Первые два-три года в стихах идет раскачивание от Лорки до Незвала, от Слуцкого до Баратынского — при том, что есть группа стихов собственно его, ни на что не похожих, но все равно это бесконечные пробы. И это чрезвычайно важно — умение не канонизировать то, что найдено в какой-то момент удачно, потому что он мог бы на поэтике „Пилигримов" и этой группы стихов работать с большим успехом долго. А вместо этого — стремительная трансформация, умение меняться, оставаясь самим собой. И еще один пункт. Мне уже случалось и писать, и говорить об этом: непонятно откуда взявшееся ощущение свободности. Не свободы, как политической или бытовой категории, а именно свободности во взаимоотношении со всем окружающим, что, конечно, в поэзии давало очень интересные результаты и, очевидно, в некотором роде определило стремительность развития, поскольку ничто его не могло удержать на месте [3].

— *И если бы я вас спросила, в чем наиболее мощный поэтический прорыв Бродского, вы бы тоже заговорили о трагедийности мировосприятия?*

— Да. Думаю, что да. И это не обреченность Багрицкого, не высокий надрыв Есенина. Ибо это не тяжба с властью или эпохой. Это — тяжба иного масштаба.

— *Вопрос был действительно задан большой. С ним связан и следующий вопрос. Приезжающих сейчас на Запад из Союза я спрашиваю, что там происходит, читают ли Бродского, каково отношение к нему. И некоторые мне отвечают: „Нам сейчас не до Бродского". Так вот, в эпоху перестройки России до Бродского или не до Бродского?*

— Да нет, это чепуха, естественно, потому что процессы ведь идут самые разные. И идет культурный ренессанс, а не только плоско политический. Он идет достаточно интенсивно. Кроме того, ведь это не то что происходит открытие поэта. Мне случилось вести вечер Бродского в огромном зале на 1200 человек, во Дворце культуры большого московского завода. И по реакции зала я чувствовал, что очень многие прекрасно знают его стихи. Скажем, когда кто-то из читавших запинался, ему начинали подсказывать из разных мест зала. Там были молодые люди, которые Иосифа фактически не застали в России, и тем не менее очень хорошо знающие его стихи. Есть люди, фанатически собирающие его стихи. Нет, интерес к нему огромный, и, конечно, не только потому, что он человек с такой драматической судьбой. Помимо этих чисто внешних вещей, есть какие-то необходимые, психо-культурные потребности.

— *И, я надеюсь, духовные.*

— Ну да, естественно.

— *Вы не могли бы сказать или предсказать его будущее в России, его возвращение, не только физическое возвращение на родину, но и его возвращение в виде книг, а не отдельных стихов, которые сейчас всюду публикуются?*

— В следующем году, насколько мне известно, должны выйти три книги Бродского. Одна должна выйти в Москве, в издательстве „Художественная литература". Ее собирает Эдуард Безносов, верный биограф Иосифа. Вторую книгу собирает Владимир Уфлянд. Сейчас ведутся разговоры, настоятельные, об издании книги в Ленинграде, что было бы естественнее всего, и думаю, что это будет, может быть, даже в ближайшие месяцы. Так что книг будет много [4]. Причем в Ленинграде речь идет даже о двух книгах, и изданиях не совсем тривиальных: одна из них будет снабжена документальными приложениями [5].

— *Я слышала, что вы за какую-то из них ответственны. Или вы не имеете прямого отношения ни к одной из них?*

— К ленинградским книгам я, очевидно, имею отношение. Просто это еще не решенные в издательском плане вопросы. Но коль скоро все это состоится, то я думаю, что и к той, и к другой я буду иметь отношение достаточно прямое, тем более что Иосиф предоставил мне это право [6].

— *Каково ваше отношение к реальности и возможности возвращения самого Бродского в Россию?*

— Я думаю, что это совершенно нереально, ни психологически, ни физически. И, по-моему, он и не собирается этого делать. И я думаю, что это верно.

— *А насколько это желательно там?*

— Смотря по тому, что вы имеете в виду под „там". Очевидно, верхние слои иерархии совершенно не пришли бы в восторг, это им не нужно. А что касается читателей, то желание его увидеть очень велико. Это еще, очевидно, воспринимается как некий символический акт. И постоянно возникают слухи... уже есть такой фольклор... и мне часто звонят. Мне недавно позвонили из Москвы, из „Литературной газеты": „Правда ли, что Бродский приехал в Ленинград?" Говорю: „Нет, не правда". И звонили люди, обиженные, почему прячут Бродского, почему я не сказал, что он здесь. Так что Ленинград и Москва живут этими мифами о вернувшемся Иосифе. Конечно, это мифологизированное стремление увидеть его.

— *Не могли бы вы сказать несколько слов о Бродском в вашей жизни как поэта. Пережили ли вы не то чтобы влияние, а какие-либо импульсы, даже отталкивания?*

— Во-первых, стихи уже давно не главное мое жизненное занятие. К сожалению, может быть, но не главное. Так уж все сложилось. Во-вторых, когда мы с Иосифом познакомились и много виделись и когда он уже проявился как очень мощный поэт в начале 60-х годов, я находился под сильнейшим влиянием другого великого поэта, а именно, Пастернака. Кроме того, сейчас мы несколько по-другому на все смотрим. А тогда Иосиф был очень молодой человек, значительно моложе многих своих друзей. И вначале это все-таки играло определенную роль. Как мэтр он ни в коем случае не воспринимался, да и не претендовал на это. Была совсем другая система отношений. Кроме того, очевидно, нет надобности и возможности говорить о прямых влияниях. Тем более подражать ему (а реализация влияния всегда начинается с подражания) вообще чрезвычайно трудно, потому что поэтика его, с одной стороны, легко узнаваема, с другой стороны, такая многокомпонентная, и в ней чрезвычайно трудно уловить доминанту. Скажем, подражать молодому Пастернаку очень просто, там есть ясная поэтическая доминанта. Здесь куда сложнее. Я позволю себе процитировать часть письма, которое Иосиф прислал мне из ссылки в июне 1965 года. Думаю, он не будет в претензии, ибо цитируемый кусок — не столько личный текст, сколько теоретический пассаж, содержащий, как я со временем понял, очень серьезные соображения. Он писал, вспоминая наши разговоры во время моего приезда к нему в Архангельскую губернию и его — „в отпуск" на несколько дней в Ленинград: „Если тебе что и мешает сделаться тем, чем ты хотел бы сделаться, так это: 1) идиотские рифмы, 2) восходящая к 30-м годам брутальная инструментовка, 3) плен мнений разных лиц... Поэтому смотри на себя не сравнительно с остальными, а обособляясь. Обособляйся и позволяй себе все, что угодно. Если ты озлоблен, то не скрывай этого, пусть оно грубо; если весел — тоже, пусть оно и банально. Помни, что твоя жизнь — это твоя жизнь. Ничьи — пусть самые высокие — правила тебе не закон. Это не твои правила. В лучшем случае, они похожи на твои. Будь независим. Независимость — лучшее качество, лучшее слово на всех языках. Пусть это приведет тебя к поражению (глупое слово) — это будет только твое поражение. Ты сам сведешь с собой счеты; а то приходится сводить счеты фиг знает с кем. А вот кое-что практически (ради Аллаха не сердись на меня). Самое главное в стихах — это композиция. Не сюжет, а композиция. Это разное. У тебя в "Мятеже" [7] главное тоже композиция: попробуй казнь переставь в начало — что получится? Смрад.

И вот (еще раз прости) что нужно делать. Надо строить композицию. Скажем, вот пример: стихи о дереве. Начинаешь описывать все, что видишь, от самой земли, поднимаясь в описании к вершине дерева. Вот тебе, пожалуй, и величие. Нужно привыкнуть картину видеть в целом... Частностей без целого не существует. О частностях нужно думать в последнюю очередь. О рифме — в последнюю, о метафоре — в последнюю. Метр как-то присутствует в самом начале, помимо воли — ну и спасибо за это. Или вот прием композиции — разрыв. Ты, скажем, поешь деву. Поешь, поешь, а потом — тем же размером — несколько строчек о другом. И, пожалуйста, никому ничего не объясняй... Но тут нужна тонкость, чтобы не затянуть уж совсем из другой оперы. Вот дева, дева, дева, тридцать строк дева и ее наряд, а тут пять или шесть о том, что напоминает ее одна ленточка. Композиция, а не сюжет. Тот сюжет для читателя не дева, а „вон, что творится в его душе"... Связывай строфы не логикой, а движением души — пусть тебе одному понятным. Они и будут тебе дороги, эти стихи. И от всех мнений избавят. А потом тебе мнений и не захочется. Я, разумеется, понимаю, что ты на все, что я говорил, наплюешь. На здоровье. Но, по крайней мере, будешь это знать, если раньше не знал; а если знал, то вспомнишь лишний раз. Главное — это тот самый драматургический принцип — композиция. Ведь и сама метафора — композиция в миниатюре. Сознаюсь, что чувствую себя больше Островским, чем Байроном. (Иногда чувствую себя Шекспиром). Жизнь отвечает не на вопрос: что? а: что после чего? И перед чем? Это главный принцип. Тогда и становится понятным „что". Иначе не ответишь. Это драматургия. Черт знает почему, но этого никто не понимает. Ни холодные люди, ни страстные. Я хотел бы, чтобы ты это понял и запомнил. Даже если не станешь применять. Я бы ужасно хотел, чтобы ты применял".

Я, конечно, испытываю некоторую неловкость, цитируя личное письмо, но мне кажется, что сказанное здесь чрезвычайно любопытно для исследователей работы Иосифа. И поскольку я таковым не являюсь, то держать под спудом столь красноречивую декларацию как-то совестно [8].

Что же до меня тогдашнего, то я, естественно, был далек от того, чтобы наплевать на его советы (не правда ли, все это и по интонации, и по напористости напоминает наставления Гамлета актерам? И думаю, не случайно) [9], хотя, скажу честно, отнесся к ним без должной серьезности, но — главное! — Иосиф декларировал здесь принципы своей уникальной поэтики, которыми только он и мог пользоваться... Ну, а кроме того (но это мои дела и особенности), я, очевидно, был тогда достаточно внутренне замкнут и недостаточно восприимчив. Но можно говорить об импульсах, как вы совершенно точно сказали. Конечно, и чтение Иосифом своих стихов, и чтение глазами его стихов, и вообще само его присутствие, разумеется, создавало такое творческое электричество, которое не могло не влиять. И вызывало некоторую зависть, совершенно в необидном смысле слова, потому что не обидно для завидующего. Всякий раз, встречаясь с такими пиками его работы в то время, естественно, хотелось прыгнуть на такую же высоту. Так что это очень стимулировало. И в этом смысле — помимо всего прочего — его отсутствие в нашей литературе и в нашей поэзии весьма горестно, весьма горестно.

— *По мнению Кривулина, „пути Бродского и новой отечественной поэзии разошлись" и „момент наивысшего влияния Бродского остался в прошлом"* [10]. *Так ли это, или вам трудно сказать?*

— Мне трудно сказать, потому что я хуже знаю ту среду, которую так хорошо знает Кривулин. Но ведь это такой сложный процесс и такой подспудный. Иногда это влияние вдруг выходит наружу. Тем более что есть поэты, которые в точном смысле, а не в вульгарном, находятся под его влиянием.

— *Не могли бы вы рассказать о последних годах жизни родителей Бродского? Вы ведь, кажется, с ними общались и без него?*

— Да, я видел их постоянно. Кроме того, мы, человек десять, ежегодно собирались у них в день его рождения 24 мая. Я и просто бывал, как и многие из друзей Иосифа, достаточно часто у Марии Моисеевны и Александра Ивановича.

— *Что происходило в его дни рождения? Иосиф всегда звонил?*

— Иосиф, как правило, звонил, но не всегда, потому что не всегда можно было дозвониться. Один раз он позвонил из Рима, другой еще откуда-то. Ну, что происходило? Никаких ритуалов, как вы понимаете, не было. Выпивали и закусывали. Всегда бывало очень весело. Мария Моисеевна и Александр Иванович были для нас людьми удивительно легкими. Вообще сакрализации его личности в среде его ленинградских друзей не происходило. И никакой экзальтации не было, потому что, кроме того, что он поэт масштаба, о котором мы все знаем, он все же еще и человек, с которым связана бездна чисто бытовых ситуаций. И это при трезвом рассудке сакрализации, к счастью, мешает [11].

— *С какого времени его родители поняли, что Иосиф большой поэт? После процесса? После его отъезда?*

— Нет, я думаю, что во время событий 1963-64 годов, потому что я просто знаю письмо Александра Ивановича Иосифу в ссылку и некоторые его разговоры со своими знакомыми, из которых совершенно очевидно, что Александр Иванович — а Мария Моисеевна, я думаю, даже раньше догадывалась с женской чуткостью — в это время уже осознал значимость своего сына в достаточной мере. Ну, конечно, они им очень гордились, и после его отъезда их главная жизнь была все-таки в нем.

— *Как им жилось материально?*

— Они не были богатыми людьми. Но по моим впечатлениям, вполне сводили концы с концами. Они вообще были люди достаточно скромные в своих запросах и, насколько я понимаю, не бедствовали.

— *Как и почему именно на вас пал выбор хранения архива Бродского?*

— Так решил Александр Иванович.

— *Он передал вам лично его или по завещанию?*

— Нет, в завещании этого не было. Он просто в последний год говорил нескольким близким людям из друзей Иосифа, кому что должно на хранение пойти. И меня он просил взять Осину мебель — стол, шкаф, — библиотеку и бумаги. Рисунки Иосифа хранятся у другого человека [12]. Среди бумаг, в частности, есть письма Иосифа, но я, естественно, в них не заглядываю. Вот сейчас в сборнике этой конференции [13] опубликованы три письма Анны Андреевны к нему, которые лежали отдельно, без конвертов. Я в общем случайно на них наткнулся, перебирая папки с разного рода бумагами, черновиками, перекладывая их при переезде. И только поэтому они всплыли, эти письма, на свет. Я запросил Иосифа, и он разрешил их напечатать, поскольку они представляют ценность более серьезную, чем просто переписка двух людей [14].

— *Теперь мне хотелось бы коснуться его главных идей. Как вам видятся его магистральные темы? О чем Бродский постоянно говорит, делая следующий логический шаг, иногда даже в абсурд?*

— Трудно сказать, поскольку здание, им возводимое, очень многообразно. Но это скорее все-таки изживание абсурда, как мне кажется. Я имею в виду абсурд не как бытовое или культурное понятие, а как обозначение ненормальности, вывихнутости, особенно — несправедливости жизни. И он сам где-то недавно сказал, в одном из интервью, что задача поэта — гармонизация мира. Иногда вместо гармонизации происходит схематизация мира, в частности, при недостаточном даровании и больших претензиях поэта. А у Бродского, да, идет именно гармонизация мира при вытеснении и изживании абсурда разными способами. Вначале, в первый период, было, скажем, романтическое противостояние миру и концентрация трагедийности в восприятии жизни, как таковой. Это было прояснение, стирание случайных черт, прояснение трагедийной магистрали человеческой жизни, осознание которой много от человека требует, воспитание духовного мужества. В предотъездный период это очищение жизни иронией, самоиронией, сарказмом. Этакий рассол для романтического похмелья. Это попытка снять форсированный драматизм своих прежних стихов ироническим взглядом сверху. Пушкин говорил об очень страшных событиях своей жизни и жизни России: „Взглянем на происшедшее взглядом Шекспира". У Иосифа при этой крупности взгляда, не злая, пожалуй, а горькая — это, увы, слишком тривиальный эпитет — ирония, доходящая до сарказма и облеченная иногда в очень „низкие" лексические формы, чего мы у Пушкина не встречаем. Тут я хочу оговориться. Я употребил слова „ирония",

„сарказм". Об этом часто говорят относительно поздних стихов Иосифа. У человека не слишком осведомленного может возникнуть мысль о некоем демонизме поэта. И это будет совершеннейшим заблуждением. Я бы рискнул сравнить в этом смысле Бродского 70—80-х годов с Чеховым — по откровенности горького сарказма, почти презрения — не к человеку, но к миропорядку! — и в то же время по силе стеснительного сострадания. Мало в мире поэтов более явно ощущающих холод бытия и в то же время душевно ему противостоящих. Он так говорит о холоде и пустоте, что возникает ощущение печального, но тепла и неодинокости. Все это имеет прямое отношение к вопросу о христианстве Бродского, но этого вопроса мы касаться не станем. Как ни странно это может прозвучать — у Иосифа очень сильна тема для русской литературы фундаментальная — „маленький человек" среди страшного огромного мира. И постоянные поиски душевного движения, которое если не сняло, то ослабило бы неравномерность сил в этом противостоянии. Герой Иосифа, в сущности, именно этот „маленький" слабый человек, стоически преодолевающий мировую несправедливость. И то, что он так часто выводит на словесную поверхность человеческий ужас перед неотвратимостью пустоты, это тоже момент гармонизации.

И еще, мне кажется, установкой Бродского с какого-то момента, пожалуй, с начала шестидесятых, было: сказать о себе и о мире максимально прямо, но оставаясь в пределах литературы. Довольно головоломный фокус. В принципе, это центральная установка литературы XX века, но у Иосифа она реализуется с редкой интенсивностью и изобретательностью, которая искусно камуфлируется вышеупомянутой иронией (которую не нужно путать с „победительной" иронией немецких романтиков). Тут огромную роль играет его восприятие русского языка — и не любовь даже, а полное слияние с языком, ощущение языка как мироздания, что ли... Зрелый Бродский в то же время принципиально, упрямо нелитературен. Возникает некий знак равенства между стихотворением и психологическим бытом. Впрочем, у Иосифа были очень разные периоды. Был период романтических стиховых обобщений, имеющих вполне литературные корни: стихи о всадниках [C:110-12/I:189-91], „Черный конь" [C:94-95/I:192-93] и...

— *„Ты поскачешь во мраке" [C:85-87/I:226-27] и целый цикл* [15].

— Да, да. Хотя, с другой стороны, „Холмы" [C:123-29/I:229-34]. Это замечательное большое стихотворение, где есть те же мотивы, но уже плотно погруженные в быт с тем, чтобы опять выйти в некие абстракции. В последние десять лет это погружение всей проблематики в быт: и лексически, и сюжетно. Это отнюдь не мирный процесс. Яростная тяжба „платоновской идеи" с ее же собственным вещественным воплощением. Это вообще необычайно глубоко у него — проблема, представляющая большой интерес для исследователей. Надеюсь, что они не пройдут мимо...

— *Во всех упомянутых здесь ранних стихотворениях появляется очень важная для позднего Бродского тема „после конца": после конца любви, после России, после конца культуры и христианства. Почему эта тема не оставляет Иосифа?*

— У него была такая метода почти с самого начала — двигаться в мировосприятии по вертикали, чем выше, тем лучше. Если сначала это было упоение взлетом, то в одном из лучших и самых страшных его стихотворений „Осенний крик ястреба" [У:49-52/II:377-80] это осознано как стремление к самоуничтожению.

— *Но это относится ко всему человечеству, не только к индивидууму.*

— Ну, естественно. У него в „Большой элегии Джону Донну" [С:130-36/I:247-51] есть чрезвычайно важный мотив „и выше Бога"...

— *„Ты Бога облетел..."*

— „...и вспять помчался. ... Господь оттуда — только свет в окне / туманной ночью в самом дальнем доме" [I:250]. То есть беспредельность иерархических представлений о жизни, о мире. Это не богоборчество, потому что над одним Богом должен быть еще более грандиозный Господь. Это осознание мира как бесконечной по вертикали иерархии. Это упрямый спор с самой идеей „конечности" — чувства ли, жизни ли, мира ли... Сознание не может с этим смириться. Это — помимо всего прочего — чрезвычайно интенсивное религиозное чувство, впрочем, довольно неопределенное конфессионально [16]. Вообще неумение смириться с несправедливостью — в конкретном ли бытовом выражении, или в высоком философском плане — вещь естественная для Иосифа, он это не раз декларировал. „Конечность", смертность, незавершенность — несправедливость. Один из мотивов его ранних стихов — обида на несправедливость мира (не персонально к нему, Иосифу, но — вообще) и попытка увидеть в смерти нечто более справедливое и примиряющее, чем вульгарный жизненный процесс — вспомним великие, на мой взгляд, стихи „От окраины к центру" [О:28-32/I:217-20].

— *Вы упомянули об ощущении Бродским языка как мироздания. Почему Иосиф делает категорию языка столь доминирующей категорией не только своей поэзии, но и своей поэтики? В его стихах лингвистические термины то опредмечиваются, то одухотворяются: „...здесь и скончаю я дни, теряя / волосы, зубы, глаголы, суффиксы" [Ч:26/II:292]; „За сегодняшним днем стоит неподвижно завтра, / как сказуемое за подлежащим" [Ч:82/II:402].*

— Да, стремление воплотить абстракцию. У него было такое стихотворение „Глаголы" [С:72-73/I:41], 1960 года. Это удивительная программа оживления лингвистических понятий, вживления их в бытовую реальность. Вот откуда идут истоки: при всей трансформации и разного рода изменениях Иосиф необыкновенно цельный и стройный персонаж. Почти все, что он делает в последние 10-15 лет, в каком-то виде было намечено в первые годы работы [17]. А что касается роли языка, то есть письмо Иосифа, в котором целый ряд теоретических положений о языке содержится.

— *Хорошо бы его процитировать, ведь оно никому не доступно.*

— Я это сделаю непременно. А кроме того, тут есть, очевидно, более общий план. С одной стороны, действительно задача поэта — это изживание экзистенциального абсурда, а с другой — это все-таки стремление к абсолюту при трезвом понимании недостижимости его. И тем не менее важна дорога, а не конечный пункт. А поскольку XX век — великий мастер по выбиванию почвы из-под ног, и в культурном отношении тоже, и по изыманию опор фундаментальных, которые были у людей XVIII—XIX веков и на которые Иосиф в значительной степени ориентируется, то впервые, очевидно, действительно в качестве абсолюта выбран сам язык и превращен в некую модель мира, очищенную, гармонизированную, живущую по более совершенным законам, чем мир как таковой. И он выбран, не знаю, насколько это полностью осознано, но выбран как идеальная модель существования мира, гармоническое отношение к которой оправдывает существование поэта, если он живет внутри этой сферы, а не ходит по ее поверхности. Вот, я думаю, это чрезвычайно важно. Это поиски незыблемой и родной опоры, потому что бултыхаться в неопределенном пространстве для человека, обладающего интеллектом, помимо всего прочего, еще как-то обидно. Хочется стоять на чем-то.

У него замечательная есть такая полу-шутка и полу-нешутка, она была опубликована, это некий афоризм: „Песнь есть форма лингвистического неповиновения".

— *Это впервые было сказано им по-английски в предисловии к сборнику переводов стихотворений Мандельштама: „Песнь есть форма лингвистического неповиновения, и ее звуки ставят под сомнение не только конкретную политическую систему, но и весь существующий порядок вещей. И количество ее врагов пропорционально увеличивается" [L:136]* [18].

— Да, все формы существования укладываются, в общем, в лингвистическую сферу.

— *Это прямо подводит нас к следующему вопросу: каковы заслуги Бродского перед русским языком?*

— Боюсь сказать что-нибудь определенное, потому что язык складывается так сложно, исподволь, так постепенно, с включением таких неожиданных и неподвластных одному человеку слоев, что тут будет действительно трудно говорить о заслугах перед языком как таковым. И сам Бродский, я думаю, такой постановки вопроса не одобрил бы. Но тем не менее, если говорить о языке литературы в данный момент, то большой поэт замечателен не тем, что он придумал что-то новое, а тем, что он выявил для всех то, что существовало помимо него. Просто он это выявляет, формулирует, оформляет, гармонизирует и представляет людям. И такие вот экспансии поэтов в язык и введение новых пластов существовали всегда: Державин, Пушкин, Некрасов, Пастернак.

— *Стоит сделать какой-нибудь комплимент Бродскому как поэту, он отвечает: „Никакой моей заслуги тут особой нет, все это есть в русском языке"* [19].

— Это уже некоторая парадоксализация. В русском языке действительно все есть, так же как все полезные ископаемые в земном шаре есть, но их, тем не менее, нужно все-таки достать и что-то с ними сделать, иначе толку от них мало.

И вот теперь давайте прочитаем то самое письмо о языке, о котором я упомянул. Осенью 62-го или 63-го года, если не ошибаюсь, Иосиф принес мне черновик письма в одну из советских центральных газет по поводу надвигавшейся языковой реформы. Совершенно не помню нашего разговора по этому поводу, но, очевидно, он остыл к своей идее, а письмо в измаранном виде осталось у меня [20]. Вот оно:

*„Дорогая редакция, в окт. ном. Вашей газеты я прочел статью гл. орфографич. комиссии тов. [фамилия не прочитывается. — Я.Г.]. Она меня взволновала, и я счел своим долгом написать это письмо; хотел бы, чтоб Вы его опубликовали.*

*Под прогрессом языка и, следовательно, письма следует понимать его качественное и количественное обогащение. Письмо является формой, через которую выражается язык. Всякая форма с течением времени стремится к самостоятельному существованию, но даже и в этой как бы независимой субстанции продолжает (зачастую не отдавая уже себе как следует отчета) служить породившей ее функции. В данном случае: языку. Обретая видимую самостоятельность, форма создает как бы свои собственные законы, свою диалектику, эстетику и проч. Однако форма, при всем своем прогрессе, не в состоянии влиять на функцию. Капитель имеет смысл только при наличии фасада. Когда же функцию подчиняют форме, колонна заслоняет окно.*

*Предполагаемая реформа русской орфографии носит сугубо формальный характер, она — реформа в наивысшем смысле этого слова: ре-форма. Ибо наивно предполагать, что морфологическую структуру языка можно изменять или направлять посредством тех или иных правил. Язык эволюционирует, а не революционизируется, и в этом смысле он напоминает о своей природе. Существует три рода реформ, три рода формальных преобразований: украшательство, утилитаризм и функциональная последовательность.*

*Данная реформа — не первое и не третье. Данная реформа — второе. Ее сходство с первым заключается в том, что на перегруженный фасад столь же неприятно смотреть, как и на казарму. Своим же происхождением она, по сути, обязана неправильному пониманию третьего... Ибо функция, обладающая собственной пластикой, стремится освободиться от лишних элементов, в которых она не нуждается, стремится к превращению формы в свое стопроцентное выражение.*

*Говоря проще, письмо должно в максимальной степени выражать все многообразие языка. В этом цель и смысл письма, и оно имеет к этому все возможности и средства.*

*Разумеется, современный язык сложен, разумеется, в нем многое можно упростить. Но суть упрощений состоит в том, во имя чего они проводятся. Сложность языка является не пороком, а — и это прежде всего — свидетельством духовного богатства создавшего его народа. И целью реформ должны быть поиски средств, позволяющих полнее и быстрее овладевать этим богатством, а вовсе не упрощения, которые, по сути дела, являются обкрадыванием языка.*

*Организаторы реформы объясняют возражения против нее гипнозом привычки. Но если вдуматься, залог живучести своих предполагаемых преобразований они видят не в чем ином, как в возникновении новой привычки.*

*Это процесс бесконечный. В конце концов, можно перейти на язык жестов и к нему привыкнуть. Неизвестно, будет ли это прогрессом, но это определенно проще, чем раздумывать, сколько „н" ставить в слове „деревянный". А именно к простоте стремятся инициаторы реформы. Сказанное, конечно же, крайность, но этой крайности в то же время, нельзя, к сожалению, отказать в известной логической последовательности.*

*Форма не влияет на функцию, но изуродовать ее может. Во всяком случае — создать превратное представление. Утилитаризм и стандартизация, повторяем, столь же вредны, как перегрузка деталями. Манеж, лишенный колонн, превращается в сарай; колоннада функциональна: она играет роль подобную фонетике. А фонетика — это языковой эквивалент* осязания, его чувственная, что ли, основа. Два „н" в слове „деревянный" неслучайны. Артикуляция дифтонгов и открытых гласных даже не колоннада, а фундамент языка. Злополучные суффиксы — единственный способ качественного выражения в речи.

„Деревянный" передает качество и фактуру за счет пластики, растягивая звук как во времени, так и в пространстве. „Деревяный" ограничен порядком букв и смысловой ассоциацией, никаких дополнительных указаний и ощущений слово не содержит.

Разумеется, можно привыкнуть — и очень быстро — к „деревяному". Мы приобретаем в простоте правописания, но потеряем в смысле. Потому что — „как пишем, так и произносим" — будем произносить на букву (на звук) меньше, и буква отступит, унося с собой всю суть, оставляя графическую оболочку, из которой ушел воздух.

В результате мы рискуем получить язык, обедненный фонетически и — семантически. При этом совершенно непонятно, во имя чего это делается. Вместо изучения и овладевания этим кладом — пусть не скоропалительного, но сколь обогащающего! — нам предлагается линия наименьшего сопротивления, обрезание и усекновение, этакая эрзац-грамматика. При этом выдвигается совершенно поразительная научная аргументация, взывающая к примеру других славянских языков и апеллирующая к реформе 1918 г. Неужели же непонятно, что другой язык, будь он трижды славянский, это прежде всего другая психология, и никаких аналогий быть не может. И неужели сегодня в стране такое же катастрофическое положение с грамотностью, как в 1918 году, когда, между прочим, люди сумели овладеть грамматикой, которую нам предлагают упростить сегодня.

Язык следует изучать, а не сокращать. Письмо, буквы должны в максимальной степени отражать все богатство, все многообразие, всю полифонию речи. Письмо должно быть числителем, а не знаменателем языка. Ко всему, представляющемуся в языке нерациональным, следует подходить осторожно и едва ли не с благоговением, ибо это нерациональное уже само есть язык, и оно в каком-то смысле старше и органичней наших мнений. К языку нельзя применять полицейские меры: отсечение и изоляцию. Мы должны думать о том, как освоить этот материал, а не о том, как его сократить. Мы должны искать методы, а не ножницы. Язык — это великая большая дорога, которой незачем сужаться в наши дни".

Подписал он это послание — „архитектор Кошкин", лишний раз демонстрируя свою любовь к котам. Но любопытно, насколько явно эти соображения почти тридцатилетней давности связаны с его сегодняшними суждениями о языке. Все завязалось тогда...

— После Нобелевской премии Бродскому и там, и здесь говорили, что это „премия всему нашему поколению", это „монумент самому русскому языку" [21].

— Я с этим совершенно не согласен. Но я хочу закончить предшествующую нашу общую мысль относительно того, что вот так же, как те люди, которых я назвал — можно назвать еще другие имена, — Иосиф ввел в поэзию некий языковой пласт, точнее, он очень многое соединил. В очередной раз в русской культуре, в русском языке поэт очень многое соединил. Просто он осуществил тот же принцип, которым пользовались и Пушкин, и Пастернак — введение новых пластов на новом уровне. Тут можно спорить: он будет отрицать свои заслуги, вы будете настаивать на его заслугах. Это некая данность, а уж чья заслуга... Есть ли это процесс развития языка, который говорит через своего поэта, или поэт неким волевым усилием все-таки дает толчок дальнейшему развитию языка — это вопрос, подлежащий дискуссии, но есть некая данность. Тот языковой сплав необычайно разнородных элементов, которым пользуется Иосиф, особенно в последние 15 лет, но который в зародыше существовал и раньше, — это лексическая дерзость, на которую решаются немногие и которая была уже в зачатке в его ранних стихах. Вот это, очевидно, и следует считать заслугой — новое лицо языка, скажем так, которое увидел он и описал в естественных для него формах и в свойственной ему методике.

— *Упоминание имен Пушкина и Бродского в одном контексте случалось уже не раз. Вы, конечно, читали статьи на эту тему*[22]. *Одни считают сравнение Бродского с Пушкиным кощунственным, другие видят параллель Пушкин—Бродский лингвистически, если не исторически, обоснованной, третьи говорят, что это сравнение совершенно для Бродского не комплиментарно и ни к чему не ведет. Что вы скажете по этому поводу?*

— Вообще в культуре, по-моему, вполне правомочно сравнивать все со всем, если это элементы одной системы. Но Пушкин... тут есть особый счет и особая ответственность. Я ничего кощунственного в этом сравнении не вижу. Я вообще терпеть не могу это слово, потому что проще всего отмахнуться от чего угодно, употребив этот неопределенный ныне термин. Это сравнение вполне правомочно. Тут, конечно, много оговорок, которых я в полной мере делать не буду, это совершенно невозможно, иначе мы утонем в оговорках. Естественно, сфера деятельности Пушкина была несколько иной. Ему приходилось, это общее место, создавать жанры, в совершенно точном смысле этого слова. И вообще очень многое приходилось создавать впервые. Все-таки русская литература в 60-е годы этого века была в несколько более устроенном виде, чем в начале XIX века. Так что и задачи несколько иные стояли. Но, тем не менее, Бродский обозначил очередной качественный рывок. Естественно, не он один. В это время, в конце 50-х, в начале 60-х велась очень серьезная работа рядом разных поэтов, идеологически и человечески далеких друг от друга, хотя все они были очень порядочные люди. Например, можно наугад Слуцкого назвать, который делал довольно серьезные вещи.

— *Его называет и сам Иосиф*[23].

— Да. А если говорить о Ленинграде, то это четверка, классическая группа: кроме Иосифа — Рейн, Найман и Бобышев, работа которых отнюдь не оценена и подлежит специальному исследованию. Это, конечно, Кушнер, разрабатывающий свой, совершенно особый пласт языковой культуры. В данном же случае мы говорим о Бродском, и это совершенно не случайно. Он очень многое сконцентрировал в себе и, может быть, резче, чем кто бы то ни было, обозначил рубеж. Вообще поэт такого масштаба всегда обозначает рубеж и поэтому он легко узнаваем. Это знак не только исследователям, но и современникам. Кто хочет видеть, тот видит. Бродский обозначил рубеж, так же, как в свое время обозначил рубеж Пушкин. Вполне бесплодное занятие сравнивать масштабы, говорить, кто больше сделал. В конце концов, Иосиф работает, и у него достаточно возможностей в конструировании новых жанровых подвидов, которые могут стать особыми жанрами. Если Пушкин фактически создал жанр русской поэмы, то и у Бродского уже в начале 60-х обозначился в общем-то новый поэтический жанр — большое стихотворение. „Петербургский роман" [I:64-83], „Шествие" [С:156-222/I:95-149] — это одно дело, а вот „Большая элегия Джону Донну" [С:130-36/I:247-51], „Холмы" [С:123-29/I:229-34], „Исаак и Авраам" [С:137-55/I:268-82] и „Горбунов и Горчаков" [O:177-218/II:102-38] — это не поэмы. Это развернутые на огромном пространстве стихотворения. И построены они как стихотворение, вне зависимости от того, балладного ли оно типа, как „Холмы", или сквозной диалог с подспудным, неявным смыслом, как „Горбунов и Горчаков" или „Исаак и Авраам". Это не существенно. Это совершенно особый тип, им придуманный [24]. И он объясняет необходимость этого раската, почти бесконечного стихового пространства для втягивания, для поглощения читательского сознания, которое не захватывается, как он считает, ограниченным стиховым пространством. Нужны, может быть, утомительные длинноты, завораживающие. Это некая новая магия. Это тоже имеет отношение к проблеме языка, к проблеме повторов, к проблеме протяженности такого чисто языкового пространства, когда уже даже и смысл не явен, а играют роль сами по себе слова, фонетика, ритмика и т.д. Тут можно вспомнить одический сомнамбулизм Ломоносова...

— *Непонимающие его за это критикуют, не видя в его длиннотах ни смысла, ни функции, они их просто утомляют.*

— Это иногда действительно бывает утомительно. Но важны не частные случаи, важен принцип. Можно корить Мелвилла сколько угодно за огромные размеры „Моби Дика", за включение чужеродных, на первый взгляд, элементов. И в то же время, если бы этого не было, „Моби Дик" не был бы великой книгой. Так что здесь всегда возникает некоторое противоречие между читабельностью и великостью. И никуда от этого не денешься.

— *Вчера вы в своем докладе сказали о монументальности проблемы Мандельштам — Данте, Ахматова — Пушкин [25]. Чье имя поставили бы вы против имени Бродского, указав, что есть такая же монументальность проблемы?*

— Пожалуй, я думаю, тут два момента. Если уходить далеко назад, то, скорее всего, Баратынский, а ближе — это Ахматова. Я думаю, что проблема взаимоотношений „Бродский и Ахматова" имеет большую перспективу для исследователей.

— *А из иностранцев? Я бы хотела услышать вашу оценку его английских прививок русской поэзии.*

— Вы совершенно справедливо об этом напомнили. Конечно, после Пушкина никто не сделал так много в смысле втягивания в русскую стихию инокультурных элементов, причем абсолютно органично, нигде ничего не торчит, ткань не прорывается. Я думаю, что суть здесь не только в чисто литературных делах. Да, конечно, английская поэзия... но и польская поэзия, интерес к которой шел вначале не столько от вещей литературных, сколько от исторически-личностных. Я вообще думал о том, почему Иосиф питал и питает такой интерес и симпатию к Польше. Я думаю, что особенности польской истории и польской натуры, ее мятущийся, бунтующий, жертвенный характер, с резко ослабленным инстинктом самосохранения, просто по-человечески Иосифу с самого начала был близок. Трудно сказать, что важнее, что второстепеннее, тут все соединилось: и замечательное звучание польского языка, как бы и близкого к русскому, а с другой стороны, фонетически очень отличного. Я помню, как он читал Галчинского, параллельно оригинал и переводы [26], и с каким наслаждением он читал по-польски! Я к тому говорю, что не нужно все сводить к чисто литературным категориям, как часто это делается. Все-таки, когда поэт такого масштаба возводит свое здание, то работают все компоненты.

— *Есть еще одно его увлечение — увлечение античностью. Не связано ли оно с темой Империи?*

— Конечно, тема эта тоже заявлена очень рано. Античность — время моделей в нашем восприятии. Империя — это всегда систематическое, систематизированное насилие, потому что имперская структура — это структура подавления, удержания разнородных элементов. Речь идет не о конкретной Римской империи или Священной Римской Империи германской нации, а об Империи как наиболее стройной системе насилия. Это насильственная гармонизация, а не естественная, которая близка культуре. Насильственная, жесткая гармонизация культуре противопоказана и ведет в конечном счете к духовной катастрофе. Имперский путь — это всегда, в том или ином виде, путь к катастрофе. Иосиф своими средствами все это исследовал. Я не думаю, чтобы его на самом деле интересовала Римская империя.

— *Это метафора государства вообще.*

— Конечно, это гигантская метафора, не ограниченная, разумеется, советскими сюжетами. Так же, как стихи „Одному тирану" [Ч:7/II:283] вовсе не есть портрет Сталина или Гитлера, или того и другого вместе. Это предельно конкретизированная, но очень обширная метафора. Так и здесь. Империя — это метафора насильственной гармонизации при глубоком внутреннем неблагополучии, это вообще одна из проблем человеческой жизни во все времена. Фундаментальная проблема.

— *Все ли вы принимаете у Бродского, или кое-что принимаете только с оговорками?*

— Вы понимаете, я как-то никогда с этой точки зрения к нему не подходил.

— Мы ведь сейчас говорим о нем не с позиции „на коленях".

— Нет, мы уже говорили о том, что никакой сакрализации здесь быть не может и не должно. Конечно же, любовь к его стихам у меня достаточно избирательна. Как у каждого поэта, так много написавшего, у него есть стихи проходные и стихи, к которым он сам относился и относится критически.

— *Назовите несколько стихотворений, которые вы считаете шедеврами.*

— Я очень люблю „Большую элегию Джону Донну". Это, по-моему, совершенно удивительные стихи, ни на что не похожие. И это один из внезапных прорывов в область мировой культуры, совершенно, казалось бы, не подготовленный, как тогда воспринималось. Перед этим, годом раньше, „Рождественский романс" [С:76-77/I:150-51].

— *А из более поздних?*

— Из более поздних...

— „Бабочка"?

— Я „Бабочку" [Ч:32-38/II:294-98] хорошо помню, хотя у меня сложнее к ней отношение. Это удивительная вещь по своей филигранности, по точности и по уму, с которым это написано, но некоторая холодноватость присутствует. А может быть, я и не прав. Может быть, для меня это не совсем родные стихи. Я нежно люблю „От окраины к центру" [О:28-32/I:217-20]. Из более поздних я очень люблю „Колыбельную Трескового Мыса" [Ч:97-110/II:355-65]. Люблю „Лагуну" [Ч:40-43/II:318-21]. Я просто обожаю „Письма римскому другу" [Ч:11-14/II:284-86], это удивительные стихи опять-таки по непохожести, по простоте и по сочетанию высоты и конкретности. Это то, что время от времени Иосифу удается удивительнейшим образом, как никому другому. Это такое стяжение противоположностей. Очень люблю „Осенний крик ястреба" [У:49-52/II:377-80].

— *А „Пятая годовщина" [У:70-73/II:419-22], за которую он подвергся нападкам „патриотов"?* [27]

— Говорить об этих нападках смешно, потому что если цепляться за слова и фразы, то большего анти-"патриота", кощунствующего над святынями, чем Пушкин, не придумаешь. Он, как известно, сказал: „Я презираю свое Отечество с ног до головы". Он мог себе позволить так говорить, ибо слишком много сделал для своего Отечества.

— *На этой параллели мы и закончим разговор. Прочитайте, пожалуйста, ваши стихи, адресованные Иосифу.*

## ПИСЬМО НА СЕВЕР

*И.Бродскому*

Вот ты стоишь, как будто в стороне,
Как будто обращен вовнутрь дважды.
Лишь ты один недвижим в той стране,
Где все в движенье медленном и важном,

Где медленно слетает теплый снег
Из темного небесного закута.
Скажи судьбе — спасибо за ночлег
Под этой белой кровлею минутной,

Где тягостно струится свет дневной,
И птицы черные на запад улетели,
И медленно проходят пред тобой
Друзей холодных радостные тени.

*1965*

## ПРИМЕЧАНИЯ

[1]  K.K.Kuzminsky & G.L.Kovalev (Eds.), "The Blue Lagoon Anthology of Modern Russian Poetry" (Oriental Research Partners: Newtonville, Mass., Vol. 2B, 1986, С. 331-32). Там же напечатаны 12 стихотворений Я.Гордина (С. 333-38).

[2]  Ранние армейские рассказы Я.Гордина см. „Солдаты пятидесятых", альманах „Петрополь" (Вып. 2, 1990, С. 256-87).

[3]  См. Я.Гордин, „Дело Бродского: История одной расправы по материалам Ф.Вигдоровой, И.Меттера, архива родителей И.Бродского, прессы и по личным впечатлениям автора" („Нева", No. 2, 1989, С. 134-66). См. также интервью с Владимиром Уфляндом в настоящем издании.

[4]  См. примечание 37 к интервью с Евгением Рейном в настоящем издании.

[5]  „Иосиф Бродский размером подлинника. Сборник, посвященный 50-летию И.Бродского" (Ленинград-Таллинн, 1990).

[6]  Я.Гордин составил сборники Бродского „Стихотворения" ("Eesti Raamat": Таллинн, 1991) и „Холмы. Большие стихотворения и поэмы" („Киноцентр": СПб, 1991).

[7]  „Мятеж безоружных" — неопубликованная пьеса Я.Гордина о декабристах, написана в 1964 году.

[8]  Сходная мысль высказана в письме к И.Н.Медведевой: „Моя главная цель, как я теперь понимаю, — звучание на какой-то ноте, глуховатой, отрешенной. Не знаю, как и сказать. Знаю только, что ни звонкой, ни убедительной, и еще какой-то она не будет. Вот ради этой 'ноты' и вся жизнь. ... Поэтому теперь в писании превалирует компози[ци]я, а не экспрессия, эмоция. Я теперь скорее драматург..." (И.Бродский, „Письмо из ссылки", „Постскриптум", No. 2, 1996, С. 6).

[9]  „Прочие наставления — у Шекспира в 'Гамлете', в 3 акте," — так заканчивается авторское предисловие к „Шествию" [С:156-222/I:95-149], упущенное в „Стихотворениях и поэмах" и восстановленное по [МС-1] в „Сочинениях Иосифа Бродского" [I:95].

[10]  Виктор Кривулин, „Слово о нобелитете Иосифа Бродского", выступление на вечере, посвященном Иосифу Бродскому в ленинградском „Клубе-81" 18 ноября 1987 года. Текст выступления был напечатан в самиздатском журнале „Меркурий" (No. 12, 1988) и перепечатан в „Литературном приложении" No. 7 к „Русской мысли" (11 ноября 1988, С. II-III).

[11]  См. Владимир Уфлянд, „Белый петербургский вечер 25 мая" („Вечерний Ленинград", 24 мая 1990, С. 3), перепечатано в журнале „Аврора" (No. 12, 1990, С. 129-35).

[12]  Большая часть рисунков Бродского хранится у Эры Борисовны Коробовой. Анализ их предложен в докладе на международной конференции „Поэзия Иосифа Бродского — культура России и Запада" (СПб., 7-9 января 1991). См. Э.Коробова, „Тождество двух вариантов. О графике И.Бродского" („Русская мысль", 6 декабря 1991, С. 11; 13 декабря 1991, С. 11); перепечатано в  "Special Issue: Joseph Brodsky" ("Russian Literature", Vol. XXXVII-II/III, 1995, С. 247-56). Часть рисунков поэта из архива М.И.Мильчика, Е.Б.Рейна, М.Б.Мейлаха опубликована в кн. И.Бродский, „Бог сохраняет все" („Миф": М., 1992) и в специальном выпуске „Памяти Иосифа Бродского" журнала „Литературное обозрение" (No. 3, 1996).

[13]  Речь идет о парижской конференции, посвященной 100-летию со дня рождения Ахматовой, состоявшейся 29-31 мая 1989 года.

[14]  См. „Диалог поэтов" (Три письма Ахматовой к Бродскому), публ. Я.Гордина, „Ахматовский сборник", т. 1, сост. С.Дедюлин и Г.Суперфин (Институт славяноведения: Париж, 1989, С. 221-24). В России опубликовано в газете „Ленинградский рабочий" (23 июня 1989, С. 12): „'Вы напишете о нас наискосок', три письма Ахматовой Иосифу

Бродскому"; вошло в кн. Анна Ахматова, „Сочинения в двух томах", том 2 („Цитадель": М., 1996, С. 253-55).

[15] Четыре стихотворения, составившие „цикл о всадниках", датированы по [МС-1] 7-9 июня 1962: 1. „Под вечер он видит, застывши в дверях"; 2. „Пустая дорога под соснами спит"; 3. „Июльскою ночью в поселке темно"; 4. „Два всадника скачут в пространстве ночном" [C:110-12/I:189-91]. Непосредственно за ними следовало стихотворение 28 июня 1962 о черном коне „В тот вечер возле нашего огня" [C:94-95/I:192-93] и „Ты поскачешь во мраке" [C:85-87/I:226-27], также написанное в 1962 году. К стихам о всадниках примыкает гонец из неоконченной поэмы „Столетняя война" (вероятно, 1963) [МС-4]. О „Столетней войне" см. Я.Гордин, „Странник", предисловие к кн. И.Бродский, „Избранное" („Третья волна": Москва/Мюнхен, 1993, С. 5-18). Перепечатано: "Special Issue: Joseph Brodsky" (Ibid., С. 227-45).

[16] Подробнее см. Я.Гордин, „Странник", Ibid.

[17] См. интервью с Анатолием Найманом в настоящем издании и примечание 51 к нему.

[18] Joseph Brodsky, "Introduction", "Osip Mandelstam: 50 Poems", tr. by Bernard Mears (Persea Books: N.Y., P. 15). Под названием "The Child of Civilization" эссе вошло в [L:123-44]. Здесь цитируется в переводе интервьюера. Русский перевод Дм.Чекалова см. [HH:31-46].

[19] Записи семинара Бродского в University of Keele, England, 7-8 марта 1978 года.

[20] „Неотправленное письмо" опубликовано Я.Гординым в кн. „Иосиф Бродский размером подлинника", Ibid., С. 5-7.

[21] Евгений Филиппов, „Встреча в Гренобле" („Русская мысль", 9 декабря 1988, С. 9).

[22] Впервые параллель „Пушкин — Бродский" провел Анатолий Найман ([O:7-15], см. примечание 27 к интервью с А.Найманом в настоящем издании). Затем появилась статья Д.С. (псевдоним В.А.Сайтанова) „Пушкин и Бродский" в „Вестнике РХД" (No. 123, 1977, С. 27-39). Перепечатано в сборнике „Поэтика Бродского" (Hermitage: Tenafly, 1986, С. 207-18). Там же напечатана статья А.Жолковского „'Я вас любил...' Бродского: интертексты, инварианты, тематика и структура" (Ibid., С. 38-62), в России в новой редакции перепечатано в кн. А.К.Жолковский, „'Блуждающие сны' и другие работы" („Наука": М., 1994, С. 205-24). Виктор Кривулин обращает внимание „на сходство самое радикальное": по его мнению, „и Бродский, и Пушкин, осознавая себя личностями уникальными, ощущали необходимость как-то скрыть эту уникальность — необходимость в маске" (В.Кривулин, „Слово о нобелитете Иосифа Бродского", Ibid.).

[23] В докладе на симпозиуме "Literature and War" (1985) Бродский говорил: „Именно Слуцкий едва ли не в одиночку изменил звучание послевоенной русской поэзии. Его стих был сгустком бюрократизмов, военного жаргона, просторечия и лозунгов, с равной легкостью использовал ассонансные, дактилические и визуальные рифмы, расшатанный ритм и народные каденции. Ощущение трагедии в его стихотворениях часто перемещалось, помимо его воли, с конкретного и исторического на экзистенциальное — конечный источник всех трагедий. Этот поэт действительно говорил языком двадцатого века ... Его интонация — жесткая, трагичная и бесстрастная — способ, которым выживший спокойно рассказывает, если захочет, о том, как и в чем он выжил" (пер. В.Куллэ). J.Brodsky, "Literature and War — A Simposium: The Soviet Union" ("Times Literary Supplement", 17 May 1985, P. 543-54).

И Бродский, и Рейн ездили в Москву, чтобы показать Слуцкому свои стихи. По следам такой поездки в апреле 1960 года Бродский написал обращенное к Слуцкому стихотворение „Лучше всего спалось на Савеловском" [I:34-35]. См. также стихи Рейна „Борис и Леонид" (Е.Рейн, „Избранное" („Третья волна": Москва-Париж-Нью-Йорк, 1992, С. 100)). Очевидная перекличка со Слуцким встречается во многих ранних стихах Бродского, например в стихотворении „Еврейское кладбище около Ленинграда" [C:54-55/I:21] (на это обращает внимание Зеев Бар-Селла (Владимир Назаров) в статье „Страх и трепет", опубликованной в израильском журнале „Двадцать два" (No. 41, 1985, С. 202-13).

[24] См. Я.Гордин, „Странник" (Ibid.) и его же предисловие к сборнику Бродского „Холмы. Большие стихотворения и поэмы" („Киноцентр": СПб, 1991, С. 11).

[25] См. выше примечание 13.

[26] О переводах Бродского из польской поэзии см. Виктор Куллэ, „'Там, где они кончили, ты начинаешь...' (о переводах Иосифа Бродского)", "Special Issue: Joseph Brodsky" (Ibid., C. 267-88).

[27] Статья П.Горелова „Мне нечего сказать..." („Комсомольская правда", 19 марта 1988, С. 4); перепечатано в кн. П.Горелова „Кремнистый путь" (М., 1989, С. 154-81). Статья вызвала оживленную полемику. Из откликов можно выделить открытое письмо в „Огоньке" (No. 18, 1988), подписанное А.Кушнером, Я.Гординым, В.Поповым, М.Борисовой, М.Чулаки, Д.С.Лихачевым, и статью С.Бавина и М.Соколовой, „...и волны с перехлестом" в той же „Комсомольской правде" от 13 мая 1988.

Изабелла Ахатовна Ахмадулина родилась 10 апреля 1937 года в Москве. Поэт, переводчик, эссеист. Окончила в 1960 году Литературный институт им. Горького. Будучи одним из наиболее ярких и значительных представителей „шестидесятников", символом и легендой поколения, она стала едва ли не единственным поэтом, которому удалось сохранить чистоту голоса и независимость поведения, оставаясь при этом в России. Печататься начала с 1955 года. Параллельно ее произведения продолжали циркулировать в самиздате: от второго номера **„Синтаксиса"** А.Гинзбурга и вплоть до альманаха **„МетрОполь"**; печатались в периодике русской эмиграции [1]. Опубликовала множество книг, среди которых **„Струна"** (М., 1962), **„Озноб"** (Frankfurt am Main, 1968), **„Уроки музыки"** (М., 1969), **„Стихи"** (М., 1975), **„Свеча"** (М., 1977), **„Сны о Грузии"** (Тбилиси, 1977 и 1979), **„Метель"** (М., 1977), **„Тайна"** (М., 1983), **„Сад"** (М., 1987, Государственная премия СССР 1989), **„Стихи"** (М., 1988), **„Избранное"** (М., 1988), **„Побережье"** (М., 1991), **„Звук указующий"** (СПб., 1995), **„Гряда камней"** (М., 1995), **„Самые мои стихи"** (М., 1995), **„Шум тишины"** (Иерусалим, 1995). В „Пушкинском фонде" издана книга стихотворений Беллы Ахмадулиной **„Ларец и ключ"** (СПб., 1994) и книга прозы и эссеистики **„Однажды в декабре"** (СПб., 1996).

Стихи Ахмадулиной переведены практически на все европейские языки, в 1977 году она избрана почетным членом Американской Академии искусства и письменности [2]. Белла Ахмадулина удостоена многих престижных наград, в том числе международной поэтической премии „Носсиде" (Италия, 1992), независимой премии „Триумф" (Москва, 1993), Пушкинской премии (Германия, 1994). Бродский писал о ней: „Ахмадулина скорее плетет свой стих вокруг центральной темы, нежели строит его; и после четырех строчек или того меньше стихотворение расцветает, существует едва ли не само по себе, вне фонетической и аллюзивной способности слов к произрастанию. Ее образность наследует зрению столь же, сколь и звуку, но последний диктует ей больше, чем она порой ожидает. Другими словами, лиризм ее поэзии есть в значительной степени лиризм самого русского языка" [3].

# ГАРМОНИЮ УНИЧТОЖИТЬ НЕВОЗМОЖНО [4]

*Интервью с Беллой Ахмадулиной*
*31 октября 1987 года, Лондон*

— *Белла Ахатовна, мне кажется, вы один из немногих русских поэтов, не страдающих «комплексом Бродского». Чем вы объясняете само существование подобного комплекса? Чувствуете ли вы его у других поэтов, или это моя фантазия?*

— Валя, милая, я не совсем понимаю, что вы имеете в виду. Что некоторые как бы чувствуют себя при Бродском меньше ростом? Или его влияние?

— *Речь идет не о влиянии в положительном смысле, не о понимании его размера и величины, а о тех поэтах, которые непременно как-то хотят уменьшить его величину, уязвить самого Бродского.*

— О нет! Таких поэтов я не знаю.

— *Я же таких поэтов встречала и на Западе, и среди приезжающих из Союза.*

— Во всяком случае, я с ними не общаюсь. Иосиф есть совершенство.

— *Как вы чувствуете его присутствие?*

— Я вчера уже говорила для русской службы Би-Би-Си [5], но я могу повторить. Присутствие великого поэта в мире очень сильно влияет на существование человеческое. И даже если люди не читали Бродского... Есть и такие, которые не читали. Но вдруг я замечаю его влияние... по стихам молодых поэтов, которые мне известны. Они приносят мне свои стихи, и я спрашиваю: „Вы очень много читали Бродского?" Они говорят: „Ну где нам прочесть?" — „Но ведь заметно, что вы его читали". Его влияние так заметно, так благодатно. И я думаю, что его присутствие — оно повлияло как-то и на развитие умов, и на способ стихосложения поэтов, которые живут в России.

— *Не могли бы вы более конкретно сказать о том, в чем это проявляется, как вы чувствуете, что в их стихах присутствует Бродский?*

— Среди поэтов, которые ко мне обращались — в строфике, в ритме, в интонации. Они меньше читали Бродского, чем я, но они так любят Бродского. Наверное, он что-то предугадал. Его влияние сказалось даже на устройстве... если можно так сказать, на устройстве строки. Ведь у Бродского сам способ... то есть я понимаю, что это нельзя назвать способом, но соотношение слова и слова, и переход одной строки в другую... Этого не было прежде в русском стихосложении.

— *Это было, но не в таком количестве, у Хлебникова, у Цветаевой...*

— То, о чем я говорю, я читала только у Бродского. Это страннейшее соотношение слова и слова, строки и строки... И потом важно, что Иосиф есть совершенство... совершенство гармонии. Я сейчас говорю только о поэзии. Это и есть совершенство, то есть его слова как в формуле какой-то. Если что-то убрать, переменить, то распадается все: строка, формула, распадается мироздание. Потом, вот мне говорили американцы, англичане, что его английский есть его собственное изобретение, это его особенный, его собственный английский. И пока мы страдаем в России — где Бродский и где Россия — я думаю, что и это ему пригодилось. То есть у него нет тупости, малости, замкнутости. Он всемирен. И это чувство всемирной культуры, языка вообще, мне кажется, очень сказалось на его поэтике.

— *В этом смысле вы считаете, что он извлек нечто положительное из факта своего изгнания для русской словесности?*

— Не сомневаюсь в этом.

— *Даже ценой пятнадцатилетнего эмоционального неблагополучия, ценой здоровья?*

— Не сомневаюсь. Да, ценой здоровья. Подержимся за дерево. Да и его жизнь в России... она для него... Ценой каких страданий, какого ужаса. Но все-таки это самый чистый, самый благородный путь. Ну да, конечно, ссылка — все-таки лучше, чем выступать на стадионе в Лужниках.

— *А как вы относитесь к тому факту, что Бродский, в какой-то степени мифологизируя язык, создает из языка как бы почву своей беспочвенности? И его тревожит, я знаю, что он оторван от живого русского языка, что он не может следить за идиоматикой ежедневной жизни.*

— Да, его житейский язык очень странен.

— *Но и ваш, Белла Ахатовна, житейский язык очень странен, он немного до-тургеневский.*

— Мой житейский язык и Иосифа непохожи, потому что он говорит гораздо проще и его язык как бы больше соответствует русской житейской речи, даже с ее вульгаризмами...

— *Так что вы считаете, что его опасения напрасны?*

— Иосифу нечего опасаться. Если мы имеем дело с исключительным и великим случаем, как с Иосифом и как... Я Иосифа ни с кем не сравниваю, потому что каждый человек это совершенное одиночество, потому что это единственное, но в великих случаях, как с Буниным, как с Набоковым, человек вывозит с собою нечто, что становится... Он как бы внутри себя может плодить русский язык и совершенно в этом преуспевает. Ему необязательно слышать, как вокруг говорят... Он это сам как бы воспроизводит. Он сам становится плодородной силой. Как бы он сам сад и сам садовник. И он вывозит с собою такое, что он уже не зависит от отсутствия... Будучи разлучен с бытовой речью, он сам становится плодородной почвой русского языка. Я когда-то это сказала Набокову[6]. Он спросил: „Вам нравится мой русский?" — Я сказала: „Ваш русский язык, он лучший..." — „Но мне казалось, что это замороженная клубника," — ответил Набоков. Как бы с человеком судьба... Но с такими людьми... — что значит судьба? Тут совпадает одно с другим. Он сам плодит язык, вот в чем дело.

— *Вы такого высокого мнения о Бродском. Как бы вы его защитили от тех писателей и критиков, которые обвиняют Бродского в том, что он холодный поэт, что у него мало стихов о любви, что он презирает читателя?*

— Я таких дураков даже никогда не видела и не слышала.

— *Вы не чувствуете, что он холодный поэт?*

— О нет! Как это может быть! У него очень много стихов о любви. Я, по-моему, прочитала все, что написано.

— *Вы считаете, что надо отмести и не принимать всерьез эти упреки?*

— Да какие к нему могут быть упреки!? Он, несомненно, должен вызывать разное к себе отношение, но знаете, что мы сейчас о дураках будем говорить?

— *Хорошо, тогда я попрошу вас защитить Бродского от поэта, которого вы знаете, от Кривулина. В двух своих статьях о Бродском он сказал, что когда Иосиф появился, Анна Андреевна повторяла, что наступил новый расцвет русской поэзии.*

— Она была совершенно права.

— *Теперь, когда Бродский вырос, его присутствие в русской поэзии свидетельствует о ее тупике, о „состоянии затяжного кризиса", а не о расцвете* [7].

— Я не знала, что он так рассуждает о поэзии. Бродский и есть единственное доказательство расцвета русской поэзии.

— *Как вы объясняете тот факт, что многолетнее общение Бродского с Ахматовой никак не отразилось на его идиостиле? Как бы вопреки ее огромному духовному и культурному влиянию — стилистически он ближе к Хлебникову и Цветаевой, чем к ней?*

— Тут важно вот что: в Бродском есть одна такая великая черта — еще одна великая черта — это его врожденное умение воспринимать всеобщую культуру. Учитывая, какое образование было, это его личный подвиг. Это на роду ему написано... его соответствие вселенной, всем драгоценностям мира, античным и библейским, и более современным. Это собственный его подвиг. Он единственный, кого я знаю, кто вбирает в себя все лучшее. На нем не сказалась убогость жизни. А влияние Анны Андреевны Ахматовой... тут еще два счастливых доказательства: ее совершенства и совершенства Бродского. Она сразу поняла, с каким чудом мы имеем дело. Я уверена, что и стилистически есть ее влияния, но это был бы бесполезный поиск, зачем? Этот человек все берет себе... Главное у него — его способность усвоить долг жизни.

— *Увы, исследователю творчества Бродского, выискивающему его русские корни, приходится быть более конкретным. Кроме Кривулина, я хочу еще процитировать Карабчиевского. В своей книге „Воскресение Маяковского" он устанавливает связь между Цветаевой и Маяковским, что легче установить, и между Маяковским и Бродским, утверждая, что Маяковский возродился и живет в Бродском* [8]. *Может быть, Карабчиевский не до конца прочел Бродского?*

— Я читала книгу Карабчиевского, но этого я как раз не помню. Во всяком случае, я думаю, что, даже учитывая талант Маяковского и его трагическую судьбу... Но как раз Маяковский и Бродский — это совершенные противоположности, совершенные. Маяковский — трагически несбывшийся человек, а Бродский — трагически совершенно сбывшийся. И если они могут соответствовать друг другу, то только в смысле совершенной обратности.

— *Белла Ахатовна, я хотела бы спросить о вашей личной связи с Бродским, с его поэтикой. Прочитав внимательно в последнее время ваши стихи, я увидела, что две темы доминируют в вашей поэзии: это темы времени и языка. Темы, совершенно магистральные для поэзии Бродского. Он иногда говорит с самим временем, обращен ко времени „в чистом виде". Случайно ли это тематическое сходство?*

— Мой способ отношения к Бродскому один, он просто ненаучен. Это обожание. Сама же я уже где-то говорила в связи с Ахматовой: „всех обожаний бедствие огромно", потому что обожатель никогда не может рассчитывать на взаимность. И я уверена, что Иосиф... я никогда не думаю о себе, когда я думаю о нем. И даже когда мне говорили (тут жест, который вы объясните): „Вы знаете, что Бродский о вас так!" [большим пальцем вниз]. Это как ему угодно. Мое дело говорить о нем так [большой палец вверх].

— *Это, кстати, совсем не правда. Я говорила о вас с ним.*

— У меня только нежность. И вот я уже вчера сказала, что когда я услышала о Нобелевской премии... Я, кстати, всегда знала, что Нобелевскую премию Бродский получит, я только думала, что я не доживу до этого. Если мы будем считать это таким самым высоким признанием, то я восприняла это как какой-то личный триумф, потому что это совпадало с моей нежностью, с моим отношением к Бродскому, с тем, как я его понимаю. Так возликовать! Как будто это моя личная удача! Радость моего существования, что я дожила. Что бы там ни было дальше, только одно важно, чтобы, конечно, он был здоров. А потом многие и многие литературоведы, ученые будут заниматься тем, чтобы понять, кем именно и чем приходится Бродский русской словесности. И я уверена, об этом еще очень много будут думать и писать. Для меня это подтверждение, что русская поэзия жива, не иссякла.

— *И все-таки я не позволю вам уйти от вопроса и задам вам его более конкретно. У вас есть стихотворение „Бабочка"* [9]*, которое перекликается с „Бабочкой"* [Ч:32-38/II:294-98] *Бродского не только по названию, но и тематически.*

— У меня гораздо проще. Это правда было 16-го октября, и там правда была бабочка между стекол. Наверное, как-то сказалось, но только нечаянно. Я эту реальную бабочку помню до сих пор: „октябрь, шестнадцатое, вторник — / и Воскресенье бабочки моей".

— *Тем примечательнее, что ваша бабочка и бабочка Бродского у вас вызвали общие мысли о жизни, о смерти, о бытии и небытии.*

— Бродский ближе мне, чем все остальные писатели и поэты, наши современники. А его мысли о жизни и смерти замечательны, то есть он очень осознает вечность, и иногда даже грустно это читать, настолько он чувствует небытие.

— *Белла Ахатовна, я задам вам еще один вопрос. Это вопрос будущего, но я задам его сейчас: Пушкин и Бродский. Для одних это кощунственное сравнение, для других — вполне реальное* [10]*.*

— А почему бы и нет? Во-первых, мы все как-то вослед Пушкину... мы все о Пушкине... и все мы перед Пушкиным... Может быть, Бродский и есть новое явление Пушкина. Совершенство и совершенство. Во-вторых, Бродский меньше других провинился перед Пушкиным, перед гармонией.

— *Это сравнение осложняется еще и тем, что за спиной у всех у вас „великолепная семерка": Блок, Хлебников, Маяковский, Ахматова и Мандельштам, Цветаева и Пастернак. И они еще так близки к вам, что вы оборачиваетесь на них, хотите или не хотите, вы чувствуете их дыхание за своей спиной. И вдруг через их головы сравнить одного из вас с Пушкиным... Этого современник Бродского принять не может.*

— Почему не может? Я могу, потому что лучше, чем Бродский, сейчас поэта в мире нет.

— *Среди не только пишущих по-русски?*

— Ну, может быть, я мало читаю. В этом смысле они уже совпадают.

— *Не кажется ли вам, что Бродскому не только судьбой и талантом, но и самой потребностью русского языка выпала роль Пушкина?*

— Поясните свою мысль.

— *За 70 лет советского государства в русском языке произошли такие изменения, что потребовался поэт, который бы зафиксировал все эти изменения в совершеннейшей поэтической форме, при этом нагрузив свои стихи вечными проблемами бытия.*

— Но ведь в это время жили и Пастернак, и Ахматова. Они тоже хранители русского языка.

— *Но они не допускали такой демократизации своей поэтической речи, которую мы наблюдаем у Бродского. В его поэзии есть все.*

— Это чудо. Это совершенное чудо. И в этом смысле мы совершенно можем сравнить Бродского с Пушкиным. Все-таки считается, что с Пушкина начинается поэтический язык наш. И Бродскому совершенно это присуще. Его язык невиданный, неслыханный. Это совершенное его открытие. И он в этом смысле... то есть совершенно роковой человек для какого-то нового времени, да? Эта выспренность и низкоречие! Это просто замечательно! Ничего подобного этому нет! И в это входит все. Но я не научно... Он как бы и завершение чего-то и...

— *То есть если для вас он вершина русской поэзии, ее высшая точка, то для будущего он будет служить началом, отсчетом чего-то.*

— Я не сомневаюсь в этом.

— *Вы уже говорили немного по поводу его связи с мировой и европейской культурой. Вы считаете, что он один из наших самых европейских поэтов?*

— О да, уверена.

— *Даже более европейский, чем Мандельштам?*

— Но все-таки вспомним, когда родился Мандельштам и когда Бродский. Это его причастие к всемирному, к всемирной культуре. Мандельштаму это тоже свойственно, но Мандельштам родился много прежде. Мы уже говорили об этом. Это, конечно, черта только, кажется, гения.

— *Считаете ли вы, что изменилась бы поэзия Бродского, если бы он остался в России и жил там?*

— Вы знаете, сослагательное наклонение всегда бесполезно, оно ничего нам не дает. Ну просто уцелел ли бы он?

— *Я такой же вопрос задавала ему. Он сказал, что не важно, что случилось бы лично с ним* [11].

— К судьбе тоже не применимы никакие сослагательные наклонения. Мне кажется, что трагедия разлуки Бродского с Россией, она не столько трагедия для Бродского, сколько для людей, которые там живут. Но все равно это останется, это всегда будет. Мне кажется, что даже в географическом плане его судьбу можно считать счастливой. Все правильно.

— *В чем же суть разногласий Бродского с Советским государством? Почему он так неприемлем для них?*

— Просто, знаете, они не так воспринимают. Что значит разногласия? Просто никакого... Они как раз... Вообще поэт и государство никогда еще не совпадали. К нему там особых упреков как бы нет. Будем надеяться, что он будет напечатан [12].

— *Но конфликт остается. В чем, по-вашему, суть этого конфликта? Ведь такого конфликта нет у других его „знаменитых" современников.*

— Как всегда во всем мире такие, как Пушкин и Бродский...
Знаете, насколько я знаю и слышала мнения официальных лиц в Советском Союзе, они сейчас ничего против Бродского не имеют. Но это все так мелко по сравнению с талантом Бродского, что что об этом говорить. Дело не в этом, а дело в таланте. А этот конфликт всегда был и будет. Как же иначе может быть? Поэт — это поэт, а устройство — это устройство. И никакого уюта или комфорта из этого никогда не сделаешь.

— *Хорошо, вернемся к поэзии. Тот факт, что Бродский разлучен с русским читателем и, что более важно, русский читатель разлучен с ним...*

— Нет, из этого важно только одно, что сам Иосиф этим огорчен. Так или иначе, стихи Бродского — это лучшее, что сейчас есть в русской поэзии.

— *Да, но они недоступны широкому русскому читателю.*

— Да, они недоступны, но мы не можем всего добиться. Если мы уже в мире имеем великого русского поэта, то не будем капризничать и не будем говорить: все должно быть хорошо. Ну, сейчас не прочтут — потом прочтут.

— *Я не совсем об этом. Подготовлен ли русский советский читатель к пониманию поэзии Бродского?*

— Подготовлен. Совершенно подготовлен.

— *То есть, если бы его завтра напечатали всего, он стал бы популярен?*

— Купить бы нельзя было книжку!

— *А может быть, это потому, что он был запрещен?*

— Это не важно.

— *Но ведь он труден.*

— Он труден. Но все-таки в России есть люди, которые умеют думать, и их немало. И книжку нельзя было бы купить. И обожателей у Бродского, их немало при всей трудности его поэзии. Я исторически как-то об этом думаю: не прочитают его сегодня — прочитают завтра. Какая разница?

— *Но мы-то с вами уже прочли.*

— И если Бродский собирается или надеется приехать, и...

— *Вы думаете, что он приедет?*

— Не знаю, вы у него спросите.

— *Поскольку он сам в одном из интервью ответил уже на этот вопрос, я могу его процитировать. Он сказал, что вернулся бы в Россию при одном условии, если бы его там всего напечатали* [13].

— Да, правильно. Это значит „нет". Два раза судьбу не меняют. Но если он захочет... Мне даже больно подумать, как он появится в Ленинграде.

— *Как бы он там был встречен?*

— Обожанием. Обожанием. Только обожанием.

— *Еще одна тема, очень важная для Бродского. Ему кажется, что мы стоим на пороге постхристианской эры, если уже не перешагнули его. Об этом он заговорил уже в 1965 году в стихотворении „Остановка в пустыне" [О:166-68/II:11-13], а недавно в пьесе „Мрамор" [IV:247-308]. Не могли бы вы прокомментировать эту тему? Оправданы ли его опасения? Волнует ли вас эта идея конца?*

— Да, у Бродского эта идея выражена очень сильно. Я думаю, что если все на какое-то время и погибнет, то все равно это возродится, все равно будет. Иначе и не может быть. Или в пепел все превратится. Потому что это гармония, а гармония такова, что ее никакими искусственными силами нельзя уничтожить. Нарушить, разрушить — это возможно, но навсегда уничтожить невозможно. Кстати, стихи Бродского — это... я даже не знаю, как это назвать... мысли о Боге. Поэт всегда разговаривает только с Богом, остальное...

— *В этом смысле вы согласны с теми, кто считает, что поэт не может быть неверующим по существу?*

— Да, вернемся к Пушкину. Он был известный атеист. И терпел за это. А кто более всего соответствовал правилам христианского поведения, христианской этики, чем Пушкин? Доброта, жалость к другим...

— *И в этом смысле вы считаете, что термин „христианский поэт" излишен?*

— Да. Дар — это Божья милость. Это может не совпадать с религиозным представлением, но это, несомненно, так.

— *Белла Ахатовна, не могли бы вы сказать немножко о себе? Какая ваша судьбоносная тема? То есть о чем вы не можете не говорить?*

— Ну, что говорить. У вас есть мои книжки, вы меня достаточно знаете. Я только скажу вот что. Я во все эти годы, конечно, помогала людям, которые живут в России. Я была им нужна. Все-таки, где Бродский, а я тут как бы на месте. Я была каким-то утешением. Бродский выше, но он и дальше.

— *Белла, это ваша природная скромность. Но я скажу вам сейчас... из моего разговора с Бродским, кстати, и чтобы доказать вам, что его, якобы такой, жест ничему не соответствует. Он сказал однажды, что Белла — один из немногих русских поэтов, живущих в России, которому каким-то чудом удалось сохранить чистоту, совесть и независимость* [14]. *То есть вы не шли на компромиссы, как некоторые, вы устояли перед соблазном злободневности, которым так многие соблазнились. Как вам это удалось?*

— Ну, значит, чего-то недоставало в человеке. Я всегда, когда говорю о Бродском, повторяю, что у него, к счастью, не было мелких и пошлых искушений: огромной аудитории, стадионов. У меня все это было. Как мне удалось... Ну, человека опекает какая-то звезда, несомненно, что-то или кто-то свыше опекает. Но и сам ты должен себя сильно опекать. Вдруг я иногда слышу голос: „Делай так!" или „Не делай так!" И я слушаюсь. И тогда мне за это дается какое-то прощение. И я могу хоть писать. Но этой опеки недостаточно. Нужен еще и собственный присмотр за собою, за своей совестью. Не забудемся, не расплывемся в ощущениях, что за нас все свыше предрешено. Это, конечно, так, но и сам ты должен соблюдать... Ну вот, Валя...

— *Устали, Белла?*

— Нет, не устала. Но нам надо собираться.

— *Хорошо, хорошо. Большое спасибо.*

## ПУТЕШЕСТВИЕ [15]

Человек, засыпая, из мглы выкликает звезду,
ту, которую он почему-то считает своею,
и пеняет звезде: „Воз житья я на кручу везу.
Выдох легких таков, что отвергнут голодной свирелью.

Я твой дар раздарил, и не ведает книга моя,
что брезгливей, чем я, не подыщет себе рецензента.
Дай отпраздновать праздность. Сошли на курорт забытья.
Дай уста отомкнуть не для пенья, а для ротозейства."

Человек засыпает. Часы возвещают отбой.
Свой снотворный привет посылает страдальцу аптека.
А звезда, воссияв, причиняет лишь совесть и боль,
и лишь в этом ее неусыпная власть и опека.

Между тем это — ложь и притворство влюбленной звезды.
Каждый волен узнать, что звезде он известен и жалок.
И доносится шелест: „Ты просишь? Ты хочешь? Возьми!"
Человек просыпается. Бодро встает. Уезжает.

Он предвидел и видит, что замки увиты плющом.
Еще рань и февраль; а природа цвести притерпелась.
Обнаженным зрачком и продутым навылет плечом
знаменитых каналов он сносит промозглую прелесть.

Завсегдатай соборов и мраморных хладных пустынь,
он продрог до костей, беззащитный, как все иноземцы.
Может, после он скажет, какую он тайну постиг,
в благородных руинах себе раздобыв инфлюэнцы.

Чем южней его бег, тем мимоза темней и лысей.
Там, где брег и лазурь непомерны, как бред и бравада,
человек опечален, он вспомнил свой старый лицей,
ибо вот где лежит уроженец Тверского бульвара.

Сколько мук, и еще этот юг, где уместнее пляж,
чем загробье. Прощай. Что растет из гранитных расселин?
Сторож долго решает: откуда же вывез свой плач
посетитель кладбища? Глициния — имя растений.

Путник следует дальше. Собак разноцветные лбы
он целует, их слух повергая в восторженный ужас
тем, что есть его речь, содержанье и образ судьбы,
так же просто, как свет для свечи — и занятье, и сущность.

Человек замечает, что взор его слишком велик,
будто есть в нем такой, от него не зависящий, опыт:
если глянет сильнее — невинную жизнь опалит,
и на розовом лике останется шрам или копоть.

Раз он видел и думал: неужто столетья подряд,
чуть меняясь в чертах, процветает вот это семейство? —
и рукою махнул, обрывая ладонью свой взгляд
(благоденствуйте, дескать), — хоть вовремя, но неуместно.

Так он вчуже глядит и себя застигает врасплох
на громоздкой печали в кафе под шатром полосатым.
Это так же удобно, как если бы чертополох
вдруг пожаловал в гости и заполонил палисадник.

Ободрав голый локоть о цепкий шиповник весны,
он берет эту ранку на память. Прощай, мимолетность.
Вот он дома достиг и, при сильной усмешке звезды,
с недоверьем косится на оцарапанный локоть.

Что еще? В магазине он слушает говор старух.
Озирает прохожих и втайне печется о каждом.
Словно в этом его путешествия смысл и триумф,
он стоит где-нибудь и подолгу глядит на сограждан.

1977

### ПРИМЕЧАНИЯ:

[1] См. „Грани" (No. 58, 1965, С. 128-31; No. 74, 1970, С. 3-6), „МетрОполь" (Ardis: Ann Arbor, 1979, С. 21-48), „Часть речи" (No. 2/3, 1981/2, С. 69). В 1968 году книга избранного Беллы Ахмадулиной „Озноб" вышла в издательстве „Посев".

[2] На английском опубликованы книги: "Fever" (William Morrow: New York, 1969) и "The Garden" (Henry Holt: New York, 1990).

[3] J.Brodsky, "Why Russian Poets?" ("Vogue", Vol. 167, No. 7, July 1979, P. 112).

[4] Опубликовано в кн. "Brodsky's Poetics and Aesthetics", Eds. by L.Loseff & V.Polukhina (Macmillan Press: London, 1990, P. 194-204).

[5] Белла Ахмадулина приехала в Лондон с театром им. Маяковского в октябре 1987 года. 29 и 30 октября она выступала на вечере поэзии в The Littleton Theatre вместе с армянским поэтом Геворгом Эмином. Интервью состоялось 31 октября в гостинице The West Morland Hotel, где она жила вместе со своим мужем, художником Борисом Мессерером.

[6] Белла Ахмадулина навестила В.В.Набокова в Швейцарии в марте 1977 года, незадолго до его смерти. Она написала ему из Парижа, куда приехала по частному приглашению Владимира Высоцкого и Марины Влади. Набоков ответил на письмо, согласившись ее принять. Он был очень слаб, „почти прозрачен", как выразилась Белла Ахатовна. Аудиенция продолжалась около 50 минут. Ахмадулина рассказывала интервьюеру о своем визите к Набокову во время предыдущего приезда в Англию в апреле 1977 года.

При подготовке настоящего издания Белла Ахатовна внесла в этот эпизод следующее уточнение: „Я, действительно, вместе с Борисом Мессерером видела Владимира Владимировича Набокова в Швейцарии в марте 1977 года. Я писала письмо Владимиру Владимировичу Набокову из Парижа (подлинник письма, как я думаю, — в архиве Набокова, копии не было, по памяти я воспроизвела текст письма Рене Герра, это было важно для меня). Но я никогда не просила принять меня и не собиралась оказаться в Швейцарии. Краткий ответ Владимира Владимировича Набокова был получен нами позже встречи в Монтре — Елена Владимировна Набокова (Сикорская) и другие любящие меня люди в соответствии с их волей любви устроили эту встречу, как бы вопреки моей воле обожания. // Слова: очень слаб, „почти прозрачен" ... не могут быть достоверны вне контекста моего художественного ощущения и описания. А я не писала о Набокове, я могла так сказать лишь после его смерти, ... — через десять лет." (Из письма Виктору Куллэ, 12 сентября 1992). В „Литературной газете" (22 января 1997, С. 12-13) опубликована проза Беллы Ахмадулиной „Робкий путь к Набокову", датированная декабрем 1996.

[7] Статья Виктора Кривулина „Иосиф Бродский (место)" была опубликована под псевдонимом Александр Каломиров в „Вестнике РХД" (No. 123, 1977, С. 140-51); перепечатана в „Поэтике Бродского" (Hermitage: Tenafly, 1986, cc. 219-29). См. также статью А.Каломирова „Двадцать лет новейшей русской поэзии" в „Русской мысли" (27 декабря 1985, „Литературное приложение" No. 2, С. VI-VIII), В.Кривулин, „Слово о нобелитете Иосифа Бродского" в „Русской мысли" (11 ноября 1988, „Литературное приложение" No. 7, С. II-III) и его интервью в настоящем издании.

[8] Юрий Карабчиевский, „Воскресение Маяковского" („Страна и мир": Мюнхен, 1985, С. 272-79). В России опубликовано издательством „Советский писатель" (М., 1990, С. 204-14). О этой параллели см. В.Куллэ, „'Обретший речи дар в глухонемой вселенной...' (Наброски об эстетике Иосифа Бродского)" („Родник", No. 3, 1990, С. 77-80).

[9] Б.Ахмадулина, „Тайна" („Сов. пис.": М., 1983, С. 88-89).

[10] См. примечание 22 к интервью с Яковом Гординым в настоящем издании.

[11] И.Бродский, „Вектор в ничто", интервью Валентине Полухиной, 10 апреля 1980 г., Ann Arbor, Michigan. Неопубликовано.

[12] Вскоре после этого интервью стихи Бродского были опубликованы в „Новом мире" (No. 12, 1987, С. 160-68), „Неве" (No. 3, 1988, С. 106-109), „Огоньке" (No. 31, 1988, С. 28-29), „Литературном обозрении" (No. 8, 1988, С. 55-64) и практически во всех отечественных журналах. См. примечание 37 к интервью с Евгением Рейном в настоящем издании.

[13] Иосиф Бродский, „Проигрыш классического варианта", интервью Дмитрию Савицкому (январь 1983, Нью-Йорк). Фрагменты интервью опубликованы в "Emois" (10 April 1988, P. 62-63). В полном виде не опубликовано, цитируется по рукописи, любезно предоставленной Дм.Савицким.

[14] Из частного разговора В.Полухиной с Бродским (апрель 1980, Ann Arbor, Michigan).

[15] Б.Ахмадулина, „Избранное" („Сов. писатель": М., 1988, С. 221-22).

Наталья Евгеньевна Горбаневская (26 мая 1936, Москва) — поэт, переводчик, журналист. Начала печататься в самиздате с 1961 года (журнал „Феникс"). Основатель **„Хроники текущих событий"** (первый номер вышел 30 марта 1968 года). Связав свою судьбу с правозащитным движением, сознательно избрала путь мученика и изгоя. 25 августа 1968 года в числе бесстрашной семерки вышла на Красную площадь с протестом против оккупации Чехословакии советскими войсками — событие, описанное ею в книге документальной прозы **„Полдень"** (Frankfurt/Main, 1970). В 1969 году арестована во второй раз, заключена сначала в Бутырскую тюрьму, потом насильно помещена в Казанскую психиатрическую больницу особого типа. Рано выбрав жизнь души за модель существования, Горбаневская выдержала все физические и нравственные испытания. В декабре 1975 года вместе со своими двумя сыновьями выехала на Запад, с 1976-го живет в Париже. С 1981 года Горбаневская — постоянный сотрудник газеты **„Русская мысль"**, с 1983-го — заместитель главного редактора журнала **„Континент"**. Все ее поэтические сборники изданы на Западе: **„Стихи"** (Frankfurt/Main, 1969), **„Побережье"** (Анн Арбор, 1973), **„Три тетради стихотворений"** (Бремен, 1975), **„Перелетая снежную границу"** (Париж, 1979), **„Ангел деревянный"** (Анн Арбор, 1982), **„Чужие камни"** (Нью-Йорк, 1983), **„Переменная облачность"** (Париж, 1985), **„Где и когда"** (Париж, 1985). На родине несколько стихотворений было опубликовано в журналах „Знамя" (No. 6, 1966) и „Звезда Востока" (No. 1, 1968). Стихи Горбаневской переведены на многие европейские языки [1].

Отказываясь от формального новаторства, не прибегая к силлогизмам и избегая женского лукавства, Горбаневская упрямо и успешно остается чисто лирическим поэтом. Трагический лиризм и нравственная позиция связывают ее со своим временем крепче, чем гражданские темы, к которым обязывает ее биография. Этическим центром поэтического мира Горбаневской является чувство вины и ответственности за все содеянное другими: „Это я не спасла ни Варшаву, ни Прагу потом, / это я, это я, и вине моей нет искупленья". Горбаневская много переводит восточноевропейских поэтов, в том числе стихи и прозу Чеслава Милоша, стихи Томаса Венцловы. В последнее время ее стихи все чаще появляются в отечественной периодике. Вышел в свет первый отечественный сборник поэта **„Набор"** (М., 1996).

# ФИГУРЫ ВЫСШЕГО ПИЛОТАЖА

*Интервью с Натальей Горбаневской*
*13 июля 1989 года, Ноттингем*

— *Сначала скажите, пожалуйста, несколько слов о себе. Когда вы начали писать стихи?*

— Первые стихи, по семейным преданиям, я сочинила в четыре года. Они не похожи ни на что из описываемого Корнеем Чуковским в книге „От двух до пяти". По поэтике они похожи на мои будущие стихи. Я вам могу их прочесть:

> Душа моя парила,
> а я варила суп.
> Спала моя Людмила,
> и не хватало круп.

Я думаю, что в общем по этому принципу я и пишу до сих пор. Потом, в школе, где-то в 12-летнем возрасте я начала совершенно волевым усилием писать такие безобразные пионерско-комсомольско-советские стихи. И только уже в университете я начала писать, писать, писать. Уже, так сказать, накатило. Но поскольку в живых я оставила стихи, начиная с 56-го года, то можно сказать, что я начала писать с 1956 года, с 20 лет.

— *Когда пересеклись ваши пути-дороги с Бродским, поэтически и физически? Одновременно или стихи его появились в вашей жизни раньше самого Иосифа?*

— В 1960 году, весной, когда Алик Гинзбург выпускал 3-й, Ленинградский номер „Синтаксиса" [2], приехал из Ленинграда Илья Авербах и привез стихи Бродского. И сразу же они туда вошли. Было видно, что вот совершенно новый поэт, потому что о всех остальных ленинградцах мы как-то слышали, что они есть, что-то всегда читали за последние четыре года, с 1956 по 1960-й. А Бродский — это было совершенно новое, хотя сейчас я могу сказать, что я не люблю ранние стихи Бродского, не люблю ни „Пилигримов" [С:66-67/I:24], ни „Еврейское кладбище" [С:54-55/I:21]. Но это был действительно тот этап, который он должен был пройти, этап к взлету. Это просто взлетная площадка, и это было видно уже тогда. И, конечно, это производило огромное впечатление. Но тех, кто сейчас усиленно, просто из своей собственной ностальгии, повторяют „Пилигримов", я считаю людьми отставшими от Бродского, и на очень много отставшими.

В ноябре того же года Бродский приехал в Москву, позвонил мне и сказал, что вот он Иосиф Бродский, он хочет познакомиться и т.д. [3]. Ну, можете себе представить, ему было 20 лет, а мне 24. В то время это была огромная разница. Я была как бы уже признанный мэтр, в Москве по крайней мере. И мы встретились. Мы очень долго ходили по улицам, разговаривали обо всем. Нечто я сразу в душе отметила, но ему не сказала: он на „ты" ко мне не решался обратиться, а на „вы" не хотел. Поэтому он разговаривал со мной как бы по-польски, в третьем лице: „А каких поэтов Наташа любит?", „А что Наташа думает?" и т.д. Но, по-моему, мы в общем понравились друг другу и договорились, что, когда я приеду в Ленинград (я же училась в Ленинградском университете на заочном), я ему позвоню, и он меня познакомит с ленинградцами. Я приехала, позвонила. Он меня сразу же привел к Диме Бобышеву. И что интересно, — я боюсь, что этого, может быть, никто другой не скажет — у него с Димой были самые легкие отношения. Он не боялся меня вести к Диме. А к Рейнам он меня повести побоялся. И он мне сказал: „Знаешь что, ты позвони Рейнам (то есть Жене Рейну и Гале Наринской, нынешней жене Толи Наймана) и скажи, что ты знакомая Сережи Чудакова". А вы знаете, кто такой Сережа Чудаков?

— *Да. Человек, которому адресовано стихотворение Бродского „На смерть друга" [Ч:31/II:332] и который по сей день жив и здоров.*

— Человек, который уже тогда имел самую сомнительную репутацию. Но поскольку мне Иосиф сказал... а ленинградцы — я их знаю, я на ленинградцах зубы съела — ленинградцы всегда на москвичей смотрят сверху вниз. Я звоню, подходит Галя. Я говорю: „Здравствуйте. Я из Москвы. Я знакомая ... Сережи Чудакова, меня зовут Наташа Горбаневская". Мне очень тяжело было это пропустить через горло: „Я знакомая Сережи Чудакова"... „А! — сказала Галя. — Наташа Горбаневская! Мы о вас знаем, приходите"... И они все туда собрались: и Толя с Эрой пришли [4], и сам Иосиф пришел проверить, как меня приняли, и Дима пришел. И в общем все наладилось. Потом в течение многих лет это была одна из самых смешных историй, как Иосиф заставил меня представиться знакомой Сережи Чудакова.

— *А вы знали Сергея Чудакова?*

— Я его знала, я его у того же Алика Гинзбурга встречала. Знакомая я его действительно была, и он был мой знакомый, но особенно мы друг другу не симпатизировали.

— *Поскольку уж упомянуто его имя, а, главное, поскольку ему адресовано замечательное стихотворение „На смерть друга", не скажете ли вы, в какой степени портрет, нарисованный Бродским, соответствует реальной персоне Чудакова?*

— Он соответствует, наверно, биографически, но не внутренне. Сережа Чудаков был человек типа „злой мальчик". В 68-м году, после суда над Гинзбургом (а они считались друзьями), он оказался еще и трусом: когда ему предложили подписать „письмо друзей", он не сознался, что боится, а накричал, что мы-де людей провоцируем. А позже запутался в какую-то уголовщину и пропал из виду. Но жив. Интересная история связана с Чудаковым и с моей первой советской публикацией. Меня разыскали в свое время ребята из „Московского комсомольца" и сказали, что они хотят напечатать мои стихи. Я им дала стихи, но в это мало верила. И действительно, долго никаких следов не было. Вдруг на каком-то концерте я встретила Сережу Чудакова, и он сказал: „Знаешь, завтра в "Московском комсомольце" будут твои стихи". Вот такие какие-то концы сходятся.

— *Давали ли стихи Бродского какие-либо импульсы к появлению ваших собственных стихов?*

— Я не могу сказать, что это было. Я могу сказать, как я относилась к его стихам. Мне они очень нравились. Но первые два года это не был еще тот уровень... Хотя, скажем, „Шествие" [С:156-222/I:95-149] я очень любила, но не целиком. Бродский для меня начинается с 1962 года всерьез — с „Шествия", с „Рождественского романса" [С:76-77/I:150-51], со стихов того времени. Тут я как-то вот врубилась окончательно в Иосифа. Для меня есть разница между „Шествием" и „Петербургским романом" [I:64-83] [5], который читаешь, но это все учеба, учеба, учеба. А „Шествие", при всем, может быть, с сегодняшнего дня глядя, несовершенстве, — это Бродский. Это уже действительно Бродский. Он уже взлетел, он уже летит. Как летит? Может быть, он делает где-то там «бочку» или «мертвую петлю» не очень удачно, это не важно. Он делает эти фигуры высшего пилотажа. Это уже не учеба.

— *Учитывая, что вы такие разные поэты, вы, видимо, и по сегодняшний день не все принимаете у Бродского?*

— Это я скажу. Дело в том, что я всегда ищу не стихотворение, а поэта. И тут я нашла поэта. И, в общем, я принимаю практически все. Потом я где-то у кого-то разыскала „Зофью" [I:165-83] [6]. Безумно люблю „Зофью". Не где-то у кого-то, а у Миши Мейлаха, который сказал: „Бродский не велел переписывать". Но я все-таки села и переписала, и распространяла. Пропагандировала я Бродского везде. Я помню, меня пригласили выступить в Институте востоковедения, и после своих стихов я прочла большой кусок из „Исаака и Авраама" [С:137-55/I:268-82]. Я была страшно увлечена этой поэмой. И тогда уже поняла, какой у нас с Бродским разный подход. Один вечер мы с ним сидели у него в этой половинке полуторной комнаты, когда „Исаак и Авраам" не был еще целиком написан. Он мне читал куски, а другие подробно рассказывал. И вот этого я не могла понять. Это не для меня. Последний раз, в году 61-м, я пыталась писать что-то типа поэмы. Нет, этого я не могу. У меня совсем другой подход. Я думаю, что у нас единственное, что общее, уже заглядывая в будущее, это идея, что поэт — инструмент языка. Это слушание и служба.

— *Подчинение?*

— Подчинение, но не покорное подчинение. Не покорное, а такое, чтоб сам язык радовался.

— *Вопрос о языке абсолютно центральный для поэтики и поэтической идеологии Бродского. И поскольку у вас с Бродским общая судьба жить вне родины, расскажите подробнее, что происходит с языком поэта в эмиграции?*

— Вы не читали мое выступление „Язык поэта в изгнании"?

— *К сожалению, нет. А где оно состоялось?*

— Это было в Милане в 1983 году. Потом оно было напечатано в „Русской мысли" [7]. Дело в том, что есть очень интересная разница, которую я наблюдала между прозаиками и поэтами. Гораздо больше русских поэтов, живущих на Западе, знают язык той страны, где они живут, чем прозаики. Потому что для прозаика это опасно, а для поэта плодотворно. Я не знаю почему, но это так. Я знаю, что поэт в сражении с этим языком, со своим знанием чужого языка... Причем это сражение, при котором он берет у побежденного трофеи. И не просто у языка, а именно у этого столкновения языков. У меня в этом смысле, да и у Иосифа, присутствует еще третий язык, польский. Это тоже очень интересно — столкновение с близким языком. И, как я поняла, пробыв две недели в Польше в августе 1988 года, очень агрессивным. Я, когда вернулась, должна была переводить себя с польского на русский, потому что он вторгался, страшно вторгался.

Я помню, мне сказал Алексис Раннит, очень давно сказал: „Вы знаете, я ни у кого не встречал такого словаря, как у вас". Я думаю, мой словарь в эмиграции стал больше. Думаю, что мы, поэты, вообще от эмиграции, от изгнания богатеем. Ну, конечно, если мы не растекаемся соплями — но мы не растекаемся соплями, скажем так, ни Иосиф, ни я, ни Леша Лосев. Если мы не начинаем просто описывать виды заграницы, или просто ностальгировать. Поскольку мы покорны своему языку, то все, что мы на стороне нагребем и завоюем, мы ему же приносим. И он, поскольку он нам благодарен, он нам еще больше даст. Он в нас начинает затрагивать какие-то нервные клеточки, которые, может быть, не работали. И это очень интересная история, потому что поэту не страшно в изгнании. В то время как нельзя сказать, что прозаик проверяется изгнанием.

— *А какую роль играет знание чужого поэтического языка, будь то польской, французской или, как в случае Иосифа, английской и американской поэзии? Ведет ли это к обогащению поэтики, а не только словаря?*

— Не только словаря, но и синтаксиса. Но поэтики как таковой редко. Я думаю, для того, чтобы влияла чужая поэтика, нужно родиться в стихии двух поэзий.

— *Но у Бродского, может быть потому, что он преподает английскую поэзию и так хорошо ее знает и любит, можно проследить именно в плане поэтики английскую струю.*

— Это может быть, но, с другой стороны, он же находит в ней свое, а не то чтобы обогащается всей английской поэтикой. Он находит в ней свое.

— *А что получилось из взаимоотношений вашей и польской поэзии? Вы так много переводили и переводите из польской поэзии и знаете ее, вероятно, лучше, чем французскую?*

— Безусловно. Я французскую поэзию знаю мало, читаю ее с трудом, потому что у меня нет точек соотнесения. Польскую поэзию я постепенно освоила настолько, что у меня есть какие-то точки соотнесения. Но я думаю, что больше на меня влияет польский язык, чем польская поэзия.

— *Вернемся к Бродскому и к вашим взаимоотношениям с его поэзией. Какие у вас с ней точки соотнесения и отталкивания?*

— Я вам скажу, какие вещи я не принимаю, и очень резко. Поскольку я очень люблю Бродского, я нахожу у него вещи, которые в другом бы случае меня оставили равнодушной, но у него я их резко не люблю. Это „Из 'Школьной антологии'" [O:119-27/II:165-79] [8] и „Горбунов и Горчаков" [O:177-218/II:102-38]. Потом Иосиф уехал. Стали приходить его первые новые стихи. Я опять балдела. Я его стихи перепечатывала, друзьям в лагеря посылала. Потом я сама выехала. Один раз у нас с ним был замечательный телефонный разговор. Он прислал очередные стихи в „Континент" и спрашивает: „Ну, как стишки?" Я говорю: „Очень хорошие". А сама как-то внутренне робко думаю: „Чего я суюсь со своими оценками к занятому человеку". Но я сказала ему: „Ты знаешь, Иосиф, последние годы перед твоей эмиграцией твои стихи делились на те, которые мне очень нравились, и те, которые мне резко не нравились. Но с момента эмиграции мне все невероятно нравится". Говорю и думаю: „Боже! Ну что за дура! Ну зачем я это говорю?" И вдруг Иосиф детским голосом сказал: „Правда?!" И я поняла, что ему это нужно было услышать. Бог ты мой! А я действительно боялась. Ведь в Америке или где-то там в Антарктиде все ему это говорят. А оказывается — никто. И я должна сказать, что я с этим и остаюсь.

— *Остаетесь с тем, что вам не нравится такой его шедевр, как „Горбунов и Горчаков"?*

— А! Тут я должна рассказать такую историю. В прошлом или в по-запрошлом году, когда я еще работала на радио „Свобода", была напечатана в журнале „Нева" повесть ленинградского писателя, очень порядочного человека, Михаила Чулаки. Действие происходит в психиатрической больнице на „Стрелке". Это такая очень честная повесть. И я сделала об этой повести передачу в двух частях. Сказала, что вот это та самая „Стрелка", описание которой есть у Александра Блока, та самая „Стрелка", где сидел в 1964 году Бродский. Готовясь к передаче, я решила выбрать кусок из „Горбунова и Горчакова" и зачиталась. То есть я поняла, что ту поэтику, которой я тогда не почувствовала, вдруг сейчас совершенно приняла. Раньше мне казалось, как будто его поэтика разделилась на два ручья. И ту поэтику, которую я раньше не принимала, теперь в этом едином потоке я принимаю. Может быть, чуть меньше, но „Из 'Школьной антологии'" тоже. Это мой поэт. Это просто мой любимый поэт. Я действительно считаю, что это лучший живущий русский поэт. И лучший поэт вообще после Ахматовой и Мандельштама, то есть в этом промежутке я не вижу никого, кто мало-мальски приближался бы к ним.

— *Почему вы не назвали Цветаеву, которую Иосиф так высоко ценит, говоря, что „это самое грандиозное явление, которое вообще знала русская поэзия"* [9]?

— Я думаю, он из чистого чувства противоречия любит Цветаеву, слишком боясь клейма „ученик Ахматовой". Я все-таки думаю, что Иосиф не отдает должное Ахматовой — при всем, что он говорит о ней. Ведь Ахматова учила не чистой поэтике, а обращению с поэтикой, обращению с поэзией. Я думаю, что долг нашего поколения перед Ахматовой еще не оплачен. Иосиф рвется из-под этого, как ему кажется, камня, который на нем лежит, —"ахматовские сироты" [10]. Вот они стоят у гроба — там, на фотографии. И везде эти фотографии.

Кстати, следующую историю вам, наверное, кто-нибудь рассказывал, но я хочу, на всякий случай, повторить. При мне, я не помню кто, но кто-то спросил Анну Андреевну: „А стихи "О своем я уже не заплачу" — это о Бродском?" Она сказала: „Вы с ума сошли! Какое клеймо неудачи?!" Она была возмущена. А все считают, что „Золотое клеймо неудачи" — это о Бродском, ибо он рыжий и в ссылке. Я не помню ее слов, но никакой неудачи, наоборот [11].

— *Знаете ли вы, как Бродский относится к вашим стихам?*

— По этому поводу я могу рассказать очень интересную историю. Меня никогда действительно не интересовало, как Иосиф относится к моим стихам, потому что у меня вообще отношения с людьми складываются вне зависимости от того, как они относятся к моим стихам. Могут быть люди мне неприятные, которые будут следы мои целовать, — от этого они мне приятнее не станут. Могут быть люди, которых я люблю, но которые либо вообще не любят стихов, либо не любят моих стихов, мне это совершенно все равно. Могут быть отдельные случаи, когда вокруг любви и понимания моих стихов что-то складывается, но это не может быть единственной основой общения. И как относится к моим стихам Иосиф, я никогда его не спрашивала. Кстати, надо сказать, ленинградцы ведь меня признали после того, как меня признала Ахматова. Может быть, кроме Димы [Бобышева]. Дима же меня первый водил знакомиться с Ахматовой, но неудачно, в 1961 году. Мы приехали в Комарово, а оказалось, что Ахматова в Москве. Я уже была с пузом. Потом в следующую зиму я не приезжала. А потом уже познакомилась с Ахматовой в мае 1962 года в Москве.

— *А кто познакомил вас с ней в Москве?*

— Сама познакомилась. Я была в „Литературной газете" и говорю: „Вот я еду на днях в Ленинград и пойду знакомиться с Ахматовой". А Галя Корнилова говорит: „А Ахматова в Москве. Позвони ей." — „Ну, как так?" — „Вот тебе телефон, сядь сейчас же и позвони." Я позвонила и пошла без рекомендаций, без всего. И когда я приехала в Ленинград на сессию, они все на меня смотрели уже другими глазами. Более того, я подхожу к филфаку в университете, а мне говорят: „Тебя Ахматова похвалила". И тут они меня в общем признали, но, как ленинградцы, всегда с оговорками, конечно. Я думаю, дольше всех меня не признавал Толя Найман. У нас с Толей, на самом деле, дружба началась гораздо позже. Она началась уже где-то в 1969 году, перед моим арестом. У меня на этот счет есть своя гипотеза, которой здесь не обязательно делиться.

— *Ну, и как же вы узнали об отношении Бродского к вашим стихам?*

— Есть знаменитая ситуация, о которой я в свое время не знала. Мне это рассказал Дима, уже когда мы были за границей. Эта история, которая у Димы описана, и у Толи теперь в книге описана [12]. Анна Андреевна им сказала: „Вас четыре поэта. Чтоб была школа, нужна поэтесса. Возьмите Горбаневскую". И однажды, когда Иосиф приехал в Париж и мы с ним много гуляли и разговаривали... Надо сказать, ради меня он так особенно много не находил времени гулять. А это было, когда появился Кублановский. И мы втроем гуляли и разговаривали. И это было как-то удивительно, когда он довольно много и очень мягко говорил о Диме, упорно называя его Митя. Это для меня было неожиданно, но, может быть, Марина так его называла [13], как-то с таким как бы состраданием и сочувствием почти. И я ему говорю, что вот Дима сказал, что Анна Андреевна вам предлагала взять меня. А он: „Правильно сделали, что не взяли". Ну, сказал, сказал. Мне ни холодно, ни жарко. Не взяли, не взяли. И я ему тогда дала для передачи Саше Сумеркину [14], которого я знаю очень давно, но который стал поклонником моих стихов только за границей, свои стихи. И Иосиф вдруг звонит и говорит: „Наталья, неправильно сделали, что не взяли. Я сел читать твои стихи, вот Вероника — свидетель" [15]. Вероника мне потом сказала, что он ей вслух вычитывал и что он по два раза читал. Особенно он купился на стихотворении „Классическая баллада"[16]. Помните это стихотворение?

— *„И одно молчанье сказало другому". Но я не помню, какой это год.*

— Стихи 1983 года, а разговор был, видимо, в начале 1984 года. Главное, нашел нужным позвонить. Во-первых, не с тем, чтобы меня утешить, а во-вторых, он только что высказал мнение и тут же его резко переменил, что в общем, я думаю, не совсем в его правилах. Это было действительно очень и очень трогательно.

— *Какие изменения, прорывы, взлеты, повороты вы видите в эволюции Бродского?*

— Для ответа на этот вопрос мне нужно посмотреть его книги. Я думаю, самый первый период до 60-го года — это еще совсем ученичество. Потом 60-62 годы, когда он, так сказать, дозревает и проклевывается. А дальше растет, растет, растет. И, естественно, не идет по прямой. Я думаю, идет очень много витков, очень много черпаний из того, что сколько-то лет назад появилось, из чего можно получить нечто, что тогда получено не было.

— *Некоторые утверждают, что Бродский их больше не удивляет, что он становится предсказуем, ибо знаешь, что он будет говорить о том же самом.*

— Ну, как это? Что значит о том же самом? Если взять пример, близкий Иосифу: какой-нибудь китайский средневековый график мог каждый день писать одну и ту же ветку.

— *Не кажется ли вам, что такой веткой для Бродского является категория времени?*

— Безусловно. Только он пишет о категории времени в категориях пространства. Хотя бы это стихотворение „Дорога в тысячу ли начинается с одного / шага..." [У:88/II:426]. Эта разделенность океаном и т.д. Если говорить не в плане поэтики, а в метафизическом плане, то категория время-пространство, именно как единое, — это, может быть, единственное, что нас сближает. Я написала стишок, совсем не думая об Иосифе: „Двойняшки, расстояние и время, / Меня признали названой сестрой". „Время" — не тире, а черточка — „пространство". Я думаю, это-то и важно. Само по себе время и само по себе пространство ничего не может. Хотя в поэтике мы подходим к этому совершенно по-другому.

— *Испытывали ли вы когда-либо соблазн подражать Бродскому? Или вы понимали, что подражать ему нельзя? Или не было надобности?*

— Наверное, последнее. Не было никакой надобности. Господи, так замечательно, что такой поэт существует. Он уже существует. Я его могу в голове петь. Но когда я пишу стихи, у меня в голове совсем другое поется. И в то же время я слышу Бродского, возможно, лучше других. Так, недавно я писала статью о событиях в Китае, которую я назвала „Дорога в тысячу ли начинается...". Я заметила у Бродского чисто фонетическое совпадение „тысяча означает, что ты сейчас вдали". Это же даже не каждый слышит.

— *Не потому ли, что у вас самой стих насыщен аллитерациями?*

— Да, конечно. Я его слышу лучше, чем кто-либо другой. И, может быть, я его лучше слышу, чем понимаю умственно. И поэтому от меня философских интерпретаций не надо ожидать.

— *Говоря об эволюции Бродского, как вы считаете, какие русские поэты помогли Бродскому осознать себя и сделаться Бродским?*

— Я думаю, что он сам на этот вопрос лучше отвечает, хотя, может быть, не всегда точно. Вдруг начинает что-то выдумывать. Вот ему хочется считать Рейна своим учителем. Видимо, действительно на него повлиял Женя Рейн, но ведь не как поэт, а как советчик.

— *А из прошлого столетия, кроме Баратынского, которого называет сам Бродский* [17] *, кого вы могли бы назвать?*

— Дело в том, что каждый видит того, кого любит. Я в нем вижу не Баратынского, а Пушкина. У меня есть такое стихотворение, не из лучших:

> А будь он нынешний, сейчасный,
> писал бы он в припадке чувств:
> „Я вам звоню, хоть и бешусь,
> хоть это стыд и труд напрасный... и т.д. —

и кончается:

> в собранье наших сочинений
> не переписка принята,
> но телефонные счета
> и неоплаченные пени...

То ли это стихотворение было написано после того, как я из „Континента" звонила Бродскому, то ли вообще по поводу наших телефонных разговоров, но у меня почему-то это стихотворение косвенным образом связано с Бродским. Я в Бродском вижу Пушкина, Мандельштама, Ахматову. Я понимаю, он то Кантемиру подражает, то Державину...

— *Кланяется скорее, поклоны отвешивает.*

— Все это мило, но ведь все это штучки, приемчики, которые прекрасно работают. Для меня есть линия русской поэзии, и исчерпывается эта линия до Бродского тремя именами. И все. И Бродский для меня — прямой продолжатель. Прямой совершенно не в том смысле, что „Иван родил Петра."

— *Насколько, по-вашему, оправдано сравнение Бродского с Пушкиным?*

— Я вам как поэт скажу, что любое сравнение оправдано в надлежащем контексте. Разумеется, есть какие-то параметры, по которым их не сравнишь, поскольку Пушкин не тот поэт.

— *Возьмем один параметр, чисто языковой. Сравнимы ли их заслуги перед русским языком?*

— Я думаю, все-таки нет. Пушкин отвалил такую глыбу, которая просто, видимо, никогда и никому не достанется. У нас-то была другая история. И не только у Бродского, у нас у всех. Между прочим, я с Бродским совсем не соглашаюсь, когда он говорит: „Мы последнее поколение, для которого дороже всего культура..." и т.д. [18]. Во-первых, не надо культурой злоупотреблять. Во-вторых, мы не последнее поколение, мы — первое поколение. После нас сейчас приходят еще поколения. Мы — первое поколение после этого разрыва между Мандельштамом, Ахматовой и нами. Поколение, которое действительно успело за эту руку, за ахматовский палец подержаться. Не просто из книг, а действительно, как у Микеланджело, перетянуть по этой ниточке, по жилочке, перетянуть в себя то, что было, эти ценности. Вживе, не просто в книге, а вживе. И поэтому то, что он говорит насчет культуры, и то, что он говорит, что мы всегда предпочтем литературу, а не жизнь, — неправда.

Он чуть подобрел. Я надеюсь, что это пройдет. Он вдруг очень завелся на идее поколения. Идея поколения интересная, но не исчерпывающая. Наше поколение, поколение 56 года, дало поэтов, дало будущих политзаключенных, дало циников и партаппаратчиков, причем циников таких, равных которым ни в одном поколении нет. Люди, которые пережили Венгрию и решили, что теперь все, теперь надо только карьеру делать.

— *Вернемся к линии Пушкин — Бродский, ибо вы не закончили свою мысль о языке.*

— Так вот. Кроме Мандельштама и Ахматовой, были и Цветаева, и Пастернак, и Заболоцкий — такой общий бульон в биологическом смысле. И на таком бульоне растят культуру. Это все-таки давало возможность идти сражаться с советским языком не с голыми руками. Этот язык, который существовал, этот величайший и тончайший инструмент, который не умер, не заглох. Его только заживо погребли, но он и заживо погребенный не умер. А потом его раскопали.

— *То есть совершенно другие лингвистические цели стояли перед вами по сравнению с Пушкиным?*

— И другие цели, и другие средства.

— *И состояние самого языка было другое.*

— Да.

— *Оправдано ли сравнение Бродского с Пушкиным по их универсальности?*

— Я думаю, тут оправдано. У Бродского в последние десять лет стало больше врагов, появилось больше людей, перестающих его принимать. Так же было у Пушкина, потому что за ним надо успевать. Но, естественно, по линии универсальности личности несколько другое. Пушкину пришлось быть всем — и прозаиком, и историком, и драматургом, и поэтом. Конечно, Иосифу легче. Всем нам легче. Но, с другой стороны, оттого что Пушкин уже был, труднее, потому что надо что-то делать другое.

— *Все ли благополучно с лиризмом у Бродского, на ваш взгляд? Он однажды сказал мне: „'Остановка в пустыне', может быть, моя последняя лирическая книжка"* [19]. *По мнению Лосева, „юный Бродский словно бы выталкивал 'чистую лирику' из своего поэтического обихода"* [20].

— Поскольку он хочет, чтобы лиризма не было, постольку можно сказать, что с лиризмом неблагополучно, ибо он наличествует. Ведь он с самого начала стремился быть эпиком. Но в то же время посмотрите его стихи в последнем „Континенте" [21]. Ведь в них опять и лирика, и лиризм.

Не может он ничего с собой поделать. Холодности-то нет, есть сдержанность, но само сдерживание порождает новый лиризм.

— *А как, по-вашему, уживаются у него сдержанность и ностальгия?*

— Ностальгия — это удобный прием для совсем другого. У него ностальгия не тема, а прием.

— *А вы переживали ностальгию в бытовом или в поэтическом плане?*

— В бытовом — никогда. В поэтическом — известные ностальгические приемы я, разумеется, использовала неоднократно. А в бытовом — ни секунды.

— *Мы закончим наш разговор вашими стихами, посвященными Бродскому.*

## ТРИ СТИХОТВОРЕНИЯ ИОСИФУ БРОДСКОМУ

### 1

За нами не пропадет
— дымится сухая трава.
За нами не пропадет
— замерли жернова.

За нами ни шаг и ни вздох,
ни кровь, ни кровавый пот,
ни тяжкий кровавый долг
за нами не пропадет.

Огонь по траве пробежит,
огонь к деревам припадет,
и к тем, кто в траве возлежит,
расплаты пора придет.

Фанфара во мгле пропоет,
и нож на стекле проведет:
за нами не пропадет,
за нами не пропадет.

### 2

Равнодушный Телеман,
дальночеловек,
отчужденья талисман
в этот черный век.

Телеграф и телефон
вон из головы,
отрешенья Пантеон
в кончиках травы.

4 Зак. 178

И надежда, что свихнусь
в венчиках цветков,
закричу и задохнусь
в тяжести венков.

Мне бы в воду, мне б в огонь,
в музыке — пробел.
Глухо запертый вагон —
музыки предел.

### 3

Мой сын мал. Он
говорит вместо „музыка" — мука.
Но как прав он
в решеньи лишенья звука.

Мой мир велик. Но и в нем
царит вместо музыки мука.
Над рампою лампой, огнем
меж правом и правдой разлука.

Мой мир не велик, но далек,
в нем выживут долгие ноты.
Протяжно ревет вертолет,
протяжно стучат пулеметы.

*1964*

## ПРИМЕЧАНИЯ

[1] В том числе на английский: "Selected Poems" (London, 1972); "An Anthology of Russian poetry", tr. D.Weissbort (1979), P. 331-34; "Times Literary Supplement" (26 June, 1987).

[2] Самиздатовский журнал „Синтаксис" под редакцией Александра Гинзбурга начал выходить с 1959 года. С 1959 по 1960 гг. вышло всего три номера. На четвертом номере Гинзбург был арестован и приговорен к семи годам заключения. Освобожден в 1971 году. Эмигрировал в 1973-м. В настоящее время входит в состав редколлегии парижской газеты „Русская мысль".

[3] Наталья Горбаневская описала эту встречу уже после смерти поэта, в очерке „По улице Бродского" („Русская мысль", 1-7 февраля, 1996, С. 16-17).

[4] Имеются в виду Анатолий Найман и его первая жена Эра Коробова.

[5] См. примечание 18 к интервью с Евгением Рейном в настоящем издании.

[6] Поэма „Зофья" датирована апрелем 1962 года, опубликована Вл.Марамзиным в парижском журнале „Эхо" (No. 3, 1978, С. 26-40).

[7] Наталья Горбаневская, „Языковые проблемы поэта в изгнании" („Русская мысль", 9 июня 1983, С. 8).

[8] В сборнике „Остановка в пустыне" цикл „Из 'Школьной антологии'" выглядит следующим образом: 1. Э.Ларионова; 2. Олег Поддобрый; 3. Т.Зимина; 4. Ю.Сандул;

5. А.Фролов. Ему предпослано примечание: „Этот цикл стихотворений писался с 1966 г. по 1969 г. и еще не завершен". В „Сочинениях Иосифа Бродского", базирующихся на [МС], за стихотворением 4. следуют: 5. А.Чегодаев; 6. Ж.Анциферова; 7. А.Фролов.

[9] Иосиф Бродский, „Настигнуть утраченное время", интервью Джону Глэду („Время и Мы", No. 97, 1987, С. 167). В России перепечатано в альманахе „Время и Мы" („Время и Мы"/„Искусство": Москва/Нью-Йорк, 1990, С. 283-97) и в книге Джона Глэда „Беседы в изгнании" („Книжная палата": М., 1991, С. 122-31).

[10] Выражение „ахматовские сироты" принадлежит Дмитрию Бобышеву. В его стихотворении „Все четверо" есть такие строки:

> И, на кладбищенском кресте гвоздима,
> душа прозрела: в череду утрат
> заходят Ося, Толя, Женя, Дима
> ахматовскими сиротами в ряд.

(Д.Бобышев, „Зияния" (YMCA-Press: Paris, 1977, С. 59). То же название носит статья Бобышева в „Русской мысли" (8 марта 1984, С. 8-9).

[11] Е.Г. Эткинд считает, что ахматовское четверостишие:

> О своем я уже не заплачу,
> Но не видеть бы мне на земле
> Золотое клеймо неудачи
> На еще безмятежном челе. —

посвящено „судьбе молодых поэтов начала шестидесятых годов" (Е.Эткинд, „Процесс Иосифа Бродского" (Overseas Publications Interchange Ltd: London, 1988), С. 37). По мнению Льва Лосева, это четверостишие обращено к Бродскому („Бродский: от мифа к поэту", в кн. „Поэтика Бродского" (Hermitage: Tenafly, N.J., 1986), С. 9). Александр Кушнер также интерпретирует эти строки Ахматовой как обращение к Бродскому: „В этом четверостишии Ахматова с устрашающей прозорливостью предсказала начинающему поэту его славную и трагическую судьбу" („Нева", No. 3, 1988, С. 109).

[12] Анатолий Найман, „Рассказы о Анне Ахматовой" („Худож. литература": М., 1989), С. 73.

[13] Марианна Павловна Басманова, подруга Бродского, известная его читателям под инициалами М.Б.

[14] Александр Сумеркин — ведущий редактор русско-американского издательства в Нью-Йорке "Russica Publishers, Inc.". В частности, он составил и подготовил тексты Марины Цветаевой: „Избранная проза в двух томах" (1979) и „Стихотворения и поэмы в пяти томах" (1980-83). Перевел на русский язык эссе Бродского „О Достоевском", „Трофейное", „Коллекционный экземпляр" [IV:178-246].

[15] Вероника Шильц (Veronique Schiltz), приятельница Бродского и переводчица его на французский, к которой обращено стихотворение 1967 года „Прощайте, мадемуазель Вероника" [O:169-74/II:50-54]. Ей же посвящено „Путешествие в Стамбул" [L:393-446/IV:126-64].

[16] Н. Горбаневская, „Переменная облачность" (Kontakt: Paris, 1983), С. 11-12.

[17] Интервью Валентине Полухиной, 20 апреля 1980, Ann Arbor, Michigan. Неопубликовано.

[18] Иосиф Бродский: „Это последнее поколение, для которого культура представляла и представляет главную ценность из тех, какие вообще находятся в распоряжении человека. Это люди, которым христианская цивилизация дороже всего на свете. Они приложили немало сил, чтобы эти ценности сохранить, пренебрегая ценностями того мира, который возникает у них на глазах." — Из французского телефильма "Poete russe — citoyen americain". Создатели фильма Виктор Лупан и Кристоф де Понфили, 1989 год.

[19] Интервью Валентине Полухиной, Ibid.

[20] А.Лосев, „Первый лирический цикл Иосифа Бродского" (альманах „Часть речи", No. 2/3, 1981/82, С. 63).

[21] Имеются в виду стихи Бродского, опубликованные в „Континенте" (No. 61, 1989, С. 7-24).

Поэт, критик и литературовед Елена Ушакова пишет стихи под псевдонимом. Она родилась в Ленинграде, окончила Ленинградский университет, принимает активное участие в литературной жизни города и страны. Впервые публикации ее стихов появились в журнале „Радуга" (No. 10, 1989), затем в журналах „Нева" (No. 8, 1990), **„Синтаксис"** (No. 27, 1990), „Звезда" (No. 8, 1991) и в альманахе „Петрополь" (No. 2, 1990). В конце 1991 года в Санкт-Петербурге вышел ее первый сборник стихов **„Ночное солнце"**.

Сегодня, когда мы ощутили некоторую усталость и неблагополучие в регулярном стихе, с одной стороны, и засилие верлибра, несвойственного русской поэзии, с другой, Ушакова открывает новые возможности русского стиха, точнее сказать, развивает полузабытую линию акцентного стиха, намеченную Михаилом Кузминым. Этот акцентный стих позволяет ей расширить тематические рамки поэзии, ввести в нее самый разнообразный прозаический материал из окружающей жизни. Внимание к мельчайшим деталям, подробностям бытия сочетается в ее стихах с тонким психологизмом, стремлением к бесконечному уточнению психологического и душевного опыта современного человека. И, может быть, это внимание к человеку, к скрытой жизни его души делает поэзию Ушаковой, несмотря на отсутствие привычной стиховой музыки, заслоненной живой интонацией устной речи, глубоко лиричной, придает ей особое очарование и своеобразие.

Тонкий знаток поэзии, Лидия Яковлевна Гинзбург писала: „Мне кажется, наша поэзия в значительной своей части увязла сейчас в стереотипах. Чтобы уйти от них, нужны опыт, испытания. Этим путем и идет Елена Ушакова. Длинные строки ее акцентного стиха объемны, смыслоемки. Они вовлекают в область поэзии любые явления действительности. В этих стихах интеллектуализм своеобразно сочетается с конкретным видением подробностей жизни"[1].

# ПОЭТ НАПРЯЖЕННОЙ МЫСЛИ

*Интервью с Еленой Ушаковой*
*11 января 1991, Ленинград*

— *Когда вы впервые прочитали Бродского, и как менялось ваше отношение к его поэзии?*

— Впервые я прочитала Бродского лет в 20. Отношение менялось вместе с его усложняющейся поэзией и моим собственным ростом.

— *Какой исторический и культурный опыт персонифицирован в поэзии Бродского наиболее удачно?*

— Наш советский и, может быть, античный, римский в смысле аналогии с советским опытом.

— *Насколько оригинальны философские медитации Бродского?*

— Они настолько оригинальны и глубоки, насколько выстраданы в реальных жизненных обстоятельствах. Чужую философию в стихи Бродский не перекладывает.

— *Какой дух царит в его поэзии, русский или европейский?*

— В его стихах царит европейский дух русской поэзии.

— *Удалось ли Бродскому сдвинуть русскую культурную парадигму с ее традиционного направления?*

— Нельзя представлять себе традицию русской поэзии в виде одного направления, одной ветки. Их несколько, и они очень разные. Поэтому говорить о сдвиге парадигмы не имеет смысла. В свое время казалось, что это сделал Маяковский, но затем выяснилось, что это ему не удалось. Мне кажется, что в своем творчестве Бродский перемешал Баратынского, Цветаеву и Пастернака. Разумеется, внеся нечто новое, свое, отчасти продиктованное временем. Возможно, с помощью англоязычной поэзии, о которой судить могу только по переводам.

— *Разделяете ли вы отношение Бродского к языку?*

— Да, язык есть Бог. В нем — „наше все". Мы только осуществляем выбор, но и он подсказан нам языком.

— *В какой степени поэзия вообще, и поэзия Бродского в частности, является самосознанием языка?*

— Поэзия формирует нашу речь; с детства мы впитываем язык вместе со стихом. Это неудивительно: природа поэзии заключена в собственно-речевом элементе (имею в виду соссюровское противопоставление языка и речи). Поэзия предназначена для увековечения чисто речевых летучих моментов устной речи, в первую очередь интонации. Зависимость между поэзией и языком несравненно бо́льшая, чем между языком и прозой.

— *Как вы себе представляете трудности и преимущества жизни поэта в иноязычной среде?*

— Трудности представляю себе очень хорошо. Родная речь — питательная среда поэзии. Тут важны все изменения, которые претерпевает язык; каждая речевая ситуация может породить новые стихи. Известно, что оглохший человек через некоторое время начинает плохо говорить, утрачивает правильную речь. Так и поэт, потеряв связь с родным языком, может прекратить писать на нем. Слава Богу, с Бродским этого не произошло; думаю, в силу его дарования и ума — понимания опасности, которая грозит ему, и готовности ее преодолеть.

— *Анатолий Найман цитирует в своей книге Ахматову, сказавшую по поводу „дела Бродского": „Какую биографию делают нашему рыжему, как будто он специально кого-то нанял"* [2]. *Видите ли вы в феномене Бродского слияние дара и судьбы?*

— К сожалению, у нас часто поэзию подменяют биографией. Я не согласна с ахматовским пониманием биографии (или судьбы). Мне кажется оно старомодным. С моей точки зрения, биография — дело десятое. У Баратынского или Тютчева ее, можно сказать, „не было". А Мандельштаму ее навязали. Возможно, биография сыграла в мировой славе Бродского известную роль, но, мне кажется, последнее время он тяготится биографией и предпочитает разговор о самих стихах.

— *Виктор Кривулин объясняет „нотки самоотвращения" в обрисовке автопортрета Бродского чувством поражения* [3]. *Как по-вашему, знакомо ли Бродскому это чувство?*

— Чувство поражения, мне кажется, здесь ни при чем. Наверное, как и всякому человеку, оно ему знакомо. Но если говорить о лирическом автопортрете, то „нотки самоотвращения" необходимы: они модернизируют романтический облик поэта, придавая ему новый, современный смысл.

— *По собственному признанию Бродского, он пробовал тягаться почти со всеми русскими поэтами: от Антиоха Кантемира до Пастернака. Исключение им сделано лишь для Цветаевой, с которой он решил не вступать в соревнование* [4]. *Почему?*

— Это только кажется Бродскому, что он не вступил в соревнование с Цветаевой. Кажется из любви к ней. На самом деле ее-то он как раз и „победил"; сказать, например, что он победил Пушкина или Мандельштама я бы не решилась.

— *Имеет ли „вещизм" Бродского акмеистические истоки, или он является метафорой чего-то другого? Чего?*

— Уроки акмеизма Бродский усвоил, конечно; но, может быть, предметность и конкретность его поэзии больше связаны с Державиным, чем с Ахматовой и Мандельштамом.

— *Чем обеспечивается у Бродского плотная насыщенность его поэтики семантикой?*

— Бродский — поэт напряженной мысли, ускорение которой обусловлено эмоциональным напором и интонационной взвинченностью.

— *В эссе о Достоевском Бродский сказал: „Всякое творчество начинается как индивидуальное стремление к самоусовершенствованию и, в идеале, — к святости. Рано или поздно — и скорее раньше, чем позже — пишущий обнаруживает, что его перо достигает гораздо больших результатов, нежели душа" [L:161/IV:181-82]. Чувствуете ли вы такой разрыв между пером и душой у самого Бродского?*

— Такой разрыв в основном имеет место у поэтов романтического склада. Поскольку Бродский к ним принадлежит, его лирический герой отмечен некоторыми „совершенствами", которых, возможно, „не достоин" автор. А с другой стороны, я думаю, что слишком верный себе его лирический герой, подчиняясь Урании, несколько обеднен и ограничен в сравнении с автором. Душа поэта человечнее, богаче.

\* \* \*

*Иосифу Бродскому*

Проданный в Египет не мог сильнее тосковать,
Яростнее, настойчивей, упрямей, отчаянней,
Чем вы, Иосиф, или ты, Поэт, — как сказать
Я не знаю лучше. Экономные англичане


Совместили единственное и множественное число,
В одном чирикающем словце у них „ты" — ласковое объятье
Нежное, дружеское — не правда ли, нам повезло? —
И добротное „Вы" — степенное рукопожатье.


Но я не знаю, как рассказать про золотоносную тень на Кирочной
                                                        (Щедрина)
И Пестеля ее далекому обладателю, когда в декабре проезжаю,
И фонарный проливается свет, „мед огней вечерних" на
Марсово поле, Фонтанку — здесь она, вижу, с краю


Всегда живет молодая сопутствующая нам тоска
Радужная, счастливая, теплое рыданье,
Ранних стихов ленинградских безгрешная река
Подо льдом узорным — позднейшим напластованьем.


Сколько души понадобилось, чтобы освоить чужой язык,
Обуздать, приспособить, укротить, войти в него,
Поселиться, прижиться, чтобы в нервную ткань проник,
Чужеродный, нитями лучевидными и ливневыми.


О родительный, дательный, предложный! — дома, дому, домой, —
О творительный! — очагом домашним, родным, отчим домом,
Шлейфом, темным крылом простершимся через океан за тобой
(За Вами), частью речи тянущимся, влекомым.

## ПРИМЕЧАНИЯ

[1] Из частного письма Л.Я. Гинзбург.

[2] Анатолий Найман, „Рассказы о Анне Ахматовой" („Худож. лит-ра": М., 1989), С. 10.

[3] А. Каломиров (псевдоним Виктора Кривулина), „Иосиф Бродский (место)", „Поэтика Бродского", сборник статей под редакцией Л.В. Лосева (Hermitage: Tenafly, N.J., 1986), С. 224.

[4] "The Art of Poetry XXVIII: Joseph Brodsky", interviewed by Sven Birkerts in December 1979 ("Paris Review", Vol. 24, No. 83, Spring 1982, P. 104). Reprinted in "Writers at Work: The Paris Review Interviews English Series", Ed. by George Plimpton (New York, 1988), P. 373-412.

Александр Семенович Кушнер родился 14 сентября 1936 года в Ленинграде. Поэт и эссеист. Окончил Ленинградский педагогический институт им. Герцена, с 1959 по 1970 год преподавал русскую литературу в школе. Кушнер дебютировал сборником **„Первые впечатления"** (1962). После второй книги стихов **„Ночной дозор"** (1966) был принят в члены Союза советских писателей. Последующие поэтические сборники создали ему заслуженную репутацию „крупнейшего русского лирика" (Бродский): **„Приметы"** (1969), **„Заветное желание"** (1973), **„Письмо"** (1974), **„Прямая речь"** (1975), **„Город в подарок"** (1976), **„Голос"** (1978), **„Канва. Из шести книг"** (1981), **„Таврический сад"** (1984), **„Дневные сны"** (1986), **„Стихотворения"** (1986), **„Живая изгородь"** (1988), **„Ночная музыка"** (1991), **„На сумрачной звезде"** (1994). В 1991 году опубликовал книгу эссе **„Аполлон в снегу"**.

Чуждый конъюнктуре, отрешенный от злобы дня Кушнер сумел сохранить независимость и уважение читателей на родине и в эмиграции в течение более чем тридцати лет работы в русской поэзии. За внешней биографической бессобытийностью и благополучной судьбой публикуемого поэта скрыта интенсивная жизнь души, которую Бродский сравнил с двигателем внутреннего сгорания. „Стихам Кушнера, — пишет он, — присуща сдержанность тона, отсутствие истерики, широковещательных заявлений, нервической жестикуляции" [1]. Изящный музыкальный рисунок оформляет в новую для русской поэзии гармонию традиционные формы и новейшее содержание стихового слова, образную систему аскета и психологию стоика, классические ритмы и современную рефлексию, эти ритмы одухотворяющую. „Виртуозная подвижность интонации" выделяется критиками как одно из новаторских свойств его поэзии. Лирический герой Кушнера — сугубо частный человек, желающий сохранить собственное достоинство „вопреки всем ухищрениям зла". Его миро-текст едва ощутимых оттенков и полутонов недосказанного полон воздуха и света. В 1991 году вышел том переводов Кушнера на английский язык с предисловием Бродского [2].

# ПОСЛЕДНИЙ РОМАНТИЧЕСКИЙ ПОЭТ

*Интервью с Александром Кушнером*
*Май 1990, Ленинград*

— *Бродский вас выводит из Тютчева, Анненского и Блока*[3]. *Верно ли он определил ваш поэтический генезис?*

— Бродский прав на две трети. Тютчев, Анненский — да, но третий не Блок, а Мандельштам. Добавлю, что не представляю своего становления без Пушкина, Батюшкова, Баратынского, Фета, Кузмина... Не перечислить ли всю русскую классику?

— *Он же сказал о вас, что вы начали „с сугубо поэтического консерватизма формы и остались в высшей степени верны себе"*[4]. *Так ли это?*

— Консерватизм формы был сознательным и вызывающим — в эпоху всеобщей расхлябанности и одичания. Вообще новизна может быть вынесена наружу, заявлена броско и выпукло. Такова поэтика Маяковского, Цветаевой, раннего Пастернака, Бродского. Есть другая новизна, убранная внутрь стиха, связанная с тонкими волосяными переливами поэтического смысла: Пушкин, Анненский, Мандельштам. Такая новизна мне ближе.

— *Он видит в ваших стихах своего рода поэтический оксюморон, а именно: противоречие между традиционной формой и авангардным содержанием*[5]. *О ком он говорит, о вас или о себе?*

— И мой авангардизм — не авангардизм, и моя традиционная форма — не традиционна. Новая интонация (и новый опыт) исподволь перестраивают и содержание, и форму. В двадцатые годы Мандельштама называли неоклассиком. Явное недоразумение; его классицизм — мнимый. Если я того заслуживаю, ко мне еще подберут верное слово.

— *Вас когда-то роднила с Бродским нескрываемая асоциальность ваших стихов. Но с некоторого времени вы ввели, как выразилась Ирина Винокурова*[6], *в свой словарь слово „газета". Ваш диалог с Панченко тоже не только о высокой духовности. Из него явствует, что вы озабочены „восстановлением и развитием естественных социально-экономических отношений"*[7]. *Означает ли это, что вы начали откликаться на злободневность?*

— Я не люблю стихотворной публицистики. Что касается злободневности, то она как повод может войти в стихотворение. Все стихи, как говорил Гете, написаны на „случай". Но случай этот в стихах поднят на другой, экзистенциальный уровень. В этом случае слово „газета", обнаруженное Винокуровой в недавних моих стихах, ничем не хуже (и не лучше!) слова „тополь" или „скатерть".

— *Разделяете ли вы идею автономии литературы, которую Бродский обосновывает в своей Нобелевской речи [I:5-16]*[8]*?*

— Сейчас не помню, что именно имеет в виду Бродский под автономией литературы. Если отсутствие прямой зависимости достижений литературы от степени свободы общества, то да, согласен.

— *Продолжая начатую параллель между вами и Бродским, я, с вашего разрешения, процитирую Сергея Довлатова, который в одном из своих „Соло на IBM" сказал: „Разница между Кушнером и Бродским есть разница между печалью и тоской, страхом и ужасом. Печаль и страх — реакция на время. Тоска и ужас — реакция на вечность. Печаль и страх обращены вниз. Тоска и ужас — к небу"* [9]. *Расцениваете ли вы это высказывание как очередную остроту Довлатова, или он действительно что-то усмотрел по существу?*

— Очень хочется, отвечая Довлатову, воскликнуть: да что вы, тоски у меня сколько угодно! И ужаса тоже навалом! Чтобы не быть смешным, отвечу по-другому: не представляю себе поэта, который был бы обращен только ко времени или только к вечности. Вообще все эти рассуждения о времени и вечности страшно (ужасно) старомодны. Все это спекуляции, к поэзии не имеющие отношения.

Поговорим о другом. В одном из моих стихотворений есть такие строки:

> А формула жизни добыта во сне, и она
> Ужасна, ужасна, ужасна, прекрасна, ужасна... [10]

Поэзия и вообще искусство в значительной степени держатся на том, что, не закрывая глаза на ужас жизни, помнят о том, какой она бывает в счастливые минуты. Там, где нет ценностей, дорогих нашему сердцу, там нет и трагедии. Поэзия, на мой взгляд, только и занята тем, что

> И эту прекрасную, пятую, может быть, часть,
> Пусть пятидесятую, пестует и раздувает. [11]

Конечно, есть поэты с обостренным чувством неблагополучия и катастрофичности жизни: Баратынский, Бродский [12]. И есть поэты, умеющие, несмотря на весь ужас жизни, сохранить в своем сердце чувство благодарности перед жизнью: Пушкин, Мандельштам (последний, как известно, в самых тяжелых условиях, какие нам и не снились!). Может быть, эти поэты и впрямь заворожены временем больше, чем вечностью. Помните, у Мандельштама:

> И Батюшкова мне противна спесь:
> Который час, его спросили здесь,
> А он ответил любопытным: вечность! [13]

Впрочем, повторяюсь, в опыте каждого настоящего поэта есть все: и ужас, и печаль, и вечность, и время. И совершенно невозможно рисовать себе Бродского в виде этакого волка, воющего на вечность, как на луну; надеюсь, — и меня, если уж речь зашла обо мне, — в виде свиньи, видящей только то, что делается у нее внизу, под ногами.

— *Какие метафизические категории выбраны вами в качестве убежища?*

— Метафизических категорий в качестве утешений, убежищ я для себя не подобрал: „Я падал в пропасть без надежд, / Без звезд и тайных утешений"[14]. Все же надеюсь, что душа какое-то время после смерти поэта может жить в его стихах. Такое помещение души, такой вклад кажется мне более или менее надежным. В этом смысле у меня есть прекрасные учителя: Пушкин, Пруст, показавший нам в день смерти своего Бергота его книги в витрине книжного магазина. Но и без этого слабого утешения, мне кажется, я не впал бы в уныние, будучи убежден в том, что жизнь сама по себе — драгоценный дар. Дареному коню в зубы не смотрят. Человек живет до тридцати, потом до сорока, потом до пятидесяти лет и далее. Пора взрослому человеку в конце концов признать, что „смысл жизни — в ней самой"[15]. Иначе какого черта он все еще живет и ноет?

Что касается смерти, то я столько раз о ней думал, примеривая так и эдак разные варианты гибельного конца, что, можно сказать, „собственную смерть сносил наполовину"[17], как какой-нибудь старый плащ. Страшно умирать, безумно жаль умирающего человека. Но вся эта проблематика в XX веке тоже кажется несколько архаичной: слишком много людей, безвременно погибших в войнах и лагерях, с удовольствием поменялись бы с нами своей судьбой. Стыдно перед лицом миллионов загубленных рассуждать о бессмысленности жизни. И разве не объяснили мне кое-что мои любимые авторы: Сенека, Монтень, Паскаль?

Что касается вечности и бессмертия, то скажу так: „ничтожество за гробом" меня не страшит. Ничтожество? Очень хорошо! Его не боялся и Гамлет. Страшили его лишь „загробные сны". В них я не верю. Представить себе вечную жизнь, бессмертие не могу: с наших земных позиций они представляются слишком неприступной крепостью, а то и дурной бесконечностью. Если же вместо абсолютного бесчувствия после смерти нам откроется нечто новое, непредставимое, о чем мы не можем и помыслить, пока живы,— тем лучше! Там разберемся.

Как видите, я ни разу не употребил слово *Бог*. Не потому, что его для меня нет, а потому, что говорить о Нем во всеуслышанье, как о любви, можно только в стихах.

— *Почему Бродский так сильно поражен мыслью о смерти?*

— Вся поэзия — это сплошная мысль о смерти. О жизни и о смерти. Вокруг них поэзия ходит кругами уже тысячелетия. Вообще у поэзии не так уж много питающих ее тем, их можно пересчитать по пальцам, что и сделала Л.Я.Гинзбург в статье „Частное и общее в лирическом стихотворении": „....темы жизни и смерти, смысла жизни, любви, вечности и быстротекущего времени, природы и города, труда, творчества, судьбы и позиции поэта, культуры и исторического прошлого, общения с божеством и неверия..."[17] — обрываю на этом короткий перечень. Понятно, что тема смерти — одна из самых горячих, грубо говоря, очень выгодная тема.

Больше других мне нравятся те стихи Бродского, где мысль о смерти является непроизвольно и неожиданно, как, например, в стихотворении „Темза в Челси":

> „Вспоминаешь о прошлом?" — „Помню, была зима.
> Я катался на санках, меня продуло".
> „Ты боишься смерти?" — „Нет, это та же тьма;
> но, привыкнув к ней, не различишь в ней стула".

[Ч:47/II:351].

Несколько меньше ценю я стихи, специально написанные на смерть того или другого знакомого. Возникает даже впечатление, что Бродский оживляется при известии о смерти, как полковая лошадь при звуках военной трубы, — появляется новый повод для вариации на старую тему. Впрочем, стихотворение „На смерть друга" [Ч:31/II:332] считаю замечательным.

— *Как вы себе представляете философские поиски Бродского?*

— О философских поисках Бродского сказать не берусь: он поэт, а не философ. Поэт не занят философскими поисками; в каждом стихотворении он заново воссоздает мир, в двух соседних стихах могут быть высказаны противоположные, взаимоисключающие соображения. Сердце не в ладу с благоразумной логикой, так же устроена и поэзия: она противоречива, но искренна в каждый данный момент, в каждом стихотворении.

Желание привести высказывания поэта в философскую систему мало чем отличается от наивной формулировки дотошных простаков: „был ли Пушкин атеистом?" С одной стороны: „Мой ум упорствует, надежду презирает... Ничтожество меня за гробом ожидает", с другой — „Но дай мне зреть мои, о Боже, прегрешенья." То же — у Бродского, нередко — в одном и том же стихотворении:

> тебе твой дар
> я возвращаю — не зарыл, не пропил;
> и, если бы душа имела профиль,
> ты б увидал,
> что и она
> всего лишь слепок с горестного дара,
> что более ничем не обладала,
> что вместе с ним к тебе обращена...

[К:61/II:209]

и несколькими строфами ниже:

> Но даже мысль о — как его? — бессмертьи
> есть мысль об одиночестве, мой друг...

[К:65/II:213]

— *Показывает ли циферблат Бродского конкретно-историческое время?*

— Безусловно. Не только содержание, но и весь словарь Бродского прописан в сегодняшнем дне. Не знаю, кто еще отразил наше время с такой полнотой. Достаточно вспомнить „Речь о пролитом молоке" [К:6-17/II:27-38] или „Стихи о зимней кампании 1980-го года" [У:97-99/III:9-11]. И, разумеется, это конкретно-историческое время невозможно отодрать, отделить в его стихах от времени универсального, онтологического; это, второе, время — нечто вроде загрунтовки, по которой живописцы пишут маслом.

— *На каком основании вы отнесли Бродского к „байроническому" типу поэтов?* [18] *Разве он не выталкивает эмоции на периферию стихотворения, не приближает свою интонацию к монотонности маятника?*

— Отнеся Бродского к „байроническому" типу поэтов, я имел в виду не эмоции и не интонацию, а романтический образ автора-скитальца, романтическое (и героическое) противостояние миру, романтическую иронию, романтическое отрицание, разочарование и прочие романтические атрибуты. Мне кажется, Бродский — последний романтический поэт в мире. Впрочем, я, наверное, ошибаюсь: разве Цветаева или Галчинский не принадлежат к тому же типу? И разве можно было предположить, что он возникнет в XX веке еще раз с такой полнотой и убедительностью?

— *„.... все мы, до известной степени, — говорит Бродский, — так или иначе, может быть, частично, чтобы освободиться от пушкинской тональности, продолжаем писать 'Евгения Онегина'" [19]. Какие стихи Бродского, по вашему мнению, держатся на пушкинской тональности, на пушкинском эхо?*

— Перекличка Бродского с Пушкиным возникает, по-моему, там, где он обращается к повествовательному стиху, стиху-рассказу; это связь не с Пушкиным-лириком, а с Пушкиным — автором поэм. То же происходит у Пастернака в „Спекторском" и некоторых стихах из книг „Темы и вариации" и „Второе рождение".

— *Бродский говорит, что Цветаева изменила не только его понятие о поэзии, но даже его мироощущение [20]. Почему именно Цветаева, а не Ахматова или Мандельштам?*

— Да, именно Цветаева, а не Ахматова, не Мандельштам изменили не только понятие Бродского о поэзии, но и его мироощущение. Почему это произошло, надо спросить у него. Собственно, а почему бы и нет? Цветаева — сильный поэт, ее притягательная мощь велика. Отказ от компромиссов, „возвращение Творцу билета", принципиальное одиночество, культ сильных, хотя и несколько однообразных, чувств — все это очень важно для Бродского [21]. Но, может быть, еще важнее — ее формальное влияние на него: цветаевские переносы из строки в строку, проходящие через все стихотворение; цветаевское жесткое обращение с языком, нередко переходящее в насилие над ним; сложное, иногда запутанное построение фразы: случается, чтобы понять ее мысль, приходится перечитывать строфу, период, и даже не столько перечитать, сколько исполнить, разыграть его в лицах и жестах.

— *Чем вы объясняете нелюбовь Бродского к Блоку, которого Ахматова считала не только величайшим европейским поэтом, но и человеком эпохи?*

— Нелюбовь Бродского к Блоку мне понятна. Стих Блока слишком напевен, размыт романсной мелодией, водянист, в нем не хватает того „виноградного мяса", которым мы так избалованы в XX веке. Но больше всего удручает, наряду с общесимволистской безвкусицей, его лирический герой, „рыцарь и поэт, потомок северного скальда", напоминающий актера в гамлетовском трико, оперного певца. И все-таки невозможно представить русскую поэзию без этого великого поэта. Невозможно без него представить и собственную юность. Не исключено, что в Блоке мы не любим некоторые собственные черты, такие, например, как самолюбование.

— *Отразилось ли восемнадцатилетнее изгнание на русском языке Бродского?*

— Восемнадцатилетнее изгнание отразилось на русском языке Бродского в том смысле, что в некоторых его стихах заметно, пожалуй, слишком большое старание не отстать от языка современного жаргона. Между тем жаргон давно исчез из употребления, в интеллигентной среде во всяком случае. Это можно было предвидеть и в 60-е годы, когда Бродский жил в России: просто, мне кажется, следовало больше доверять поэтическому языку, меньше — языку бытовому, приблатненному. В результате слишком много межеумочных слов выпало в стихах Бродского в осадок — и это единственная моя серьезная претензия к прекрасному поэту.

— *„Выживает только то, что производит улучшение в языке, а не в обществе,"* — *говорит Бродский* [22]. *Какие, на ваш взгляд, улучшения в русском языке произвел Бродский?*

— Я бы согласился с этой фразой Бродского, если бы речь шла о языке поэтическом. В поэтический язык Бродский внес много нового, придал ему большую изощренность, экспрессивность, энергию. Его сложные синтаксические конструкции виртуозны и, хочется сказать, умопомрачительны.

Что же касается языка вообще, языка как такового, то он к XX веку сложился, мне кажется, настолько, что думать о возможности оказать на него воздействие было бы самонадеянностью. Это теперь не удается уже никому, ни в лучшую, ни в худшую сторону, хотя подобные усилия, безнадежные, были: Хлебников, Маяковский, Крученых и другие.

— *Почему Бродский делает категорию языка доминирующей в своем поэтическом мире?*

— Наверное потому, что язык — орудие поэта, лучше сказать, его стихия. В языке поэт плавает, как рыба в воде. И еще потому, что с собой на Запад Бродский увез „часть речи", говоря его словами. И еще потому, что язык — единственная наша надежда на будущее, намек на бессмертие, коллективный, так сказать, залог.

Бродский считает язык данным свыше, спущенным сверху, а не взращенным снизу. Меня поразило совпадение этого его ощущения с моим собственным, давнишним, заветным. Что может быть таинственней и чудесней любимого тютчевского слова „изнеможенье"? Чудо русского языка, словно специально рожденного для поэзии, внушает надежду на будущее — и в самые мрачные, смутные или бестолковые времена. Впрочем, все это мы уже проходили в школе: „Во дни сомнений, в дни тягостных раздумий..." [23] Седобородый классик с львиной гривой, в либеральных клетчатых панталонах и узком сюртуке...

— *Как бы вы определили тот пласт культуры, который вы разрабатываете?*

— Нет, нет, ничего я не разрабатываю и о языке специально не думаю: он думает со мной и за меня. Надеюсь, мне удалось открыть некоторые новые стороны человеческой души, новые ее возможности, уточнить чувства. Прежде всего это связано с любовью, но не только с нею. Кто сказал, что человек не меняется? Он меняется от века к веку, и перемены эти происходят отчасти потому, что их фиксирует и внушает, а то и навязывает поэзия, проза, искусство. В этом я вижу, между прочим, главную задачу поэзии и соглашаюсь с Бродским, когда он наделяет в своих высказываниях поэзию особой властью и ответственностью. Разница между нами состоит в том, что он предпочитает сильное, едва ли не тираническое, именно властное воздействие, мне же как-то милей более непроизвольное, факультативное влияние.

— *Кроме русской, английская поэзия наиболее интересна для Бродского даже на сегодняшний день. Видите ли вы следы этого повышенного интереса в его стихах?*

— Бродский действительно скрещивает две яблони: русскую и английскую. Своеобразие его поэзии во многом связано с этим плодотворным, плодоносным методом. Увы, здесь я ощущаю свою ограниченность и недостаток знаний.

— *Вы признались недавно, что античный человек, античная культура для вас значат ничуть не меньше, чем христианство* [24]. *Вам, должно быть, близка и понятна тяга Бродского к античности. Что у вас общего, и что вас разделяет с Бродским в вашем отношении к античности?*

— Действительно, любовь к античности, значащей для меня ничуть не меньше, чем христианство, нас роднит и, может быть, доказывает какую-то существенную общность. Думаю, дело в том, что при нас родилось новое сознание: человечество обрело возможность расправиться с собой, кончить самоубийством; на краю пропасти хочется вспомнить все, что произошло за несколько тысячелетий существования мировой культуры. Так прапорщик Праскухин в „Севастопольских рассказах" за мгновение до гибели вспоминает всю жизнь.

И еще одно желание: не столько спастись самим, сколько спасти тех, кто жил до нас, отвести подальше от пропасти Гомера, Катулла, Овидия, как маленьких детей — они-то ни в чем не виноваты.

— *В какой мере можно утверждать, что город на Неве породил Бродского как поэта?*

— Безусловно, породил. Ребенок, выросший в этом городе, получил в наследство европейскую культуру, душу его лепила великолепная архитектура. Кроме того, творческая юность, проведенная в бывшей столице, избавила нас (назову еще одного замечательного поэта — Евгения Рейна) от борьбы за „кусок столичного пирога". В тени ленинградских садов явственней звучит, как сказала Ахматова, „голос Музы, еле слышный."

— *Существует ли сейчас в России культурная и духовная потребность в стихах Бродского?*

— Настоящие стихи всегда нужны, не всем, конечно. Стихи Бродского все эти годы передавались из рук в руки. Те, кто любит поэзию, знали его: ведь любовь к поэзии предполагает интерес к ней. Проявить интерес — значит приложить некоторые, не слишком большие, усилия, чтобы достать нужные стихи. Другое дело — широкий читательский спрос. Он соблазнителен, но опасен. В России не знают меры и любовью могут задушить. Еще года два назад на каждом перекрестке кричали о Высоцком, сделали из него большого поэта, совершали паломничество на его могилу, жгли свечи и т.д. Устали, остыли. Потребовалась другая жертва. Юбилеи Ахматовой и Пастернака обернулись чудовищной пошлостью, их произвели в литературные генералы. Сейчас взялись за Бродского. Боюсь, что и ему не поздоровится от жарких объятий. Впрочем, он, кажется, это понимает и держится от них на расстоянии.

— *В какой степени Бродский воспринимается лично вами как выразитель определенных духовных ценностей?*

— На этот вопрос пусть отвечают культурологи, знающие, что это такое. Может быть, удовольствие, получаемое от поэзии, и сводится к таким вещам. И все-таки, напрягшись, скажу, что свободолюбие — вот, наверное, та сквозная мелодия, тема, которая всегда меня волновала в этих стихах.

— *Расскажите о наиболее ярких ваших встречах и разговорах с Бродским.*

— Встречи и разговоры оставим для другого, мемуарного жанра; участники бесед, слава Богу, еще живы [25].

— *Не могли бы вы сказать что-либо в защиту Бродского по поводу любого из следующих обвинений, предъявляемых ему читателями и критиками: в холодности, в книжности, в эстетизме, в рационализме, в дурном вкусе.*

— Холодность, книжность, эстетизм, рационализм, дурной вкус — какой это замечательный ряд, если из его слагаемых складывается такой прекрасный поэт! Другого поэта способен погубить и один из перечисленных недостатков. Хочется придумать еще парочку изъянов, лишь бы опять написал что-нибудь вроде „Писем римскому другу" [Ч:11-14/II:284-86]! По-моему, это одно из самых драгоценных стихотворений, написанных в нашем веке.

— *У вас, кажется, есть несколько стихотворений, в которых ощущается перекличка с Бродским, например, „В кафе", „Он встал в ленинградской квартире"* [26]. *Сознательное ли это эхо?*

— Мое стихотворение „В кафе" [27] действительно перекликается со стихотворением Бродского „Зимним вечером в Ялте" [О:135/II:141]. Это сознательная перекличка, в конце стихотворения появляется в дверях „рыжий друг". Стихотворение „Он встал в ленинградской квартире" [28] к Бродскому не имеет отношения, речь в нем идет о пушкинском серафиме и недоверии к поэтическим пророчествам.

Бродскому я посвятил не одно, а несколько стихотворений [29]. Одно из них, написанное в 1981 году, рад представить вашему вниманию.


* * *


Свет мой зеркальце, может быть, скажет,
Что за далью, за кружевом пляжей,
За рогожей еловых лесов,
За холмами, шоссе, заводскими
Корпусами, волнами морскими,
Чередой временных поясов,
Вавилонскою сменой наречий,
Есть поэт, взгромоздивший на плечи
Свод небесный иль большую часть
Небосвода, — и мне остается
Лишь придерживать край, ибо гнется,
Прогибается, может упасть.
А потом на Неву налетает
Ветерок, и лицо его тает,

Пропадает, — сквозняк виноват,
Нашей северной мглой отягченный, —
Только шпиль преломлен золоченый,
Только выгиб волны рыжеват.

*1981*

## ПРИМЕЧАНИЯ

[1] Иосиф Бродский, „Поэзия суть существования души", из выступления на встрече с А.Кушнером в Русском институте при Бостонском университете („Литературная газета", 22 августа 1990, С. 5).

[2] A.Kushner, "Apollo in the Snow. Selected poems", tr. by Paul Graves and Carol Ueland (Farrar, Straus and Giroux: N.Y., 1991). Английские переводы стихов Кушнера см. также "The Living Mirror: Five Young Poets from Leningrad", ed. by Suzanne Massie, tr. by P. Roche (Victor Gollancz: London, 1972), P. 176-211; "Russian Poetry: The Modern Period", ed. & tr. by Daniel Weissbort (Iowa City, 1983), P. 243-48; "Partisan Review" (Vol. 56, No. 1, 1989, P. 115-18). Сам Кушнер переводил с английского стихи близкого ему стилистически Филипа Ларкина (Philip Larkin).

[3] Иосиф Бродский, „Европейский воздух над Россией", интервью Анни Эпельбуан („Странник", No. 1, 1991, С. 36).

[4] „Европейский воздух над Россией", Ibid. См. также вступительное слово Бродского на вечере А.Кушнера в Нью-Йорке, 10 декабря 1994 года: И.Бродский, „Выбирая между репутацией и правдой" („Литературная газета", 11 ноября 1996, С. 6).

[5] И.Бродский, „Европейский воздух над Россией", Ibid.

[6] И.Винокурова, рецензия на книгу стихов А. Кушнера „Живая изгородь" („Новый мир", No. 3, 1989, С. 369-70). См. об этом также Михаил Визель, „И муза громких слов стыдится. Двенадцатикнижие Александра Кушнера" („Литературная газета", 24 июля 1996, С. 4).

[7] Александр Кушнер, „Диалог с послесловием", диалог А. Кушнера с А. Панченко („Литературная газета", 21 марта 1990, С. 3).

[8] Joseph Brodsky, "Nobel Lecture 1987", in "Brodsky's Poetics and Aesthetics", eds. by L.Loseff & V.Polukhina (Macmillan Press: London, 1990), P. 1-11. См. также „Речь Иосифа Бродского на банкете-чествовании нобелевских лауреатов (Стокгольм, 10 декабря 1987)" („Русская мысль", 18 декабря 1987, С. 16).

[9] Сергей Довлатов, „Собрание прозы в трех томах" (Лимбус-пресс: СПб., 1993, том 3, С. 321).

[10] А.Кушнер, стихотворение „Заснешь и проснешься в слезах от печального сна" из книги „Голос" („Сов. пис.": Л-д, 1978), С. 37.

[11] Ibid.

[12] См. А.Кушнер, „Поэт безутешной мысли, едва ли не романтического отчаяния" („Литературная газета", 16 мая 1990, С. 6). Перепечатано в кн. „Иосиф Бродский размером подлинника" (Ленинград-Таллинн, 1990, С. 239-41). См. также „Заметки на полях", в кн. А.Кушнер, „Аполлон в снегу" („Сов. пис.": Л-д, 1991, С. 441-44).

[13] Осип Мандельштам, „Сочинения в двух томах" („Худож. лит-ра": М., 1990, том 1, С. 79).

[14] А.Кушнер, стихотворение „Стог" из книги „Приметы" („Сов. пис.": Л-д, 1969), С. 54.

[15] А.Кушнер, стихотворение „Смысл жизни — в жизни, в ней самой" из книги „Дневные сны" („Лениздат": Л-д, 1986), С. 28.

[16] А. Кушнер, стихотворение „И после отходной, не в силах головы" из книги „Голос", Ibid., С. 72.

[17] Л.Гинзбург, „О старом и новом" („Сов. пис.": Л-д, 1982), С. 17.

[18] А.Кушнер, „С первых своих шагов в поэзии...". Послесловие к публикации шести стихотворений Бродского („Нева", No. 3, 1988, С. 109-10). Вошло в кн. А.Кушнер, „Аполлон в снегу", Ibid., С. 392-96.

[19] И.Бродский, „Европейский воздух над Россией", Ibid.

[20] Brodsky's comments on his poetry for BBC Russian Service, August 1986.

[21] См. А.Кушнер, „Противостояние", в кн. „Аполлон в снегу", Ibid., С. 500-501.

[22] Иосиф Бродский, „Настигнуть утраченное время", интервью Джону Глэду („Время и Мы", No. 97, 1987, С. 168). В России перепечатано в альманахе „Время и Мы" („Время и Мы"/„Искусство": Москва/Нью-Йорк, 1990), С. 283-97 и в книге Глэда „Беседы в изгнании" („Книжная палата": М., 1991, С. 122-31).

[23] И.С.Тургенев, „Стихотворения в прозе", „Избранные произведения" („Детская литература": М., 1967), С. 552.

[24] Александр Кушнер, „Диалог с послесловием", Ibid.

[25] После смерти Бродского Александр Кушнер опубликовал несколько мемуарных произведений о нем: „По прихоти своей скитаться здесь и там..." („Литературная газета", 11 ноября 1996, С. 6) и „Здесь, на земле..." („Знамя" (No. 7, 1996, С. 147-73).

[26] На это обращает внимание Лев Лосев в статье „Бродский: от мифа к поэту", предисловии к кн. „Поэтика Бродского" (Hermitage: Tenafly, N.J., 1986), С. 10-15.

[27] А.Кушнер, „Канва" („Сов. пис.": Л-д, 1981), С. 132-33.

[28] А.Кушнер, „Приметы" („Сов. пис.": Л-д, 1969), С. 24.

[29] А.Кушнер объединил свои стихи, „связанные с Бродским или адресованные ему", в цикл, опубликованный в кн. „Иосиф Бродский размером подлинника", Ibid., С. 234-39.

Лев Владимирович Лифшиц родился 15 июня 1937 года в Ленинграде. Пишет под псевдонимом «Лев Лосев», выбранным отцом, поэтом В.А.Лифшицем, заметившим, что двум Лифшицам нет места в русской литературе. Публиковался также под псевдонимом «Алексей Лосев». Окончил в 1959 году Ленинградский университет, в качестве журналиста объездил Советский Союз. Писал стихи для детей, автор десятка пьес, шедших в 20 кукольных театрах страны, в т.ч. пьесы „Неизвестные подвиги Геракла". О том, что Лосев оригинальнейший поэт, на протяжении 20 лет не подозревал никто. Даже его ближайший друг Бродский узнал об этом только в Америке, куда тот выехал в 1976 году. Впервые его стихи опубликованы с послесловием Бродского в журнале „Эхо"[1]. С тех пор Лосев много печатается в эмигрантских изданиях, а в последнее время и в отечественной периодике. Защитил в Мичиганском университете диссертацию **„Эзопов язык в современной русской литературе"** (1979), с 1980 года — профессор в Dartmouth College. Автор статей о творчестве Чехова, Солженицына, Булгакова, Цветаевой, Бродского, исследования **„On the Beneficence of Censorship"** (Münich, 1984) и книги очерков **„Закрытый распределитель"** (Ann Arbor, 1984). Редактор и составитель сборников **„Поэтика Бродского"** (Tenafly, 1984) и **„Brodsky's Poetics and Aesthetics"** (London, 1990)[2]. В Америке издал книги стихов **„Чудесный десант"** (1985) и **„Тайный советник"** (1987).

Лосев — „неожиданная боковая ветвь" русской поэзии, „ее острый сучок" (Кушнер). Поэт-филолог, поэт-профессор философичен, ироничен, антилиричен: в его стихах нет ни лирического героя, ни лирического адресата. Он культивирует поэтику снижений — тем, образов и словаря. Лосев чрезвычайно изобретателен в рифмах и нарочито банален в просодии. Рифмы и строгие метры дисциплинируют сугубую прозаизированность его стихов, в которых доминирует умозрительное остроумие и парадоксы. Россия, в которой „Бога забыли" и „дьявол был во всех углах", — сквозная тема обоих сборников. „Он сделал из русской поэзии то, что Чехов из русской прозы: превратил ее из набора гениальных безумств в хорошо организованный текст" (Б. Парамонов). Интертекстуальное поле поэзии Лосева столь объемно и компактно, что на ста страницах умещается вся русская литература от „Слова о полку Игореве" до Бродского. В 1996 году в „Пушкинском фонде" вышла его третья книга стихов: **„Новые сведения о Карле и Кларе"**.

# НОВОЕ ПРЕДСТАВЛЕНИЕ О ПОЭЗИИ

*Интервью с Львом Лосевым*
*Начало: 20 сентября 1989, Лондон*
*Окончание: 23 июля 1990, Харрогейт*

— *Вы находитесь в несколько особом положении среди других интервьюируемых мною поэтов: вы — друг Бродского и один из самых первых серьезных исследователей его поэзии. Скажите, ваша многолетняя дружба с ним мешает или помогает вашему объективному видению его творчества?*

— Я не думаю, что это мне мешает. Я думаю, это имеет отношение не к тому, что я пишу о Бродском, а к более ранней стадии — к импульсу, почему мне хочется писать о Бродском. Потому что мне хочется объяснить себе что-то, что удивляет, восхищает и озадачивает меня как человека.

— *Не могли бы вы сказать конкретнее, что именно привлекает вас в поэзии Бродского?*

— Я не думаю, что это можно объяснить конкретно, потому что речь идет об общих основах нашего существования. Просто-напросто для меня жить и значит объяснять себе явления жизни, и к числу самых важных явлений для меня относится поэзия, русская поэзия. Объяснять ее главного поэта — это самое интересное и самое, с моей точки зрения, важное занятие.

— *Вспомните, пожалуйста, детали вашего знакомства с Бродским.*

— Как ни странно, я много раз пытался, но я не могу точно вспомнить. Знаю, что мы впервые встретились с ним очень давно. Вот, например, эпизод, который Рейн и другие часто вспоминают. В поэтическом объединении в Доме культуры промкооперации в Ленинграде совсем юный 15-летний Иосиф выступил очень резко против Рейна, обвинил его в декадентстве или в формализме, говорил, что его стихи непонятны простым рабочим... Такой смешной эпизод. И совершенно точно я там был, но, как ни странно, этого момента не запомнил, не запомнил Иосифа там. И, наверное, были другие такие столкновения, потому что мы вращались в одном, относительно тесном, кругу. Что я хорошо помню — это патронирующее, немножечко добродушно-ироническое отношение к нему, которое установилось среди моих друзей, потому что в том возрасте разница в два-три-четыре года была очень важна. И этот необычайно темпераментный мальчик немножечко смешил нас, уже искушенных жизнью, 19—20-летних. Я говорю „нас", хотя сам я как-то не различаю Иосифа в тогдашней толпе молодых людей, пишущих стихи. Помню, что мои друзья, Виноградов, Еремин, Уфлянд [3], обращали на него больше внимания, чем на остальных, но при этом несколько иронично называли его инициалами „ВР", что в сокращении означало „великий русский поэт", из-за того, что с самого начала он делал наивные заявки на величие.

Я как-то отмахивался от чтения его стихов, потому что был слишком огромный поток юношеских стихов вокруг. Году в 61-м наша общая знакомая Наташа Шарымова (даже помню это место на набережной Невы возле Троицкого моста) дала мне пачку отпечатанных листочков на плохой бумаге и сказала: „Ты все-таки прочти, прочти. Это замечательно талантливый поэт". И я увидел, что строчки в этих стихах очень длинные, почти поперек всей страницы, и мне уже от одного вида этих строчек стало скучно. И я сделал вид, что читаю. Там что-то было из тех стихов, которые потом вошли в первую книгу „Стихотворения и поэмы", может быть, „Слышишь ли, слышишь ли ты в роще детское пение" [С:78-79/I:93-94]. И я отказался читать. А вот год спустя — я об этом уже вспоминал однажды [4] — ко мне (я жил тогда с женой в коммунальной квартире) сошлось довольно много, даже больше, чем обычно, разных молодых поэтов. Приехало несколько человек из Москвы — Красовицкий, Хромов [5], пришли мои ближайшие друзья — Уфлянд, Еремин, Виноградов. Поскольку места в комнате совершенно не было, мы оккупировали переднюю коммуналки. Соседи довольно тактично не вмешивались, и когда им надо было в уборную, они на цыпочках проходили мимо нас. Сидели в этой захламленной полутемной передней кружком и читали стихи по очереди. Я впервые услышал Иосифа читающим стихи и, хотя я был уже весьма искушенным читателем поэзии, я совершенно растворился в этом чтении. Пресловутый шаманизм его чтения ничуть меня не шокировал, хотя сам я по природе человек другого рода и всегда с большим недоверием отношусь к любым эксцессам, в том числе и декламационным. Больше всего я помню из того, что он читал тогда, „Холмы" [С:123-29/I:229-34]. Тут, наверное, дело было не только в обаянии его чтения, которое, как я теперь понимаю, совершенно квинтэссенция музыкальности и праздник просодии, но и еще в новизне его поэзии в целом, потому что мне показалось, что я тогда слышал стихи, о которых я всегда мечтал, чтоб вот такие стихи были написаны. Вот это была первая сознательная встреча, и мне кажется, что тогда моментально в моем сознании Иосиф утвердился как явление исключительное. Хотя это никак не отразилось на личных отношениях, они оставались теми же самыми, какими должны были быть в то время. Я был старший, умудренный опытом 23-летний женатый человек, кончивший университет, работавший где-то там... А он еще не определившийся мальчик, его родители могли, например, позвонить мне и попросить повлиять, чтоб он устроился на работу или что-нибудь в таком духе. Но как-то совершенно отдельно стал вырастать в сознании образ действительно исключительного явления. Сейчас много появляется поспешных мемуаров старых ленинградских друзей Иосифа, все они пытаются выразить это уникальное чувство. В нашей жизни тогда было много ярких культурных впечатлений. Наша молодость совпала с оттепелью: всякие французские выставки, Пикассо, переводы Хемингуэя, западной литературы, возвращение Платонова, Бабеля, Ахматовой и т.д., и т.д. Но совершенно иного качества переживание, явление значительно более важное для наших собственных судеб произошло, когда каждый из нас вдруг почувствовал Бродского. Это трудно объяснить ретроспективно. Какой-то ветер реальности вдруг подул в нашей жизни. Среди нас многие могли более или менее успешно имитировать Заболоцкого или Ахматову, или Пастернака, некоторые это делали даже талантливо. Но вот совершенно неожиданное, новое, переворачивающее наше представление о поэзии и в то же время отвечающее нашим скрытым чаяниям о том, какой поэзия должна быть, это был Иосиф.

Так появился Бродский в моем сознании. А несколько месяцев спустя, весной 62-го, я получил работу в журнале „Костер". И все мои старые друзья стали, естественно, ко мне приходить, чтобы просить какую-то халтуру. И вот в один из тех прекрасных дней Толя Найман привел ко мне Иосифа и сказал: „Надо для Иосифа что-нибудь придумать". Я стал придумывать. Абсолютно в моем сознании Иосиф не вязался с тем родом литературной поденщины, халтуры, который мы там делали, иногда даже и забавной, и талантливой по-своему. Я уже знал к этому времени, что Иосиф интересуется поэзией метафизиков и, стало быть, знает всякие штукарские приемы поэзии барокко, и я сказал: „А что если написать стихи для детей в форме креста, в форме звезды или какой-нибудь загадки? У вас это может получиться, у вас изобретательное поэтическое сознание". Иосиф захмыкал и через некоторое время изобразил мне на бумаге экспромт. В устном изложении он не представляет собою ничего интересного. Это были строчки, написанные печатными буквами параллельно одна над другой: „Под мостом течет Нева, быстрая такая." Затем лист бумаги переворачивался, и крест-накрест этих строк было написано: „Над Невой стоит Чека, страшная такая." И получался знак решетки [6].

Я не созрел, видимо, еще, чтобы вдаваться в психологические объяснения, почему мы подружились. То есть мне даже скорей понятно, почему Иосиф хотел дружить со мной, чем почему мне был нужен Иосиф. Потому что я не из тех людей, которые стремятся сблизиться с поэтами. Например, я тысячу раз мог познакомиться с Ахматовой или хотя бы посмотреть на Ахматову вблизи, но что-то меня останавливало. Был лишь короткий момент в молодости, когда я с друзьями ходил к Пастернаку, познакомился с Леонидом Мартыновым, со Слуцким. Но вообще мне казалось, что не следует лезть к поэтам. Так что тот факт, что мне необыкновенно, без разбору нравилось все, что писал тогда Иосиф, не имеет, как мне кажется, ничего общего с тем, что мы очень тесно сблизились, подружились. А виделись мы действительно часто, за исключением тех моментов, когда либо он уезжал, либо я, еще и потому, что мы все были локализованы в одном маленьком районе Ленинграда. Редакция журнала „Костер" находилась на краю Таврического сада, по другую сторону Таврического сада жили Уфлянд, Виноградов и Иосиф. И поэтому мы постоянно были вместе, либо в редакции, либо в одной из этих квартир.

— *Какое место занимал Иосиф в вашей жизни как поэта? Как вам удалось, любя Иосифа, восхищаясь его стихами, оставаться абсолютно независимым от него поэтически?*

— Он сыграл решающую роль в том, что я стал писать стихи. И вот каким образом — негативным. Когда я был молодым человеком, я писал стихи и серьезно к этому относился. Недавно я решил разобрать свои архивы, какую-то коробку со старыми стихами, которую мне переслали из Советского Союза, я разобрал все по листочкам. И не то чтобы мне это было отвратительно; мне не противно, но забавно, до чего же я насквозь себя тогдашнего вижу, писавшего эти стихи. Кстати сказать, стихи даже не плохие, если отчужденно о них судить. Я вижу, что был потенциал стать средним поэтом 60-х годов. Там не было, правда, одного, самого главного, — не было желания им стать, не было энергии, витальной силы, а это главное в любом поэте. Там было понимание языковых новаций, умение пользоваться словом. Всего этого было сколько угодно. Всего, что меня совершенно сейчас не интересует. Мне это кажется смешным, наивным и т.д. Я чувствовал, что, скажем, в Уфлянде или в Еремине тогда было меньше чувства стиля, чем у меня, но больше жизненной энергии. Или в некоторых других людях, которых я не хочу называть, в них меньше и того, и другого, и третьего. У некоторых была масса витальной силы, но совершенно никакого представления о слове. У Иосифа было все вместе взятое, и в удесятеренной степени. И я стал отдавать себе в этом отчет значительно позднее. Я понял, что для потребности в поэзии, в переживании поэзии, в переживании словотворчества — совершенно необязательно писание стихов. Попросту говоря, кроме поэзии Бродского, для меня стала ненужной никакая другая поэзия. То есть мне по-прежнему была нужна поэзия прошлого, но никакая другая современная поэзия, в том числе и моя собственная, мне стала не нужна. Если говорить прямо, Бродский выражал все, что я бы хотел выразить, значительно сильнее, быстрее, ярче, интереснее, чем я бы мог сделать это сам.

В 1972 году Бродский уехал. И это было уже после нескольких лет дружбы и очень скрупулезного общения с его стихами. В начале семидесятых я корректировал марамзинское издание Иосифа [7]. Это мне дало возможность ревизовать все, что я знал об Иосифе к этому времени. Я не буду сейчас распространяться об обстоятельствах отъезда. Примерно месяца через два после отъезда Бродского я шел по одному из маршрутов, по которому я не раз проходил с ним: от моей Таврической улицы можно было идти не прямо к Литейному проспекту, а вывернуть на задворочную набережную Невы от водонапорной башни напротив Государственной Думы до Рождественского. И когда я прошел этот квартал, я вдруг с удивлением остановился, потому что я сообразил, что я сочинил стихотворение, чего со мной давно не случалось. И сразу же, в тот же момент, поскольку мои мысли были заняты Бродским и его отъездом, я понял, что же произошло: начинает срабатывать какой-то компенсаторный механизм. Я привык к тому, чтобы слышать новые стихи Бродского через регулярный интервал. Я их не слышал, скажем, два месяца уже, и психика сама спасла меня от этой фрустрации. Стихи неважно какие, я даже думаю, неплохие. Мне было приятно, что они были интереснее, как мне казалось, всего, что я до этого писал. (Печатать, когда я начал печататься, эти „первые" стихи я не стал.)

И сразу же встал вопрос, а не похоже ли это на Бродского? Много было и есть людей, которые подражали Бродскому, имитировали Бродского. Это то, что я себе запрещал в первую очередь. Я развивал в себе вычеркивающий механизм на случай, когда ненароком что-то сказалось в чужой идиоме. И мне показалось: нет, не похоже. Я перечитывал, прикидывал на все лады — нет, не похоже. Хотя еще более глубоко внутри я знал, что это написано только потому, что нет Бродского. Потом появилось еще десять-двадцать стихотворений. В 1974, кажется, году зимой мы с Ниной и с Володей Герасимовым [8] поехали в Пушкинские горы, и я им там впервые рискнул почитать свои стихи. Это были самые строгие слушатели, каких только я мог найти. Я вдруг увидел то, что нельзя сымитировать в нашем кругу, где стихи бесконечно читались и обсуждались: живой интерес. В значительной степени это объяснялось тем, что они никак от меня не ожидали, что я вдруг стихи начну писать.

— *Вы, кажется, напечатали первое стихотворение Бродского в Союзе. Расскажите, как это вам удалось.*

— Да, это было стихотворение „Буксир", которое я пробил в журнале „Костер". Он принес мне длинное-длинное стихотворение, сентиментальное, но ужасно меня тронувшее, как и все, что он тогда писал:

Я — буксир.
Я работаю в этом порту.
Я работаю здесь.
Это мне по нутру.
Подо мною вода.
Надо мной небеса.
Между ними
Буксирных дымков полоса [9].

Типичная ленинградская акварель в духе ленинградских художников, в духе Марке, вроде Лапшина. И у меня щелкнуло в сознании, что как раз вот это и может пробить все рогатки. И я разработал нехитрую тактику. Сначала я показал это своему другу Феликсу Нафтульеву. Он был лет на десять старше Бродского. Вкусы его не совпадали с нашими, но я знал, что это стихотворение имеет шанс ему понравиться в силу своего откровенного романтизма. Так и вышло. Еще один талантливый человек тогда служил в „Костре" — Саша Крестинский. Вместе мы начали обрабатывать других. Вынесли на редсовет. Редактором у нас была партийная функционерка Галина Чернякова. И кто-то, либо она, либо ее заместитель, сказали: „Ну, что там за стихи?" Имя Бродского они немножко знали, и уже тогда оно вызывало у них опасные ассоциации. И мне сказали: „Прочитай!" Я стал читать. Я старался изо всех сил декламировать в том духе, в каком это им бы понравилось. Бог мне простит. Я читал, читал, читал. И я вижу, как их глазки затуманиваются сонливостью, они заклевали носами. Потом кончил. Мои друзья, как было договорено, стали галдеть: „Замечательно! Талантливо! Напоминает Багрицкого!" И т.д. И тогда начальство, уже размякшее, сказало: „Ну, давайте напечатаем. Только слишком уж длинно. Что мы, полжурнала займем, что ли?" Я уже с Иосифом сговорился, мы как-то сократили. И напечатали. Даже цветную вкладку нарисовал художник Ветрогонский, если не ошибаюсь. Это была первая публикация Бродского.

— *При вашей любви к Бродскому, при вашем понимании его величины и ценности для русской литературы, все ли вы принимаете у него или что-то принимаете только с оговорками?*

— Все, без оговорок. Хотя я человек золотой середины и многие мои взгляды не отличаются от общераспространенных, но вот здесь я, может быть, немного своеобразен, потому что для меня не существует хороших и плохих стихов у тех поэтов, которых я считаю поэтами. Я их принимаю абсолютно и полностью, любого поэта без исключения. Тут можно назвать Алексея Толстого и Фета, Некрасова... И, конечно, Иосифа, с которым меня связывает более тесная дружба, чем с Алексеем Толстым.

— *Вы разделяете с Иосифом судьбу поэта в изгнании. „Жизнь в чужой языковой среде, со всеми вытекающими последствиями, это испытание,"* — *говорит Бродский* [10]. *Разделяете ли вы эту его мысль? В чем вы находите силы для такого испытания?*

— Я разделяю в том смысле, что всякий поворот в жизненных обстоятельствах является для человека испытанием — психологическим, личностным, профессиональным. Но я, по правде сказать, не согласен с постановкой вопроса. Если я правильно его понял, то получается так, что если бы я жил на родине, то писание стихов было бы для меня в каком-то смысле более легким или более комфортабельным и приятным занятием. В моем, по крайней мере, случае это абсолютно не так. Я думаю, что эмиграция для меня скорее поддержка в этой деятельности, чем обуза и препятствие. Эмиграция — это масса других трудностей, чисто жизненных. Трудно жить в среде, которая никогда не станет для тебя родной, на каждом шагу это вызов и борьба, и победы, и, чаще всего, поражения. Но что касается писания стихов, то как раз это замечательные условия, потому что для писания стихов нужна свобода. И эмиграция очень помогает обретению внутренней свободы. Гениальное название книги Адамовича „Одиночество и свобода"[11]. Эта формула замечательна.

— *Этот вопрос был продиктован высказыванием самого Бродского. И это высказывание влечет за собой следующий вопрос. Не кажется ли вам, что Бродский находит духовную опору скорее в языке, чем в вере?*

— Вы знаете, Валентина, лучше, чем кто бы то ни было, что Иосиф всегда категорически отказывается обсуждать вопросы веры. Наши познания в популярной психологии заставляют предполагать, что это означает абсолютную исключительность того места, которое вера занимает в его существовании. Но я считаю, что есть какие-то границы деликатности, которые современники не должны переступать. Мне смехотворны нападки на христианство Иосифа или иудаизм Иосифа, или атеизм Иосифа и т.д. У меня лично есть свои соображения на этот счет. Я думаю, что в русской литературе нашего времени, в русской поэзии после Ахматовой, Цветаевой, Мандельштама не было другого поэта, который с такой силой выразил бы религиозность как таковую в своей поэзии. В какой степени это отразилось на его поэтике, я об этом писал в своей статье о „Натюрморте" и еще кое-где[12]. Но обсуждать его личные верования я совершенно отказываюсь.

— *Мой вопрос относится не столько к его вере, сколько к языку. Вы согласитесь, что язык является одним из центральных персонажей его поэзии и прозы? Бродский утверждает, что его отношение к действительности продиктовано в значительной степени языком, а не наоборот*[13]. *Как вы это понимаете?*

— На ваш вопрос можно ответить двумя способами. Во-первых, можно обратиться к Лакану и к Витгенштейну, чего я делать не буду просто в силу своей малой эрудиции. А другой ответ практически идентичен первому и очень простой. Этот человек с 16 лет живет языком. Это его способ существования. Мама ему сказала, когда ему было 13—14 лет: „Почитай "Гюлистан" Саади. Это красивые стихи"[14]. Ему понравились эти стихи. Я не хочу сказать, что из-за Саади Бродский стал писать стихи, но это был один из толчков, импульсов. Но, допустим, этого не произошло и он не нашел этой формы самореализации. Что бы было тогда? Такая колоссальная жизненная энергия — тот самый талант библейский, который ему дан и который он предпочел не зарыть в землю. Гипотетически он мог бы выразиться как-то по-другому, в политической деятельности, в религиозной деятельности. Я хочу сказать, что язык, о котором Иосиф говорит обычно в религиозных терминах, это все-таки форма знаковости, так или иначе. А для человека масштаба Бродского это форма его выполнения собственного назначения, его форма проживания собственной судьбы, форма согласия с провидением. Бродский, как никто другой, служит прекрасной, совершенно гениальной иллюстрацией к гениальным же строчкам Цветаевой из стихотворения „Бог", когда она писала о Его непривязанности к „вашим знакам и тяжестям"[15]. Удивительно, как много язык открывает из своего будущего поэту. Слово „знак" во время Цветаевой абсолютно не имело того практического значения, которое оно имеет для нас в наш семиотический век. Цветаева именно в сугубо семиотическом смысле формулирует своего Бога. Для меня здесь ключ к пониманию личности Бродского.

— *В ваших стихах, как и в стихах Бродского, наблюдается регулярное вживание лингвистических понятий и категорий в поэтическую ткань стиха. Чем это мотивировано? Что за этим стоит?*

— По правде сказать, я об этом просто не думал. Это интересная точка зрения. Хотя я в некоторой степени филолог, Иосиф — нет. В этом сила Иосифа, сила его рассуждений о языке и литературе. Я же филолог, и мой принцип (если есть какие-то принципы в этом беспринципном занятии — писании стихов), что все годится в дело и что не нужно притворяться, по крайней мере в этой деятельности, тем, что ты не есть. Я занимаюсь литературоведением, интересуюсь лингвистикой. Это часть моего существования, я думаю, ничуть не менее жизненная часть моего существования, чем то, что я моюсь, хожу в уборную, сплю в кровати. Лингвистика сама по себе очень поэтична, весь язык — это метафора, изобретение метафор.

— *В эссе о Достоевском Бродский пишет о прожорливости языка, „которому в один прекрасный день становится мало Бога, человека, действительности, вины, смерти, бесконечности и Спасения, и тогда он набрасывается на самого себя" [L:163/IV:183]. Угрожает ли языку самого Бродского такая опасность?*

— Нет. Я боюсь, что это один из пунктов моего несогласия с Бродским. Я никогда не мог до конца принять идолизацию языка, которая свойственна Бродскому. Мне вообще-то симпатично „язычество" Бродского, я его понимаю как своеобразный протестантизм, за исключением вот этого, весьма существенного, пункта. Я думаю, что как раз само по себе творчество Бродского опровергает им сказанное. Бродский немножечко ошеломлен лингвистикой. Может быть, тут даже сказывается пробел в образовании. Это нужно понять правильно, потому что Бродский совершенно феноменально образованный человек, пообразованней меня. Но мы всегда что-то выигрываем и что-то теряем. И вот отсутствие формального образования, в частности, лингвистического, может быть, привело к тому, что Бродский сделал из языка идол. А на самом деле, по-моему, все гораздо проще: язык, и особенно индивидуальный язык большого поэта, — это скорее живой организм, клетки которого регенерируются, органы которого растут, и ничего он не пожирает, он только растет, как дерево, и становится все могучее и пышнее, роскошнее, интереснее и разветвленнее.

— *„У каждого [...] поэта, — пишет Бродский, — есть свой собственный, внутренний, идиосинкретический ландшафт, на фоне которого в его сознании — или, если угодно, в подсознании — звучит его голос"*[16]. *Есть ли такой ландшафт у вас? Опишите его.*

— Не знаю, потому что я не могу сказать, что представление о себе как о голосе, которое очень характерно для Бродского, свойственно мне.

Вообще никогда об этом не думал, ни о себе как о голосе, ни о каком-то своем ландшафте. Вы, наверное, заметили, что я однажды кощунственно пошутил с библейским стихом:

> „Земля же
> была безвидна и пуста."
> В вышеописанном пейзаже
> родные узнаю места [17].

То есть, если можно редуцировать какой-то идиосинкретический ландшафт из моих стихов, то это нулевой ландшафт, как мне кажется.

— *Не могли бы вы слегка облегчить поиски сегодняшних и будущих исследователей вашей литературной генеалогии и сказать несколько слов по поводу природы вашего абсурдизма? Где искать его корни, у обериутов или в абсурде самой жизни?*

— Здесь я должен сделать официальное заявление: я глубоко сомневаюсь в том, что когда-либо будут литературоведы, кроме добрейшего G.S.Smith, которые будут заниматься моим творчеством. А он уже отзанимался [18]. Что касается обериутов, я разлюбил абсурдизм вообще. Наверное, это связано с естественным старением. Они слишком много для меня значили в юности, в молодости. Я, наверное, был одним из первых в нашем поколении, кто их открыл. Тут моей большой заслуги нет, просто я с детства их знал. Родители мои были знакомы с Хармсом, с Введенским, с Олейниковым. Очевидно, я их тоже в раннем детстве видел, но тут никаких воспоминаний у меня нет. В нашем семейном жаргоне постоянно существовали отрывки из обериутских стихов, и я их воспринимал как что-то такое очень естественное. Я думаю, я очень многое из обериутчины ввел в обиход моего поколения, просто технически. Я сидел в Публичной библиотеке, читал старые издания, переписывал их от руки, пропагандировал их, распространял и, в конце концов, вырос из этого. Поэтому мне даже немножко неприятно говорить о том, что я сам пишу, в терминах абсурдизма. Если какую-то поэтику можно вычислить как мою, то это поэтика семантики (смыслов).

— *А имеет место связь, которую я вижу и чувствую, Лосев и Хлебников?*

— А также — Лосев и Данте, Лосев и Шекспир... Для меня Хлебников — эталонный поэт. Нет ни одной строчки Хлебникова, которая бы меня в какие-то моменты не восхищала или не озадачивала. Хлебникова я читаю всю жизнь.

— *Есть ли у вас система этических запретов в плане стилистики?*

— Да. Я думаю, что есть. Ну, прежде всего, наверное, это относится к сюжетному эксгибиционизму, чего я не люблю. Что еще? Есть какие-то слова или, говоря языком Выготского, „словообразы", которые почему-то табуированы в моем сознании, а почему, я, честно говоря, не знаю; например, эпитет „серый". Наверное, просто потому, что „серый" — слишком изношенный эпитет.

— *Но Иосиф, кажется, обновил этот эпитет, описав им время и смерть: „серый цвет — цвет времени и бревен" [V:72/II:421]; серый, безвидный, тусклый цвет — как метафора смерти:*

*Дни расплетают тряпочку, сотканную Тобою.*
*И она скукоживается на глазах, под рукою.*
*Зеленая нитка, следом за голубою,*
*становится серой, коричневой, никакою"* .    [У:69/III:20].

— Наверное, потому что у меня никогда не было таких счастливых находок со словом „серый", я его терпеть не могу.

— *По вашему мнению, из строчки Пушкина „и с отвращением читая жизнь мою" родился русский психологический роман. Ваш собственный лирический герой наделен немалой дозой отвращения к себе. Это тоже идет от Пушкина, или от нежелания следовать романтической традиции образа поэта?*

— Кстати сказать, это не моя мысль, а Иосифа. Может быть, я процитировал его без ссылки на источник.

— *А может быть, это я соединила вас с Бродским.*[19]

— Очень лестно. Это совершенно верное наблюдение. Вот в чем тут дело. Во-первых, это связано с теми стилистическими запретами, о которых мы только что говорили, потому что все они действительно имеют еще и этическую основу. Например, что касается лингвистического субъекта, существует романтическая традиция представления себя на некоторых котурнах, на пьедестале и т.д. — это действительно не этично. Это нарушение основной заповеди, таким образом ты считаешь себя лучше всех остальных и заведомо ставишь себя в позицию, в которой ты наносишь, по крайней мере, психологический ущерб другим людям. Конечно, это некрасиво, и хотя мы все этим грешны, но в нашей сознательной деятельности (а писание стихов — это, по-моему, вполне сознательный процесс) мы должны стараться этого избегать. То же самое относится и к запрету на употребление некоторых слов и выражений, хотя это более индивидуально, это тоже было бы нарушение заповеди „не укради", так как это не твое. Ты обязан давать публике только то, что принадлежит тебе и тебе только.

Во-вторых, я думаю, это относится не только ко мне, а ко всему нашему, если использовать клише, постмодернизму. В целом, это проект антиромантический. У Иосифа, у которого вообще поэтика не определяется терминами ни романтизма, ни классицизма, ни авангардизма, — а тем и другим, и третьим, как у Пушкина, — у него это очень ярко выражено. Он без конца говорит и в стихах, и в прозе о том, что поэт, лирическая персона, ничего из себя не представляет. Только его поэтическая продукция важна. И вопрос о взаимоотношении между производителем поэтических текстов и текстами — это самая драматическая тема в творчестве Бродского, как вы сами об этом пишете [20]. И я думаю, что Бродский, как всегда, только значительно сильнее, чем все остальные, выразил общее мнение поколения. А вообще-то говоря, это можно найти у самых неожиданных авторов, например, у Рейна, который в бытовом поведении создает себе „имидж" — смесь байронического героя и Остапа Бендера, но в стихах он весьма последовательно самоумаляется ("двух столиц неприкаянный житель"), всегда изображает себя в качестве человека ущербного, морально неполноценного, заслуживающего осуждения, некрасивого, немолодого, нетрезвого и прочие негации. Или, скажем, совсем другой поэт — один, на мой взгляд, из замечательнейших в нашем поколении — Еремин, он просто аннигилировал лирическую персону [21].

— *Вы заметили в статье „Посвящается логике", что мировосприятие Бродского — это „некий над-человеческий, над-мирный взгляд на мир сверху"* [22]. *Сквозь какую призму вы смотрите на мир?*

— Сквозь книги, я бы сказал, сквозь культуру, и это сознательно выбранная призма.

— *О своей жизни вне России Бродский сказал: „Я рассматриваю свою ситуацию как проигрыш абсолютно классического варианта, по крайней мере, XVIII или XIX веков, если не просто античности"* [23]. *Так ли и вам видится ваша жизнь как поэта вне России?*

— Нет, я не рассматриваю свою жизнь как повторение какой-то классической модели. Бродский, видимо, имел в виду модель Овидиевой жизни: изгнание, ностальгия по имперскому центру и все такое. Я скорее рассматриваю свою собственную судьбу как судьбу частицы в броуновском движении современного мира. Я даже не уверен в том, что моя эмиграция была волевым актом, как мне казалось в какие-то моменты. Я думаю, что меня просто носит какой-то ветер. И в этом есть свои преимущества, в таком непредсказуемом движении судьбы, потому что это делает то, что ты видишь в жизни, несколько интереснее, неожиданнее. Можно себе представить, что если ты твердо ощущаешь свою жизнь как разыгрывание известной схемы, то ты уже в принципе не ожидаешь ничего непредсказуемого, ты знаешь уже, что в какой-то момент не придет ответа на просьбу о помиловании, не изменит возлюбленная, что ты никогда не вернешься в какой-то пункт и т.д. У меня таких ощущений нет, хотя жизнь моя внешними событиями не богата и, Бог даст, будет оставаться такой, я в то же время совершенно не знаю, что меня ждет за углом.

— *Вы, кажется, были первым, кто усмотрел философские параллели между Бродским и евразийцами, в частности, в оппозициях: Россия — Запад, ислам — христианство* [24]. *Чеслав Милош видит тесную связь Бродского с Шестовым и Киркегором* [25]. *Насколько философские посылки Бродского вторичны и поверхностны, или они оригинальны и глубоки? В чем их своеобразие и самобытность?*

— Что касается евразийства Бродского, то следует обратиться к первоисточнику, к Владимиру Соловьеву, а может быть, и к той русской традиции политической философии, которую можно проследить еще раньше: от Соловьева назад к Леонтьеву и еще дальше к тому, о чем мы слышали сегодня от Осповата, к началам русского политического самосознания, национальной идентификации как скорее восточной страны [26]. Я никогда не говорил, что Бродский разделяет евразийскую философию. На мой взгляд, — и это-то как раз интересно как культурный феномен — Бродский, исповедуя в общем-то скорее другую, космополитическую, концепцию истории, не имеет других рамок дискурса, нежели те, которые выработаны русской традицией геополитического мышления. Он пользуется языком, в том числе и политическим языком, Владимира Соловьева [27] и, естественно, Блока, не будучи большим поклонником Блока, как вы знаете, когда ему приходится обсуждать эту проблематику. Но он вступает с ними в полемические отношения, сплошь и рядом выворачивает наизнанку их идеи, он их отвергает, он их пародирует и делает всевозможные стилистические операции полемического характера. Но он, повторяю, все время говорит с ними на одном языке. Очень справедливо писал Жорж Нива, что Бродский тоже сын русского символизма, только взбунтовавшийся сын [28].

Что касается Шестова и Киркегора, то это относится скорее к области экзистенциальной философии, к философской антропологии, к теологии, к таким дихотомическим отношениям, как человек—мир и человек—Бог. И тут я мало что имею добавить. Я думаю, что Бродский в период своего мировоззренческого формирования попал под очень сильное обаяние Киркегора и Шестова и от этого не ушел.

— *Что стоит за всеми этими вопрошаниями, переоценками, пересмотрами, дальнейшими логическими домыслами Бродского? Не осознание ли это того, что мир и человек в конечном счете непознаваемы, и все, что остается делать философствующему поэту, это „идти на вещи по второму кругу" [К:63/II:211], посмотреть на все под новым углом зрения, задать несколько вопросов, не надеясь получить ответ? В чем суть его философствования?*

— Я думаю, что философия Бродского, по определению, есть философия вопросов, а не ответов. Наверное, в этом смысле Бродский не так уж оригинален. Я не очень хорошо подкован в истории философии, но, по крайней мере, в платонической традиции философ — это тот, кто ставит вопросы, а не тот, кто дает ответы. Этим философия и отличается от квазифилософских, утопических доктрин, типа марксизма.

— *Если бы нам удалось построить модель системы поэтического мышления Бродского, какие структуры в ней преобладали бы, русские или европейские?*

— Пушкинские, то есть русские, что и означает диалог русского человека с европейским.

— *Изменился ли вектор его миросозерцания после России?*

— Нет, не изменился.

— *Тогда почему же на уровне поэтики, которая у Бродского не только семантизирована, но и концептуализирована, его раннее увлечение англосаксонской поэтической традицией здесь на Западе столь заметно усилилось? Возьмем хотя бы такие качества его поэтики, как некоторую холодность его медитаций, интонационную монотонность, „стремление нейтрализовать всякий лирический элемент, приблизить его к звуку, производимому маятником", о чем он сам говорит* [29]*, разве они не демонстрируют отклонения от русского менталитета?*

— Я не думаю, что это так. Конечно, поэтика Бродского меняется. Конечно, если мы возьмем какое-нибудь стихотворение, написанное в 90-м году, и сравним его со стихотворением, написанным в 60-м году, то контраст будет разителен с точки зрения поэтики. Но, на мой взгляд, еще более разительно будет то, что скрытые структуры поэтического мышления (менталитета поэта), которые мы можем обнаружить в стихах, разделенных тридцатью годами, будут на удивление одними и теми же. Бродский в этом отношении слишком генетически оригинальная личность, чтобы внешние обстоятельства могли повлиять на основу его идиостиля. Его сознательной работой над собственной поэтикой действительно было усвоение поэтики англоязычной поэзии. Я писал и всегда говорю, что это, на мой взгляд, удивительно русская черта в поэтическом творчестве Бродского. Это то, что делал Пушкин и пушкинская плеяда с французской поэтикой; это то, что делали русские лирики середины XIX века, моего любимого периода в русской лирике, с Гейне и с немецкой поэтикой; Бродский произвел то же самое с великой английской поэтикой, прививая ее к советскому дичку. Но в этом отношении интересно, на мой взгляд, другое. Бродский, живя уже почти 20 лет в англо-американской культурной среде и будучи очень внимательным, несравненно более внимательным и образованным читателем поэзии на английском языке, чем я, оказался не очень-то восприимчив к тем кардинальным изменениям, которые произошли в англо-американской поэзии за последние 30—35 лет. Вот один пример. Я не буду говорить о популярных именах, таких, как Аллен Гинзберг, о тех, кто не имеет ничего общего с Бродским поэтически. Возьмем тех, кого Бродский сам выделяет как лучших поэтов, пишущих сейчас по-английски. Есть какие-то черты сродства между Бродским и Ричардом Уилбером, но вот Марк Стрэнд, которого Бродский иногда называет лучшим американским поэтом [30]. Я затрудняюсь увидеть хотя бы какое-то родство между поэтикой Бродского и поэтикой Стрэнда. Кстати сказать, меня лично поэтика Стрэнда восхищает, и я бы мечтал создать русские эквиваленты этой абсолютно новой для нас поэтики, очищенной от риторики, как мы ее понимаем, поэтики прозы, образность которой передается чисто описательными, прозаическими средствами, а поэтический эффект возникает в результате композиционного манипулирования этими описаниями [31]. Вот это очень мало характерно для Бродского. Он никогда не отказывался от риторики. Он ее изощряет до невероятного мастерства, но он сугубо риторический поэт.

— *Что именно в мировоззрении Бродского хотело быть выражено поэтикой английских метафизиков?*

— Мы уже говорили о том, что мировоззрение Бродского определяется философским экзистенциализмом Киркегора и Шестова. Достоевского, разумеется. Сюда же относится и экзистенциализм 40—50-х годов, который был в культурном воздухе эпохи, когда воспитывался Бродский. Но в русской поэзии не было средств для воплощения такого рода медитаций. В европейской поэзии они были, так как проблематика экзистенциализма и метафизическая проблематика эпохи, барокко имеют весьма много общего: одиночество человека во вселенной, противостояние человека и Бога, вопрошание самого существования Бога. Поэзия европейского барокко естественно пришла к поэтической форме, адекватной такого рода философствованию, к кончетти, к логизированию в стиховой форме, к гипертрофии развернутой метафоры. Но важно только не забывать, что мы имеем дело не с риторикой как упражнением (иногда в поэзии может иметь место и риторическая фигура как искусство для искусства, и очень даже изящно). Мы имеем дело с риторикой, которая выполняет необыкновенно важную и существенную задачу. Вот постоянно цитируют: „Поэт — издалека заводит речь. Поэта — далеко заводит речь" [32]. Для Бродского это практическое описание его работы, как, вероятно, было для Эндрю Марвелла или Джона Донна. В отличие от поэтов более поздних эпох, когда поэт-метафизик или, скажем, Бродский принимается за стихотворение, он ведь не знает, что он хочет сказать. В XIX веке поэт сплошь и рядом знал, что он хочет сказать, а потом искал адекватную поэтическую форму. Тютчев, например. Тогда как метафизик искал только исходную метафору, разворачивал ее, и метафора сама по себе приводила его к результатам, которые, возможно, его самого ошеломляли. Бродский в своих метаописаниях, как вы знаете, часто изумляется тому, куда же его, до какого Киева язык довел. Цветаева шла по тому же пути. Но до Бродского такой далекой барочной метафоры в русской поэзии не было. Сразу же скажу, что я отнюдь не уверен, что она будет после Бродского. И если я иногда встречаю сейчас в журналах стихи молодых поэтов, в которых используется распространенная метафора, она используется, по-моему, слишком внешне, поверхностно. Я не нашел еще ничего сравнимого с Бродским. Пока это все на уровне имитации внешне стилистических принципов.

— *И Пушкин и Достоевский были упомянуты вами здесь несколько раз. По мнению Бродского, Достоевский вышел из Пушкина* [33]. *Не кажется ли вам, что сам Бродский в значительной мере вышел из Достоевского: то же стремление уравнять плюсы и минусы, сделать „контра" более убедительным, чем „про" и т.д. Думали ли вы об этом?*

— Самое главное вы уже сказали в самом вопросе. Действительно, Бродский такой же диалогический поэт, как Достоевский прозаик. Бродский как поэтическая персона, как авторский голос, в собственных стихах удивительно однороден с какими-то героями Достоевского, особенно, мне кажется, с Дмитрием Карамазовым, речь которого тоже совершенно макароническая. Хотя в монологах Дмитрия Карамазова и нет такой риторической структуры, как развернутая метафора, его монологи — это всегда рабочие монологи. В отличие от своего брата Ивана, который рассказывает художественно-философские произведения, Дмитрий не знает, куда заведет его его речь, и он использует этот инструмент, речь, чтобы куда-то попасть. И в стилистическом плане его речь сугубо эклектична, насквозь цитатна. Дмитрий Карамазов без конца цитирует, точно или перевирая, прямо или пародийно, и цитирует самым макароническим образом. Он цитирует и высокую поэзию Шиллера и Пушкина, и низкую поэзию романса, просторечные фольклорные формы, и философию, и научные тексты биологии, химии, психологии и т.д. Если это описать в более-менее абстрактных терминах, то это подойдет к описанию стиля Бродского.

— *Продолжая разговор о философской и литературной генеалогии Бродского, мне бы хотелось услышать ваше мнение о связях Бродского с античностью. Вы назвали Бродского прямым потомком семи великих римлян: Тибулла, Катулла, Проперция, Марциала, Горация, Вергилия и Овидия* [34]. *George Steiner называл его „the most Latin, the most latinate of lyric poets"* [35]. *Чем вы объясняете столь глубокую привязанность Бродского к этим поэтам и вообще его „тоску по античности", как выразился Жорж Нива?* [36]

— Пушкинским типом личности. Пушкин тоже ведь в основе своей классицист, то есть поэт, видящий свою миссию прежде всего в том, чтобы отыскивать гармонию в массе хаоса, чтобы гармонизировать действительность. Колыбелью такого художественного творчества и являются классическая Греция и Рим. А Тибулл, Катулл, Проперций, Марциал, Гораций и Овидий, были первыми лириками в нашем понимании. Бродский просто возвращается к первоисточнику.

— *Можно ли назвать Бродского бесстрастным обозревателем?*

— Это, по-моему, на редкость недалекое суждение о Бродском. У нас в школе был руководитель драмкружка, актер, который объяснял нам основы системы Станиславского очень просто. Чтобы мы не размахивали зазря руками, он говорил: „Чацкий стоит спокойно, но в душе у него все кипит". Почему Бродский бесстрастный поэт? Потому что в тексте встречаются слова „все равно", „наплевать", „это ничего не значит", „не важно, кто" и прочее и прочее? Наоборот, это является сигналом весьма бурной внутренней эмоциональной жизни. Кто по существу являются бесстрастными поэтами, так это те, кто охотно дают эмоциональный план эксплицитно, не оставляя никакого суггестивного пространства. Стихи, описывающие, скажем, любовь к родине или к женщине, за небольшим исключением, замкнуты на самих себе и не оставляют места для читательского эмоционального отклика; и в таких случаях как стихи, как произведения поэзии, они бесстрастны.

— *Бродский совершенно не согласен с вами по поводу того, что „писателем быть можно только на одном родном языке"* [37]. *Он считает, что это епархиальное и местечковое утверждение, что и Пушкин, и Тургенев, и Конрад, и Беккет тому опровержение* [38]. *Что вы можете ему возразить?*

— Ему еще не удалось написать по-английски такие же стихи, какие он пишет по-русски.

— *Бродский неоднократно предупреждал писателей держаться подальше от злободневности. Следует ли он этому правилу сам? Вы в своей статье „Поэтика и политика", кажется, показываете, что не следует* [39].

— Нет, я думаю, в том смысле, в каком он предупреждал писателей относительно опасности писания на злобу дня, он вполне следует этому правилу. Бродскому просто не свойствен публицистический жанр в поэзии. Он считает, и, на мой взгляд, правильно, что публицистика и поэзия — это смешение Божьего дара с яичницей. Я думаю, что он конкретно имел в виду газетную поэзию в духе Вознесенского.

— *А разве его стихотворение „Стихи о зимней кампании 1980 года"* [У:97-99/III:9-11], *например, не на злобу дня?*

— Это философский отзыв на войну в Афганистане. Бродский мгновенно переводит события текущей истории в религиозно-философский план. Основная образность этого стихотворения — это образность почти геологической, а не человеческой истории. Кстати сказать, тут Бродского можно сравнить с такими, казалось бы, бесконечно от него далекими мастерами прозы, как Солженицын или Шаламов, которые в поэтике своей стремятся к тому же, при всем при том, что политика в прозе, несомненно, представлена обширнее, чем обычно в поэзии. Но начало „Архипелага ГУЛаг" можно сравнить с „Концом прекрасной эпохи" [К:58-60/II:161-62]. А у Шаламова есть замечательный маленький рассказ „По ленд-лизу", который весь пронизан дочеловеческой образностью геологических эпох.

— *Вы как один из ближайших друзей Бродского присутствовали на церемонии вручения ему Нобелевской премии и наблюдали его с близкой дистанции. Как он выдержал испытание славой?*

— Мне приходилось наблюдать и других людей в жизни, на долю которых выпала слава. И некоторые из них с этим справлялись, но все-таки в какой-то степени, хотя бы на недолгое время, это всех портит. Я очень, как мне кажется, придирчиво „экзаменовал" поведение Бродского с этой точки зрения и, на мой взгляд, он был абсолютно безупречен. Он не кокетничал, он естественно выражал удовольствие по поводу признания его творчества, он замечал людей в чисто бытовом отношении. В суете, шумихе, ритуалах, связанных с Нобелевской церемонией, Бродский как будто мобилизовал свою внимательность к людям. Он ведь вообще человек очень внимательный к людям, несмотря на всю самокритику, которую мы встречаем в его стихах. Даже в таком ритуале, как раздача автографов, когда шведы выстраивались в книжном отделе большого универмага с первого до четвертого этажа с книжечкой в руках, Бродский ухитрялся, по крайней мере, мимикой или одной-двумя фразами быть искренне внимателен к этим людям — не телевизионной внимательностью политического деятеля с улыбкой и рукопожатием, а взгляд и интонация показывали, что он в этой очереди видит череду людей, индивидуальностей.

— *Что вам известно о внелитературных интересах и пристрастиях Бродского?*

— Какую область человеческой деятельности вы хотите затронуть?

— *Музыку, искусство, его хобби.*

— Бродский меломан. По-моему, его любимый композитор Гайдн. Композитор в его понимании это тот, кто учит композиции. Он считает, что развитию темы он научился у Гайдна [40]. Но тут я не судья. Более квалифицированно я могу высказаться о Бродском как о гурмане. Он большой любитель поесть. У Бродского есть любимые рестораны, он определенно отдает предпочтение дальневосточной кухне, китайской и японской, перед остальными, хотя не чурается остальных. Я думаю, что Бродский как гурман имеет очень демократический вкус.

— *И, наконец, прочтите, пожалуйста, ваше стихотворение, посвященное Бродскому, которое вы написали во время Нобелевских торжеств.*

— Стихотворение называется

## ИОСИФ БРОДСКИЙ, ИЛИ ОДА НА 1957 ГОД [41].

Хотелось бы поесть борща
и что-то сделать сообща:
пойти на улицу с плакатом,
напиться, подписать протест,
уехать прочь из этих мест
и дверью хлопнуть. Да куда там.

Не то что держат взаперти,
а просто некуда идти:
в кино ремонт, а в бане были.
На перекресток — обонять
бензин, болтаться, обгонять
толпу, себя, автомобили.

Фонарь трясется на столбе,
двоит, троит друзей в толпе:
тот — лирик в форме заявлений,
тот — мастер петь обиняком,
а тот — гуляет бедняком,
подъяв кулак, что твой Евгений.

Родимых улиц шумный крест
венчают храмы этих мест.
Два — в память воинских событий.
Что моряков, что пушкарей,
чугунных пушек, якорей,
мечей, цепей, кровопролитий!

А третий, главный, храм, увы,
златой лишился головы,
зато одет в гранитный китель.
Там в окнах по ночам не спят,
и тех, кто нынче там распят,
не посещает небожитель.

„Голым-гола ночная мгла".
Толпа к собору притекла,
и ночь, с востока начиная,
задергала колокола,
и от своих свечей зажгла
сердца мистерия ночная.

Дохлёбан борщ, а каша не
доедена, но уж кашне
мать поправляет на подростке.
Свистит мильтон. Звонит звонарь.
Но главное — шумит словарь,
словарь шумит на перекрестке:

**душа крест человек чело
век вещь пространство ничего
сад воздух время море рыба
чернила пыль пол потолок
бумага мышь мысль мотылек
снег мрамор дерево спасибо**

*11 декабря 1987*
*Стокгольм*

## ПРИМЕЧАНИЯ

[1] Алексей Лосев, „Памяти водки", послесловие И.Бродского „О стихах А.Лосева" („Эхо", No. 4, 1979, С. 51-67).

[2] „Поэтика Бродского", под ред Л.В.Лосева (Hermitage: N.J., 1986)."Brodsky's Poetics and Aesthetics", Eds. by L.Loseff & V.Polukhina (The Macmillan Press: London, 1990).

[3] См. примечание 18 к интервью с Анатолием Найманом в настоящем издании.

[4] Алексей Лосев, „Иосиф Бродский. Предисловие" („Эхо", No. 1, 1980, С. 23-30).

[5] См. примечания 19 и 20 к интервью с Анатолием Найманом в настоящем издании.

[6] Экспромт Бродского имел следующий вид:

```
                    Н
                    а
                    А              с
                    Н              т
                    е              р
                    в              а
        Под  мостом  течет  Нева   ш
                    й              а
                                   я

                    с              т
                быстрая         такая
                    о              к
                    и              а
                    т              я

                    ч
                    е
                    к
                    а
```

[7] Иосиф Бродский, „Собрание сочинений. Стихи и поэмы в 4-х томах". Машинописное издание, составитель Владимир Марамзин. Ленинград, 1973-77.

[8] Нина Лосева, лингвист, преподаватель Russian Department, Dartmouth College, New Hampshire, жена Лосева. Владимир Герасимов — ленинградский литератор, краевед. См. о нем в статье Лосева „Тулупы — мы", "The Blue Lagoon Anthology of Modern Russian Poetry" (Oriental Research Partners: Newtonville, Vol. 1, 1980, С. 145; перепечатано в „Новом литературном обозрении", No. 14, 1995, С. 209-15).

[9] Иосиф Бродский, „Баллада о маленьком буксире", „Собрание сочинений" под ред. В.Марамзина. Том 4, Ленинград 1977, С. 21-26. Со значительными сокращениями было опубликовано в журнале „Костер" (No. 11, 1962). В 1991 году в Ленинградском отделении издательства „Детская литература" „Баллада о маленьком буксире" вышла отдельной книжкой. Лосев цитирует первую, несокращенную редакцию стихотворения.

[10] Иосиф Бродский, „Если хочешь понять поэта...", интервью Белле Езерской в ее кн. „Мастера" (Hermitage: Tenafly, N.J., 1982), С. 105. Перепечатано: „Театральная жизнь", No. 12, 1991.

[11] Г.В. Адамович, „Одиночество и свобода. Литературные очерки" (Издательство им. Чехова: Нью-Йорк, 1955). Отечественное издание: Георгий Адамович, „Одиночество и свобода" („Республика": М., 1996).

[12] Lev Loseff, "Iosif Brodskii's Poetics of Faith" in "Aspects of Modern Russian and Czech Literature: Selected Papers from the Third World Congress for Soviet and East European Studies" (Washington D.C., 30 October - 4 November 1985), ed. by Arnold McMillin (Slavica Publishers: Columbus, Ohio, 1989), Р. 188-201. См. также Лев Лосев, „Чеховский лиризм у Бродского", в кн. „Поэтика Бродского", Ibid., С. 185-197. A paper given at the Chekhov Simposium, Norvich, Vermont, July 1985.

[13] Иосиф Бродский, „Проигрыш классического варианта", интервью Дмитрию Савицкому (январь 1983, Нью-Йорк). Фрагменты опубликованы в "Emois", 10 April 1988, pp. 62-63. В полном виде не опубликовано, цитируется авторский рукописи.

[14] См. об этом в эссе "In a Room and the Half" [L:488]. Русский перевод эссе „В полутора комнатах" опубликован в газете „Смена" (20 марта 1991, С. 5; 27 марта 1991, С. 4-5).

[15] Марина Цветаева, „Собрание сочинений в семи томах" ("Эллис Лак": М., т. 2, 1994, С. 158).

[16] Иосиф Бродский, „Поэзия как форма сопротивления реальности", Предисловие к сборнику стихотворений Томаса Венцловы на польском языке в пер. Станислава Баранчака „Rozmowa w zimie" (Paris, 1989). — „Русская мысль" (25 мая 1990, „Специальное приложение: Иосиф Бродский и его современники. К пятидесятилетию поэта", С. I, XII). Перепечатано: „Вильнюс" (No. 4, 1991).

[17] Лев Лосев, „Тайный советник. Стихотворения" (Hermitage: Tenafly, N.J., 1987), С. 5.

[18] Gerald S.Smith, "Flight of the Angels: The Poetry of Lev Loseff" ("Slavic Review", Spring 1988, Р. 76-88). Лосев ошибся.

[19] Joseph Brodsky, "Foreword", in: "An Age Ago. A Selection of Nineteenth-Century Russian Poetry", Selected & tr. by Alan Myers (Farrar, Straus & Giroux: New York, 1988), P. XVII. Русский перевод см. „Знамя" (No. 6, 1996, C. 151-54):

[20] Valentina Polukhina, "Joseph Brodsky: A Poet for Our Time" (CUP: Cambridge, 1989), P. 244-48.

[21] См. Лев Лосев, „Жизнь как метафора", в кн. Михаил Еремин, „Стихотворения" (Hermitage: Tenafly, N.J., 1986), C. 142-43.

[22] Алексей Лосев, „Иосиф Бродский: посвящается логике" („Вестник РХД", No. 127, 1978), C. 130.

[23] Иосиф Бродский, „Проигрыш классического варианта", Ibid.

[24] Лев Лосев, „Родина и чужбина у Бродского", paper given at The International Conference "Under Eastern Eyes: The Depiction of Western Life in the Works of Russian Writers of the Third Wave of Emigration", London, SSEES, 19-21 September 1989. — Lev Loseff, "Home and Abroad in the Works of Brodskii", in "Under Eastern Eyes. The West as Reflected in Recent Russian Emigre Writing", Ed. by Arnold McMillin (Macmillan Press with the SSEES University of London: London, 1991), P. 25-41.

[25] Czeslav Milosz, "A Struggle against Suffocation", a review of Brodsky's "A Part of Speech" ("The New York Review", August 14, 1980, P. 23-24). Русский перевод см. альманах „Часть речи" (No. 4/5, 1983/4, C. 169-80).

[26] Александр Осповат, "Pushkin's political biography in 1826-1837". Доклад, прочитанный на IV World Congress for Soviet and East European Studies, 23 July 1990, Harrogate.

[27] См. об этом: Lev Loseff, "Poetics/Politics", in "Brodsky's Poetics and Aesthetics", Ibid., P. 34-55.

[28] Georges Nivat, "The Ironic Journey into Antiquity", in "Brodsky's Poetics and Aesthetics", Ibid., P. 96. "29

Иосиф Бродский, „Настигнуть утраченное время", интервью Джону Глэду („Время и Мы", No. 97, 1987, C. 176). В России перепечатано в альманахе „Время и Мы" („Время и Мы"/„Искусство": Москва/Нью-Йорк, 1990), C. 283-97 и в книге Глэда „Беседы в изгнании" („Книжная палата": М., 1991), C. 122-31). Это стремление к нейтрализации, к монотонности выражается и в манере чтения Бродским собственных стихов. Ему кажется „дурным тоном подчеркивать нюансы", он стремится к тому, „чтобы сделать все одинаково слышным". Как объяснил Бродский Анни Эпельбуан, он „пытается продемонстрировать, что все одинаково", что он „никакой части стихотворения, никакому слову не оказывает предпочтения" (Иосиф Бродский, „Европейский воздух над Россией", „Странник", No. 1, 1991, C. 37).

[30] Текст выступления Бродского на вечере Марка Стрэнда в музее Гугенхайма в Нью-Йорке, 4 ноября 1986, опубликован в журнале „Иностранная литература" (No. 10, 1996, C. 172-73).

[31] См. „Из Марка Стрэнда", в кн. Лев Лосев, „Новые сведения о Карле и Кларе" („Пушкинский фонд": СПб., 1996), C. 16-17.

[32] Строка из стихотворения Цветаевой „Поэты": Марина Цветаева, „Собрание сочинений в семи томах" („Эллис Лак": М., т. 2, 1994, C. 184).

[33] Иосиф Бродский, „Европейский воздух над Россией", Ibid., C. 40-41.

[34] Алексей Лосев, „Ниоткуда с любовью... Заметки о стихах Иосифа Бродского" („Континент", No. 14, 1977), C. 323.

[35] George Steiner, "Poetry from the Shadow-zone", a review of Brodsky's "To Urania" ("The Sunday Times", September 11, 1988, P. G10).

[36] Жорж Нива, „Квадрат, в который вписан круг вечности" („Русская мысль", 11 ноября 1988; „Литературное приложение" No. 7, C. I).

[37] Алексей Лосев, „Английский Бродский" („Часть речи", No. 1, 1980), C. 53.

[38] Иосиф Бродский, „Настигнуть утраченное время", Ibid., C. 173.

[39] Lev Loseff, "Politics/Poetics", Ibid.

[40] См. об этом, например Иосиф Бродский, „Никакой мелодрамы", интервью Виталию Амурскому („Континент", No. 62, 1990, C. 381-97). Перепечатано в кн. „Иосиф Бродский размером подлинника" (Ленинград-Таллинн, 1990), C. 113-26.

[41] Лев Лосев, „Новые сведения о Карле и Кларе" („Пушкинский фонд": СПб., 1996), C. 26-27.

Владимир Иосифович Уфлянд родился 22 января 1937 года в Ленинграде. Поэт, художник, драматург. Два года учился в Ленинградском университете на историческом факультете (1955-1957), два года служил в Советской армии (1957-1959), четыре месяца сидел в тюрьме, работал кочегаром и завхозом в Географическом обществе, выставлял свою графику в Эрмитаже, писал и пишет для детских изданий и для сцены. Этот человек, „умеющий все" (Л.Лосев), однажды соткал гобелен. В юношеские годы вместе с Ереминым, Виноградовым, Кулле, Кондратовым и Лосевым входил в поэтическую группу, которую Кузьминский называет „филологическая школа" [1]. Стихи Уфлянда печатались в периодике русской эмиграции. Первый сборник поэта, составленный усилиями Льва Лосева и с его же послесловием, издан в Америке: „**Тексты 1955-1977**" (Ann Arbor, 1978). Через пятнадцать лет за ним последовали изданные на родине "**Стихотворные тексты. 1955-1980**" (СПб., 1993) и „**Отборные тексты. 1956-1993**" (Париж-Москва-Нью-Йорк, 1995). В числе более поздних произведений Уфлянда "**Рифмованная околесица**" [2], драматическая поэма „**Народ**" [3], книга прозы „**Подробная антиципация**" (Paris, 1990). Драма „Народ" — остроумная пародия на историю Советского государства и его вождей.

Уфлянд ткет уникальную поэтическую ткань из сплетений народного говора, чудовищного жаргона партбюрократии, лагерного сленга и поэтических тропов. Он мастер выворачивания наизнанку заношенных стилистических структур, переосмысления общих мест. „Он лишь слегка модулирует звучащую вокруг речь — то контрастными сочетаниями, то метрической паузой, то мягким рифмоидом вместо назойливой рифмы. (Кстати, если Бродский чему-то научился у Уфлянда, как он любит говорить, то, скорее всего, этой свободе обращения с обыденной речью" (Л.Лосев). По мнению Кузьминского, никто не знает русский язык лучше, чем Бродский и Уфлянд. Излюбленный жанр Уфлянда — балладный с элементами фантастического и романтического. Его лирические пародии 1955-56 годов могли бы быть написаны сегодня. Уфлянд — самый веселый и самый печальный русский поэт.

# ОДИН ИЗ САМЫХ СВОБОДНЫХ ЛЮДЕЙ

*Интервью с Владимиром Уфляндом*
*8 июля 1989 года, Лондон*

— *Когда Бродский сочинил посвященную вам „Уфляндию", которая недавно появилась в „Русской мысли"?* [4]

— Буквально в этом году, я подозреваю, в ответ на мои воспоминания „От поэта к мифу" [5].

— *А воспоминания ваши по какому поводу были написаны?*

— Они написаны были в предвидении 50-летия Иосифа, в честь которого в Ленинграде выйдет сборник [6]. И в Штатах кто-то собирает следующий выпуск альманаха „Часть речи" [7].

— *Мы с Лосевым отмечаем это событие двумя вещами. Во-первых, в 1990 году выйдет отредактированный нами сборник статей „Brodsky's Poetics and Aesthetics"* [8]. *Он издается по-английски, и все статьи специально для него написаны. Мы включили также Нобелевскую речь Бродского и мое интервью с Беллой Ахмадулиной. Во-вторых, в июле 1990 года на IV Congress for Soviet and East European Studies at Harrogate я организовала Brodsky panel: Лосев — председательствующий; с докладами выступят Игорь Смирнов, Жорж Нива, Анатолий Найман и я* [9]. *Что еще делается в России к 50-летию Бродского?*

— Да пока конкретно ничего нет. Наши проекты сборников могут на ходу измениться в зависимости от того, где их можно будет издать. Есть две возможности. После того, как кооперативные издательства запретили, авторы выпускают книги за свой счет. И вот либо такого типа будет сборник, посвященный Бродскому, то есть тот, кто хочет участвовать, сам за это заплатит. Либо на обычной государственной основе, потому что Яша Гордин сейчас вполне авторитетный человек в советских издательствах. Кроме того, выходят сборники стихов Бродского в издательстве „Художественная литература" и еще в нескольких издательствах [10]. В сборник, о котором идет речь, будут включены разные материалы, статьи. У нас уже состоялось много вечеров, посвященных Иосифу, на которых было много интересных выступлений. Например, у меня лежат отредактированные Костей Азадовским его несколько выступлений, они вполне могут быть опубликованы.

— *Поговорим о вас. В вашем имени по матери, Сумароков, содержится намек на вашу poetic pedigree. Имеете ли вы какое-либо отношение к А.П.Сумарокову?*

— К поэту — не знаю. Но, когда я посмотрел в словаре Брокгауза и Ефрона, линия Сумароковых одна, идущая от Сумарокова-поэта. Наверное, мы какие-нибудь отдаленные родственники.

— *Когда вы начали писать стихи? Некоторые из них в американском сборнике „Тексты" датированы 1955 годом* [11].

— 1955 год — это уже вполне сознательное творчество. А писать стихи, подражая, я пробовал в 13-14 лет. Большинство моих знакомых начали писать стихи с детства, а я как раз поздно начал.

— *А почему такой тощий результат? Лосев утверждает, что „в настоящем сборнике — почти вся лирика Владимира Уфлянда"* [12]. *Так ли это?*

— Да, я действительно мало пишу по разным обстоятельствам, другими делами какими-то занимаюсь, они не дают поводов для стихов. Потом опять возвращаюсь.

— *А что у вас было опубликовано в Союзе?*

— В Союзе у меня тоже, как и у Иосифа, до того, как он уехал, всего четыре стихотворения было опубликовано [13].

— *Включая журнал „Костер"?*

— Нет, „Костер" я не считаю. Я иногда специально для „Костра" писал детские вещи. Я говорю о стихах, которые вошли в сборник „Тексты". Кое-что появится в журнале „Аврора" в конце этого года вместе с заметкой Бродского „Уфляндия" [14].

— *А собираете ли вы свою книжку?*

— Да, все, что ходило в самиздате и было известно узкому кругу читателей, и все, что мне хочется напечатать, я включу в книжку. Есть предложения ее издать, но тоже за свой счет. Но я увлекся совместными сборниками и о книжке пока решил не думать.

— *Что послужило поводом для перевода вас на полное государственное обеспечение? Имеется в виду арест и тюрьма.*

— Обвинили меня, моего брата и одного нашего приятеля в том, что мы не больше, не меньше, как избили 12 милиционеров. Нас задержали на Новый год (1959) и привели в милицию. А так как мы не захотели сразу в камеру садиться и оказали некоторое сопротивление, то нас избили и связали смирительными рубашками. И в результате мы с моим приятелем просидели 4 месяца в тюрьме, потому что невозможно было найти свидетелей, чтобы доказать, что мы избили 12 милиционеров, каждый из которых в полтора-два раза выше меня ростом. Пришлось нас выпустить. Это был редкий случай, потому что в те времена никто не верил, что нас выпустят. Очень много народу нас защищало: покойный Кирилл Владимирович Косцинский через литературные круги, Ольга Яковлевна Лебзак, актриса, театральные круги подымала на ноги.

— *Вы сидели в той же тюрьме, „Кресты", в которой позже сидел Бродский. Случайно не в его же камере, 999-й?*

— Нет, в 999-й камере я не сидел, но за 4 месяца очень много переменил камер.

— *Когда вы познакомились с Бродским?*

— В 1959 году я вернулся из армии, и Женя Рейн, с которым мы давно уже были знакомы, сразу сказал, что в Ленинграде появился великий поэт.

— *Неужели действительно такой эпитет был употреблен уже тогда?*

— Ну, почти такой. Мы тогда не стеснялись друг другу в глаза резать правду-матку и говорить: „Ты гений", „Ты великий". Женя Рейн меня сразу повел — я не помню, где это чтение было — и поразил. Первое впечатление было, что половину того, что Бродский читает, я не разобрал, потому что у него еще к тому же не очень четкая дикция. Но сразу понятно было, что да, действительно, Женя Рейн меня не зря туда привел.

— *Вы не помните, что именно он читал?*

— Нет, не могу вспомнить, потому что я немного сбился. Я в последнее время занимался составлением сборника его стихов, потому что одно издательство при Фонде культуры хочет выпустить сборник стихов Бродского. И я занимался тем, что вычитывал, держал корректуру[15]. И как раз я постарался включить туда несколько ранних стихов. И каждый раз, когда я брал раннее стихотворение, мне казалось, что вроде бы он его читал тогда.

— *Его ранние стихи вы выбирали из первого американского сборника „Стихотворения и поэмы" или из самиздатовского четырехтомника Марамзина?*[16]

— Из марамзинского собрания брал.

— *Бродский как-то особенно чувствителен к своим ранним стихам. Вы согласовывали с ним каждое стихотворение?*

— Да. Вот сейчас как раз приехал сюда, в Лондон, чтоб окончательно согласовать, потому что действительно он к этому как-то относится строго.

— *За время вашей многолетней дружбы были ли у вас периоды расхождения и охлаждения?*

— Нет, периодов такого охлаждения в общем не было. Но просто бывали по разным причинам периоды, когда мы долго не виделись, например, когда Иосиф в тюрьму сел, в ссылку отправился, или в какую-нибудь геологическую партию уехал.

— *Скажите, а вам приятно числиться в его учителях?*

— Ха-ха!

— *Говоря не в шутку, а всерьез, чему вы его научили?*

— Всерьез, конечно, об этом говорить нельзя. Я думаю, что это просто один из таких поклонов, типа: „Ты великий", „Ты гений", „А ты мой учитель". Я думаю, что на 99% это просто шутка. И единственно, почему я мог бы быть его учителем — просто потому, что я раньше стихи начал писать и раньше стал известен, чем Иосиф. Конечно, я читаю Иосифа и вижу, что есть что-то, что не без моего влияния, возможно, произошло. И в то же время, если на мои стихи внимательно посмотреть, то влияние Иосифа тоже чувствуется. Я думаю, что первый, кто провозгласил меня учителем Бродского, это наш общий знакомый Костя Кузьминский, у которого все, что он сказал...

— *...надо делить на два.*

— Даже не на два, а на сто частей. Просто он любит что-нибудь такое сказать, что никому в голову не придет[17].

— *Не могли бы вы быть чуть поконкретнее, говоря о взаимовлиянии вас с Бродским друг на друга?*

— Иосиф однажды сказал, что ему нравятся мои рифмы. Пожалуй, отношение к рифме у нас обоих одинаково пристрастное. Но количество рифм в русском языке хоть и велико, однако скоро будет меньше количества стихов, ежедневно сочиняющихся на русском. Так что рифма не главный показатель уровня поэзии. Есть у Иосифа стихи, например, „Лесная идиллия" [II:189-90] [18], как он сам признается, которые должен бы написать я. Там в чистом виде стилизация, соединенная с примитивом, которой я часто пользуюсь. У Иосифа тоже есть слабость к этим приемам ("Новый Жюль Верн" [У:40-46/II:387-93]; „Представление" [III:114-19] [19]), но он редко строит стихотворение именно на стилизации, примитиве, абсурде, пользуясь ими походя. Влияние же Бродского на меня я испытываю в виде неких импульсов. Иногда долго ничего не пишешь по собственной инициативе, а только по заказу. Вдруг прочтешь что-нибудь, и от какого-то общего или частного впечатления или мысли тут же появляется желание по этому поводу высказаться. Поскольку Бродского я читаю чаще, чем любого автора, большинство таких импульсов возникает именно в связи с его стихами.

— *Чему Бродский научился у Ахматовой? На мой взгляд, в его творчестве больше чувствуется духовное влияние Анны Андреевны, нежели стилистическое.*

— Я думаю, вы правы. Мне так представляется даже, что Иосиф и Анна Андреевна совершенно разные поэты. Мало того, что разных поколений, но разных просто направлений. Разные даже способы письма. А что-то такое, может быть, в мировосприятии есть общее. И если проводить линию от Анны Андреевны к Иосифу, то это скорее духовная связь, а не поэтическая. Конечно, можно при желании найти какие-то влияния и какие-то переклички, скрытые цитаты, парафразы, но это не главное.

— *А в плане поэтики, к кому из русских поэтов XX века он ближе всех?*

— Я затрудняюсь сказать, к кому ближе, потому что время было такое... Если я, предположим, в 1955-56 годах Ахматову, Пастернака и Хлебникова немножко знал, то о Цветаевой я, например, вообще представления не имел, потому что она и в рукописях не появлялась до 1959-60 годов. Тогда же и Мандельштам стал появляться. И, видимо, по мере появления „нового" поэта каждый раз какое-то влияние переживаешь. То есть когда узнаешь, что оказывается еще и Цветаева, и Мандельштам были, и хорошенько до Хлебникова добираешься, то трудно разобраться, кто больше или кто меньше влияния оказал, потому что каждое новое открытие обязательно оказывало воздействие и на меня, и, я думаю, на Иосифа тоже.

— *А каких поэтических родственников Бродского вы могли бы назвать из XIX века?*

— Тут тоже сложно однозначно ответить. Я понимаю, Иосиф называет Баратынского, но, может быть, потому, что он ему просто нравится. Я бы не стал прикреплять Иосифа к Баратынскому, потому что ясно, что если не прямое, то обратное влияние на него и Пушкин имел, и, может быть, даже Тютчев.

— *Потому что отталкивание — это тоже влияние?*

— Конечно. Иногда отталкивание даже сильнее действует.

— *А вы откуда пришли? Мне кажется, установить ваш поэтический генезис не менее трудно, чем Бродского. Что по этому поводу пишут ваши критики и пишут ли о вас вообще в Союзе?*

— Пишут. Например, когда эта книжка вышла за границей и потом года через два дошла до Союза, то в самиздате появились рецензии. У меня есть коллекция и небольших, и серьезных статей, есть даже разборы стихов. В самиздате у нас, кстати, очень сведущие люди пишут. Я читаю и очень удивляюсь. Меня то от одной линии выводят, то от другой. Некоторые ведут меня от Хлебникова и обэриутов, другие говорят, что есть, конечно, влияние футуризма и авангардизма, но уже через Пастернака. Третьи считают, что надо смотреть дальше, от Баркова меня производят.

— *А с кем из них вы склонны согласиться?*

— Дело в том, что в 15-16 лет я сочинил около десятка стихов в подражание Ахматовой. Потом, а может быть, еще до этого, я пытался подражать Маяковскому, раннему. Ни от одного из этих влияний в моих стихах сейчас нет никаких следов. Я почувствовал, что моя модель действительности существует независимо ни от чьей другой. Она может где-то граничить или пересекаться, скажем, с моделью Бродского или Баркова, Пушкина или Пастернака, Хлебникова или Хармса, Заболоцкого или Зощенко, Льва Лосева или Эдварда Лира... Думаю, что литератору, осознавшему, что у него есть свой миропорядок, нет нужды задумываться, кто его великие предшественники или современники, или кто будет после него. Конечно, есть у меня литературные пристрастия. Я даже с годами склонен перечитывать что-то знакомое, скажем, Аристофана или Бродского, чем читать что-то новое. Старые пристрастия уже не меняются, новые возникают редко.

— *Вы не страдали когда-либо комплексом Бродского? Спрашиваю, потому что встречала слишком много страдающих.*

— Нет, пожалуй, не страдал. Это вы правы, многие действительно начинают с того, что посвящают всю свою жизнь тому, чтобы идти буквально вслед за Бродским. У меня такого никогда не было, может быть, потому что я сформировался как поэт немножко раньше, чем Иосиф. И потом, как бы ни привлекала меня его поэзия, как бы я ею ни восхищался, я уже сознательно относился к литературе и знал, что это не моя область.

— *Как менялось ваше восприятие личности Бродского и его значимости как поэта?*

— Если говорить о начальном периоде, то Иосиф, конечно, выделялся, но нельзя сказать, что я его предпочитал всем остальным поэтам, потому что было очень много хороших поэтов в Ленинграде и в Москве. А явно он выделился и как поэт, и как литературная личность, и стал центром внимания, и центром целой области литературы в Ленинграде, неофициальной, конечно, это после того, как он вернулся из ссылки. Он в ссылке написал много прекрасных стихов, и после этого как-то очень мощно и много стал писать. И каждый раз, что бы он ни написал, это действительно становилось событием.

— *Что из написанного в ссылке вы цените больше всего?*

— Мне трудно выделить что-либо. Характерно, что Иосиф к своим ранним стихам действительно относится по-разному, но все стихи, написанные в ссылке, он издал. Каждое в своем роде прекрасно, все они очень значительны.

— *Как вы пережили его отъезд не только в человеческом плане, но и в литературном?*

— Конечно, само это событие, его отъезд, очень печальное событие. И главное, что тогда понятно было, что никаких надежд встретиться почти не было. Ведь мы уже пережили всякие возможные оттепели и обратные реакции. И хотя ни я, ни Иосиф не пессимисты, трезво рассуждая, мы понимали, что при нашей жизни ничего хорошего не может произойти. Только можно было надеяться на Божий промысел и, конечно, было очень грустно. Было такое чувство, что расставались навсегда. Но если сам момент отъезда пережить, то я пришел к такой мысли и до сих пор так считаю, что очень хорошо, что Иосиф уехал и попал в Америку. Даже если бы он, приехав в Америку, ничего после этого не написал, но просто остался здоров, все равно хорошо, что он уехал. Неизвестно, что было бы с ним в России. Могло бы самое худшее случиться. А он, мало того что жив-здоров, он пишет все лучше и лучше. В России ему нельзя было оставаться. Это лучший вариант, что он уехал. Единственный, может быть, возможный вариант.

— *Как вы поддерживали с ним контакты?*

— Через знакомых, по почте.

— *Письма от него доходили?*

— Нерегулярно, особенно первое время. Мы очень часто переписывались. И только когда Иосиф все, что он мог, рассказал о том, как он там живет, он немножко пореже стал писать. Иногда казалось, что письма не доходят вообще, тогда через знакомых записки, приветы передавали. Потом какие-то такие у нас есть совпадения: мой сын и сын Иосифа в один год родились[20]. Иосиф свои семейные дела через меня старался поддерживать.

— *Его сын, Андрей, унаследовал что-нибудь от отца?*

— Он очень похож на молодого Иосифа внешне.

— *Он знает, кто такой Иосиф?*

— Да, конечно.

— *Давно знает?*

— Нет, не очень давно.

— *Вы часто навещали родителей Иосифа после его отъезда?*

— Да. У нас такая традиция была. Мы каждый год собирались у них в день рождения Иосифа[21].

— *Когда вы впервые встретились с Иосифом на Западе?*

— Да только вот сейчас в Англии. Я первый раз вообще выехал за границу в этом году, выехал в Париж и вот приехал в Лондон специально для встречи с Иосифом.

— *Как он изменился? Что вас в нем удивило больше всего?*

— Трудно сказать, потому что в последнее время, когда стало легче общаться с Западом, мы интенсивно переписывались, по телефону переговаривались, в доме у меня несколько телевизионных кассет лежит, где Иосиф снят. Так что внешне для меня ничего удивительного не было. Я уже видел его на фотографиях и на видеопленке. А что касается внутренних перемен, то тоже трудно сказать, потому что мы с ним всего около недели общаемся и все по делу. Еще рано формулировать перемены.

— *Как бы вы определили самую доминирующую черту его личности?*

— Я точно могу сказать, без каких-либо сомнений, почему именно он такое особое место занял в современной русской поэзии. Потому что он — один из самых свободных людей. И, видимо, это главное. И эта внутренняя свобода проявляется в его поэзии. Все остальные вещи, чисто литературные и технические, они второстепенные, как и второстепенный вопрос, к какому направлению он принадлежит. Важно, что он в такое несвободное время, когда практически никому не удавалось сохранить внутреннюю независимость, он ее сохранил.

— *В том числе и независимость от злободневности?*

— Нет, на злободневность он все время откликается. Но он стоит на таком месте, где он независим ни от чего. Он может на это смотреть как-то со стороны, но он не может равнодушно это наблюдать, он в этом участвует. И это его участие, влияние его позиции, влияние его личности, самое, по-моему, главное.

— *Вы согласитесь, что эта свобода личности непосредственно сказывается и на его поэтике, потому что он берет все, что хочет и у кого хочет, и при этом остается самим собой.*

— Да, да. У него очень широкий диапазон вообще. Он знает очень хорошо современную поэзию и действительно никаких влияний не боится, потому что у него есть уже своя позиция, которую никакие влияния поколебать не могут.

— *Как сочетается эта свобода с очень трагическим содержанием подавляющего большинства его стихов?*

— Я думаю, что эта склонность сгущать трагедийность, которая в жизни не так уж присутствует — в жизни трагедия смешана с комедией, — это свойство его личности, его темперамента, его психологии. Скажем, Леша Лосев или я, мы решаем ту же самую задачу, но решаем ее не способом трагедии, а способом иронии, фарса. У других поэтов другой подход.

— *Говоря о Цветаевой, Бродский пишет, что „она продемонстрировала заинтересованность самого языка в трагическом содержании" [L:192/IV:75]. Разделяете ли вы эту точку зрения?*

— Нет, тут я не согласен с Иосифом. Это утверждение противоречит и тому, что Иосиф провозгласил себя орудием языка. Если под языком подразумевается Слово, которое бе Бог, то Бог не может быть заинтересован в трагическом содержании. В моей вере Бог объективен. Как раз главное, что может противостоять реальному злу, страданию и смерти, это заинтересованность языка в обнадеживающем содержании. В этой формулировке Иосифа чувствуется перевес литературного языка. Литературный язык издавна стремился отделить себя от разговорного, развивая какое-то определенное содержание: трагическое, драматическое, комическое. Тем временем разговорный язык идет своим путем. Например, возникает один сленг, затем второй. Когда Иосифу наскучивает литературный язык и он вводит разговорные обороты, разговорную лексику и сленг, это всегда гасит трагический и драматический эффект. Получается нечто лихое:

> У северных широт набравшись краски трезвой,
> (иначе — серости) и хлестких резюме,
> ни резвого свинца, ни обнаженных лезвий
> как собственной родни, глаз больше не бздюме
>
> [У:183/III:155].

В стихах, подобных „Лесной идиллии" и „Пятой годовщине" [У:70-73/II:419-22], есть нечто общее с моими, а именно отсутствие заинтересованности в трагическом содержании. В них нет безнадежности. Иосиф не употребляет в них свои магические заклинательные формулы, которые обычно пускает в ход, когда хочет лишить читателя способности сопротивляться своему внушению, хочет вовлечь в центр своего трагического миропорядка. В этих стихах он оставляет больше свободы выбора читателю. Это, в общем, моя позиция.

— *Из эссе в эссе Бродский настойчиво выделяет аспект взаимоотношения поэта с языком, степень его зависимости от языка. В чем конкретно проявляется зависимость Бродского от русского языка?*

— Конкретно зависимость Бродского от русского языка в том, что его стихи могут быть написаны только по-русски. Эквивалентно на другой язык переведены быть не могут. Это будут другие стихи. Так же как он о своей прозе на английском говорит, что если даже он сам переведет ее на русский, это будет, строго говоря, не перевод, я другая проза.

— *Как вы ощущаете свою зависимость от языка?*

— Я-то свою зависимость очень сильно ощущаю, потому что я, кроме как на русском языке, ничего не могу выразить. Я эту зависимость ежедневно ощущаю, то есть действительно язык влияет не только на мои идеи литературные, он влияет на меня как человека. Мой язык определяет все, весь мой образ жизни. Но когда это говорит Иосиф, это мне очень удивительно, потому что ведь он и английским языком владеет. Сейчас, когда я смотрю на него, то понятно, что он воспитан в русской стихии, он весь определяется русским языком, но что-то уже такое есть в нем, что мне ново и интересно, какая-то стихийность англоязычная. Он сейчас другой и трудно определимый. Я говорю и как о поэте, и как о человеке. То, что поэт определяется языком, это как бы само собой разумеется. А вот что язык определяет человека, это вопрос мало исследованный. И об этом задумываться стал и писать на эту тему сам Иосиф.

— *Чему русский поэтический язык научился через Бродского у английского?*

— Научился многому. Но надо сказать, что не только через Бродского, потому что у нас сейчас очень много поэтов появилось, гораздо моложе нас, и есть среди них такие, у которых влияние именно англоязычной поэзии очень чувствуется. Сейчас такое состояние литературы, что без этих влияний просто не обойтись.

— *Тем не менее, это все происходит после того, как написаны „Большая элегия Джону Донну" [С:130-36/I:247-51], „Стихи на смерть Т.С.Элиота" [О:139-41/411-13], поэма а-ля Беккет „Горбунов и Горчаков" [О:177-218/II:102-38], „Бабочка" [Ч:32-38/II:294-98] и другие метафизические стихи Бродского.*

— Да, вы правы, сначала это сделал Бродский.

— *И тут мы вправе говорить о зависимости современных русских поэтов от Бродского, ибо через него первоначально открылся приток английской метафизической традиции в русскую поэзию.*

— Да, я согласен с вами. Влияние английской поэзии на новейшую русскую поэзию сейчас больше, чем влияние какой-либо другой. И в этом зависимость определенной части молодых русских поэтов от Бродского. Но я плохо знаю современную германскую, французскую, испанскую, арабскую, еврейскую и другие поэзии. Может быть, сейчас они меньше развиты, чем английская, и поэтому меньше влияют на русскую. Бродский с ними больше знаком, но метафизики оттуда не извлек.

— *Как, по-вашему, будущие исследователи определят вклад Бродского в русский поэтический язык?*

— Уже сейчас ясно, что процесс взаимовлияния литератур это процесс своевременный, современный и необратимый. И то, что Иосиф дал этому процессу сильный толчок, начав конвергенцию русской и английской поэзии, это очень значительный и сейчас уже очевидный его вклад в поэзию русскую.

— *А как вы оцениваете его недискриминированное отношение к разным пластам русского языка, учитывая, что он вводит в свои стихи архаизмы и вульгаризмы, техническую терминологию и иностранные слова и т.д.?*

— Я думаю, что это действительно необходимое условие, особенно сейчас. Язык должен обогащаться за счет остальных пластов, предположим, за счет жаргона, диалектизмов, за счет влияния других языков, за счет научной терминологии. Это просто естественный процесс. И сейчас он особенно важен, потому что нам надо избавиться от дурного влияния новояза, новой речи, которая настолько испортила русский язык, что она оказывает влияние на русское мышление. И Иосиф делает громадный вклад в дело возрождения языка русского. Все литераторы сейчас стремятся заговорить, наконец, на настоящем русском языке. Но за нами, за моим поколением и Бродского, идет следующее поколение, которое уже явно будет говорить на языке, конечно, на том же самом русском языке, но уже немножко другом, чем тот, на котором говорят поэты и писатели нашего поколения. Этот язык следующего поколения и на нас оказывает какое-то влияние, но не настолько значительное, чтобы мы сейчас изменились. Мы еще не знаем, каков будет язык следующего поколения, но в нем происходят какие-то стихийные процессы, которые нам не подвластны. И ни мы, ни Иосиф, каким бы его значение ни было мощным, на это решающего влияния оказать не может. Это не в его власти. То есть какое-то влияние он будет иметь, я думаю, но не решающее.

— *По определению Бродского, „поэзия — это не "лучшие слова в лучшем порядке"; это высшая форма существования языка" [L:186/IV:71]. Вы разделяете эту мысль?*

— Конечно, вершина языка создается крупнейшими писателями и поэтами. И язык Бродского, как крупнейшего сейчас представителя русской поэзии, он и есть тот самый „великий и могучий" русский язык в высшем своем проявлении.

— *Как бы вы определили магистральные темы Бродского?*

— Как человек достаточно широкого кругозора, он пишет о многом, но приходится признать, что его главная тема — трагизм существования личности, которая очень хорошо осознает себя, осознает окружающую действительность, которая имеет выход в какие-то высшие духовные сферы. Чаще в наше время все в мрачном свете предстает. И чем человеку больше дано, тем сильнее он ощущает эту трагичность. И Иосиф, которому дано больше всех из тех, кого я знаю, он сильнее всех это ощущает.

— *Некоторые свои темы он выделяет сам. Так, в предисловии к прозе Цветаевой Бродский пишет: „В конечном счете, каждый литератор стремится к одному и тому же: настигнуть или удержать утраченное или текущее Время" [L:180/IV:67].*

— В разной степени все поэты, все писатели этим и занимаются, стараются как-то остановить мгновенье. Иосиф это обостренно чувствует, и у него есть способность это выразить. Я бы сказал, что ему это удается лучше всех.

— *А тема античности, в чем вы видите ее своеобразие у Бродского?*

— Я об этом немножко думал и пришел к выводу, что каждый поэт, во всяком случае состоявшийся поэт, сознательный, которого интересно читать и хочется перечитывать, создает для себя свой мир, который имеет, конечно, какое-то отношение к реальному миру, в то же время он тем не менее отличается от реального мира. Поэт выбирает себе какие-то условия, в которых ему если не легче или не комфортнее существовать, то во всяком случае привычнее. И этот мир, как он говорит, в моем случае — страна „Уфляндия", а в его, я бы сказал, „Бродленд". В его мире античность — это органическая часть его — я даже такой термин придумал — мнимо-действительности. Для какого-то другого человека, скажем, для меня, античность — это экзотика, а для него она просто входит органично в его мир.

— *Название одного из его сборников „Конец прекрасной эпохи" подсказывает нам еще одну важную тему его творчества, а именно, „после конца". „Новые стансы к Августе" — это после конца любви, „Часть речи" — после России, а пьеса „Мрамор" — после конца христианства. Чувствуете ли вы у него эту тему?*

— Да, действительно, это есть. Я чувствую в этом некий абсурдизм, когда необходимо дать свою концепцию и довести ее до конца, до абсурда. Мне кажется, что у Иосифа это есть. Это отчасти литературный, а отчасти психологический прием. Чтобы какую-то вещь, идею пережить, ее надо довести, домыслить до логического конца, до абсурда.

— Как говорит Туллий в „Мраморе": „Все доводить до логического конца — и дальше" [М:22/IV:264].

— Вот-вот. И особенно в каких-то трудноразрешимых ситуациях всегда приходится прибегать к абсурду, более-менее значительному.

— Какую бы мы тему Бродского ни взяли, будь то тема времени, империи, языка или веры — вспомните определение, данное им вере: „вся вера есть не более, чем почта / в один конец" [К:62/II:210] — все их он уже додумал до логического конца. Чем он нас может еще удивить?

— Это, конечно, от него зависит. Если он не собирается останавливаться и пойдет дальше, если это вообще в человеческих силах, это должно быть что-то неожиданное, трудно предсказуемое.

— По мнению Лосева, Бродский как человек и как поэт очень рано сложился и, в сущности, все, о чем он пишет сейчас, он уже где-то в зародыше сказал об этом в своих ранних стихах [22]. У вас тоже такое чувство?

— Да, что-то близкое к этому. Он действительно очень быстро созрел. Есть такой период, когда поэт уже пишет сознательно, но ему не хватает свободного владения техникой. Он колоссально быстро этот период прошел, когда поэт начинает осваивать, привычно говоря, разные темы. И вот в течение нескольких лет все темы, которые у него после присутствуют, он попытался для себя как-то сформулировать и потом...

— ...начал доводить их до логического конца. Как вы оцениваете антилиризм Бродского?

— Я думаю, что это не антилиризм. Это просто такая современная лирика. Она ведь вообще не традиционна. Если раньше поэт откровенно стремился к тому, чтобы слезу вышибить у читателя, в наше время это просто дешевый очень прием. В том и состоит преимущество новейшей поэзии, что разочарованному в любых словах и пророчествах, в любых формулировках, потерявшему доверие к любым авторитетам человеку она предлагает самому довести до конца заведенную поэтом издалека речь [23] и решить, где добро, а где зло. Главное, чтобы у поэта, как у Бродского, была сила завлечь человека в свою спиралевидную туманность, а там читатель сам разберется. Или не разберется. Это уж забота читателя.

— Не могли бы вы вспомнить какой-нибудь забавный случай, связанный с Бродским?

— Довольно смешной случай у нас с ним был, когда мы поехали лесниками наниматься. Иосиф в конце 1963 года почувствовал, что с ним собираются круто поступить, и мы решили найти убежище. Нам пришла идея в голову наняться лесниками.

— И куда же вы отправились?

— Мы пошли сначала в главное управление лесничества. Пришли и сказали, что хотим лесниками работать. Нас спросили, а кто мы по профессии. Мы сказали, что мы поэты. Там, естественно, была такая потрясающая реакция. А когда они стали записывать наши данные, то увидели, что один из нас Владимир Иосифович Уфлянд, а другой — Иосиф Александрович Бродский. Национальность не лесническая явно. Они еще больше поразились, но все-таки выдали нам бумаги о том, что рекомендуют нас в Сосновский леспромхоз лесниками. Мы с Иосифом долго добирались до этого леспромхоза. Это километрах в 80 к северу от Ленинграда, в сторону Приозерска. И когда мы приехали, там тоже был страшный шок. Но нам пообещали, что если мы через некоторое время придем, то можем лесниками устроиться. После этого стали очень быстро обстоятельства меняться, и Иосиф не успел устроиться лесником, потому что его уже действительно начали...

— *...ловить?*

— Да, ловить.

— *У вас есть стихотворение, посвященное Иосифу?*

— Да, оно написано по случаю присуждения ему Нобелевской премии.

## ПАРНАС, ИОСИФУ БРОДСКОМУ

Поведай мне в письме, поэт Российский,
Как вспоминал душистый банный листик
И тосковал без штампа, без прописки,
Без пятых пунктов и характеристик,
Без дорогих руин и пустырей
На месте храмов и монастырей,
И без иных больших и малых благ,
Что щедро нам даны, в то время как
Евреи, русские и племена другие
На речке Гудзон слезы льют от ностальгии.
Подробно опиши, как нынче премию
Тебе вручил высокородный швед.
Спросил ли удостоверение
С печатью в том, что ты поэт?

В венке лавровом, с неразлучной лирой
Ты изберешь Парнас своей квартирой.
Туда и я пишу тебе, Иосиф,
С серпом и молотом скучая без колосьев.

*ноябрь 1987*

## ПРИМЕЧАНИЯ

[1] См. о „филологической школе" статью Льва Лосева „Тулупы мы" в "The Blue Lagoon Anthology of Modern Russian Poetry" (Oriental Research Partners: Newtonville, Mass./ N.Y., Vol. 1, 1980, C. 141-49; перепечатано в „Новом литературном обозрении", No. 14, 1995, С. 209-15), См. также В.Уфлянд, „Один из витков истории Питерской культуры" („Петрополь", Вып, 3, С. 108-15) и его же „Могучая питерская хворь. Заклинание собственной жизнью" („Звезда", No. 1, 1990, С. 179-84).

[2] „Рифмованная околесица" опубликована в журнале „Эхо" (No. 3, 1980), С. 90-116. Перепечатано в „The Blue Lagoon Anthology of Modern Russian Poetry", Ibid., Vol. 4A, 1983, С. 625-46.

[3] „Народ. Неоконченная драма" опубликована в журнале „Континент" (No. 55, 1988; No. 60, 1989). Перепечатана в „Авроре" (No. 2, 1990, С. 8-18).

[4] Иосиф Бродский, „Заметка для энциклопедии" („Русская мысль", 16 июня 1989, С. 8). Перепечатано в качестве предисловия к сборнику Уфлянда „Стихотворные тексты. 1955-1980" (СПб., 1993, С. 3-4).

[5] Владимир Уфлянд, „От поэта к мифу" („Русская мысль", 16 июня 1989, С. 8). Перепечатано в кн. „Иосиф Бродский размером подлинника" (Ленинград-Таллинн, 1990, С. 163-64). Уфлянд продолжает свое мифотворчество. В журнале „Знамя" (No. 10, 1996, С. 146) опубликована его „Чертоза. 5-я легенда из мнологии 'От поэта к мифу'".

[6] Имеется в виду вышедший к 50-летию поэта сборник „Иосиф Бродский размером подлинника", Ibid.

[7] Первый номер альманаха „Часть речи" (Нью-Йорк, „Серебряный век", 1980) был посвящен 40-летию Бродского и назван в честь его четвертого сборника стихов. За ним последовали еще два сдвоенных номера альманаха: No. 2/3, 1981/2 и No. 4/5, 1983/4.

[8] „Brodsky's Poetics and Aesthetics", eds. L.Loseff and V.Polukhina (The Macmillan Press: London, 1990).

[9] Ни Жорж Нива, ни Игорь Смирнов не смогли принять участие в работе секции „Brodsky's Poetics and Aesthetics". С докладами выступили Анатолий Найман („Принцип равновесия слов в его развитии") и Валентина Полухина („Поэтический автопортрет Бродского"), дискуссантом — Джерри Смит. Председательствовал Лев Лосев. В обсуждении приняли активное участие проф. З.Г.Минц (Тарту), проф. Л.Флейшман (Stanford), J.Curtis (Cambridge) и другие.

[10] См. примечание 37 к интервью с Евгением Рейном в настоящем издании.

[11] Владимир Уфлянд, „Тексты 1955-1977" (Ann Arbor: Ardis, 1978).

[12] Лев Лосев, заметка на обложке сборника „Тексты", Ibid.

[13] В сборнике молодых ленинградских поэтов „Первая встреча" (1957). См. Владимир Уфлянд, „Это была школа настоящего отношения к поэзии", интервью Мануку Жажояну („Русская мысль", 21-27 ноября, 1996).

[14] „Аврора" (No. 11, 1989), С. 76-82.

[15] Владимир Уфлянд составил книги Бродского „Назидание" („Смарт"/„Эридан": Ленинград/Минск, 1990) и „Форма времени. Стихотворения, эссе, пьесы в 2-х томах" („Эридан": Минск, 1992).

[16] Иосиф Бродский, „Собрание сочинений. Стихи и поэмы в 4-х томах". Машинописное издание, составитель Владимир Марамзин (Ленинград, 1973-1977).

[17] Константин Кузьминский с Георгием Ковалевым собрал и издал 9 томов „Антологии новейшей русской поэзии у Голубой Лагуны в 13 томах": K.K.Kuzminsky & G.L.Kovalev (Eds.), "The Blue Lagoon Anthology of Modern Russian Poetry" (Oriental Research Partners: Newtonville, Mass./ N.Y., 1980-86. — Vols. 1, 2A, 2B, 3A, 3B, 4A, 4B, 5A, 5B). О Кузьминском и антологии „У Голубой Лагуны" см. Владислав Кулаков, „А профессоров, полагаю, надо вешать" („Новое литературное обозрение", No. 14, 1995, С. 200-208); там же содержание отдельных томов антологии.

[18] „Лесная идиллия" относится к недатированным стихам 60-х годов. Впервые опубликована в литературном сборнике „Russica-81" (Russica Publishers: New York, 1982), С. 25-29.

[19] „Представление" впервые опубликовано в журнале „Континент" (No. 62, 1990), С. 7-13.

[20] Сын Бродского, Андрей, родился в 1967 году.

[21] См. Владимир Уфлянд, „Белый петербургский вечер 25 мая" („Вечерний Ленинград", 24 мая 1990, С. 3). Перепечатано в журнале „Аврора" (No. 12, 1990, С. 129-35).

[22] Лев Лосев, „Поэзия Иосифа Бродского", a paper given at SSEES, London University, 30 March 1984, unpublished. Тезисы доклада.

[23] Незакавыченная цитата из стихотворения Цветаевой „Поэты": Марина Цветаева, „Собрание сочинений в семи томах" („Эллис Лак": М., т. 2, 1994, С. 184). .

Михаил Борисович Мейлах родился в 1945 году в Ленинграде. Поэт, переводчик, филолог. Окончил Ленинградский университет (1967), защитил кандидатскую диссертацию у В.М.Жирмунского, до 1972 года работал в Институте языкознания АН СССР. Человек энциклопедических знаний, он свободно владеет несколькими языками. Его первая научная работа **„Язык трубадуров"** („Наука": Москва, 1975) была высоко оценена в научном мире. Научные интересы Мейлаха простираются от средневековой французской поэзии до русской поэзии XX века, от восточных философов до христианских богословов. Он подготовил к печати собрания сочинений Александра Введенского (Ann Arbor, 1980-84) [1] и Даниила Хармса (Bremen, 1978-88) [2]. В годы, когда сотрудничество с иностранными коллегами не поощрялось государством, Мейлах опубликовал десятки научных статей во Франции, в Германии, Израиле и США. Расплата последовала незамедлительно: в 1972 году КГБ устроил продолжительный обыск в его квартире, и в тот же год он был уволен из Института языкознания. Через десять лет научная работа Мейлаха прерывается государством вторично: 29 июня 1983 года он был арестован и приговорен к пяти годам исправительно-трудовых лагерей. Во время обыска из его библиотеки были изъяты изданные на Западе сочинения Ахматовой и Мандельштама, романы Набокова и книги по богословию.

О своем раннем поэтическом творчестве Мейлах говорит сам в беседе с интервьюером. После некоторого перерыва во время пятилетнего заключения к нему снова явилась „Муза запоздалая / спустя пятнадцать лет". Стихи, написанные в тюрьме и в лагере, были собраны в 1988 году в самиздатовскую книгу **„Игра в аду: стихотворения 1983-1987".** Она свидетельствует, что Мейлах выжил "на границе мира" благодаря культуре и поэзии, благодаря тому, что все пять лет он не забывал о существовании души и заботился об ее устройстве. В этих стихах тюремный быт поднят до поэтического уровня и включен в круг этических и экзистенциальных тем. В последние годы Мейлах опять активно участвует в культурной жизни России и Запада, работая как free-lance журналист. В 1993 году вышел в свет фундаментальный том **„Жизнеописания трубадуров",** подготовкой которого Мейлах занимался свыше 15 лет [3].

# ОСВОБОЖДЕНИЕ ОТ ЭМОЦИОНАЛЬНОСТИ

*Интервью с Михаилом Мейлахом*
*30 мая 1989, Париж*

— *Что вам было известно о Бродском, когда вы с ним познакомились?*

— Я познакомился с Бродским в 1962 году, то есть, так сказать, уже в „исторический период", когда им было написано немало замечательных стихов. Они ходили в списках, и я их знал хорошо. По-моему, впервые мы встретились на концерте в филармонии, где меня с ним познакомили Рейны. Я тогда только что поступил в университет. Вскоре после этого мы встретились на даче в Комарово, где я жил постоянно и теперь живу, а он несколько дней гостил у общих знакомых. После этого мы встречались с Бродским постоянно в том же кругу людей. Мы все принадлежали, что называется, к одному кругу. Он еще раньше вошел в круг Рейна, Наймана и Бобышева, которые были друзьями моей старшей сестры и которых я знал с детства. Бродский был младше остальных, и Рейна он считает своим учителем.

С самого появления на литературной сцене Бродский привлек к себе очень большое внимание. Мне представляется, что Бродский стал „Бродским" с 1960 года, когда им было написано стихотворение „Сад" [С:64-65/I:45]. После этого было написано одно из самых популярных стихотворений того времени (кстати, посвященное Рейну) „Рождественский романс" [С:76-77/I:150-51], потом серия стихов, куда входил „Черный конь" [С:94-95/I:192-93], а в 1961 году появились „Холмы" [С:123-29/I:229-34] и монументальное „Шествие" [С:156-222/I:95-149] — центральные для того периода тексты. Эти названия были уже тогда у всех на устах.

Но до этого был большой „доисторический период", и, к сожалению, в сознании части читающей публики, главным образом технической интеллигенции, Бродский так в нем и остался: одно из популярнейших стихотворений этого времени, „Пилигримы" [С:66-67/I:24], положенное кем-то на музыку, долго распевалось как песня. Тогда Бродский, вероятно, как он сам об этом говорит, находился под влиянием Слуцкого [4] и вообще „советской поэзии", с которой он в дальнейшем не имел ничего общего. Мне кажется, что на этих стихах не стоит фиксироваться даже филологам. Я полагаю, что эти juvenilia сохранению не подлежат, и уверен, что сам Бродский сказал бы то же самое.

— *А вы тогда уже писали стихи?*

— Да, я тогда начинал писать, и Бродский дал мне несколько поэтических уроков, которыми я очень ему обязан.

— *Не могли бы вы вспомнить, какие именно? Был ли он для вас тем, кем для него самого был Рейн?*

— Я должен сказать, что Рейн действительно в какой-то степени создан для роли мэтра. Что-то было в нем, что ставило его на это место: замечательное поэтическое ухо, безупречный вкус в сочетании с обаянием и доброжелательностью. Но что касается меня, то ближе — дружески и поэтически — я был к Найману.

— *Так какие же уроки дал вам Бродский?*

— Однажды Бродский очень подробно просмотрел мои стихи, которых к тому времени уже было немало написано. Он посоветовал, например, избегать прилагательных, особенно определений.

— *Урок Рейна* [5].

— Да, несомненно, это та же школа, так сказать, поэзия существительных. В основном, это была борьба с общими местами, чего у меня в то время, несомненно, было довольно. Точность рифмы. Несколько раз он сам предложил какие-то точные рифмы вместо неточных.

— *Но сейчас, когда я читаю ваши стихи, я почти не вижу следов влияния Бродского, хотя я вижу сознательные переклички, незакавыченные полуцитаты.*

— Несомненно, Бродский оказал на меня колоссальное влияние своей личностью и своей поэзией. Я прошел, вероятно, вот тогда, в юношеские годы, просто период подражания ему. Эти стихи я или потом уничтожил, или они где-то лежат без движения. Публиковать я их никогда не буду. Но такой период у меня был, и, пройдя через него, я думаю, я получил что-то полезное.

— *Впрочем, у вас с Бродским есть нечто общее, например, вкрапление в русский текст иностранных слов. Какова их функция у вас? Или это идет от свободного владения многими иностранными языками?*

— Да нет, конечно. Иностранные слова, вероятно, несут какую-то функцию, может быть, остраняющую. Возможно, они играют роль „чужого слова", которое бросает какой-то свет на слова собственного языка.

— *Теперь мы все знаем величину Бродского, но знали ли вы тогда, с кем имеете дело?*

— Я думаю, что да. Личность его такова, что он как-то очень сильно вовлекал в свою орбиту. Как-то еще в старые годы он раз сказал: „Я сплел большую паутину". Мало кто был к нему равнодушен — его или очень любили, или страшно-таки ненавидели. Все это многократно усилилось тем, что через год после моего с ним знакомства начались его неприятности, потом арест, потом ссылка. Все это я переживал очень болезненно.

— *До сих пор в СССР находятся люди, объясняющие поэтический успех Бродского его биографией, его судьбой* [6].

— Ну, судьба это нечто неизменяемое и неделимое, целостное. Весомость Бродского-поэта сейчас достаточно очевидна, чтобы ставить качество его поэзии в прямую зависимость от каких-то неурядиц. Хотя, конечно, уже одно то обстоятельство, что Бродский даже в более или менее спокойные годы подвергся гонениям, связано с его невписываемостью в достаточно широкие для того времени структуры, связано с его личностью как поэта. Я думаю, что и Рейн, и Бродский, и Найман — все мы принадлежали к петербургской школе и все мы подверглись очень большому влиянию личности и поэзии Ахматовой.

— *Вам не кажется, что параллель Ахматова — Бродский несколько сложнее? Выражая Ахматовой свою благодарность, Бродский, однако, оговаривается: „но вместе с тем, вместе с тем, это не та поэзия, которая меня интересует"* [7]. *Из его двух эссе о Цветаевой [L:176-267/IV:64-125] мы видим, чья поэзия его интересует.*

— Безусловно. Если бы вы этого не сказали, я бы сам это сказал. Ахматова, по-моему, сильнее влияла на него своей личностью, чем стихами. И все-таки от петербургской поэзии Бродский очень многое взял, например, суггестивность, ориентированность на конкретность и т.д.

— *Есть ли что-нибудь в его поэтике, в его идеях, что вам чуждо?*

— У него была линия, которую условно можно назвать „идеологической", это стихи „Остановка в пустыне" [O:166-68/II:11-13], „Два часа в резервуаре" [O:161-65/I:433-37]. В последних, правда, все как-то уравновешено необычайной остротой и обнаженностью. Но эта линия мне чужда.

— *Но какая же идеология в „Остановке в пустыне"? Это скорее озабоченность состоянием современной России:*

> ...куда зашли мы?
> И от чего мы больше далеки:
> от православья или эллинизма?
> К чему близки мы? Что там впереди?   (O, pp. 168)

— Мне чужда некоторая рационалистичность этих стихов. Мне кажется, озабоченность эта, или что бы там ни было, не выражена собственно поэтически. Все слишком эксплицитно, и это мне в поэзии чуждо.

— *И ему самому чуждо.*

— Это какой-то такой протуберанец, но не единственный.

— *А как вы оцениваете его отклик на конкретное политическое событие — войну в Афганистане? Я имею в виду его стихотворение „Стихи о зимней кампании 1980 года" [У:97-99/III:9-11]. Ведь Бродский неоднократно говорил, что писатель не должен соблазняться злободневными темами.*

— Я думаю, дело совершенно не в том, о чем он пишет, потому что можно отозваться на самое злободневное событие, все дело в том, выражено ли оно поэтически, найден ли вот этот баланс.

— *В поэзии Бродского есть более серьезные и нарочитые дисбалансы. Он, похоже, движется к метонимическому полюсу языка, то есть к языку прозы, если принять якобсоновскую дихотомию, вытесняя из лирики эмоциональную ноту. Это вам тоже чуждо?*

— Отнюдь нет. Наоборот, я совсем не поклонник эмоциональности как таковой, отнюдь к ней не тяготею, и очень ценю эту его холодноватость.

— *Он приближает свою поэзию к прозе и другими средствами: разрушением поэтической строки, строфы, составными рифмами, предпочтением дольника классическим размерам. Что за этим стоит?*

— Думаю, это одна из тенденций серьезного искусства XX века — освобождение от эмоциональности.

— *Не кажется ли вам, что здесь следует говорить о той английской струе, которую Бродский привнес в русскую поэзию?*

— Это очень важный вопрос. Дело в том, что я вообще считаю, что он в какой-то мере создал некий новый русский поэтический язык, адекватный языку английской поэзии, которую он очень рано усвоил, великолепно чувствовал ее даже тогда еще, когда довольно слабо знал английский язык. Еще до ссылки Бродский особо отмечал антологию английской поэзии, вышедшую в середине тридцатых годов, так называемую „Антологию Гутнера", хотя составлена она была Святополком-Мирским. Но поскольку Мирский был репрессирован, то, чтобы спасти книгу, Гутнер взял на себя неприятную обязанность поставить на ней свое имя. Эту антологию, которую Бродский мне же указал, я имел удовольствие подарить ему в шестьдесят третьем году на день рождения. Впоследствии у Бродского всегда было несколько антологий английской и американской поэзии и, конечно, книг самих поэтов. В его стихах, как вы знаете, множество перекличек с англоязычными поэтами.

Несколько раз в давние годы, когда Бродский еще недостаточно знал английский язык, я делал ему подстрочники английских стихов, которые он переводил. Когда я навещал его в архангельской ссылке, он почему-то читал Харта Крейна, поэта достаточно трудного, чтение которого по мере продвижения постепенно свелось к тому, что Бродский периодически открывал книгу со словами: „А что пишет Харт Крейн?"

Отдельная тема — это Бродский и поэты метафизической школы, которых, в особенности Джона Донна, Бродский высоко ценил. Для „Литературных памятников" он должен был подготовить целый том переводов метафизической школы, и я помогал ему составлять эту книгу и написал небольшие предисловия к каждому из входивших в нее поэтов. Мне кажется, что Бродский привил в своем роде некоторые качества английской поэзии — в первую очередь это касается некой особой суггестивности, весомости каждого слова.

— *Это то, чего не хватало русской поэзии, и то, что до него никто не сделал.*

— Да, безусловно.

— *Бродский оценивает всех литераторов, от Достоевского [L:157-63/IV:178-83] до Кублановского, по их отношению к русскому языку* [8]. *Вот несколько его высказываний о языке: изоляция Цветаевой, утверждает он, навязана извне логикой языка [L:194/IV:77]; „диктат языка — это и есть то, что в просторечии именуется диктатом Музы"; творческий процесс — это „продукт языка и ваших собственных эстетических категорий, продукт того, чему язык вас научил"* [9]. *Почему, на ваш взгляд, он отводит языку столь центральное место?*

— Лингвистика XX века тоже в большой мере ориентирована на такой подход. И не только лингвистика, но и философия, и феноменология отводят языку такое же огромное место, как Бродский. В простейшем приближении этот вопрос всегда носился в воздухе. Все мы всю жизнь говорили об эмиграции, это была одна из постоянных тем. Но раньше, в старые времена, разговоры шли вокруг невозможности эмигрировать и невероятных планов, как это сделать. Бродский всегда говорил, что это не для него, потому что отрываться от языка, который слышишь на улицах или в трамвае, для поэта нехорошо. Когда же это произошло, то он с тем большим упором, с тем большим вниманием, вероятно, фиксировался на этой проблеме. То исключительное значение, которое он отводит языку уже не в своей поэтической практике, а в своих высказываниях, может быть, имеет именно такой обертон. Поскольку Бродский человек неконфессиональный, то язык занимает для него то место, которое для конфессионального занимала бы теология.

— *Если у Бродского прослеживается такая зависимость от языка, такое служение языку, то, мне кажется, я вправе спросить, каковы же заслуги Бродского перед русским языком?*

— Я уже сказал, что он создал новую форму русского поэтического языка. Он обострил до невероятности какие-то языковые структуры, которые до него существовали в невыраженном виде или вообще не применялись. Как всегда с большим поэтом, его идентифицируемость в любой строчке лучше всего об этом говорит.

— *Я позволю себе еще одну цитату из Бродского: „Язык создает поэта для того, чтобы поэт о чем-то таком позаботился, чтобы он восстановил некоторый баланс в языковых нарушениях"* [10]. *В какой степени появление Бродского было продиктовано потребностями русского языка, со всеми его засорениями, советскими канцеляризмами, жаргоном политическим и лагерным и т.д. Или этот вопрос надуман мною?*

— Абсолютно не надуман. Действительно, русский язык в современной Совдепии невероятно далеко ушел от литературного языка, каким каждый культурный человек его себе представляет, и он действительно находится в состоянии все большего размывания. Это ощущается в фонетике, в синтаксисе, буквально падежи куда-то исчезают. Язык превращается в какую-то кашу. Так что структурирование языка — это очень насущная задача. И, конечно, поэзия спасает язык.

— *Значит ли это, что вы согласны с Бродским, оспорившим высказывание Кольриджа: „Поэзия это не 'лучшие слова в лучшем порядке', это — высшая форма существования языка"* [L:186/IV:71], — *что поэт совершенствует язык?*

— Это происходило не только в нашу эпоху. То же произошло, например, с итальянским языком в эпоху Данте, когда из массы итальянских диалектов, которые существуют по сей день, был создан блистательный литературный язык не на основе какого-то диалекта — это простейший путь — а на основе создания высшей наддиалектной формы, обнимающей все. Нечто подобное раньше произошло у трубадуров, и Данте опирался на этот опыт. Это происходило в разные эпохи, происходит это и сейчас.

— *За этим тянется Гете и Германия, Пушкин и Россия. И вас не смущает ставить Бродского в этот ряд?*

— По-моему, нет. По масштабам, нет.

— *Параллель «Пушкин и Бродский» уже неоднократно выдвигалась* [11]. *Имеет ли она достаточно оснований?*

— В какой-то мере здесь можно найти соответствия, потому что в эпоху Пушкина русский литературный язык был уже сравнительно благополучен и сравнительно разработан. Пушкин дал ему дополнительный толчок, который привел его к совершенству. Но почему-то мне не очень нравится сравнение с Пушкиным. Наверное, потому, что Пушкин — это фигура, так сказать, волей-неволей абсолютная, и поэтому сравнение не звучит.

— *Как вам видится эволюция Бродского? Сам он в одном из интервью сказал, что говорить об эволюции поэта можно только в одном плане, в плане просодии, какими размерами он пользуется* [12]. *Вы тоже считаете, что это единственный параметр, по которому можно проследить эволюцию поэта, или есть другие?*

— Я думаю, что все сводить к просодии, это просто *mot*.

Конечно же, какое-то движение у него, несомненно, есть. Как я уже сказал, да и он сам об этом говорил, что первое его „стихотворение" — это стихотворение „Сад":

> О, как ты пуст и нем!
> В осенней полумгле
> сколь призрачно царит прозрачность сада,
> где листья приближаются к земле
> великим тяготением распада            [С:64/I:45].

Действительно, в нем уже есть Бродский. Потом новый серьезный этап — это „Песни счастливой зимы" [13], в этом русле он писал, пока был в ссылке. А после ссылки стали появляться подлинно метафизические стихи, такие как „Пенье без музыки" [К:75-82/II:232-39], в 1970 году, — тоже по-моему какой-то перелом. И уже перед эмиграцией стихи типа „Натюрморт" [К:108-12/II:270-74] и „Бабочка" [Ч:32-38/II:294-98] — новый шаг в эту же сторону. Очередной перелом произошел в эмиграции, когда появились новые формы, вот эти длинные строчки. И это все в одном русле, в русле „Бродского". А потом — неслыханный даже для Бродского шедевр „Осенний крик ястреба" [У:49-52/II:377-80].

— *С одной стороны, мы наблюдаем эволюцию в самом стихе, в поэтике, с другой — мы говорим, что „это в русле Бродского". Следовательно, есть какой-то постоянный центр. Что образует этот центр?*

— Центр — это личность, больше ничего.

— *Это естественно. Но, видимо, есть и какие-то центральные темы, идеи. О чем он не может не писать, по-вашему?*

— Как только это начинаешь определять, все сейчас же вянет, потому что темы эти вечные: человек и его место в этом мире. Но сказать это — все равно что ничего не сказать.

— *Сам Бродский говорит, что он пишет исключительно про одну вещь, про то, что делает время с человеком, как оно его трансформирует* [14].

— По-моему, это некоторое сужение, потому что время — это только один из аспектов.

— *Ну, хорошо, возьмем другие вечные темы: любовь и Бог. Бродский считает, что в конце XX века ни о любви, ни о Боге нельзя больше говорить впрямую, эксплицитно* [15].

— Он всегда с юношеских лет избегал вообще всякой торжественности, всякой декларативности в этих вопросах. Я не помню, про кого он однажды сказал, что вот тот пишет про ангела-архангела, а за душой ничего нет.

— *Что вам известно о философских увлечениях Бродского?*

— У Иосифа, при его позднейшем неприятии, условно говоря, восточного мира, была в молодости очень сильная прививка восточной духовной культуры. У него был друг Гарик Гинзбург-Восков, которому посвящены одни из его юношеских стихов. Восков был очень сильно ориентирован на индийскую философию, в какой-то мере на йогу.

— *Я встречалась с ним в Ann Arbor в 1980 году. Он художник.*

— Да, он художник. Между прочим, две первые книги, которые Иосиф рекомендовал мне прочесть, это были появившиеся в то время серьезные книги по индийской философии, одна — перевод с английского, а другая книга Шмакова „Арканы Торо", это колоссальный гроссбух. Шмаков — инженер путей сообщения, не имеющий никакого отношения к Геннадию Шмакову [16]. Я не уверен, читал ли их сам Бродский, но мне рекомендовал, и я их в какой-то мере начинал штудировать. Я думаю, что они задали какую-то высокую ноту нетривиальной духовной культуры, я бы так это определил.

— *Вы не знаете, на какие годы приходится его увлечение Шестовым?*

— Я думаю, когда он был в ссылке.

— *Чем вы объясняете настойчивое присутствие еще одной темы в поэзии Бродского — темы „после конца": после конца любви, после „конца прекрасной эпохи", после конца христианства, особенно отчетливо прозвучавшей в его пьесе „Мрамор"?*

— С одной стороны, это его нота, черта его личности. С другой, это в высшей степени отвечает и жизни в России: все мы там живем после конца. Это и тема Петербурга — города после конца.

— *Как вы оцениваете его контаминирование нашего времени с античностью?*

— Как-то Бродский сказал: „Я заражен нормальным классицизмом" [О:142/I:431]. Это тоже часть „петербургской поэтики".

— *Жорж Нива считает, что пьеса „Мрамор" — это иронический, сниженный вариант поэтического мира Бродского [17]. Вы согласны?*

— По-моему, пьеса гораздо уже его поэтического мира. Я не так уж люблю эту пьесу. Там есть некоторые причудливости, которые мне не очень близки; ее абсурдизмы тяжеловаты.

— *Существует ли для Бродского „еврейский вопрос"?*

— Вопрос о еврействе Бродского, по-моему, вполне правомерен, но едва ли я смогу дать на него глубокий ответ. Думаю, что этот вопрос достаточно остро переживался Бродским в юности и даже в достаточно позднем возрасте; в его стихах можно найти явные и не столь явные его отголоски, однако, есть косвенные указания на то, что он и сейчас волнует Бродского. В еврействе надо видеть, вероятно, и корни ветхозаветных симпатий Бродского, отразившихся, в частности, в его метафизической поэме „Исаак и Авраам" [С:137-

55/I:268-82]. Вульгаризированное осознание Бродского как поэта-еврея было характерно для неприемлющей его части официозной „интеллигенции" в годы суда и ссылки, презрительно называвшей его „еврейский Пушкин".

— *Что вы думаете по поводу возможности и желательности возвращения Бродского на родину?*

— По-моему, это совершенно невозможно и ненужно. Есть какие-то необратимости в жизни. Кроме тяжелых чувств и неловкости, ничего из этого не получится. Я думаю, он сам это прекрасно понимает.

— *Есть ли у вас стихотворение, посвященное Бродскому?*

— Да, оно называется по-английски „April is the Cruelest Month"[18]:

## „....НАД СЕРЫМ ЩЕБНЕМ ДИКИЙ ГИАЦИНТ..."

— Когда-то Бродский...
                        впрочем, по порядку.
Стоял декабрь — оттепельный, влажный
декабрь. В соседней стратосфере шел
спор Арктики с Атлантикой, теснившей
положенную зиму вспять, на север,
и мокрые деревья и дома
под стылым неба жемчугом, под ветром,
вздымавшим толчею стоячих волн
навстречу невскому теченью (впрочем,
до наводненья дело не дошло) —
смотрелись в ту коричневую слякоть,
цветущую на старых диабазах,
а где и на булыжных мостовых
(ушедших за торцами следом в Лету) —
которую уже воспел Поэт.
В такое-то — исполненное желчи
и горечи, и питерского spleen'a,
пустынное (недавно рассвело)
и равнодушно-тягостное утро
часу в десятом я зашел за Бродским,
недавно возвратившимся из ссылки:
я должен был свести его куда-то
за чем-то, что настолько было важно
тогда, насколько ничего не значит
сегодня. Я нашел его в постели
(я опускаю долгое lever,
приватный кофий, сваренный на плитке
в его невероятном ложементе
из ящиков, зеркальных платяных
шкафов, на них — фанерных чемоданов,

которыми он смог отгородить
себе немного privacy; затем
неторопливый ритуал бритья
и одеванья под концерт для двух
клавиров Баха в польском исполненье,
тогда звучавший как соната Франка
fis-moll'ная для Свана). Наконец,
он был готов, и мы пустились в путь:
прошли Литейным мимо Дома, где
он как-то пробыл долгий зимний месяц
и чудом выскочил, а мне еще
там суждено было осесть спустя
семнадцать лет; свернули на Неву
и долго шли по набережной сонной,
беседуя об этом и о том, —
под стылым неба жемчугом, под ветром,
крутившим толчею стоячих волн,
всегда противных невскому теченью, —
и тут, когда мы не спеша дошли
до пленных лип за чугуном решетки
(увы, немного оперной) — в июле
выплескивающих поверх нее
избыточную роскошь прозябанья,
а ныне выступающих в обличье
довольно жутком, если присмотреться, —
скелетов, трупов, призраков деревьев,
застывших в зимней мокрети,
                        — о чем
подумал он, какой нездешний берег
пригрезился ему тогда, какое
видение весны, что, став на месте,
он вдруг таким обмолвился стихом:

— над серым щебнем дикий гиацинт, —

сказав, что это тема для сонета,
который, мол, я должен написать
и принести ему, о чем забыли
мы оба тотчас.

                  И прошли века.
Точнее, четверть века. Уж давно
поэт-король, поэт-избранник Бродский
(друзья шутили, что как будто сам он
кого-то нанял, чтобы тот ему
устраивал „судьбу поэта"); я же
простой советский заключенный; слышал,
что он меня злословил — поначалу
не верил, удивлялся, а потом
за дальностью и давностью почти что
забыл об этом.

...Как-то по весне,
натужной, поздней, точно из-под палки
тягающейся с мачехой-зимой,
как будто нехотя отвоевавшей
у тщательно укатанных снегов
площадку метров десять на пятнадцать, —
я вышел побродить туда (на малом
— я это замечал еще на флоте —
и замкнутом пространстве есть всегда
немного места для уединенья),
и чтобы не смотреть по сторонам
(не ранить взора) — я глядел под ноги,
где тоже было мало красоты:
щебенка, дранка, прошлогодний мусор,
все мокрое и склизкое... осколки
когда-то недобитого стекла
на кучке щебня... а над ней — читатель
уже, конечно, понял, что над ним,
над серым щебнем, я, склонясь, увидел
голубоватый дикий гиацинт,
благоухавший в этой нищете,
процветший над бесплодною землею,
не ведающий Леди гиацинтов, —
землей, которой бесконечно чужды
мои пенаты, Бродский, Петербург,
коричневая слякоть, я — тогдашний
и нынешний, зимующие липы,
решетка сада, встречный ветер, дружба,
декабрь, утраченное время, склонность
к предательству, клавирные концерты,
Петрарка, ненаписанный сонет —
венок сонетов... ветреная младость,
Россия, Лета, Элиот, Нева
и выморочно-пепельное утро
под стылым неба жемчугом — мгновенья
из времени в безвременье прорыв,
и этот вот из вечности проросший
над серым щебнем дикий гиацинт.

*1986, май*

## ПРИМЕЧАНИЯ

[1] Александр Введенский, „Полное собрание сочинений", Вступит. ст., подг. текста и примеч. М.Мейлаха (Ardis: Ann Arbor, т. 1, 1980; т. 2, 1984). Переработанное и дополненное издание: Александр Введенский, „Полное собрание произведений в двух томах" („Гилея": М., 1993).

[2] Даниил Хармс, „Собрание произведений", под ред. М.Мейлаха и Вл.Эрля (Kafka-Presse: Bremen, Кн. 1-2, 1978; Кн. 3, 1980; Кн. 4, 1988; Кн. 5-6 — в печати; Кн. 7-8 — готовятся к изданию).

[3] „Жизнеописания трубадуров" (серия „Литературные памятники"), изд. подгот. М.Б.Мейлах („Наука": М., 1993).

[4] В беседе с Анни Эпельбуан Бродский сказал: „Вообще, я думаю, что я начал писать стихи, потому что я прочитал стихи советского поэта, довольно замечательного, Бориса Слуцкого". -"Европейский воздух над Россией" („Странник", No. 1, 1991, С. 41). См. также примечание 23 к интервью с Яковом Гординым в настоящем издании.

[5] См. примечание 7 к интервью с Евгением Рейном в настоящем издании.

[6] Например, главный редактор журнала „Вопросы литературы" Дмитрий Урнов начинает свое выступление по поводу 50-летия поэта словами: „В отношении к Бродскому много от отношения к личности, судьбе поэта — притесняемого, судимого, наконец, изгнанного," — и заканчивает: „Улягутся личные (вполне понятные) страсти, и мы увидим, каков вес этой поэзии". („Литературная газета", 16 мая 1990, С. 6).

[7] И.Бродский, Интервью В.Полухиной. 20 апреля 1980, Ann Arbor, Michigan. Неопубликовано.

[8] В „Послесловии к книге" Юрия Кублановского „С последним солнцем" (La Presse Libre: Paris, 1983) Бродский пишет: „У поэта есть только один долг перед обществом: писать хорошо. Собственно, это долг не столько перед обществом, сколько по отношению к языку. Поэт, долг этот выполняющий, языком никогда оставлен не будет. С обществом дела обстоят несколько сложнее..." (С. 364). Перепечатано: Иосиф Бродский, „Памяти Константина Батюшкова" (альманах „Поэзия", No. 56, 1990, С. 201-203).

[9] Иосиф Бродский, „Настигнуть утраченное время", интервью Джону Глэду („Время и Мы", No. 97, 1987, С. 168). Перепечатано в кн. Джона Глэда „Беседы в изгнании" („Книжная палата": М., 1991, С. 122-31).

[10] Иосиф Бродский, „Остаться самим собой в ситуации неестественной", из выступления в Институте славяноведения в Париже — „Русская мысль", 4 ноября 1988, С. 11).

[11] См. примечание 22 к интервью с Яковом Гординым в настоящем издании.

[12] Иосиф Бродский, „Настигнуть утраченное время", Ibid., С. 175.

[13] Цикл „Песни счастливой зимы" (1962-64) был опубликован Львом Лосевым в альманахе „Часть речи" (No. 2/3, 1981/82, С. 47-68).

[14] Иосиф Бродский, „Настигнуть утраченное время", Ibid., С. 166. Еще раньше в интервью Белле Езерской Бродский сказал примерно то же самое: „Меня больше всего интересуют книжки. И что происходит с человеком во времени. Что время делает с

ним. Как оно меняет его представление о ценностях. Как оно, в конечном счете, уподобляет человека себе". — „Мастера" (Hermitage: Tenafly, N.J., 1982), С. 109.

15
И.Бродский, Интервью В.Полухиной, Ibid.

16
Геннадий Шмаков, историк литературы, искусствовед, переводчик и друг Бродского. Ему посвящены „Венецианские строфы" [У:105-107/III:54-56] и „Памяти Геннадия Шмакова" [III:179-81]. Умер 21 августа 1988 года в Нью-Йорке на 49-м году жизни.

17
Жорж Нива, „Квадрат, в который вписан круг вечности" („Русская мысль", 11 ноября 1988, „Литературное приложение" No. 7, С. I)

18
„Апрель — жесточайший месяц" (англ.). Начало поэмы „Бесплодная земля" Т.С.Элиота.

Виктор Борисович Кривулин родился 9 июня 1944 года в Кадиевке, Краснодон. Поэт, критик, эссеист. Окончил филфак Ленинградского университета (1967), работал учителем, корректором, редактором. Стихи начал писать с 9 лет, первое выступление состоялось в 1962 году в Ленинградском отделении СП. Инициатор „школы конкретной поэзии" (1969-70: В.Кривошеев, В.Ширали, Т.Буковская). Кривулин прославился в начале 70-х годов стихотворением **„Пью вино архаизмов"**. Редактировал неофициальные журналы „37" (1976-1981, совместно с Т.Горичевой, Л.Рудкевичем, Б.Гройсом), „Северная почта" (1980, совместно с С.Дедюлиным) и „Обводный канал". Автор работ о творчестве Анненского, Белого, Мандельштама, Бродского, Кушнера, Седаковой и др., широко начитан в области философии, богословия, лингвистики и психоанализа. Основные его сборники изданы в Париже [1]. С 1962-го по 1985-й на родине напечатал в общей сложности пять стихотворений. На Западе публиковался практически во всех изданиях русской эмиграции. В СССР стихи опубликованы в последние годы в сборнике „Круг" (Ленинград, 1985), в журналах „Родник", „Огонек", „Радуга", „Звезда", „Нева", „Искусство Ленинграда", „Вестник новой литературы" и др. В 1990 году принят в Союз писателей, в том же году в Ленинграде вышел его сборник **„Обращение"**, а в 1993-м — сборники **„Концерт по заявкам"** и **„Последняя книга"**.

Теперь, когда для русского поэта потеряны вакансии пророка и защитника масс, Кривулин озабочен судьбой поэтического слова, теряющего свое влияние и энергию. Его мировидение скорее образное, чем логическое, хотя ему свойственна культурная рефлексия и стихи его испещрены сухими прозаизмами. Он нашел оригинальные средства сплавить эпическое с лирикой, мифологическое с бытом. Ему свойственно хлебниковское „отклонение струны мысли от жизненной оси творящего и бегство от себя". В поэтике Кривулина реализуется попытка соединить акмеистическое внимание к предмету, заостренное „вещное" видение мира с чисто футуристической констатацией абсурдности самого принципа творчества. Он стремится не рассказывать, не „выражать", а демонстрировать, отказываясь от этических и эстетических оценок изображаемого. Кривулин отметает многие поэтические условности, допуская эффектные отступления от строчных форм и экспериментируя с графикой [2].

# МАСКА, КОТОРАЯ СРОСЛАСЬ С ЛИЦОМ

*Интервью с Виктором Кривулиным*
*17 января 1990, Лондон*

— *Вы смотрели вчера американский фильм о Бродском?*[3] *Каким он предстал перед вами в сравнении с тем человеком, каким вы его знали в Ленинграде?*

— Во-первых, меня поразила (то есть и раньше я это знал, но еще раз убедился) его вписанность в истэблишмент, его одновременная независимость человеческая и в то же время какая-то связь с представлением о чрезвычайно жесткой художественной и социальной иерархии, его знание о собственном месте в этой иерархии. Удивительно, что, оставаясь свободным человеком, выехавшим из милитарной страны, где военная иерархия пронизывала все сферы сознания, Бродский сохранил при всей свободе эту иерархическую структуру оценок, отношений, связей с миром. Он постоянно — и в фильме это особенно видно — судит, „определяется": выше — ниже, дальше — ближе по отношению к любому явлению, с которым сталкивается.

— *Даже в американском окружении?*

— Даже в американском окружении, что особенно странно. Ну, скажем, вроде бы ненавязчиво: дом, например. Дом, конечно, фундаментальный, солидный. При том, что он сам таскает дрова, рубит их и разжигает камин, не исчезает ощущение того, что перед нами богатый хозяин большого дома, занимающий определенное, причем достаточно высокое место в социальной структуре.

— *Но это не его дом, этот дом он снимает.*

— Да, я понимаю, но он ведет себя как хозяин. И еще один момент. В общении с американцами — и в фильме это опять же хорошо видно — Бродский как бы отграничивает себя от русской культуры. Там есть такой эпизод, когда он какой-то русской газетой разжигает камин.

— *„Известиями", но согласитесь, „Известия" никогда не представляли русской культуры и даже не символизировали ее.*

— Да, но когда он говорит „Russians", у него такая улыбка несколько ироническая, отчужденная, отстраненная. То есть в каком-то смысле он находится в позиции Набокова. Как бы культивируется чуть ли не презрение, стремление отделить себя от русской культуры, вписаться в американскую. И одновременно за ним, за поэтом, существует некий мир, в который лучше не пускать американцев.

— *Вам не кажется, что это скорее самозащитная реакция, чем продуманная позиция? Не свидетельствует ли его поведение скорее о незатухающей боли, чем об отчуждении от России?*

— Да, то же самое у Набокова, но у Набокова эта боль выражалась явно, а Бродский, видимо, стремится ее не выражать. И в этом есть для

меня что-то и приемлемое, и неприемлемое. Еще один эпизод из этого
фильма. Телефон звонит. Бродский говорит по-русски, опять-таки с такой
полуулыбкой, извиняющейся и одновременно полупрезрительной: „Russians".
Меня этот момент неприятно поразил. Это, конечно, игра, в которую он
играет. Это маска, которая срослась с лицом, как он сам говорит в этом
фильме, и жест, скорее культурный жест. В общем Бродский для меня
поэт прежде всего жестикуляторный. Язык и метафора для него, на мой
взгляд, воплощаются через жест. Слово есть жест в каком-то смысле.
Лингвистический жест отчуждения и сдержанного стеснения, стыда того,
что он русский. Это поза, двусмысленная, странная поза. Это, на мой
взгляд, является тоже частью его поэтики, его поэтического имиджа. В
жизненном смысле мне такая позиция представляется безнадежной, и мне
становится иногда его даже жалко.

— *Но, может быть, именно такая позиция способствовала его выживанию на Западе?*

— Вероятно, я думаю. Но есть цена выживанию. Насколько это выживание способствовало выживанию его как русского поэта? Я понимаю,
что масштаб его претензий, художественных и человеческих, выше и не
ограничивается русской культурой. Это очень хорошо. Но есть и другая
сторона. Нельзя быть поэтом мирового класса, порывая с почвой, или
находясь в таком положении двусмысленности. Возьмите Джойса, например,
он оставался ирландцем и подчеркивал свою „ирландскость", хотя у него
были довольно сложные и подчас резкие отношения с националистами.

— *Бродский тоже подчеркивает свою „русскость", и более того, он
надеется, что в его случае происходит „в некотором роде ... расширение
русскости, а не ее сужение"* [4].

— Может быть. Тогда зачем эта игра в американском фильме? Надо
сказать, что этого не было во французском фильме, который снимал Лупан [5]. Там абсолютно другое, там он говорит по-русски и даже говорит,
что он не американский поэт, хотя там те же действующие лица, тот
же Дерек Уолкотт. Но у Бродского там совершенно другая манера поведения. Вот эта способность коррелировать тип поведения в зависимости
от аудитории — русской или американской — является свидетельством
двойственности позиции Бродского сейчас на Западе. При всем благопо-
лучии, при всей вписанности в истэблишмент, Бродский все-таки ощущает
себя в некотором роде чужим.

— *Вы не единственный из русских поэтов, пишущих о Бродском* [6]. *Другие поэты: Лосев, Венцлова, Крепс — пишут о нем или из любви, или
потому, что преподают в американских колледжах. Что побуждает вас
браться за прозаическое перо: потребность понять Бродского, объяснить
его другим, или освободиться от него?*

— Бродский представляется мне очень существенным явлением современной поэтической культуры. Я, видимо, разделяю свои функции как
поэта и как литературного критика. Для меня это разные задачи. Как поэт,
я скорее отталкиваюсь от Бродского. Вообще, надо сказать, что сила воздействия Бродского на ленинградскую поэзию была настолько ощутима,
что те, кто начинал писать, как бы искали контраверсию, искали какую-то
фигуру, которая бы противостояла ему. Вероятно, это вообще характерно
для русской поэзии. Пушкин, например, настолько монополизировал по-

этическое слово, что уже в его время требовалось противостояние. И оно возникало, вольно или невольно. Скажем, Гоголь как альтернатива в глазах Белинского. Критик всегда ищет какие-то ситуации, когда одна литературная фигура уравновешивается другой. Среди поколения Бродского такой фигуры все-таки не было, и как поэт я развивался, скорее отталкиваясь от Бродского, естественно, учитывая все, что он делал. Бродский оставался точкой отсчета. Поэтому, когда я стал заниматься литературной критикой, меня заинтересовала именно фигура Бродского, его место, его функция поэтическая в современной литературной ситуации. Бродский остается ключевой фигурой для понимания современной русской поэзии, во-первых, а во-вторых, Бродский — это культурный мост, который на сегодняшний день связывает Россию и тенденции, экзистирующие на Западе. То есть Бродский для меня не только поэт 60-х годов, но и первый русский поэт постмодерна. Это интересно как развитие стиля, как поворотная точка литературного процесса.

— *Вы уже писали о вашей самой первой встрече с Бродским на турнире поэтов в 1959 году* [7]. *Были ли у вас более личные контакты с ним?*

— Да, были. Я не могу сказать, что у нас были дружеские отношения или приятельские, но отношения были хорошие, потому что мы встречались часто в начале 70-х годов. Бродский достаточно скептически относился к тому, что я делал, и вообще к тому, что делали молодые поэты. Но за этим скепсисом стоял неподдельный интерес. Надо сказать, что он читал практически все, что выходило. Это меня удивляло. И точка нашего расхождения находилась не в сфере поэзии, а скорее в сфере поэтического поведения как метафоры. И я имел важные для себя разговоры с Бродским, с ним интересно было говорить. Хотя, в принципе, он выступал скорее как учитель и не принимал возражений, не слышал того, что ему возражалось. Но что-то из моих стихов ему нравилось, что-то нет. Я понимаю сейчас, когда смотрю их через двадцать лет, что он, вероятно, все-таки до определенной степени был прав в своих оценках. Но в то же время личных отношений у меня с ним не было, хотя в чем-то я ему помогал (может быть, неведомо для него), например, собирал деньги на отъезд. Были и другие бытовые ситуации, где мне приходилось участвовать. Кроме того, наши встречи были связаны с Ахматовой еще, потому что я сравнительно часто бывал у нее в начале 60-х годов, и там были Бродский, Найман, Рейн.

— *А как Ахматова оценивала ваши стихи?*

— Знаете, это трудно сказать, потому что Ахматова хвалила все стихи, которые она слышала. Ей нравилось, что вообще молодые люди приходят к ней и пишут. А поскольку у меня стихи как бы были связаны с акмеистической традицией, то в принципе ей это нравилось. Насколько ей это нравилось по существу, мне трудно судить.

— *Сам факт, что вы так часто бывали в ее доме, разве он не свидетельствует о ее положительной оценке того, что вы тогда писали?*

— Да, она относилась ко мне с какой-то симпатией, хотя, конечно, Бродского она выделяла среди всех поэтов, которые у нее бывали, включая Наймана, Бобышева и Рейна. Ну, я-то вообще был молодым, мне было 16 лет, когда я к ней пришел.

— *Кто задавал импульсы, когда вы начали писать стихи?*

— Импульсом было скорее состояние безъязыковости. У меня не было учителей. У меня была некая потребность выразить внутреннюю тоску, некое метафизическое ощущение, о котором я даже не надеялся, что оно может быть выражено. Сначала это были полупоэтические, полупрозаические отрывки, потом появились стихи. В своем начальном движении я прошел несколько стадий. Одна из них очень любопытна: какое-то время писал я силлабическим стихом, то есть я сам для себя открыл силлаботонический стих, как бы вычислил, высчитал. Потом уже, ретроспективно, глядя назад, я понимаю, что я как бы проходил...

— *...те же этапы, которые проходила русская поэзия.*

— Да. И где-то в 16 лет, когда я учился в 10-м классе и ходил в школьной форме (помните, была такая милитаризированная форма — гимнастерка со стоячим воротником?), вот в этой школьной форме я вместе с моими друзьями, Женей Пазухиным, который тоже писал стихи (сейчас он религиозный деятель) и Ярославом Васильковым, который сейчас известен как переводчик „Махабхараты", блестящий переводчик, мы втроем пришли к Ахматовой. Это был 1959 год или начало 1960-го.

— *То есть вы познакомились с Ахматовой раньше, чем Бродский?*

— Да, раньше. И мы начали к ней ходить довольно часто. В Комарово ездили, лекарства покупали. Она как бы духовно опекала нас, действительно выступала как учитель, но назвать ее своим учителем, как Бродский это делает, я не могу, потому что в принципе в это время я отталкивался от другой традиции, от традиции футуристической. Для поэтов моего круга гораздо более значимы были такие книги, как „Полутораглазый стрелец" Бенедикта Лившица, первый том Маяковского, пятитомник Хлебникова и дальше все, что связано с футуризмом. Это такая странная смесь. В Ленинграде очень сильно было футуристическое влияние, видимо, с середины 50-х годов, и шло оно от университетского кружка, где был Леша Лосев, Красильников, вся эта компания [8]. С другой стороны, огромное влияние на всех на нас оказывала манера поведения Ахматовой. Бродский просто, я видел это, учился вести себя так, как ведут себя великие поэты. И в этом смысле, конечно, Ахматова передала ему традицию жестикуляторной метафоры, на мой взгляд. Для меня, например, это не было настолько важно, насколько важно для Бродского. Я сейчас это объясняю для себя следующим образом: для меня как для поэта, пожалуй, самое главное — это коммуникация, которую Лотман описывает как „я" — сверх „я", то есть вертикальная коммуникация [9]. Для Бродского всегда необходима все-таки горизонталь для того, чтобы ощущать эту вертикаль. А горизонталь языка — это речь, это артикуляция. Я видел, что Бродский следил за тем, как Ахматова произносила слова, переводила любую житейскую ситуацию в план речевой и в план поэтический за счет артикуляционной метафоры, за счет жеста, который становился словом. Ну, например, какой удивительный юмор был у Ахматовой! Надо сказать, что Бродский во всех интервью, которые я вижу по телевизору, как бы воспроизводит эту же систему юмора по отношению к себе, к собеседнику, к ситуации. Но, в отличие от Ахматовой, он огрубляет это, — сознательно или бессознательно,— но получается грубее, жестче, иногда на грани плоских шуток.

— *Видимо, сознательно, потому что это заметно по его поэтике. Всякий раз, когда его заносит в высокие сферы, он тут же все нарочито снижает.*

— Ахматова всегда умудрялась сохранить высоту, давала понять собеседнику и дистанцию, и некий низкий план общения, который возможен только как потенция. В этом смысле она была виртуозным человеком.

— *От кого еще, кроме Бродского, среди ваших современников вам приходилось защищать свою поэтическую уникальность?*

— Я думаю, что Бродский был, конечно, самой влиятельной фигурой. Хотя в принципе в начале 60-х годов влияние Бродского перебивалось влиянием такого поэта, как Станислав Красовицкий. Для меня он до сих пор остается великим поэтом. Сейчас я хочу что-то сделать с его текстами, напечатать их и вообще написать о нем [10].

— *Бродский тоже его высоко ценит.*

— Да, я знаю. Мои первые разговоры с Бродским, когда мы познакомились (я не помню, это был 62-й или 61-й год), протекали примерно так. Я говорил о том, что для меня его стихи значат, насколько они мне нравятся. Бродский однажды сказал, что есть, по крайней мере, 10 поэтов, которые на одном с ним уровне. Он назвал Володю Уфлянда, Рейна, Бобышева, Наймана, Красовицкого и, по-моему, Хромова. Я сейчас не помню всех, кто входил в эту десятку, кажется, Горбовский тоже.

— *Надо думать, и Александр Кушнер, и Михаил Еремин. Вам не кажется, что Бродский, при всем осознании своей исключительности, щедро наделяет равновеличием то одного, то другого из своих современников?*

— Вы знаете, мне кажется, что это опять-таки школа Ахматовой. Бродский с большей охотой и с большей симпатией будет говорить о тех поэтах, которые не кажутся ему сильными соперниками.

— *Вы считате, что оценки Бродского продиктованы не просто личным вкусом, а хорошо продуманы?*

— Бродский полностью подпадает под то определение, которое Эйхенбаум дает Толстому: он литературный политик, литературный полководец. Не случайно вот эта милитарная тема Жукова для него важна. Он действительно как бы строит свою стратегию, и в этой стратегии получается, например, что полуграмотные стихи Ирины Ратушинской получают высокую оценку. Бродский прекрасно осознает масштаб дарования и ограниченность поэтики Ратушинской. Я не буду говорить о других примерах.

— *Если у Бродского есть стратегия, то Ратушинская едва ли входит в нее. Бродский написал предисловие к ее книжке стихов, когда Ратушинская находилась в лагере [11]. И, мне кажется, просто нужно было имя Бродского, чтобы вытащить ее оттуда.*

— Да, это все понятно, но все-таки литература есть литература. В этом смысле тоже интересно, как Бродский определяет текущую поэзию. Меня поразил его набор имен современных поэтов: это были его друзья ближайшие. Казалось бы, ну и что! Володя Уфлянд — замечательный поэт, совершенно определенный, достаточно локальный. О Рейне я уж не говорю. Я ценю, что он делал в 60-е годы, но он практически не менялся. Но когда Бродский называет эти имена как имена ведущих поэтов, это фактически то же выстраивание некой иерархии, некой пушкинской плеяды, которая единственная претендует на господство. И я понимаю, почему это может вызывать раздражение у поэтов другой школы, скажем, у Айги. Остается то же разделение на кубо- и эго-футуризм. Бродский остается эго-футуристом скорее, а Айги представляет кубо-футуристическую традицию. И та же самая альтернативность, та же борьба внутренняя.

— *Бродский и Айги, может, и недолюбливают друг друга, но уважают. Айги, отказавшись принять участие в этом сборнике, говорил потом со мной до 4-х часов утра, в том числе много о Бродском. Он считает Бродского не только большим поэтом, но и одним из умнейших людей, с которыми ему когда-либо приходилось встречаться. Естественно, находясь на противоположных полюсах русского поэтического континента, они многое не принимают друг у друга. Однако Айги признает, что Бродский в значительной мере преобразил ландшафт русской поэзии* [12]. *Изменил ли Бродский ваше представление о поэзии?*

— Нет, скорее он подтвердил его. Все-таки я не намного моложе Бродского. К тому времени, когда Бродский стал известным поэтом, некоторые стратегические линии движения для меня уже существовали. Бродский просто показал, что возможно: возможна высокая поэзия сейчас и здесь, что для меня внутренне было очевидно, но очевидно было еще без голоса, как бы в зоне молчания. И это, конечно, замечательно. Я не понимаю, как в Бродском сочетается литературная стратегия и подлинные поэтические движения. Для меня это одна из загадок: одновременная открытость и выстроенность ситуации, предельная ясность и тяготение к метафизической темноте. Дело в том, что мы все, вероятно, исходили из какого-то фундаментального понятия пустоты человеческого существования, пустоты, которая как бы является центром. Потом этот центр стал заполняться каким-то образом. Для одних это был религиозный поиск, для других — социальный, а Бродский остался поэтом, остался в этом метафизическом колодце, где человек один на один со вселенной. При том, что для него, я повторяю, всегда очень важно было его иерархическое положение.

— *Почему, как вы думаете, из всей „великолепной семерки", если не десятки, великих русских поэтов XX века Бродский выделяет Цветаеву? Чем она так важна для Бродского?*

— Вы знаете, я думаю, что нужно разделять для Бродского степени литературной искренности. Скажем так, для него Цветаева должна быть великим поэтом. Должна быть, а не является. То есть для него существует категория долженствования, чисто имперская категория. Бродский в принципе поэт империи. И вот это имперское начало проявляется прежде всего в его отношении к литературе как к некой иерархии. Цветаева — мастер. Цветаева, как говорили древние греки, технэ. Бродский человек не греческого плана, а скорее римского. И в римской культуре вот это технэ, умение выстроить, умение подогнать блоки, проявить силовое отношение к материалу — особенно ценилось. В русской поэзии Цветаева, пожалуй, наиболее техничный автор. Это первое. Второе, у Цветаевой необыкновенно важно личное начало, индивидуальное, индивидуалистическое. Ну, Маяковского как бы неудобно любить, хотя он работает в том же ключе, но это дурной тон. А Цветаева с ее судьбой, с ее трагедией оправдывает и собственный индивидуализм. Но если говорить о метафизическом ядре ее поэзии и поэтики, оно совершенно иное, чем у Бродского. И Бродский представляется мне поэтом более глубоким и просто другого класса, другого плана. И для Бродского, и для Цветаевой в начале пути присутствовал, что ли, остервенелый романтизм, то есть предельная утопичность поэтического видения. Если взять ее строки „Моим стихам, как драгоценным винам, / Настанет свой черед" [13] и ранние стихи Бродского „Он верил в свой череп. Верил" [C:19], где художник добивается всего, то это одни и тот же мотив, мотив утверждения личности через материал поэтического слова, через технэ. Но дальше тот слом, который произошел в его поэтике, особенно после Норенской, после ссылки, мне кажется, увел Бродского от Цветаевой. И еще одно отличие от Цветаевой. Бродский всегда ощущал свою еврейскость как религиозное качество, хотя он все-таки поэт христианский. И эта вот его „еврейскость", этот его комплекс неполноценности, который особенно сильно проявился вначале и нуждался в том, чтобы голос как бы забивал эту внутреннюю слабую струну, вот этого лишена была Цветаева. Это просто разный масштаб, на мой взгляд.

*— Что, по-вашему, в поэзии Бродского наиболее опасно для начинающего поэта?*

— Бродский очень заразителен. Я знаю много молодых поэтов, которые после чтения Бродского пытаются писать так же, как он. Их привлекают две вещи, на мой взгляд. Во-первых, абсолютизация идеи личной судьбы. И эта первая волна совсем молодых поэтов, 15-17-летних юношей, которые отказывались поступать в университет, осознавали себя великими поэтами, шли в кочегары и часто плохо кончали. В принципе, из этой волны я не знаю ни одного настоящего поэта. Но я знаю несколько десятков молодых людей, для которых Бродский был как бы путь. Есть великий поэт, стало быть, надо делать так, как делал он для самоутверждения. Но для этого у них не хватало ни энергии, ни личности, да и время изменилось. То есть уникальность судьбы Бродского рассматривалась как некая закономерность, что, с точки зрения литературы, весьма опасно. Второе, вот эта самая метафизическая пустота, о которой я уже говорил. В поэтике она выражается в том, что у Бродского есть несколько ключевых приемов, которыми в принципе несложно овладеть, но которые как раз исходят из уникальности чувства дискретности существования.

*— Не могли бы вы их назвать?*

— Это прежде всего анжамбеман. Это ощущение непрерывности текста. Поскольку бытие дискретно, бытие прерывно, бытие бессмысленно, постольку текст небессмыслен, текст — это порядок для Бродского. Порядок, который преодолевает хаос жизни с его Броуновским движением ситуаций, то есть этот прием у Бродского имеет метафизическое обоснование.

*— Этот прием также открывает новые возможности для рифм.*

— Да, а главное, происходит новый речевой сдвиг. Это наиболее мощное орудие его воздействия. В мое время еще был голос. Голос исчез где-то в конце 60-х годов. Во втором периоде стихи стали более графичными. Не случайно Бродский в конце 60-годов прибегает к сложной графике. Еще в „Шествии" [C:156-222/I:95-149] он делает какие-то попытки графических экспериментов, а потом наступает как бы замена голоса графикой [14].

*— Вы хотите сказать, что стихи пишутся, а не сочиняются по слуху и голосу?*

— Да, стихи уже пишутся, а не слышатся. Отсюда то обвинение, которое наиболее часто приходится слышать от людей, читающих и принимающих

Бродского в Союзе, обвинение в холодности. От Бродского ждали, что он будет пророком именно в силу какого-то особого голосоведения, когда он начинал, в силу его физиологических даже особенностей, его неспособности выговаривать целый ряд звуков. Поэтому голос для него становился ценностью. Это удивительная вещь. Голос для Бродского, звучание, кричание — это некая суггестивная сила, аналогичная тому, что было, допустим, при начале рок-движения. Здесь еще одна опасность для тех поэтов, которые исходят из поэтики Бродского. Дело в том, что в последние годы степень иронии в его поэзии повысилась. И страх открытости, может быть, нежелание открытости, чисто западное уже, которое усугубляется постепенно тем, что всякое высказывание поэтическое уже изначально существует как объект анализа в момент создания, и из этого анализа исходит следующее высказывание. Так вот, такая ирония по отношению к слову, по отношению к себе тоже может быть убийственной. Я могу назвать целый ряд поэтов, ну, скажем, Александр Бараш, который развивает ироническую линию Бродского. Стихи его, конечно, по качеству и по звучанию находятся как бы в другом измерении, чем поэзия Бродского, но именно ирония лишает их самостоятельности, тогда как ирония у Бродского просто сохраняет цельность мира. Ирония есть орудие против вторжения чуждых поэтик, чуждых идеологем, ситуаций. Это может быть и самоирония, которая завышает, а не занижает поэтическое „я“. Например, в „Новом Жюль Верне“ [У:40-46/II:387-93] осьминога зовут Ося. Это явная самоирония. Ося — это не просто какое-то существо непонятное, Ося — гигантское существо, это что-то пожирающее, это „я“, которое разрослось до фантастического новообразования. Вот самоирония, которая одновременно провоцирует само-воз-величение.

— *Но, с другой стороны, большинство тропов Бродского, замещающих лирическое „я“, у него нарочито самоуничижительны: „я — один из глухих, облысевших, угрюмых послов / второсортной державы“ [К:58/II:161], „совершенный никто, человек в плаще“ [Ч:40/II:318], „Пусть ты последняя рванина, / пыль под забором“ [У:92/III:24] и т.д.*

— Я могу противопоставить этому ряду другой ряд. Пожалуйста, зуб, который сравнивается с Колизеем.

— *Я не знаю у Бродского такого сравнения, хотя я составляю словарь его тропов и сравнений* [15]. *Может быть, вы имеете в виду следующие сравнения: „В полости рта не уступит кариес / Греции Древней, по меньшей мере“ [Ч:24/II:290] — или: „....Зуб Мудрости, я, прячущий во рту / развалины почище Парфенона“ [Ч:28/II:299]?*

— Хорошо, возьмем один из процитированных вами тропов: „человек в плаще“. Фактически это киноцитата, которая указывает на фигуру антигероя. Это цитата из фильмов 40-х годов, может быть, даже Марселя Карне. Я зрительно узнаю этот образ по фильмам, которые мы смотрели: „Набережная туманов“ (это Париж) или „Белые ночи“ (Венеция). „Человек в плаще“ — это одинокий волк, Жан Маре, герой-отщепенец или супер-герой, который противостоит окружающему миру. Да и „пыль под забором“ — это тоже цитата:

> Когда б вы знали, из какого сора
> Растут стихи, не ведая стыда,
> Как желтый одуванчик у забора,
> Как лопухи и лебеда [16].

У Бродского „пыль" — не что иное, как доведение до предела ахматовской метафоры. И это еще один момент, может быть, тоже значимый. Это различная функция цитирования. Цитата у Бродского — всегда предлог для того, чтобы сказать о себе чужими словами. Для меня же важно растворение собственного „я" в чужой речи. Чужая речь становится мне в какой-то момент важнее, интереснее собственной, и я повторяю чужие слова. В этом смысле для меня духовными учителями являются поэты средневековья, поэты мистического, мистико-эротического плана, провансальские поэты.

*— Раз уж речь зашла о лирическом „я", позвольте мне процитировать Бродского. В своем послесловии к сборнику стихов Кублановского Бродский пишет, что лирическому герою Кублановского не хватает „того отвращения к себе, без которого он не слишком убедителен"* [17].

— Он абсолютно прав.

*— Значит ли это, что своеобразие автопортрета самого Бродского детерминировано желанием быть убедительным?*

— И не только этим, но и более глубоким метафизическим смыслом. Бродский все-таки осознает себя поэтом христианской культуры. А в христианстве самоуничижение есть некая форма самовозвеличивания.

*— В каких сферах по преимуществу вы пролагаете свой путь к пониманию мира?*

— Для меня важен, конечно, религиозный поиск. Я не сказал бы — опыт, трудно говорить о религиозном опыте в связи с поэзией. Там как раз и проходит очень опасная граница. Существование на границе бытия и небытия, „я" и не-"я", это есть и у Бродского, но чего, на мой взгляд, нет у него — стремления к анонимности, растворения „я" в „другом". А меня интересует именно эта анонимность. Так складывалась моя поэтика в отталкивании, в альтернативе по отношению к системе Бродского. То же пытался делать и Леня Аронзон [18]. Условно говоря, это поэтика максимальной концентрации смыслов, поэтика минимализма, но минимализма не отрицательного, не отчужденного от личности, как у Айги. Я отчетливо представляю себе, что поэтическая современная русская вселенная имеет два предела. С одной стороны, гомогенный, непрерывный космос (порядок) Бродского, а с другой — абсолютно анонимный, дискретный, „белый на белом" мир Геннадия Айги. Ни то, ни другое меня как поэта не устраивает. Мне кажется, что главным в поэзии все-таки остается степень концентрации смысла. И это условие выживания поэзии. И именно выживаемость поэтического слова сейчас зависит от того, насколько оно неспособно вписаться в культурный истэблишмент, то есть, насколько оно не подвержено размыванию в средствах массовой информации, масс-медиума, а с другой стороны, насколько прочно оно опирается на всемирную поэтическую традицию.

Для меня очевидно, что Нобелевская премия Бродского — это сильный удар по его поэтике. Мне бы не хотелось вписаться в похожую ситуацию. Я сейчас сознательно отказываюсь от публикаций, потому что любое слово, которое в эти дни, годы начинает тиражироваться, подвергается смертельной опасности как вместилище смыслов, происходит какой-то процесс замещения самого смысла на знак, эмблему смысла. Мне бы хотелось существовать в контексте такой поэтики, которая бы „мерцала" на грани

абсолютного непонимания и в то же время постоянной, мучительной на-
полненности смыслом, который невозможно извратить, переведя на язык
массовой информации. Иными словами, поэтики невозможного, непереводимого в разряд художественных ценностей, которые обозначаются как
ценности на сегодняшний момент. Это задача довольно сложная, потому
что оказывается, что массовая культура практически почти всеядна. Телекамера сотрет любой, самый интимный и сложный смысл и превратит
его в бессмыслицу, переварит. Чтобы противостоять этому культурологическому пищеварительному процессу, современное поэтическое слово должно как бы „инкапсулироваться" — исчезнуть для внешнего взгляда и
открываться только через медитативный труд внимательного вчитывания.
Здесь мне представляется очень важной посмертная судьба стихов Мандельштама. При всей, казалось бы, загробной предрасположенности к благорастворению в современном массовом сознании — поэт, жертва
сталинских репрессий, акмеист, — его поэзия аристократична (а аристократизм сейчас — это хороший тон в советском обществе, это main stream
в новой советской идеологии, и не случайно Набоков — один из самых
влиятельных авторов, и Бродский воспринимается именно под знаком аристократизма, потому что вписан в истэблишмент), при всем этом Осип
Мандельштам остается поэтом, прописанным за пределами масс-культуры,
неуловимым и неуловленным. Обидно, что у Бродского есть элементы,
которые легко усваиваются массовой культурой. Когда, скажем, во вчерашнем фильме его стихи иллюстрируются поездом, идущим по мосту,
они как бы переводятся на другой язык, на язык кино. Меня это настораживает, потому что они слишком легко переводятся на другой язык.

— *Не позаимствована ли эта метафора из „Горбунова и Горчакова"?*
*Помните „Песню в третьем лице"?*


„Сказал". „Сказал". „Сказал". „Сказал". „Сказал".
„Суть поезда". „Все дальше, дальше рельсы".
„И вот уже сказал почти вокзал".
„Никто из них не хочет лечь на рельсы".          [О:189/II:113]


*Я хотела бы задать вам вопрос как филологу. Что порождает энергию*
*стихотворения? Только ли тропы, ритм и синтаксис или какие-то духовные*
*и семантические качества?*

— Это сложный вопрос. Попробую ответить. Для меня существен момент невидимой суггестии, которая внешне не проявляется. Стих возникает
из суммы тоски и отрицания. Эта тоска может быть разных оттенков,
это может быть радостная тоска, это может быть черная тоска, но это
всегда тоска и отрицание того состояния, в котором я нахожусь сейчас,
пре-бываю в каком-то бытовом, физическом смысле.

— *Отрицание или преодоление?*

— Может быть, и преодоление, но, если уж говорить точно, скорее
отталкивание. Возникает некая мелодическая структура, не заполненная
словами. Это даже не ритмика, а это просто мычание, мелодика, то, что
иногда довольно сложно оформить метрически. Для меня сложно. И основным элементом этого ритма становится для меня дыхательный момент.
Строфа складывается как некая дыхательная фигура. Как правило, я пишу

строфами, хотя сейчас немножко иначе. Я отказался от знаков препинания для большей свободы прочтения. Итак, скажем, возникает, условно говоря, некое особое дыхание. Я начинаю писать с того момента, когда я знаю, что точно такого дыхания у меня не было, не было такой дыхательной фигуры. Затем появляются инструментированные отрывки слов, то есть какие-то группы согласных, гласных, еще не имеющих смысла. Слово развивается как бы само по себе, вегетативно, что ли. При этом я замечаю, что, чем больше свободы в инструментальном движении, тем жестче идет развитие смысла. Смысл обнаруживается только уже к концу работы над стихотворением. Иными словами, само движение смысла оказывается результатом музыкально-дыхательного движения. И я с удивлением обнаруживаю, что я написал нечто осмысленное. Это всегда очень интересно, потому что в принципе, если нет неожиданного замыкания всех элементов, бессмысленных, мычащих, если они не складываются в единый, нерасчленяемый кристалл смысла, в некое геометрико-семантическое целое, то стихотворение не получается, и я его оставляю, отбрасываю.

— *Значит ли это, что вас ведет не язык, а какая-то другая, не лингвистическая гармония?*

— Язык тоже, но язык в каком смысле? Главным приемом, которым я пользуюсь, является не метафора, а полисема. Это вообще довольно редкий род поэзии, можно говорить, наверное, о поэзии а-метафорической. Метафора возникает за счет внутреннего столкновения различных уровней и значений одного слова с другим. Полисема — это учитывание значений одного слова во всем спектре его семантического поля. Если слово это „я", то метафора строится как отношение „я" — „ты", а полисемия как отношение „я" — „Я". Этим типом коммуникации никто, как мне кажется, не занимался.

— *Ну, а Хлебников?*

— Да, Хлебников. У него все-таки другое. Скорее омонимия, прием ложной этимологии, игра псевдоомофонами, когда поэтическое обнаружение смысла строится на аналитическом расчленении слова, фразы и т.д. Но такой язык фрагментарен, разорван при видимой непрерывности. Это язык языческого культа, где степень символической свободы выше, чем, скажем, в христианстве, но где нет реального освобождения слова, как это происходит, когда оно, как бы осознавая свою греховную природу, оказывается в жестких условиях вертикальной игры внутри полисемы. Это, собственно говоря, лабораторные условия, в которых слову „трудно" — невнятный синтаксис, архаическая лексика, доведение до абсурда. Но смысл слова раскрывается именно в этих жестких, необычных условиях, а не в речевых условиях обыденного бытования слова. А дальше слово распадается так же, как у Хлебникова, распадаются, соединяются, меняются местами согласные, то есть инструментовка, о которой я говорил, строится за счет движения этих элементов. И это движение идет уже само по себе, независимо от меня.

— *То есть вы ставите слово, как Бродский человека, в какие-то экстремальные экзистенциальные ситуации?*

— Да, абсолютно так: в экстремальные экзистенциальные ситуации. И слово переживает трагедию, умирает. Поэтому я могу допустить то, чего не может допустить Бродский, плохие строчки, плохие стихи. Для меня это не важно, потому что они поглощаются контекстом воскресающего и воскрешающего слова. Наоборот даже, иногда я сознательно иду на это, допускаю высказывания на грани банала, на грани пошлости именно потому, что сейчас это наиболее острый и сильный прием.

— *Этим пользуется и Бродский, хотя здесь я вижу у вас и схождения и расхождения. В то время, как вы делаете ударение на слове, Бродский печется обо всем языке, ибо для него, цитирую, „язык важнее, чем Бог, чем природа, важнее, чем что-либо ни было для нас как биологического вида"* [19]. *В какой мере вы разделяете подобную точку зрения на язык?*

— Да, концепция языка Бродского где-то близка мне. Это еще одна причина, почему я занимаюсь его поэзией. Но для меня язык — это все-таки то, чем описывают молчание. Для меня центром является то, о чем я умалчиваю, о чем я не говорю.

— *Очень знаменательная перекличка с Олей Седаковой.*

— У нас, как это ни странно, есть определенные сближения. Смысловые. И мне стихи Седаковой нравятся, несмотря на их слишком кокетливую артикуляцию и жесткую музыкально-рациональную основу. Она человек музыкально образованный и исходит из концептуально опробованных в музыкальном искусстве приемов. В принципе, наверное, отличие поэтов моего поколения от поэтов предшествующего поколения (Бродский находится на границе) это то, что мы писали о том, о чем писать нельзя. Причем писать нельзя не в политическом, не в этическом смысле, а нельзя писать, потому что об этом писать невозможно. Может быть, это были попытки некой словесной иконописи... Есть такой термин в православии — рай словесный. Что такое рай словесный? Это райское существование человека уже после смерти. И отличие вообще всей „тайной" культуры, которая начала развиваться и сложилась в 70-е годы (это касается и живописи: художники тоже пытались изображать то, что в принципе нельзя изобразить), сам факт возникновения этой культуры, ее устремления, еще, я думаю, проявятся, и именно здесь будут созданы новые ценности, которые будут неразмываемы мутным потоком масс-медиа. А язык все-таки размываемая ценность. Язык — существо эволюционирующее и историческое. Но при всей преходящести языка поиск „вечных" ценностей за счет слова, за счет выявления его ресурсов и возможностей, попытки обнаружить предел смысла, до которого мы доходим, — вот это для меня является самым главным.

— *В какой мере ваша поэтика, ваша эстетика выводят вас на философский уровень? И к каким ведущим философским направлениям вы себя присоединяете?*

— Когда-то меня буквально перевернуло знакомство с Бердяевым, не в человеческом смысле, а в поэтическом. В 1970 году я прочел его книжку „Смысл истории", и мне стало ясно, как писать, хотя, казалось бы, там об этом вообще не было речи. Я не знаю, как бы сейчас относился к Бердяеву, я давно его не перечитывал. Мне продолжает быть близкой экзистенциальная философия, ее правое явление — Хайдеггер. То, что пишет Хайдеггер о поэзии, просто приводит меня в восхищение. Именно поэтому я хочу писать о стихах. В меньшей степени меня привлекает психоаналитическое направление, хотя я его учитываю, например, Лакановский ключ психоанализа слова. Экзистенциально-феноменологический подход для меня ключевой в поэзии.

— *Как вы думаете, чьими философскими идеями питается поэзия Бродского?*

— Для Бродского, думаю, важен Шестов и Киркегор. Думая о Бродском, я вспоминаю работу Киркегора об Аврааме.

— „Страх и трепет".

— Да. Это основа движения, основа его пути. Любопытно, что для Бродского, как и вообще для большинства русских поэтов, психоанализа как будто не существует. А между тем, мне кажется, что какие-то возможности обнаружения надежды — социально-метафизической, экзистенциальной надежды для нас действительно лежат в сфере самопознания именно с этой точки зрения, потому что в России психоанализ приобретает религиозную окраску и дает совершенно новое измерение личности. И язык обретает совершенно новые обертоны. Я с этой точки зрения перечитывал недавно стихи Бродского, написанные после 1972 года. И меня поразило возникновение новых мотивов, свидетельствующих о том, что Бродский сразу же почувствовал эту психоаналитическую заостренность бытия европейского человека. Он попытался, скажем, в „Одиссей Телемаку" [Ч:23/II:301] традиционные мифы прочесть в контексте фрейдовского ключа. Надо сказать, что это не удалось, и он ушел от этого.

— То есть мифологическое начало переборло психоаналитическое?

— Да. И в этом, может быть, какая-то слабость его поэтики, на мой взгляд. Но в этом и секрет успеха, потому что он приобрел свой имидж. Вот эта вот мифологическая, античная лепка его поэзии, она сразу создала ему успех, особенно в Америке, сразу же поставила его в „металлическую" ситуацию, в определенное место. Может быть, Бродский чувствует опасность психоанализа, поскольку он как бы по касательной обогнул самую болевую точку сегодняшней европейской культуры.

— Но вы не учитываете, что Бродский сразу же после отъезда из России поселился в Америке, где психоанализ, будучи принадлежностью масс-культуры, сильно скомпрометирован.

— Да, это так, но можно, видимо, было искать чего-то и помимо психоаналитических кушеток и примитивной символики. Сейчас речь идет, скорее, не об американском, а о французском психоанализе, который гораздо глубже. Для меня, например, как для филолога сейчас стоит задача прочтения русской литературы с ориентацией не на Фрейда, даже не на Юнга, а на пост-юнговское направление — Лакана, Дерриду, потому что они дают совершенно новые повороты, новые ключи, новые возможности. Интересно, что для Бродского вообще как будто их не существует.

— Мне кажется, он питает легкую неприязнь к французской культуре, несмотря на то, что во Франции он бывает ежегодно. Так, он вообще игнорирует современную французскую поэзию.

— Да, да, ему, конечно, ближе англосаксонская струя в поэзии. Но надо сказать, что психоаналитический способ описания, он, конечно, не комплиментарен для поэта, он для поэта опасен.

— Это странно, потому что у поэта, по-моему, вообще четыре глаза, если не пять. Сама способность создавать тропы свидетельствует о том, что поэт видит связи в окружающем его мире одновременно на 360 градусов, замечает сходное в далековатом. Почему бы ему не иметь пятый глаз, чтобы время от времени заглядывать внутрь самого себя?

— Этот глаз, видимо, и есть торможение какое-то. Это, видимо, действительно какая-то опасная для поэта сила. Рефлексия может быть и социальной, и метафизической, но как только она касается вот этой внутренней сферы, она становится опасной. На самом деле, это является ключевым в христианской поэзии. Ведь в России никогда не было эротическо-метафизических текстов, как у Святой Терезы, допустим. Мы никогда не знали этой силы любви, которая сама себя бы анализировала. Вот это то, что сейчас, мне кажется, для нас было бы спасительно.

— *Но ведь современная поэзия, в том числе и ваша, и Бродского, в значительной мере поэзия самоанализа в плане эстетики и поэтики. Похоже, что на глубинные уровни поэты спускаются реже.*

— Да. И передо мной сейчас стоит именно такая задача. Оказывается, что это очень трудно. Наш поэтический язык в том виде, в каком он существует, не способен к таким описаниям. Может быть, я и пытался решить эту задачу темнотами, самой структурой полисем, когда какие-то эротические, подсознательные смыслы выходили наружу. Я делал это очень осторожно. Хотя в принципе это нужно делать смелее.

— *Русский язык не готов к описанию эротики?*

— Не готов на предельное обнаружение себя в индивидуальном плане. Вы знаете, это то же, что с перестройкой происходит: до какого-то момента саморефлексия идет, а дальше внутренний стоп. Момент этот касается вообще природы русской государственности, социальности. А в человеческом плане наш пуризм не позволяет нам идти дальше определенных моментов. Для поэта та поэтическая система, которую ты создал, обладает колоссальной силой инерционности. Ведь вообще это сила и слабость поэтического слова, в нем есть огромная инерция. Очень трудно изменить ее направление. Трудно, но можно, вероятно.

— *Вы недавно сказали, что „новая поэзия" могла претендовать на выражение высоких ценностей лишь при господстве официальной литературы. Кто же сейчас, кроме поэтов, выражает в России высокие ценности?*

— Я думаю, что поэзия все-таки, видимо, и остается этой силой. Но сейчас, когда в России начинается кризис словесных искусств в целом, — он, видимо, на Западе шел уже давно, с послевоенного времени, — поэзия оказывается в сложной позиции. То, что о ней говорят, все выражается профаническим языком. То, что было сакральным, теряет личностное измерение, превращается в социальную пошлость. Для меня важно бытование текста, неспособного быть обращенным в факт социальной пошлости. В этом смысле пессимизм Бродского отчасти вызван легкостью, с которой любое высказывание при перемене контекста становится фактом зла. Мои наблюдения таковы: сейчас идет почти пустое поколение. Наиболее талантливые люди занимаются кино, видео, живописью, изобразительными искусствами. Это дает деньги, независимость, удовлетворяет честолюбие. Поэзия все более, как на Западе, становится репрезентативным видом искусства, которое государство должно поддерживать, чтобы она существовала, потому что это должно существовать.

— *Но разве это не более здоровое состояние по сравнению с теми временами, когда из поэта делали героя и мученика, когда он становился объектом внимания тирана? Черчиллю никогда бы и в голову не пришло звонить Т.С.Элиоту и спрашивать его о том, действительно ли Уистан Оден мастер, потому что он, скажем, собирается эмигрировать в Америку.*

— Потому что для Черчилля это было не существенно.

— Но разве это не нормальное состояние вещей? Разве не так и должно быть повсюду?

— В общем, да. Так и должно быть. С другой стороны, мне кажется, что русская культура включает в себя и понятие жертвы. Конечно, это ужасно, но ведь это не просто внешне поднимает престиж поэта. Опасность что-то сказать усиливает ответственность перед словом. Уж все, что угодно, не напишешь.

— Мы закончим наш разговор о вас, о Бродском и о русской поэзии вашими стихами, посвященными Бродскому. Они, кажется, написаны вскоре после его отъезда из России?

— Да, это стихотворение 1973 года с эпиграфом из Бродского.

### ВСТРЕЧА

> Теперь все чаще чувствую...
> *И.Б.*

Все чаще встречаю на улицах (обознаюсь)
уехавших так далеко, что возможно
о них говорить, не скрывая неловкую грусть —
как мы говорим об умерших: и бережно, и осторожно.
Все чаще маячат похожие спины вдали.
А если вглядеться, то сходством обдаст, как волною.
И страх тошнотворен при виде разверстой земли —
своих мертвецов отпущаеши, царство иное?
И море, и суша, добычу назад возвратив,
издохшими пятнами краски заляпали глобус,
чьи все полушарья для здешнего жителя — миф
о спуске Орфея за тенью в античную пропасть.
Куда же уводишь меня, привиденье, мелькнув
в апраксинодворской, кишащей людьми галерее,
где хищницы-птицы в лицо мне нацеленный клюв
и страха разлуки и страха свиданья острее.
Маячу в толпе, замирая... А рядом орет
и хлещет прохожих крылом аллегория власти.
Все чаще ловлю себя, что составляю народ,
уже нереальный — еще не рожденный... по счастью.
И падаю в шахту, пробитую в скалах, не сам
вослед за ушедшим — но центростремительной силой
толкаем узнать, каково ему, смертному, там,
у центра земли, за границей, точней, за могилой!

*1973*

### ПРИМЕЧАНИЯ

[1] Виктор Кривулин, „Стихи" („Ритм": Париж, 1981) и „Стихи" („Беседа": Париж, 1987-1988, в двух томах).

[2] Переводы поэзии Кривулина на английский см. "Berkeley Fiction Review" (1985-86, P. 176-89); "Child of Europe" (Penguin: London, 1990, P. 219-23); "The Poetry of Perestroika" (Iron Press: London, 1991, P. 67).

[3] Советско-американский телевизионный фильм о Бродском под названием "Joseph Brodsky: A Maddening Space" (Director/Writer Lawrence Pitkethly, Producer Sasha Alpert) был показан по 4-му каналу английского телевидения в серии программ "Soviet Spring" 16 января 1990 года.

[4] Иосиф Бродский, „Настигнуть утраченное время", интервью Джону Глэду („Время и Мы", No. 97, 1987), С. 173. В России перепечатано в кн. Джона Глэда „Беседы в изгнании" („Книжная палата": М., 1991, С. 122-31).

[5] Французский телефильм о Бродском "Joseph Brodsky. Poete russe — citoyen americain" был впервые показан в парижском Институте славяноведения 15 февраля 1989 года. Премьера фильма состоялась 6 марта 1989 года по 3-му каналу французского телевидения. Создатели фильма Victor Laupan и Christopher de Ponfilly. Виктор Кривулин написал на фильм рецензию „Русский поэт — американский гражданин на французском экране" („Русская мысль", 3 марта 1989, С. 13).

[6] См. V.Polukhina, "The Myth of the Poet and the Poet of the Myth: Russian Poets on Brodsky", in "Russian Writers on Russian Writers", ed. by Faith Wigzell (Berg., Oxford, 1994, P. 139-59) и русскую версию: В.Полухина, „Миф поэта и поэт мифа" („Литературное обозрение", „Памяти Иосифа Бродского", No. 3, 1996, С. 42-48). Там же составленная ею библиография „Русские поэты о Бродском" (С. 48-52).

[7] Виктор Кривулин, „Слово о нобелитете Иосифа Бродского" („Русская мысль", 11 ноября 1988, „Литературное приложение" No. 7, стр. II).

[8] О „филологической школе" см. примечание 18 к интервью с Анатолием Найманом в настоящем издании. О Михаиле Красильникове см. также примечание 12 к интервью с Евгением Рейном в настоящем издании.

[9] Ю.М.Лотман, „Структура художественного текста" (Brown University Press: Providence, Rhode Island, 1971), P. 298-300.

[10] См. Виктор Кривулин, „У истоков независимой культуры" („Звезда", No. 1, 1990, С. 184-88) и его же предисловие к публикации стихов Красовицкого в „Октябре": „На пороге двойного бытия" (No. 4, 1991, С. 136). См. также примечание 19 к интервью с Анатолием Найманом в настоящем издании.

[11] Иосиф Бродский, „Предисловие", в кн. Ирина Ратушинская, „Стихи" (Hermitage: Ann Arbor, 1984), С. 7-8.

[12] Многочасовой разговор с Геннадием Айги о русской поэзии состоялся 18 ноября 1989 года в Глазго во время фестиваля "Soviet Arts in Glasgow 1989".

[13] Марина Цветаева, „Собрание сочинений в семи томах" („Эллис Лак": М., т. 1, 1994, С. 178).

[14] Сходное наблюдение см. в статье М.Ю.Лотман, Ю.М.Лотман, „Между вещью и пустотой (Из наблюдений над поэтикой сборника Иосифа Бродского 'Урания')", в кн. Ю.М.Лотман, „Избранные статьи", том 3 („Александра": Таллинн, 1993), С. 294-307.

[15] Валентина Полухина и Юлле Пярли, „Словарь тропов Бродского (на материале сборника 'Часть речи')" (Издательство Тартуского университета, 1995).

[16] Анна Ахматова, „После всего". Сост. Р.Д.Тименчик (МПИ: М., 1989, С. 145).

[17] Иосиф Бродский, „Послесловие" к сборнику Кублановского „С последним солнцем" (Le Presse Libre: Paris, 1983), С. 364. В России перепечатано: И.Бродский, „Памяти Константина Батюшкова" (альманах „Поэзия", No. 56, 1990, С. 201-203).

[18] Леонид Аронзон погиб на охоте в 1970 году. При жизни опубликовал несколько детских стихотворений. На Западе стихи печатались в альманахе „Аполлон-77" (С. 118-21); журналах „Время и Мы" (No. 5, 1976, С. 95-99); „Гнозис" (с параллельными английскими переводами Richard McKane: NoNo. II, 1978, С. 163-68; V-VI, 1979, С. 154-61; IX, 1990, 125-27; X, 1991, С. 101-12; „Антология Гнозиса", Vol. 2, С. 31-38); "Blue Lagoon Anthology of Modern Russian Poetry" (Newtonville, Mass.: Oriental Research Partners, 1983; Vol. 4A, P. 73-131). В 1985 году в Иерусалиме вышла книга „Избранное: Стихи". В 1990 году в издательстве Ленинградского комитета литераторов вышла подготовленная друзьями поэта книга „Стихотворения". Помимо этого в России стихи публиковались в „Вестнике новой литературы" (No. 3, 1991, С. 192-213) и петербургской газете „Литератор". В 1994 году Ассоциация „Камера хранения" (СПб.) выпустила „Избранное" Аронзона, составленное Еленой Шварц.

[19] Иосиф Бродский, „Европейский воздух над Россией", интервью Анни Эпельбуан („Странник", No. 1, 1991), С. 39.

Юрий Михайлович Кублановский родился 30 апреля 1947 года, в Рыбинске. Поэт, эссеист, религиозный деятель. Окончил искусствоведческое отделение истфака МГУ (1970). Принадлежал к СМОГу — „Самому молодому обществу гениев" (1964). Работал экскурсоводом на Соловках, в Кирилло-Белозерском монастыре, в музее им. Тютчева в Мураново. После публикации в „Русской мысли" письма „Ко всем нам", посвященного двухлетию высылки Солженицына (1976), служил сторожем, истопником при московских храмах, так как нигде не мог найти работу по специальности. В официальной советской прессе были опубликованы только два стихотворения: в „Дне поэзии" (1970) и в газете „Ленинские горы" (1977), зато русское зарубежье охотно его печатало, особенно „Вестник РХД" и „Континент"; 8 стихотворений появилось в альманахе **„МетрОполь"** (1979). В изданный „Ардисом" первый сборник **„Избранное"** (Ann Arbor, 1981), составленный Бродским, вошли стихи 1967-79 годов. В 1982 году Кублановского вынудили эмигрировать. Он поселился в Париже, где в 1983-м выпустил сборник **„С последним солнцем"**, к которому Бродский написал послесловие[1]. За ним последовала книга стихов **„Оттиск"**[2]. Некоторое время входил в состав редакции газеты „Русская мысль", потом переехал в Германию, в Мюнхен, сотрудничал на радиостанции „Свобода", издал четвертую книгу стихов **„Затмение"** (Paris, 1989).

По мнению Бродского, Кублановский продолжает ветвь русского сентиментализма, в частности, Батюшкова, найдя себе место в русском поэтическом алфавите между Клюевым и Кюхельбекером, „совместив лирику с дидактикой": „Это поэт, способный говорить о государственной истории как лирик и о личном смятении тоном гражданина"[3]. Россия и ее трагическая история — магистральная тема всех сборников Кублановского, а ее духовное возрождение — главная его озабоченность. Его стихи наполнены напряженной духовностью, но свободны от религиозного нарциссизма. Для них характерна „новизна в каноне", тонкие ритмические вариации и барочное богатство деталей. В 1991 году поэт вернулся в Россию, где издал книги **„Возвращение"** (М., 1990), **„Чужбинное"** (М., 1993), том избранного **„Число"** (М., 1994). В 1994 году „Пушкинский фонд" издал сборник Кублановского **„Памяти Петрограда"**.

# АМЕРИКАШКА В РУССКОЙ ПОЭЗИИ

*Интервью с Юрием Кублановским*
*29 мая 1989, Париж*

— *Не помните ли вы ваше первое впечатление от стихов Бродского?*

— Первый раз я прочитал Бродского в 1964 году, как только поступил на первый курс искусствоведческого отделения МГУ. Я был тогда 17-летний щенок, приехавший из провинции. Из новаторской поэзии XX века знал очень мало, плохо знал Ахматову, Пастернака. И вдруг мне сразу попались такие сложные вещи раннего Бродского, как „Исаак и Авраам" [C:137-55/I:268-82] и „Большая элегия Джону Донну" [C:130-36/I:247-51]. Надо прямо сказать, что в тот момент я их не понял. Может быть, это сказалось на будущем, до сих пор „Исаак и Авраам" является моей нелюбимой вещью, мне видятся тут растянутость и невнятность. А близкое, уже более интимное знакомство с лирикой Бродского началось с таких его стихов, как „Памяти Т.С. Элиота" [O:139-41/I:411-13], со стихов, которые я услышал в исполнении под гитару, — это „Пилигримы" [C:66-67/I:24], „Ни страны, ни погоста / не хочу выбирать" [C:63/I:225]. Это последнее настолько во мне присутствует и посегодня (может быть, отчасти благодаря тому, что его очень любила и ценила Ахматова), что три года назад я написал стихотворение, посвященное Бродскому, вся первая часть которого построена на аллюзиях, связанных с этим стихотворением, а также с местожительством поэта в Ленинграде неподалеку от Преображенского храма.

— *Речь идет о вашем стихотворении „Систола — сжатие полунапрасное"?*[4]

— Да. Так что, самое первое знакомство с Бродским было, можно сказать, неудачным. И только где-то в 1967-68 году я понял всю крупность этого явления и почувствовал, что счастлив быть его современником.

— *Не хотите ли вы этим сказать, что сейчас вы все принимаете у Бродского?*

— Нет, конечно, я принимаю у Бродского не все, особенно из его лирики последних лет. Часто мне кажется, что в последние годы многие его стихи строятся на уже использованных им ранее образах и приемах. Одно дело, когда образ сквозной, идущий через годы, другое дело, когда образ клишируется и начинает эксплуатироваться. Бродский приезжает во Францию, Бродский приезжает в Венецию... визуальное впечатление очень способствует поэзии. Это хорошо один раз, второй, третий, но когда его „медитации" продолжаются в Копенгагене, в Лиссабоне и т.д., и в общем все строится на том же приеме, это, в конце концов, несколько начинает утомлять. Так что, я не могу сказать, что я все принимаю у Бродского. Во-вторых, я в еще меньшей степени принимаю его эссеистику. Эссеистика его, конечно, разная. Такая вещь, как „Меньше, чем единица" [L:3-33/HH:8-

30], мне очень нравится. Но меня резко не устраивает во всех отношениях и как историка, и как православного христианина его „Путешествие в Стамбул" [L:393-446/IV:126-64].

— *Хотелось бы возразить вам по поводу эксплуатации образов, приемов и сюжетов. Разве не из повторов и разработок излюбленных автором манер складывается его идиостиль? Многие из них у Бродского несут еще и тематическую, и концептуальную нагрузку. Так в форме путешествий, неизбежно влекущей за собой определенные клише, запрятаны у него темы времени и империи, темы, центральные для поэзии Бродского. Путешествия для него всего лишь повод поговорить о главном, взглянуть на фундаментальные ситуации человеческого существования с новой точки зрения, отстраниться, рассмотреть их через призму культуры и истории той страны, в которой он находится.*

— Это, конечно, так. И все-таки, я считаю, что у многих русских поэтов, как вы знаете, между 45-тью и 50-тью годами была какая-то творческая пауза, после которой они начинали писать по-новому. Это мы можем сказать о Мандельштаме и об Ахматовой, и, тем более, о Пастернаке. И эта пауза подготавливает не то что качественный скачок, хотя и это важно, а некий „поздний период". С одной стороны, период, продолжающий предыдущий, а с другой — дающий принципиально новое. Если взять даже самые первые стихи „Воронежских тетрадей" Мандельштама или первые стихи из романа „Доктор Живаго", мы видим, что это не тот Мандельштам, не тот Пастернак, к которым мы прежде привыкли. Мы видим резкий и значительный переход в новое духовное и стилистическое качество. У Бродского этот интервал к 40-50-ти годам идет в поэтическом плане плавно, и поэтому качественного (не в смысле качества поэтики, оно у него высокое) скачка, то есть резкого видоизменения незаметно. И часто я уже заранее знаю, что он мне в „идейном" плане скажет. Он накручивает метафору, накручивает впечатление, раскручивает маховик вдохновения. И некоторые стихи, их, правда, немного, где-то к середине начинают утомлять, потому что я знаю, что мне как читателю не будет преподнесено никакого сюрприза, не явится принципиально новой энергии...

— *Научились ли вы чему-либо у Бродского?*

— Нет, я не считаю, что в поэтике я что-то у него заимствовал. Где-то в начале 70-х годов я стал писать стихи, поделенные на главки, по две, по три строфы. И потом увидел, что это еще раньше меня начал делать Бродский. И я не знаю, от него ли я это заимствовал или дошел самостоятельно, поскольку тоже искал какого-то эрзаца поэмы, а с другой стороны, понимал, что сплошной длинный текст — это слишком утомительно.

— *Что, на ваш взгляд, роднит Бродского с Ахматовой? Бродский, с одной стороны, утверждает, что Ахматовой он обязан всем, а с другой, говорит, что хотя ее стихи ему очень нравятся, это не та поэзия, которая его интересует* [5].

— Да, об этом мне говорил, кажется, сам Иосиф, что встреча его с Ахматовой важна была для него скорее не как для поэта. В этом смысле встреча с Оденом, Элиотом или с Джоном Донном была для него важнее, чем встреча с Ахматовой. А важна ему была эта встреча — как встреча с первым большим человеком, хранящим традиции прежней, добольшевистской, цивилизации. До нее, очевидно, такого беспримесного настоящего цивилизованного россиянина он просто не встречал. И мне кажется, Ахматова скорее сформировала и дисциплинировала его как личность, стала каким-то в этом смысле для него образцом. В поэзии у Бродского есть прямые или, скорее, косвенные связи с Ахматовой, может быть, за счет какого-то незримого присутствия у раннего Бродского ленинградского антуража, столь значительную роль играющего именно у Ахматовой. Это единственное, как я думаю, что их роднит. У Бродского всегда, например, была тяга к гигантомании, к монументальности стихового потока, а ведь Ахматова до встречи с ним утверждала, что стихи должны быть короткие. А когда он потащил к ней свои большие стихи, она эту фразу перестала повторять и сделала для него исключение. Это тоже немаловажно и знаменательно.

— *А кто его поэтические родственники в XIX или в XVIII веках?*

— Насколько я знаю, Бродский пережил влияние поэзии конца XVIII столетия. Юрий Иваск рассказывал мне, что однажды он сказал Бродскому: „Иосиф, я стою перед Державиным на коленях", на что Бродский ответил: „А я ползаю перед ним на брюхе." И, несомненно, я чувствую в Бродском нечто державинское. Кстати, я почти не чувствую связи Бродского с Пушкиным — не по поэтике, а, главное, по духу, совершенно не чувствую. Если взять все творчество Пушкина в целом, оно, несмотря на его петербургские поэмы, несет в себе органику средней полосы России. Может быть, благодаря образу Татьяны, благодаря Михайловскому, Болдину и т.д. Это то, что у Пушкина очень сильно в духе его поэзии и чего совершенно нет у Иосифа. Пушкин чем дальше, тем больше, как мы знаем, приближался к почвенническому мировоззрению, то есть его развитие шло противоположно Бродскому.

— *Если Бродский далек от почвенничества, можно ли его считать одним из самых европейских русских поэтов? Или, как выразился George Steiner, самым латинским русским поэтом?* [6]

— Да, конечно, латинство присутствует в нем даже декларативно. Бродский по самой своей природе стихотворческой — монументалист. А монументализма вообще в русской поэзии XX века было немного. Русская поэзия скорее вырождалась в романс, во всяком случае, в лирику. Футуристы пытались сделать русскую поэзию монументальной, и как раз в этом сходство Бродского с футуристами. И этот монументализм он, конечно, находит в латинстве. Что касается того, что он самый европейский поэт, так это несомненно. Может быть, не столько среднеевропейский, сколько он связан с англосаксонской традицией, которой раньше у нас в таких количествах не было: русская поэзия тяготела к Франции и Германии. В этом отношении Пушкин, да и Лермонтов гораздо более европейские поэты, чем Бродский. Помню, еще где-то в 70-м году я сидел на кухне у Надежды Яковлевны Мандельштам. Она была очень желчно настроена. Она меня спросила: „А кого вы из современных русских поэтов любите больше всех?" Я сказал: „Конечно, Бродского." — „Ну, что вы, Юрий Михайлович, это же американшка в русской поэзии," — ответила она. И это было тогда, когда Америкой впрямую не пахло.

— *Продуктивны ли его английские прививки русской поэзии и имеют ли их результаты будущее?*

— Они, несомненно, продуктивны, хотя бы потому, что на них состоялось его собственное замечательное и оригинальное творчество, которое несравненно обогатило русскую поэзию XX века. Представить себе ландшафт современной поэзии без Бродского невозможно. Он стоит в своем поколении особняком — не только по масштабам своего дарования, но и потому, что он вообще вывалился из традиционной эстетической сетки в какое-то новое измерение. Его поэзия — это поэзия нового измерения. В четвертом номере „Нового мира" за 1989 год напечатана статья покойного Анатолия Якобсона, в которой он написал, что Солженицын спас честь русской литературы, русской прозы. Можно сказать, что после Ахматовой Бродский спас честь русской поэзии. А что касается того, получит ли его поэтика развитие в будущем, об этом сможет сказать только будущее. Я, например, совершенно в этом смысле не вижу, что мог бы брать у Бродского. Он настолько специфичен, что не только метрика аналогичная, даже просто любая аналогичная нота, нота характера, нота тона — сразу выдает себя и превращает поэта, даже, может быть, и способного, в его эпигона.

— *Поговорим о центральных темах Бродского. Как вы понимаете его тему империи?*

— Тема империи носит в русской поэзии, в русской культуре в целом совершенно определенный характер. Это сама по себе огромная тема и сам по себе огромный разговор. В этом смысле империя Бродского — это не то же, что имперские представления позднего Пушкина или Гумилева. Для него империя, как мне кажется, образ бренного величия, а не империя, которая раньше связывалась с отечеством, с Россией, как у позднего Пушкина.

— *Но ведь это и метафора государства, взаимоотношения государства как с простым человеком, так и с художником.*

— Конечно. Мне кажется, хотя Бродский и подчеркнул в своей Нобелевской речи, что он человек сугубо частный, с другой стороны, он сам чувствует себя и „империей" [I:5-16].

— *А как вы интерпретируете его тему „после конца", особенно такой ее аспект, как после конца христианства? Вам, должно быть, чуждо так видеть мир?*

— Для позднего Бродского, который состоялся уже на Западе, христианство скорее культурологический феномен. И в этом смысле он говорит скорее о конце какого-то определенного культурологического феномена, что не имеет прямого отношения к христианству, а всего лишь к внешней христианской культуре, которая начала гибнуть еще с Возрождения, с тех времен, когда начала секуляризироваться. Мне кажется, что Бродский относится к христианству уважительно, но для него это не таинство. И для него действительно мир может существовать и после христианства, как, допустим, после атомной войны.

— *Вам не кажется, что у него все темы пересекаются с одной из магистральных тем его поэзии — с темой времени? По мнению Бродского, мы не безоружны против разрушительного действия времени. У нас есть память, вера, культура [7]. И веру он не исключает.*

— Да, я считаю его религиозным поэтом. Он напрямую выходит к Творцу. Он ведет с Ним напряженный диалог, представляя Его совершенно по-своему. Поэт такой величины, как Бродский, вообще не может быть атеистом, поскольку он испытывает такое сильное вдохновение, и оно спорадически длится уже столько лет. Он, несомненно, чувствует, что он сталкивается с чем-то сверхъестественным в этом смысле. Через опыт ему дано метафизическое ощущение мира и ощущение Творца. И он постоянно ведет с Творцом своего рода тяжбу. Это один из главных сюжетов поэзии Бродского, так что, конечно, он поэт религиозный.

— *В какой мере его муза послушна воле Божьей? Или она капризна и непокорна?*

— Она амбивалентна и очень многосложна, его муза, в том смысле, что он может и так и так. Если, допустим, у Пушкина четко прослеживается линия от рококо, от кощунства, от Вольтера и Парни к христианству в его конкретной православной традиции, то у Бродского мы видим нечто скачкообразное. Он может написать замечательное „Сретенье" [Ч:20-22/II:287-89], а потом через несколько лет кощунственные стихи „Горение" [У:145-47/III:29-31]: „Назорею б та страсть, / воистину бы воскрес!" Это одни из самых страшных строчек в русской поэзии. Вот тут-то, мне думается, Бродскому иногда не хватает религиозной культуры, такта и вкуса. Иногда ему кажется, что все позволено, и что вдохновение все покроет. Это не совсем так. Вдохновение проходит, и остается вот этот продукт и вот такие духовные проколы. Они, мне кажется, портят и несколько даже опошляют общий ландшафт его поэзии.

— *В какой мере тут еврейство руку приложило?*

— Мне кажется, тут виной не еврейство. Его сформировало время, конец 50-х годов. Бродский, несмотря на все метаморфозы, чрезвычайно верен определенным настроениям своей юности, когда жили вслепую, когда была ориентация на Запад, когда церковь не воспринималась молодежью вообще — это все на его лирическом герое сказалось. Я думаю, что еврейская кровь тут играет второстепенную роль. Однажды он мне написал, что его антицерковность продиктована тем, что он жил около Спасо-Преображенского собора и когда пробегал мимо, запах ладана автоматически вызывал у него позыв к рвоте. А ведь мы знаем таких чистокровных евреев, как его друг Анатолий Найман, который все это в себе преодолел и воцерковился. Бродский резко против какой-либо ангажированности, а церковность часто для него отождествляется с ангажированностью. Я упомянул о его лирическом герое, он тоже амбивалентен, он постоянно чувствует на губах горечь от бренности бытия, его „отвращение к себе" диктуется „выпадением из формы", разложением, смертностью, а это — если угодно — обратная сторона гордыни. Да, гордыни — при всем скептическом отношении к себе — в лирическом герое Бродского больше, чем в каком-либо ином лирическом герое русской поэзии.

— *Значит ли все сказанное вами, что для Бродского не существует проблемы взаимоотношения и столкновения еврейства и христианства?*

— Она существует, но, мне кажется, она периферийна. Все-таки, для него важнее такая скорее не национальная, а интернациональная тема, как Творец и человек.

— *Бродский заявляет, что в конце XX века ни о любви, ни о Боге невозможно говорить эксплицитно* [8]. *Что, по-вашему, толкает его к такому заявлению: поэтика или вера?*

— Ну, с одной стороны, его, несомненно, толкает какое-то глубокое целомудрие. Для него эти вещи настолько интимно святые, что нецеломудренно о них говорить в этом похабном мире. А с другой стороны, его лирическому герою подчас не хватает того душевного тепла, которым славна наша отечественная поэзия. Бродский этап за этапом делает поэзию все более отчужденной от мира, сознательно ее „остужает". Его стихи зажаты в некий абсолют образа, абсолют одиночества, абсолют совершенства. Это мертвая натура, это натюрморт. Магистральный смысл его лирики — бренность бытия, остывание мира, остывание чувства, остывание тела, остывание самого человека. И идея остывания, она „бликует" и на форме — сама форма Бродского тоже в некотором смысле „остывает": она становится все менее эмоциональной. Раскручиваясь, его маховик вдохновения непропорционально „смазывается" душевным теплом, отсюда недостаток непосредственного лиризма.

— *Отчуждение от мира, овеществление человека, „стремление нейтрализовать всякий лирический элемент, приблизить его к звуку, производимому маятником"* [9], *связаны у Бродского с центральной темой всего его творчества — с темой времени. Почему, как вы думаете, он так заинтересован категорией времени?*

— Это очень сложная тема. С одной стороны, это действительно очень интересно. А с другой, эта тема присутствует в той западной поэзии, на которую опирается Бродский, и в этом смысле она для него традиционна. Кроме того, заинтересованность его лирического героя временем объясняется тем, что в этом есть магия смертности и жажда смертность преодолеть. Преодолеть смертность невозможно. На подсознательном уровне тема смертности связана с тщетой земной и со страхом смерти. Со страхом смерти не личной, а вообще человека, но и, конечно, личной, в частности. Элемент гордыни присутствует в его лирическом герое, а там, где гордыня, там есть и определенный демонизм. А там, где есть демонизм — там есть особое болезненное отношение к смертности, поскольку он не испытывает в должной степени того катарсиса, который испытывает верующий человек. И мне кажется, что для него выяснение отношений с временем — это как бы эрзац катарсиса.

— *Преодолеть смертность невозможно, а возможно ли преодолеть трагизм бытия, которым пронизаны почти все стихи Бродского? Чем он пытается его преодолеть? Иронией, абсурдом, мастерством, верой?*

— Трагизм бытия тоже преодолеть невозможно. Но можно его пытаться преодолевать. И Бродский пытается это делать и иронией, и абсурдом, и мастерством, и верой.

— *В своем эссе о Достоевском Бродский пишет: „Всякое творчество начинается как индивидуальное стремление к самоусовершенствованию и в идеале — к святости. Рано или поздно — и скорее раньше, чем позже, — пишущий обнаруживает, что его перо достигает гораздо больших успехов, нежели душа" [L:161/IV:181-82]. Разделяете ли вы эту мысль? Какие у вас отношения между вашим творчеством и вашей душой?*

— Такого напряженного отношения нет. Может быть, в большей степени, чем Бродский, я попросту воспринимаю литературу как служение. С одной стороны, я всегда помню его же строчку: „Искусство есть искусство есть искусство..." [O:163/I:435], а с другой — я все-таки воспринимаю искусство как служение, и служение каким-то более конкретным вещам, чем те, которые волнуют его. Таким вещам, которые всегда были для русского поэта традиционны, например, я гораздо в большей степени, чем он, ушиблен тем, что пала Россия. Если Бродского можно назвать Иовом, взывающим вообще на обломках духовной цивилизации конца XX века, то я скорее конкретный Иов по России. Мои вопрошания к Творцу связаны именно с моим отечеством. Отечество для меня — это не просто одна шестая земного шара [10]. Бродский смотрит на все более общо. В своем предисловии к моей книжке Бродский сказал, что лирическому герою Кублановского не хватает „того отвращения к себе, без которого он не слишком убедителен" [11]. Я считаю, что это как раз фраза гордеца. Тот, кто чувствует себя творением Божьим, не испытывает к себе ни чрезмерной любви, ни чрезмерного отвращения. Я — одна из Божьих тварей и нахожусь в органике бытия. Испытывать к себе „секуляризированное" отвращение — это оборотная сторона атеизма и гордыни.

— *Отношение Бродского к отечеству выражается прежде всего в его отношении к русскому языку. Он считает, что единственной формой патриотизма для поэта является его степень зависимости от языка, на котором он пишет. В своем поклонении русскому языку он заходит так далеко, что заявляет: „Самое святое, что у нас есть, — это, может быть, не наши иконы, и даже не наша история, — это наш язык" [12]. Вы, конечно, знаете его другие высказывания о языке.*

— Тут есть разный уровень: язык и язык. Ведь Бродский чем превосходен? Язык его поэтический таков, что преобразил повествовательную ткань русской поэзии. Если взять такую провинциальную, условно говоря, традицию русской поэзии, как, допустим, поэзия Твардовского, от которой скулы сводит, то эта традиция дала, увы, в советской поэзии тяжелые метастазы. Сейчас все советские поэты в той или иной степени пишут на языке Твардовского. И не только советские, но и Коржавин, скажем. Бродский превосходен тем, что его язык преображен, убрана зарифмованная повествовательность... Но когда он считает, что язык носит секуляризованный характер — это для меня просто неприемлемо, а „методологически" ложно. Он сравнил поэта с Жучкой, в капсуле языка летящей в пространстве. Когда он говорит о языке как о категории автономной, я это совершенно не понимаю. Для меня язык — это конкретное производное от родной земли, культуры, истории, от всех эманаций, благодаря которым он и возник. То есть я считаю, что язык — это не первичная вещь, а нечто, сформированное именно духовными эманациями отечества.

— *Достигнув всего, „чего было достичь назначено" [Ч:25/II:291, и теперь уже не начерно, куда Бродский движется: вглубь, вверх, в тупик?*

— Меня удивляет, что присуждение Нобелевской премии некоторыми рассматривается как нечто сродное финишу. Пути достижения всего, „чего было достичь назначено", лежат совершенно в иной плоскости. Поэзия Бродского последних лет кажется мне механистичнее предыдущей. Но это, разумеется, мало связано с внешними обстоятельствами, скорее с кризисным, как я уже говорил, для любого поэта возрастом.

— *Насколько поэт вообще, и вы и Бродский в частности, способен принимать хвалу и клевету равнодушно?*

— Как заметил Козьма Прутков, поощрение необходимо поэту, как канифоль смычку виртуоза. Тут скорее речь идет о том, рождает ли твое творчество эхо. Я знаю, что долго жить поэту без этого эха чрезвычайно тяжело. Вот почему я считаю такой жуткой судьбу поэтов русской эмиграции в 40-50-е годы, когда не было даже надежды на эхо, хотя Георгий Иванов утверждал: „Но я не забыл, что обещано мне, / Воскреснуть. Вернуться в Россию — стихами" [13]. Я сам пережил перед перестройкой, после трех лет жизни в эмиграции, это ощущение, что пишешь в какую-то ватную пустоту, все уходит, и нет того резонанса, который необходим, чтобы лучше услышать даже самого себя, а не просто хвалу или клевету.

— *Но в случае Бродского эхо, кажется, угрожает заглушить его собственный голос.*

— Поэту необходимо широкое медитативное поле и большая степень сосредоточенности. Иосиф живет на таком „пятачке", на таком рынке — я поражаюсь, как его хватает на поэзию. Но, может быть, эта некоторая духовная опустошенность в его поэзии последних лет отчасти вызвана именно тем, что у него сейчас отнято то медитативное поле, которое необходимо, чтобы личностно сделать какой-то шажок, если не вверх, то в сторону, а соответственно и несколько видоизменить мир своей поэзии.

— *Как часто и как близко вы общаетесь с Бродским?*

— Мы с ним совершенно в открытую все говорим друг другу, хотя и видимся крайне редко, ведь ему всегда некогда. Но бывало и такое: когда с нами присутствовал кто-то третий или четвертый, я чувствовал какое-то поле некоммуникабельности, идущее от Иосифа. Мне кажется, что Бродский, с одной стороны, неспособен вовсе на одиночество, а с другой — ему необходимо publicity, для него это как наркотик, с третьей — он от него бежит, то есть он этим тяготится, что — в комплексе — создает постоянное напряжение.

— *Какое стихотворение вы можете предложить для этого сборника?*

— То, что я упомянул в начале нашего интервью.

— *Оно, кажется, написано вскоре после второй его операции на открытом сердце?*

— Да.

\* \* \*

И.Бродскому

Систола — сжатие полунапрасное
гонит из красного красное в красное.
...Словно шинель на шелку,
льнет, простужая, имперское — к женскому
около Спаса, что к Преображенскому
так и приписан полку.

Мы ль предадим наши ночи болотные,
склепы гранитные, гульбища ротные,
плацы, где сякнут ветра,
понову копоть вдыхая угарную,

мы ль не помянем сухую столярную
стружку владыки Петра?

Мы ль... Но забудь эту присказку мыльную.
Ты ль позабудешь про сторону тыльную
дерева, где воронье?
Нам умирать на Васильевской линии!
— отогревая тряпицами в инее
певчее зево свое.

Ведь не тобою ли прямо обещаны
были асфальта сетчатые трещины,
переведенные с карт?
Но, воевавший за слово сипатое,
вновь подниму я лицо бородатое
на посрамленный штандарт.

Белое — это полоски под кольцами,
это когда пацаны добровольцами,
это когда никого
нет пред открытыми Богу божницами,
ибо все белые с белыми лицами
за спину стали Его.

Синее — это когда пригнетаются
беженцы к берегу, бредят и маются
у византийских камней,
годных еще на могильник в Галлиполи,
синее — наше, а птицы мы, рыбы ли
— это не важно, ей-ей.

Друг, я спрошу тебя самое главное:
ежели прежнее всё — неисправное,
что же нас ждет впереди?
Скажешь, мол, дело известное, ясное.
Красное — это из красного в красное
в стынущей честно груди.

*1986*

## ПРИМЕЧАНИЯ

[1] Иосиф Бродский, „Послесловие" к сборнику Кублановского „С последним солнцем" (Le Presse Libre: Paris, 1983), С. 363-64. Перепечатано в России: Иосиф Бродский, „Памяти Константина Батюшкова" (альманах „Поэзия", No. 56, 1990, С. 201-203).

[2] Юрий Кублановский, „Оттиск" (YMCA-Press: Paris, 1985). В России: „Оттиск" („Прометей": М., 1990).

[3] И.Бродский, „Послесловие" к сборнику „С последним солнцем", Ibid.

[4] Юрий Кублановский, „Затмение" (YMCA-Press: Paris, 1989), pp. 149-150. Стихотворение включено в том избранного „Число" (Издательство Московского клуба: М., 1994), С. 277-78.

[5] И.Бродский, Интервью В.Полухиной, 20 апреля 1980, Ann Arbor, Michigan. Не опубликовано.

[6] George Steiner, "Poetry from the Shadow-zone." A review of Brodsky's "To Urania. Selected Poems 1965-1988". ("The Sunday Times", 11 September 1988, P. G10).

[7] Эта идея выражена в нескольких эссе Бродского, собранных в "Less Than One", в частности: „Nadezda Mandelstam (1899-1980): An Obituary" [L:145-56]; "In the Shadow of Dante" [L:95-112]; "On 'September 1, 1939' by W.H.Auden" [L:304-56].

[8] И.Бродский, Интервью В.Полухиной, 20 апреля 1980, Ibid..

[9] Иосиф Бродский, „Настигнуть утраченное время", интервью Джону Глэду („Время и Мы", No. 97, 1987), С. 176. В России перепечатано в кн. Джона Глэда „Беседы в изгнании" („Книжная палата": М., 1991, С. 122-31).

[10] „Одна шестая" — метонимия России в стихах Бродского. См., например, стихотворение „Ночной полет" [НСА:9-11/I:213-14] и эссе "Nadezda Mandelstam" [L:145-46].

[11] Иосиф Бродский, „Послесловие" к сборнику Кублановского „С последним солнцем", Ibid., С. 364.

[12] Иосиф Бродский, интервью Наталье Горбаневской, „Быть может, самое святое, что у нас есть — это наш язык...", („Русская мысль", 3 февраля 1983, С. 8).

[13] Георгий Иванов, „Собрание сочинений в трех томах" („Согласие": М., 1994, т. 1), С. 573.

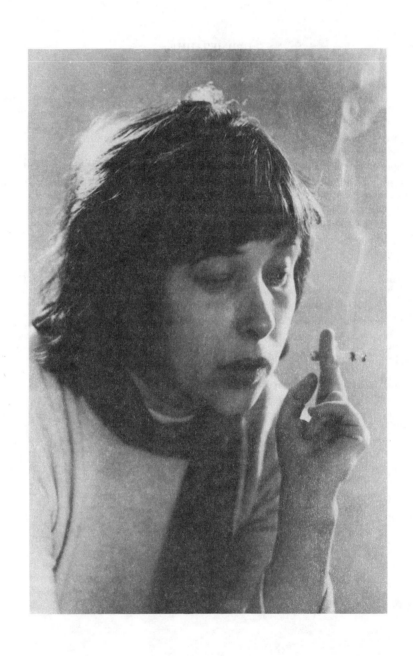

Елена Андреевна Шварц родилась 17 мая 1948 года в Ленинграде. Поэт, переводчик, эссеист. Окончила Ленинградский институт театра, музыки и кинематографии (1971). Стихи начала писать с 13 лет, первая публикация двух стихотворений состоялась в 1973 году в Тартуской университетской газете. Широко распространяясь в самиздате, Шварц рано заявила свое уникальное видение мира и в значительной степени изменила масштаб восприятия читателя. Ее поэтические выступления пользуются огромной популярностью, а первый советский сборник стихов **„Стороны света"** (Ленинград, 1989) был распродан в день поступления в магазины. Вскоре вышел второй сборник, **„Стихи"** („Новая литература": Л-д, 1990), и в том же году Шварц была принята в Союз писателей. На Западе, где вышло три поэтических книги Шварц (**„Танцующий Давид"**, New York, 1985; **„Стихи"**, Беседа: Paris-München, 1987; **„Труды и дни Лавинии, монахини из ордена обрезания сердца"**, Ann Arbor, 1987), она давно пользуется уважением и успехом (о ней написано около сотни работ), благодаря регулярным публикациям в периодике русского зарубежья: „Эхо", „Гнозис", „Ковчег", „Глагол", „Третья волна", „Вестник РХД", „Мулета" и „Стрелец".

Шварц следует христианской традиции в ее барочном варианте, осложненном античной символикой, персонификацией мифа и своеобразным юмором. Увлекательные сюжетные ходы ее мистических поэм нарушают привычные связи и отношения (смотрите, например, **„Бестелесное сладострастие"**, **„Элегия на рентгеновский снимок моего черепа"**). Регулярные метрико-синтаксические конфликты, интонационные перебои и аритмия дыхания сопровождают ее исследования крайних состояний мира („мрак чреватый светом") и человека (ее излюбленный оксюморон — „смертожизнь"). Описывая земные и неземные ужасы, Шварц, похоже, вымолила право „заблуждаться и искать", о котором просил Бога Лессинг.

Стихи Шварц переведены на многие европейские языки. В 1995 году „Пушкинский фонд" издал ее сборник **„Песня птицы на дне морском"**. В 1996 вышел в свет новый сборник **„Mundus Imaginalis (Книга ответвлений)"** (СПб).

# ХОЛОДНОСТЬ И РАЦИОНАЛЬНОСТЬ

*Интервью с Еленой Шварц*
*3 мая 1990, Ленинград*

— *Вы — один из самых известных на Западе современных ленинградских поэтов. Там вышли ваши первые три книги стихов. В Советском Союзе вышла пока всего одна очень тоненькая книжка [1]. Не от плохого ли знания вашей поэзии советские критики вас упрекают в претензии на интеллектуальность, в зашифрованности смысла, сложной ассоциативности?*

— Человек, который это написал в „Литературной газете", видимо, просто вообще меня не читал [2]. Меня ругают за другое: за неорганизованность стиха, за неаккуратность якобы, за мистицизм, с их точки зрения. Вот сейчас появилась рецензия на мою первую советскую книжку во втором номере „Октября". Рецензия не очень хорошая, но она интересна тем, что ее написал какой-то человек из Свердловска, совершенно мне неизвестный провинциальный критик, но он хоть что-то все-таки понимает [3].

— *В какой степени вы серьезно относитесь к критике ваших стихов?*

— Ни в какой. Для меня нет ничего более тягостного, чем читать эту критику.

— *И вы ее обычно игнорируете?*

— Мне иногда бывает интересно что-то, это обычно какая-то фраза, что-то тонко подмеченное, а какие-то длинные рассуждения о стихах меня не интересуют.

— *„Стороны света" очень тоненькая книга ваших стихов. Что еще планируется издать в Советском Союзе?*

— В „Советском писателе" через год примерно выйдет книга „Поэт". Там будет „Лавиния" и маленькие поэмы, не все, правда. И еще в одном, не государственном, издательстве сборник моих стихов выходит [4].

— *И это без трудностей? Вам не нужно было их пробивать?*

— Абсолютно. Меня пригласили. Я вообще никогда ничего не пробиваю и никому ничего не предлагаю. В „Звезде" у меня сейчас подборка стихов появится в шестом номере [5]. В „Дне поэзии" два стихотворения напечатали [6]. Тут они сами выбирают. Как правило, они выкидывают самые лучшие стихи.

— *И вы разрешаете?*

— А что же сделаешь? Сейчас я просто такие стихи стараюсь давать, чтобы хоть что-то осталось. Я заметила, что за годы самиздата произошли странные замены в стихах, смещения, которые почти невозможно восстановить. У меня есть одна знакомая, у которой гениальная память на стихи. Она нашла вот в этой маленькой книжке [7] 15 неправильностей и показала мне. Действительно, я убедилась что она права. Я просто уже забыла.

— *Это, конечно, плата за то, что вас так долго не печатали?*

— Да, да.

— *А как много ошибок в американских книжках?*

— Огромное количество: пропущенные строки, стихи соединены вместе искусственно и т.д.

— *Сколько вариантов стихотворения вы отвергаете, прежде чем останавливаетесь на каком-то одном, окончательном?*

— У меня не бывает вариантов. Стихотворение пишется сразу. Я не труженик, я не работаю как полагается. Я в основном в ванне все сочинила. Когда я печатаю стихотворение на машинке, я что-то исправляю, что-то прибавляю.

— *И вы не возвращаетесь к написанному через несколько месяцев, через несколько лет?*

— Очень редко, может, какое-то слово исправлю.

— *Чьи незакавыченные цитаты можно заметить в ваших стихах?*

— Скорее всего пушкинские, но только в ироническом смысле. Ни в каком другом смысле я никого не цитирую. Бывают какие-то совпадения, но это не мое дело их находить. Мое дело сознательно никого не повторять.

— *С кем из великих предшественников вы чаще всего разговариваете?*

— Я ориентировалась на поэтов начала века, просто хотя бы потому, что мы не знали ни Бродского, ни Бобышева очень долго. Я воспитывалась на представлении о какой-то культурной пропасти, бездне между началом XX века и нами. Я узнала Бродского, только когда я уже сформировалась как поэт.

— *Так что никакого сознательного отталкивания не было, как, скажем, у Кривулина?*

— Кривулин немножко старше меня, и человек он более общительный, он больше знал современных себе поэтов.

— *Какие эстетические задачи вы для себя ставите?*

— У меня не столько эстетические задачи, сколько какие-то другие. Не хочу говорить духовные, но это какое-то постижение иной реальности через вещи, через людей, через себя саму, постижение чего-то иного. Это попытка получить знание, а какими средствами — мне более или менее безразлично.

— *По мнению Бродского, успех ленинградской поэзии, петербургской школы вообще, в значительной степени объясняется „уважением к форме, уважением к требованию формы" [8]. Вы же, воспитанная в „колыбели русской поэзии", похоже, сознательно расшатываете традиционные формы?*

— Мне кажется, это ошибочное мнение, хотя и очень распространенное. Петербург не только город акмеистов, но и Хлебникова. Хлебников поэт, конечно, прежде всего российский, но и петербургский. Потом Кузмин, поэт с его внешне хотя и строгим, но внутренне тоже развинченным стихом.

Они мне самые, пожалуй, близкие поэты, кроме Цветаевой. Поэтому для меня петербургская школа понятие фиктивное, вымышленное.

— *Почему Кузмин? Когда вы вышли на Кузмина?*

— Так случилось, что кто-то дал почитать. Кушнер мне его хвалил, Бобышев. Но я и без них его открыла, „Форель разбивает лед" в основном.

— *Что формально держит ваше стихотворение?*

— Какая-то энергия, не словесная, а какая-то другая, музыкальная, на первый взгляд, хаотическая, но на самом деле это сложная музыкальная организация, принципиально иная, чем у поэтов классического направления.

— *Значит ли это, что ваша общая музыкальная посылка — создать новое замечательное созвучие, новый тип гармонии?*

— Именно, и чтобы это полностью соответствовало тому, что я хочу сказать. Это что-то вроде музыки первой половины XX века. Я никогда не понимала, почему стихи надо дудеть в одну дуду: как заведешь какой-то размер, так и нужно следовать ему до конца. У меня другая просто природа, я не могу даже выдержать один размер, я люблю очень ломать ритмы. В то же время в этом сложная музыкальная гармония скрыта.

— *Только ли музыкой достигается гармония вашего стиха? А система мифологем, культурно-этимологические ассоциации, да и просодия, наконец, какова их функция?*

— Конечно, и этими, и многими другими средствами, но прежде всего, конечно, музыкой. И еще какой-то очень сложной системой соответствий внутри стихотворения. Я не знаю, как это объяснить, я вообще не большой теоретик. Я стараюсь как можно меньше понимать, я сознательно не хочу понимать. Это тоже, может быть, отличает меня от Иосифа, хотя, конечно, я все равно кое-что понимаю. Я вижу просто, как это все само собой получается: возникают строгие, почти математические закономерности, смысловые прежде всего. А вы знаете Аронзона?

— *Я знаю о нем и те его стихи, которые включены в Антологию Кузьминского* [9].

— Почему я спросила? Он в общем-то тоже поэт очень классический. И хотя Бродский отзывался о нем очень неважно, мне кажется, что внутренне он для Бродского был важен. Он очень мало написал, правда. Просто современный поэт всегда важен, особенно поэт такого таланта, какой был Аронзон.

— *Значит, и Бродский, ваш современник, для вас должен быть важен? Или вы считаете его своим эстетическим противником?*

— В каком-то смысле, да. Особенно я это раньше ощущала.

— *А что для вас у Бродского особенно неприемлемо?*

— Холодность и рациональность. Но при этом я, конечно, понимаю, какой он большой поэт. Это невозможно не понимать.

— *Его холодность и рациональность — это всего лишь средства обуздать его трагическое мироощущение.*

— Я понимаю, но результат все равно такой.

— *В какой мере для вас любые поэтические приемы лишь способ фиксации духа?*

— В большой, почти целиком. Они должны соответствовать реальности духа, как телу одежда, хотя тут как раз тела нет.

— *Наше тело — всего лишь временное местожительство духа?*

— Да, конечно. У меня как раз есть стихи, в которых говорится, что Господь телесней нас всех в каком-то смысле.

— *Согласны ли вы с теми, кто считает, что, кроме религии, другого содержания в искусстве нет?*

— Нет, я с этим совершенно не согласна. Но у меня действительно с самого детства все как-то само собой сводится к Богу, даже против моего желания часто.

— *У вас, мне кажется, есть движение не только к свету, но и к тьме. Насколько далеко вы позволяете себе заходить в темное?*

— Насколько возможно. Насколько я способна.

— *Откуда такая потребность?*

— Потому что область темного — это, может быть, всего лишь тень от света. Это тот же свет в каком-то смысле. И потом, человек рожден для познания. Хотя у апостола Павла сказано, что человек рожден для несчастья, как искра, чтобы возлетать вверх. Я же себя ощущаю, как будто я кем-то сюда послана для того, чтобы рассказать о том, что я здесь могу понять. А поскольку здесь существует тьма тоже, то как же можно обходить ее. Это было бы духовной трусостью.

— *Вам представляется, что человек, движущийся к свету, способен познать меньше?*

— Нет, конечно. Может быть, даже больше. Но это только святой достигает такого просветления и душевного, и физического, что ему становится видно все. А я человек слабый, и мне далеко до святого во всех отношениях. Я просто вижу то, что передо мной, а передо мной больше тьмы, чем света.

— *Мы уже коснулись ваших расхождений с Бродским в вопросах стихосложения. Не могли бы вы сказать несколько слов по поводу каких-либо точек пересечения в философском плане?*

— Чтобы ответить на такой вопрос, мне следовало бы перечитать всего Бродского. Честно говоря, последнее время Бродский меня мало занимает. Я не хочу говорить неправду. Для меня он куда-то соскользнул на периферию сознания. Он для меня не очень важен. А может быть, просто вообще современная поэзия для меня не очень важна.

— *Вы считаете, что любой человек и поэт, в частности, способен впустить в себя только определенную долю чужого мира?*

— То, чего он не любит, по крайней мере, а то, что он любит, это может быть безгранично.

— *Мне странно, что вы так не принимаете Бродского: вы озабочены теми же проблемами, что и он.*

— Я понимаю, что мы очень сходимся как антиподы. Мне кажется, у него это больше слова, слова, слова, чем то, что я хочу достигнуть. Да, это прекрасно, это виртуозно, это умно, но я совсем не этого ищу и хочу. Он все-таки больше скептик, а я нет, совсем наоборот. У него взаимоотношения с Богом, как у людей, которые когда-то были близки, а потом друг другу стали неприятны.

— *Не происходит ли некоторое недоразумение оттого, что Бродский считает, что в наше время о Боге нельзя говорить открытым текстом, с полной прямотой?* [10]

— Я думаю, что можно, если действительно есть что сказать по этому поводу. Конечно, если это как-то искусственно взвинчивать, или прямо говорить банальные слова о Боге — это, конечно, я согласна, греховно. Но если существует истинная интуиция, то наоборот — грех это скрывать.

— *Есть ли что-либо у Бродского, что вам интересно?*

— Из того, что я знаю, мне нравится „Разговор с небожителем" [K:61-68/II:209-15]. Мне он интересен в плане историческом, что ли: то, что он пишет о Ленинграде, о юности своей, о том времени, когда я была еще ребенком. И менее интересно все, что он пишет об Америке.

— *Значит, вы читали его эссе, хотя бы некоторые?*

— Некоторые.

— *И как вы оцениваете его прозу?*

— Я читала их только по-английски. Мне очень нравится его эссе о родителях [L:447-501]. Как эссеист, он, конечно, блестящий. Но он и блестящий софист в своем роде.

— *А читали ли вы его эссе о Цветаевой?*

— О Цветаевой я вообще ничего не читаю, кроме биографического материала.

— *Почему?*

— Не хочу, потому что я ее слишком люблю.

— *Ее и Бродский очень любит.*

— Я знаю. Это даже странно.

— *Мне кажется, вам понравилось бы то, что он о ней написал. Я помню, когда я с ним только что познакомилась в 1978 году, я была в плену у Цветаевой и осторожно сказала ему: „Не правда ли, Марина Ивановна почти гениальна?" Он поправил меня: „Не почти, а гениальна." Потом, когда появились его эссе о Цветаевой [L:176-267/IV:64-125] в форме предисловий к ее прозе и поэзии* [11], *я сделала с них копии и послала Саломее Николаевне Андрониковой-Гальперн, которая дружила, как вы знаете, с Цветаевой в течение тринадцати лет и которой Цветаева написала свыше сорока писем. Она была в совершеннейшем восторге от первых двух страниц и, не дочитав эссе, посмотрела в конец, чтобы узнать, кто же так проникновенно и так блистательно написал о Цветаевой. Мне она потом сказала: „Наконец-то Марина Ивановна дождалась". В одном из своих интервью Бродский сказал, что Цветаева — единственный поэт, с которым он отказывается соревноваться* [12].

— Да это и невозможно.

— *Чем вы объясняете тот факт, что Бродский, выросший как поэт около Ахматовой, так тяготеет к Цветаевой?*

— По естественному признаку огромности: притяжение к большому телу.

— *Вы считаете, что Цветаева технически совершеннее Ахматовой?*

— Безусловно. Она вообще в этом смысле самый совершенный русский поэт, самый виртуозный.

— *Как вам видится Бродский в перспективе времени, как поэт, начавший новую эру в русской поэзии, или как завершивший ее определенный этап?*

— Конечно, начавшим какую-то новую линию, в частности, проникновения английской и западной поэзии в русскую. Он как бы прививку совершил. Это, конечно, великое дело. Это его главное достижение.

— *Вы считаете, что русская поэзия нуждалась в такой прививке?*

— Я не уверена, что нуждалась, но он это сделал настолько естественно, что, наверное, нуждалась, раз это в принципе оказалось возможным. Вообще-то русская поэзия, если ее представить как поле, а поэтов как деревья или людей стоящих, то почти не осталось места, куда можно встать, особенно оставаясь традиционным. И он сделал такой новый шаг или скачок. Он привил совершенно новую музыкальность и даже образ мышления, совершенно не свойственный русскому поэту. Но нужно ли это русской поэзии? Мне кажется, это перед ее концом. Это один из признаков ее конца и смерти. А может быть, мне все это трудно оценить как поэту. Бродский — поэт для читателей, в отличие от Хлебникова, скажем. Хотя и Хлебникову невозможно подражать, и, кроме обэриутов, ничего из него не родилось.

— *Странно, я вижу в вашем поэтическом мире следы Хлебникова.*

— Ну, какие-то, да.

— *И у Бродского его следы очевидны, в частности, в структуре тропов, в предпочтении именных метафор атрибутивным и глагольным, в типе трансформации реального мира в поэтический* [13]. *Так что у вас с Бродским, по крайней мере, два общих поэтических родственника, и тем не менее ваши поэтики такие разные.*

— Это только говорит об их богатстве изначальном. Мне кажется, Бродский ближе душевно и интеллектуально Ходасевичу, хотя он умнее Ходасевича. К Ходасевичу я отношусь примерно так же, как к Бродскому, может быть, с большим, правда, восхищением, но тоже с какой-то враждебностью.

— *О душевной и духовной близости поэтов мы можем только спекулировать. Если же сравнивать формальные структуры, Бродский ближе всех Цветаевой и Хлебникову.*

— Да, тут вы абсолютно правы.

— *А как вы объясняете эту формальную близость Бродского Хлебникову? Может быть, самой эволюцией поэтического языка? Помните, Мандельштам писал о Хлебникове: „Хлебников написал даже не стихи, не поэмы, а огромный всероссийский требник-образник, из которого столетия и столетия будут черпать все, кому не лень"?* [14]

— Мне кажется, на самом деле поэт для другого поэта почти ничего добыть не может, кроме чего-то очень небольшого. Наоборот, это место, которое он уже открыл и развил, надо обходить стороной, как можно дальше, потому что иначе неминуем плагиат.

— *И вы тоже обходите Хлебникова стороной или вы его регулярно перечитываете?*

— Я вообще очень редко перечитываю какие бы то ни было стихи.

— *Бродский, как и Хлебников, в значительной степени мифологизирует язык, создает почти культ языка. Что толкает его в теории и на практике так акцентировать самоценность языка?*

— Прежде всего, сама душа языка, ей нужна идея языка Бродского. Я не уверена, что это русский язык. Это какой-то иной язык. Каждым поэтом движет какая-то стихия, которая за ним стоит. Очень важно определить, какая. Я, например, догадалась и могу даже доказать, что за Кузминым стоит вода в разноообразных проявлениях. За кем-то еще, может быть, ветер, огонь. А за Бродским действительно стоит какое-то языковое существо, я не знаю, какое.

— *За ним также стоит еще и стихия воздуха, я тоже это могу доказать. Какую роль тут, по-вашему, играет факт пребывания Бродского вот уже больше четверти века в иноязычной среде?*

— Существование в иноязычной среде не сказывается на поэтическом языке, может быть, на бытовом, но это совершенно другой язык, к поэтическому имеющий косвенное отношение. Жизнь Бродского в иной языковой среде, может быть, даже обогатила его поэтический язык.

— *А что значит язык для вас?*

— Для меня язык прежде всего слуга. Я очень люблю язык, его богатство, его возможности. К сочинению стихов я отношусь как к сакральному, священному акту, когда происходит слияние каких-то сил, идущих не только от меня, и даже в меньшей степени идущих от меня, а гораздо больше еще откуда-то. И постольку, поскольку действуют совсем какие-то другие силы, они пробуждают и языковые скрытые пласты и все, что угодно, другое, когда это нужно.

— *Вы не воспринимаете себя голосом языка, инструментом языка, как Бродский?* [15]

— Инструментом, да, но не языка.

— *Духа?*

— Да.

— *Поскольку Бродский считает, что язык не мог быть создан человечеством, а он был дан нам кем-то, кто больше нас [16], то в его „теологии языка" [17] язык и Дух сближаются.*

— Да, потому что вдохновение посылается не в чистом виде, как какие-то волны, а как словесная волна. Для меня главное что-то увидеть и услышать, а язык явится уже сам собой.

— *Вы упомянули о новом образе мышления Бродского, не свойственном русской ментальности. Что конкретно вы имели в виду?*

— Я уже сказала: холодность и рациональность, они мало свойственны русской поэзии. Ей свойственна внутренняя и глубокая надрывность.

— *Как вам видится появление Бродского в русской поэзии, как поэтический взрыв на фоне советского стилистического плато или как естественная эволюция?*

— Конечно как взрыв. Это, по-моему, очевидно.

— *А что вы думаете о длинных стихах Бродского?*

— Дело не в том, что они длинны, а в том, что ритмически они абсолютно однообразны. Это то, что меня оттолкнуло, когда я прочитала его поэму „Исаак и Авраам" [С:137-55/I:268-82]. Мне показалось, что все, что в ней можно и нужно сказать, можно вместить в несколько строчек. Я не понимаю, зачем нужно такое безумное накручивание. И хотя я сама склонна к длинным стихам, но, во-первых, не настолько длинным, а, во-вторых, у меня все-таки перебивчатый ритм. Для меня самый любимый и главный жанр — это именно маленькая поэма, как „Черная пасха" [18] или „Хоррор эротикус" [19]. Это в каком-то смысле кузминская традиция, потому что он так понимал поэму. Иначе понимать поэму сейчас невозможно.

— *И вы считаете, что ваши поэмы написаны в стиле Кузмина?*

— У меня они все-таки иначе устроены, если хорошо приглядеться. Я из того же, что и он, исходила: понимания поэмы как музыкального произведения, а не как развития сюжета, то есть сюжет выражен различными сложными музыкальными столкновениями. Повествование более скрыто, в нем есть сюжет, но внутренний, не прямой. Для меня важно сопряжение разных мотивов, сведение их в единую гармонию. И полное совпадение с какими-то смыслами, сюжетными линиями. Мой любимый жанр — визьён приключений, который не знаешь, чем кончится.

— *Идете ли вы так же далеко, как символисты, приписывая музыке мистические смыслы?*

— Иду в каком-то смысле, но не за ними. У меня совсем другая музыка. То, что я считаю музыкой, кажется другим хаосом звуков, так же, как Шостакович, на первый взгляд. Музыка либо несет в этот мир какую-то реальность, либо ее нет.

— *Если верить Бродскому, его эволюция выражается в стремлении нейтрализовать „всякий лирический элемент, приблизить его к звуку, производимому маятником, то есть чтобы было больше маятника, чем музыки"* [20].

— Это даже страшно как-то. Я не верю, что это действительно так, не верю, потому что это видно даже по самой природе его стихов, которая довольно прихотлива и ритмически очень разнообразна. Правда, последние его стихи, которые я читала, в них он, может быть, и достигает, чего он хочет, потому что в них ощущается какая-то мертвенность запредельная. Правда, последнее, что я слышала по радио „Либерти", это вообще были какие-то частушки.

— *Вы имеете в виду его „Лесную идиллию"? Это стилизация под Уфлянда.*

— Нет, что-то совсем новое.

— *Тогда, должно быть, „Представление" [III:114-19], напечатанное в „Континенте"* [21].

— Недавно в Ленинграде была Оля Седакова, и она рассказывала мне о своих с ним встречах в Венеции. Она вам рассказывала?

— *Очень коротко, несколько дней тому назад в Москве. Но как будто впечатления у нее не негативные, хотя он и пытался ее шокировать, представившись ей словами: „Не правда ли, все мы немножечко монстры?“* [22]

— Что же тут шокирующего? Это чистая правда.

— *Вы думаете, это относится и к Оле Седаковой?*

— Это и к Оле относится, даже в большей степени, может быть, чем к Бродскому. Нет, у нее впечатления не негативные. Но она, кстати, тоже говорила о том, что ей показалось, что ему безразлична современная поэзия, она его не интересует.

— *Парщиков мне говорил, что на фестивале русской поэзии в Роттердаме летом 1989 года Бродский отметил его и Еременко.*

— Ну, отмечать он отмечает всех, и меня в том числе. Ему это ничего не стоит, по-моему, отметить кого-то. Мне, кстати, глубоко противно все это, что есть какой-то человек, который раздает чины и награды.

— *Очень жаль, что это так воспринимается: Бродский очень скуп на похвалы, правда, когда он щедр, он щедр безмерно и часто приписывает свои собственные качества другим поэтам, о которых он пишет.*

— Все это совершенно не так. Люди, вроде Парщикова и компании, воспитаны в советском духе, им нужен начальник. Вот у них есть этот начальник.

— *Какую роль вы отводите личности поэта?*

— В какой-то степени все поэты мифологизированные фигуры. Реальностью не обладают ни Пушкин, ни Баратынский. Живой человек умирает, и остается миф. То, что мы о них знаем, не имеет отношения к реальности. И даже то, что мы знаем о Бродском, может быть, имеет мало к нему отношения. Миф создается не самим поэтом, а всякими силами вокруг него. И миф тем неизбежнее, чем поэт больше. Личность поэта, конечно, на всем отражается, прежде всего на музыке. Каждому поэту присуща своя музыка. Это как раз признак поэта вообще.

— *Для Бродского музыка тоже чрезвычайно важна. В одном интервью он сказал: „По части конструкции [стихотворения] главные учителя для меня — это де Ренье и Бах. До известной степени Моцарт“* [23].

— Что Бродский привнес для меня, для моего сознания, это такое отношение к стихотворению, к его структуре и композиции, как к архитектуре, потому что его стихи напоминают сложные строения. И это, может быть, играло для меня какую-то роль, когда я читала его вначале. Я очень быстро поняла, что стихотворение строится совсем не так просто, как, скажем, высказывание мысли, как у Кушнера, например. У него часто высказывается заранее известная мысль или описывается какое-то чувство и все. Я думаю, стихотворение должно быть совершенно другим. Оно может быть какой-то сложной постройкой, в которой есть колонны, крыши, балки, все. И если оно такое сложное архитектурно, то оно и музыкально сложное.

— *Не связана ли „архитектурность“ ваших стихов с тем фактом, что вы родились и живете в Ленинграде?*

— Да, я родилась в Ленинграде, и это мой город: я нигде больше не могла ни родиться, ни жить. Но стихи мои архитектурны не в прямом смысле, из них ничего нельзя построить. Это конструктивность как подход, потому что на самом деле у меня тоже есть достаточно рациональных сил, но я не даю им преобладать, я не считаю их в себе высшими или лучшими.

— *Что можно считать наименьшей семантической единицей вашего стихотворения: слово, музыкальный такт, синтагму?*

— Само стихотворение. Оно распадается на разные элементы, но для меня стихотворение как живой организм, цельный — в нем можно различить руки, ноги.

— *Почему вы согласились с Бродским, что все поэты — монстры?*

— Я бы сказала, монстры — это начальный период, а потом мы — полная пустота, кроме того, что мы говорим. Бродский сейчас не монстр.

— *У него в последние годы наблюдается стремление к смирению, к скромности.*

— Это очень хорошо. У всякого поэта есть огромная усталость от своего „я", от всего, что связано с собой. Это „я", спущенное откуда-то с небес и навязанное тебе, оно очень выедает человека изнутри, надоедает, претит и мучает. Но уйти от него никуда невозможно.

— *В какой степени исследователи вправе ставить знак равенства между реальным „я" поэта и его лирическим субъектом?*

— Этого я не знаю. Видимо, не случайно стремление скрыться за каким-то персонажем, за какой-то маской.

— *Знакомы ли вам стихи Бродского жанра путешествий, которые Чеслав Милош назвал „философским дневником в стихах"?* [24].

— Нет, они мне не попадались. У меня никогда не было книжки Бродского, я все читала отрывочно.

— *Допускаете ли вы, что если бы вы прочли полностью хотя бы один сборник Бродского, вы изменили бы к нему отношение?*

— Оно вообще-то менялось: раньше я более враждебно к нему относилась. Может быть, это было необходимо в какой-то период становления. Даже не враждебность, просто, когда ты кошка, то ты понимаешь, что это собака.

— *А вы, кстати, знакомы с Бродским?*

— Ну, это как сказать. Я видела его один раз на какой-то вечеринке, когда мне было лет 15-16. Он был там, это были проводы Рейна в Москву. Я только помню, что я почему-то надевала шляпу Бродского на себя. А потом еще был случай: я была у поэта Глеба Семенова в гостях, и там тоже был Бродский, и он тогда читал свои стихи.

— *Вам нравится его манера чтения?*

— Я считаю, что она вполне адекватная. Раньше он читал лучше, чем все, что я слышала потом по радио. Кривулин всегда говорит, что Бродский похож на танк. Сходство действительно есть.

— *Можно ли заподозрить поэта, плохо говорящего о другом поэте, что он просто заметает следы?*

— Если фрейдовской теории придерживаться, то это как раз первый указатель. Тогда, правда, можно сказать, что я безумно люблю Бродского, и, может быть, какая-то правда в этом есть. В ранней юности я очень им восхищалась. А сейчас, когда читаешь эти стихи, непонятно, чем все восхищались.

— *Все поэты проходят какие-то эволюционные этапы, у вас они менее заметны, если судить по тому, что опубликовано. Это что, развитие вундеркинда?*

— Мне кажется, что поэт вообще, рано достигая какого-то уровня, уже до смерти не может с него упасть. Достигнутая однажды высота, она же есть и предельная. На самом деле есть не эволюция, а саморасширение, развитие вширь. Это со мной произошло года в 23.

— *Есть ли у вас какие-то obsessions?*

— Конечно есть. Например, я верю, что существует какой-то дух, какое-то существо в буквальном смысле.

— *Вы довольно часто впускаете в свои стихи секс. Какова его функция?*

— Если взять раннюю поэму „Хоррор эротикус", то там как бы полное отрицание секса, секс как темное, мрачное, злобное начало, как невозможность истинной любви в этом мире. Точнее, невозможность найти формы для выражения любви, потому что человек, любя, обречен только на эти формы, а других никаких нет. Я этого никак не могу принять.

— *Если не любовь, то что же может защитить нас от страха смерти, от темноты, от разрушительного действия времени?*

— Ну, во-первых, это еще сказано у Златоуста: „Смерть, где твоя победа? Где твое жало?" Христос — наша защита.

— *А вы не приписываете поэзии способности защитить нас от чего-то негативного? Не претендуете на...*

— Претендую. Поэзия тоже спасает и защищает. Я вообще не представляю, как другие люди живут, я не вижу другого смысла, чем быть таким как бы фонтаном, что ли.

— *У вас есть озабоченность культурой?*

— Есть, поэзией в особенности. Это так же, как у Оли Седаковой, она тоже рано начала говорить о том, что конец света приближается. Я поняла позже, что это действительно так. Не знаю, конец ли это света, но что касается русской поэзии, то это, безусловно, конец, потому что поэзия всегда так развивалась вспышками, как болотные огоньки, то в Англии, то во Франции, то в России. Почему она бесконечно должна в одном и том же месте быть?

— *России в XX веке особенно повезло* [25].

— Да, она уже столько великих поэтов дала.

— *И к сегодняшнему дню вы думаете, что энергия языка и духа исчерпала себя?*

— Да, это как поле, оно должно полежать под паром.

— *Как вы относитесь к переводам ваших стихов на другие языки?*

— Как к неизбежному злу, хотя переводы Michael Molnar, по-моему, вполне приличные, потому что он понимает что-то в стихах.

— *Вы согласны, что только второсортного поэта можно в переводах улучшить, а настоящего поэта переводы, как правило, усредняют?*

— Безусловно.

— *Я повторяю, что ваша репутация на Западе очень высокая. Это не может быть вам уж совсем безразлично.*

— Честно сказать, совсем безразлично. Правда, иногда с приятными людьми познакомишься. А в общем, как и здесь, это не имеет для меня никакого значения.

— *А иностранная поэзия вас совсем не интересует?*

— Почему, интересует, только не современная. То, что я слышала на Западе, по-моему, просто ужасно и никакого отношения к поэзии не имеет. И самое страшное, что там люди вообще начинают терять понятие о том, что такое поэзия. Скоро так будет и у нас. Последний поэт, который мне нравится, это Т.С. Элиот, пожалуй. Может быть, я просто не знаю чего-то. Единственное, что меня волнует в связи с Бродским, это то, что он сюда возвращаться не хочет. Я это очень остро понимаю, на самом деле это страшно больно, почти физически. Хотя именно здесь есть люди, которые могли бы своей любовью, пониманием поддержать его. Себя я, естественно, не отношу к этим людям, но их много. Все-таки настоящую поэзию здесь ценят больше, чем на Западе. Правда, и на Западе есть чудаки, но здесь их больше.

— *Какой ценой поэт расплачивается за свою популярность?*

— Не знаю, у меня, слава Богу, нет такой популярности. Хотя похвастаюсь немного: я чуть ли не единственный поэт в Ленинграде, кого приходят слушать. Я иногда как спектакль весь вечер одну „Лавинию" [26] читаю в таком маленьком театре „Приют комедианта" на улице Гоголя, с куклами причем. Но я стараюсь как можно реже это делать: выступления, радио, интервью. Действительно какая-то профанация происходит. И когда я себя слышу по радио, то, кроме отвращения, я ничего не чувствую. Годы застоя в каком-то смысле блаженные годы были, потому что они давали столько внутреннего простора, ничего не мешало, кроме нищеты. Сейчас сильно вторгаются разные средства массовой информации.

— *Что угрожает Бродскому в связи с выходом сразу нескольких книг его стихов в Советском Союзе?*

— Я думаю, что он станет более официозным поэтом, уже становится им в массовом сознании людей в связи с Нобелевской премией: где-нибудь в Саратове он давно уже классик.

— *Есть ли кто-либо из пишущих сегодня по-русски, кто заслужил эту премию не меньше, чем Бродский?*

— Я вообще не понимаю института премий. Но думаю, что Бродскому дана эта премия справедливо.

— *Поскольку у вас нет стихотворения, адресованного Бродскому, вы разрешаете мне выбрать какое-нибудь ваше стихотворение для этого сборника?*

— Что угодно. Только если это отрывок из поэмы, то укажите, пожалуйста, иначе он будет звучать, как проигрыш между двумя темами.

## ЭЛЕГИЯ НА РЕНТГЕНОВСКИЙ СНИМОК МОЕГО ЧЕРЕПА [27]

Флейтист хвастлив, а Бог неистов —
Он с Марсия живого кожу снял, —
И такова судьба земных флейтистов,
И каждому, ревнуя, скажет в срок:
„Ты меду музыки лизнул, но весь ты в тине,
Все тот же грязи ты комок,
И смерти косточка в тебе посередине".
Был богом света Аполлон,
Но — помрачился —
Когда ты, Марсий, вкруг руки
Его от боли вился.
И вот теперь он бог мерцанья,
Но вечны и твои стенанья.


И мой Бог, помрачась,
Мне подсунул тот снимок,
Где мой череп, светясь,
Выбыв из невидимок,
Плыл, затмив вечер ранний,
Обнажившийся сад;
Был он — плотно-туманный —
Жидкой тьмою объят,
В нем сплеталися тени и облака,
И моя задрожала рука.
Этот череп был мой,
Но меня он не знал,
Он подробной отделкой
Похож на турецкий кинжал —
Он хорошей работы,
И чист он и тверд,
Но оскаленный этот
Живой еще рот...
Кость! Ты долго желтела,
Тяжелела, как грех,
Ты старела и зрела, как грецкий орех, —
Для смерти подарок.
Обнаглела во мне эта желтая кость,
Запахнула кожу, как полость,
Понеслася и правит мной,
Тормозя у глазных арок.
Вот стою перед Богом в тоске
И свой череп держу я в дрожащей руке, —
Боже, что мне с ним делать?
В глазницы ли плюнуть?
Вино ли налить?
Или снова на шею надеть и носить?
И кидаю его — это легкое с виду ядро,
Он летит, грохоча, среди звезд, как ведро.
Но вернулся он снова и, на шею взлетев, напомнил
мне для утешенья:

Давно, в гостях — на столике стоял его собрат,
для украшенья,

И смертожизнь он вел засохшего растенья,
Подобьем храма иль фиала, —
Там было много выпито, но не хватало.
                                    И некто
тот череп взял и обносить гостей им стал,
Чтобы собрать на белую бутылку,
Монеты сыпались, звеня, по темному затылку,
А я его тотчас же отняла,
Поставила на место — успокойся,
И он котенком о ладонь мою потерся.
За это мне наградой будет то,
Что череп мой не осквернит никто —
Ни червь туда не влезет, ни новый Гамлет в руки
                                    не возьмет.
Когда наступит мой конец — с огнем пойду я под
                                    венец.

Но странно мне другое — это
Что я в себе не чувствую скелета,
Ни черепа, ни мяса, ни костей,
Скорее же — воронкой после взрыва,
Иль памятью потерянных вестей,
Туманностью или туманом,
Иль духом, новой жизнью пьяным.


Но ты мне будешь помещенье,
Когда засвищут Воскресенье.
Ты — духа моего пупок,
Лети скорее на Восток.
Вокруг тебя я пыльным облаком
Взметнусь, кружась, твердея в Слово,
Но жаль — что старым нежным творогом
Тебя уж не наполнят снова.

*1972*


## ПРИМЕЧАНИЯ


[1] По-английски ее стихи опубликованы в антологиях "Child of Europe" (Penguin, 1990, P. 197-203) и "The Poetry of Perestroika" (Iron Press, 1991, P. 99-101) в переводах Michael Molnar.

[2] Павел Ульяшев, „Гласность без гласа?..", „Литературная газета", 8 декабря 1989, стр. 4.

[3] Вячеслав Курицын, „Прекрасное языческое бормотание" (рецензия на публикацию подборки стихов Е.Шварц „Второе путешествие Лисы на северо-запад" в ж. „Аврора" (No. 12, 1988) и на ее сборник „Стороны света"), „Октябрь" (No. 2, 1990, С. 205-7).

⁴ Елена Шварц, „Стихи" (Ассоциация „Новая литература", Ленинград, 1990), 119 стр.. Эта книга — практически „Избранное" Елены Шварц, в нее вошли стихи из рукописных сборников „Войско, изгоняющее бесов" (1976); „Оркестр" (1978); „Разбивка парка на берегу Финского залива" (1980); „Корабль" (1982); „Летнее морокко" (1983); „Лоция ночи" (1987).

⁵ Елена Шварц, „Бестелесное сладострастие" („Звезда", No. 6, 1990, С. 117-18).

⁶ „День поэзии" (Л-д, 1989), С.39-40.

⁷ Елена Шварц, „Стороны света", Ibid.

⁸ Иосиф Бродский, „Европейский воздух над Россией", интервью Анни Эпельбуан („Странник", No. 1, 1991, С. 36).

⁹ См. примечание 18 к интервью с Виктором Кривулиным в настоящем издании. Елена Шварц составила „Избранное" Аронзона (Ассоциация „Камера хранения": СПб., 1994).

¹⁰ Иосиф Бродский, Интервью В.Полухиной, 20 апреля 1980 года, Ann Arbor, Michigan. Неопубликовано.

¹¹ Иосиф Бродский, „Поэт и проза", предисловие к кн. Марина Цветаева, „Избранная проза в двух томах" (New York: Russica Publishers, Inc., 1979), vol. I, pp. 7-17; и „Об одном стихотворении (Вместо предисловия)", Марина Цветаева, „Стихотворения и поэмы" (New York: Russica Publishers, Inc., 1980-1983), vol. I, pp. 39-80.

¹² Joseph Brodsky, interviewed by Sven Birkerts, "The Art of Poetry XXVIII: Joseph Brodsky" („Paris Review", No. 24 (Spring 1982), P. 104.

¹³ О грамматике и семантике метафор Бродского в сравнении с метафорами десяти русских поэтов см.: Валентина Полухина, „Грамматика метафоры и художественный смысл", в кн. „Поэтика Бродского" (Hermitage: Tenafly, N.J., 1986), С. 63-96, а также главы 3 и 4 в монографии V.Polukhina, "Joseph Brodsky: a Poet for Our Time" (CUP: Cambridge, 1989), P. 102-94.

¹⁴ Осип Мандельштам, „Буря и натиск", в кн. „Собрание сочинений в четырех томах" („Терра": М., 1991, т. II, С. 349).

¹⁵ Иосиф Бродский, „Язык — единственный авангард", интервью В.Рыбакову („Русская мысль", 26 января 1978, С. 8).

¹⁶ Иосиф Бродский, семинар в University of Keele, 7 марта 1978 года. См. также интервью Наталье Горбаневской, „Может быть, самое святое, что у нас есть — это наш язык..." („Русская мысль", 3 февраля 1983, С. 8).

¹⁷ Иосиф Бродский, интервью Наталье Горбаневской, Ibid., С. 8.

¹⁸ Елена Шварц, „Стороны света", Ibid., С. 40-47.

¹⁹ Елена Шварц, „Грубыми средствами не достичь блаженства (Хоррор эротикус)", „Танцующий Давид", Ibid., С. 47-53.

²⁰ Иосиф Бродский, „Настигнуть утраченное время", интервью Джону Глэду („Время и Мы", No. 97, 1987), С. 176. В России в кн. Джона Глэда „Беседы в изгнании" („Книжная палата", М., 1991), С. 122-31.

²¹ Иосиф Бродский, „Представление" („Континент", No. 62, 1990, С. 7-13).

²² Встреча Ольги Седаковой с Бродским состоялась в Венеции 22 декабря 1989 года, когда он представлял ее аудитории в Palazzo Querine Stampalla.

²³ Соломон Волков, „Венеция: глазами стихотворца", диалог с Иосифом Бродским („Часть речи" (New York: Silver Age Publishing, 1982), No. 2/3, 1981/2, С. 177. Более подробно на эту тему Бродский говорит в интервью Виталию Амурскому, „Никакой мелодрамы" („Континент", No. 62, 1990, С. 392-33). Перепечатано в сборнике „Иосиф Бродский размером подлинника" (Ленинград-Таллинн, 1990), С. 113-126.

²⁴ Cheslaw Milosz, „A Struggle Against Suffocation", a review of Brodsky's "A Part of Speech" ("The New York Review of Books", August 14, 1980, P. 23). Русский перевод А.Батчана и Н.Шарымовой опубликован в альманахе „Часть речи" (No. 4/5, 1983/4, С. 169-80). Перепечатано в „Знамени" (No. 12, 1996, С. 150-55).

²⁵ Бродский в интервью с В.Амурским по этому поводу говорит: „...как это ни странно, что нация, народ, культура во всякий определенный период не могут себе позволить почему-то иметь более одного великого поэта. Я думаю, это происходит потому,

что человек все время пытается упростить себе духовную задачу. Ему приятнее иметь одного поэта, признать его великим, потому что тогда, в общем, с него снимаются обязательства, которые искусство на него накладывает.

В России произошла довольно фантастическая вещь в XX веке: русская литература дала народу, ну, примерно десять равновеликих фигур, выбрать из которых одну-единственную совершенно невозможно... На этих высотах иерархии не существует" („Иосиф Бродский размером подлинника", Ibid., С. 123).

[26] Елена Шварц, „Труды и дни Лавинии, монахини из ордена обрезания сердца (От Рождества до Пасхи)" (Ardis: Ann Arbor, 1987).

[27] Елена Шварц, „Стихи" („Новая литература": Л-д, 1990), С. 15-17.

Ольга Александровна Седакова (26 декабря, 1949, Москва) — поэт рафинированного вкуса, глубокой эрудиции, ученый-полиглот, закончила Московский университет (1972), защитила кандидатскую диссертацию в Институте славяноведения и балканистики АН. Опубликовала переводы из Галчинского, Кэрролла, Элиота, Паунда, Харди, Ронсара, Клоделя, Рильке, Хайдеггера, Петрарки, Горация и Данте. Стихи начала писать в школьном возрасте. Из девяти поэтических сборников первый опубликован в Париже: **„Врата. Окна. Арки"** (1986), второй в Москве: **„Китайское путешествие. Стелы и надписи. Старые песни"** (1990). Ее стихи и проза переведены на итальянский, французский и английский. С 1978 года в течение нескольких лет работала в Институте научной информации, а в 1989-90 преподавала поэтику в Литературном институте в Москве.

В ее поэзии чувствуется влияние современной философии и музыки. В оригинальных нерегулярных ритмах Седаковой чуткое музыкальное ухо различит строгие принципы (например, все может быть кратно трем), а внимательный исследователь ее поэзии заметит участие ритма в общем семантическом замысле стихотворения. Так, в „Элегии осенней воды" то удлиненные, то укороченные до одного слова строки передают предельную степень свободы бегущей по холмам воды, а сам образ воды отсылает нас к источнику поэтического вдохновения Гиппокрене, высеченному Пегасом на горе Геликон. В ее стихах, которые освещает изнутри свет вечного огня, волнующе и тревожно звучит музыка слова („и слову слово отвечает"), изысканные ритмы сопровождает метафорический аскетизм, в них много недоговоренностей, отсылок к первоисточникам, мифическим, философским и теологическим, в них ощутимы эстетические и этические самозапреты, которые можно только приветствовать в наш век недискриминированного словаря, эпатирующей иронии и моды на Бога. Сборник „Стихи" („Гнозис"/"Carte Blanche": М., 1994) объединяет написанное Седаковой за двадцать лет поэтической работы.

# РЕДКАЯ НЕЗАВИСИМОСТЬ

*Интервью с Ольгой Седаковой*
*25 ноября 1989 года, Глазго*

— *Кто составляет круг ваших читателей? Это все еще круг гуманитарной интеллигенции, или он расширился за годы гласности?*

— Он расширился сам по себе, а не из-за гласности. Мои публикации за годы гласности ничтожны — собственно, подборка в «Дружбе народов» [1]. В неофициальном журнале „Параграф" В.Семенюк (кстати, автор короткого, яркого эссе о Бродском, опубликованного в том же „Параграфе"[2]) назвал эту публикацию оскорбительной. Я так не думаю: чудесное предисловие Вячеслава Всеволодовича Иванова одно чего стоит. Но выбор стихов не представителен. Читатели мои, насколько я могу судить, живут в университетских городах — в Киеве, в Тарту, в Саратове, в Свердловске. И по-прежнему читают стихи в списках или в неофициальных журналах — „Выборе", „Российских ведомостях" и др.

— *А кто занимался подборкой в „Дружбе народов"? Почему вы к ней не имели отношения?*

— Потому что мне вообще не хотелось ничего печатать. Слишком тяжелое отношение сложилось у меня ко всем нашим журналам и издательствам; я не могу его преодолеть даже теперь, когда они изменились. Инициатива публикации принадлежит Татьяне Толстой. Подборку делали — с самыми добрыми намерениями — сотрудники журнала, я не вмешивалась.

— *А что, эта подборка как-то тенденциозно сделана?*

— Нет, не то чтобы тенденциозно. Стихи взяты из парижской книжки [3]. Но сама эта книжка составлена не мной. По какому принципу — затрудняюсь сказать. Конечно, все равно это мои стихи, я от них не отказываюсь, просто в целом получился другой поэт.

— *Кстати, довольны ли вы послесловием к вашей парижской книжке, которое подписано инициалами Д.С.? И не тот ли это Д.С., кто в свое время написал статью „Бродский и Пушкин" для „Вестника РХД"?* [4]

— Да, это он же. Теперь можно раскрыть псевдоним. Это пушкинист Владимир Аркадьевич Сайтанов. Он хорошо знает определенный круг поэтов „второй культуры", по преимуществу ленинградский. Что сказать о статье? Я ему глубоко благодарна, это зеркало мне льстит, но вряд ли это можно назвать доказательным анализом. Кстати, статья написана о другой книжке, о „Диком шиповнике" [5], и это совсем сбивает с толку.

— *Как бы вы в нескольких словах охарактеризовали свою поэтику? Это трудно, но не невозможно.*

— Да, я спокойно отношусь к аналитической работе, но легче, если о тебе говорят другие. По-моему, хорошую статью написал Алексей Шевченко для киевского журнала „Философская и социологическая мысль" [6]. Он автор двух книг, о Бахтине и о западной антропологии. Философский подход, может быть, лучше для меня, чем, собственно, анализ поэтики. Я не надеюсь на наших литературных критиков: они не знают, откуда идти. Философу виднее, вероятно. Я много — и совершенно непрофессионально — читаю философию, так, как другие читают стихи или слушают музыку. И тот, кто почитывал новую философию, как я, узнает многие мотивы и темы. Конечно, речь идет не о „переложении" готовых концепций.

— *Можно ли из этого понять, что вы смотрите на мир через философскую призму по преимуществу, а не через историческую, культурную, эстетическую или религиозную?*

— Меня теперь однозначно относят к религиозной поэзии. Я всегда сторонилась этого термина, потому что он предполагает какую-то „специализацию", тематичность, а мне бы этого не хотелось. Религиозность искусства (если вообще можно говорить о его религиозности) — более широкое понятие, чем какая-то содержательная определенность. Я знаю немало „христианских" поэтов, которым благочестивые намерения не мешают грешить — и самым страшным образом — против словесности; в итоге получается — не больше не меньше — нарушение одной из десяти заповедей, запрета „поминать всуе". По личным убеждениям я православный человек, но я никогда не хотела бы и не посмела бы сделать из этого литературную профессию. Назвать себя „религиозным" или „православным" поэтом значило бы ручаться каким-то образом за каноничность, за соответствие собственных сочинений доктрине. Этого я делать никак не могу. Это, по-моему, просто бессовестно. Поэзия для меня немыслима без открытости смысла, тогда как „религиозность" искусства в расхожем представлении — это некоторая заданность, ангажированность и знание того, чем дело кончится. А я часто не знаю, чем дело кончится. Часто оно кончается не так, как, может, мне хотелось. Так что это вовсе не то иллюстративное религиозное искусство, которое имеют в виду. Слово прежде всего правдиво. И слава Богу, если эта правдивость каким-то образом приблизится к праведности. Но это зависит не от „творчества", а от того, что называют „личной жизнью".

— *Что бы вы могли добавить по поводу вашей поэтики? Что является вашей поэтической доминантой?*

— Прежде всего слово, само по себе слово, слово как имя. Оно для меня важнее, чем словосочетание, синтаксис, версификация, тем более тропы. Стихотворение в целом, по-моему, служит слову. Каким образом, это другое дело, как это все происходит ритмически, как соединяются многие слова, чтобы каждое единственное слово ожило во всем диапазоне значений — этимологических, колеблющихся, фонетических. В общем, чтобы диапазон слова, его семантическая вертикаль была насыщена. И то, что меня больше всего не устраивает в современной поэзии, это, конечно, качество слова.

— *Если вы выбрали единицей своей поэзии слово, то перед вами стоит задача высвобождения слова от влияния соседних слов. Как вы этого достигаете?*

— Да, несомненно. Это задача не деформации (тыняновский термин), а наоборот, как бы расправления, высвобождения слова. Каким образом? Это, наверное, секрет... Ритм, вероятно, важнее многого... Но что я могу сказать, это то, что я не обращаю внимания (вернее, мне надо сделать усилие, чтобы обратить внимание — и этого усилия я делать не хочу) на узус. Узус — основа концептуализма и соц-арта. Они как раз играют устойчивым употреблением слова, символа, испорченным „языком современника", узусом. Но я к нему отношусь просто как к помехе. Мне совершенно все равно, если испоганят очередное слово, как теперь — „милосердие", например. Я знаю, чем оно может быть. Для меня узус не исчерпывает и тем более не уничтожает самой вещи, слова. Вещь остается сама собой, сколько бы с ней плохо ни обходились. Наверное, у меня нет в этом литературных единомышленников, и меня упрекают в отсутствии „современности" (современного словаря, прежде всего).

— *Мне кажется, что у вас как-то ненавязчиво, но даже графически идет высвобождение слова: во многих ваших текстах слово отделено пространственно от других слов.*

— Да, конечно. Не обязательно это должно быть пластически воплощено, но слово для меня окружено как бы большой зоной белизны или молчания. Молчание в словах — исихастический принцип, как вы знаете, это для меня предел поэзии.

— *Давайте теперь поговорим о Бродском. Когда вы его впервые прочитали?*

— На первом курсе в университете, в 1967 году. Стихи его ходили по рукам. Но надо сказать, тогда они на меня не произвели впечатления: я читала в то время Мандельштама. Любить — влюбленно любить — эти две поэзии вместе невозможно. Так что я прочитала Бродского гораздо позже.

— *Как менялось ваше отношение к его поэзии?*

— От безразличия, о котором я говорила только что, к довольно резкому неприятию (и содержательному — из-за его общего тона, скептицизма, и формальному — из-за моей любви к кристаллической композиции, как у позднего Мандельштама) и потом — к серьезному вниманию, осознанию его масштаба. Первое, что меня убедило — ритм. Поэт, принесший новый ритм — великий поэт. Но окончательное „обращение", как ни странно, произошло из-за его прозы, его эссе о других поэтах, исполненных ума и великодушия, может быть, главного дара поэта по призванию.

— *Можно ли при желании проследить у вас с Бродским общие источники и стилистические аналогии?*

— Я думаю, что нет, потому что я никогда им не была так увлечена, как Хлебниковым, Рильке или Мандельштамом.

— *Но и Хлебников, и Рильке, и Мандельштам — любимые поэты Бродского. Такие сквозные образы, как пыль, зеркало, бабочка, мотылек, свойственны вам всем.*

— Бабочек я действительно люблю. Но просто в жизни, с детства, до Набокова, до Бродского, до любого чтения. К тому же, это вечный мотив поэзии. Такие вечные мотивы я всегда с радостью встречаю у других поэтов, в частности, у английских метафизиков, у Т.С.Элиота. Поэтому не странно, если что-то будет совпадать, какие-то мотивы, образы у нас с Бродским. Закон тяготения могут открыть два, три, десять человек, потому что он на самом деле есть. Так и „вечные образы" на самом деле есть в психической реальности человека; их не изобретают как технические новации, на них набредают те, конечно, кто идет в определенном направлении. Они по сути анонимны, так что патент на „открытие" здесь не важен. Это не „открытие", а узнавание („радость узнавания" Мандельштама).

— *Английские метафизики и Т.С.Элиот — это еще один общий источник у вас с Бродским. Тем не менее вы считаете, что невозможно провести между вами прямую линию?*

— Наверное, только косвенную. Или от противного (от Евтушенко, скажем).

— *Считаете ли вы Бродского христианским поэтом?*

— Тут надо учесть сложность таких характеристик. Он религиозно не безразличный и христиански не безразличный поэт. Но если говорить о христианстве как об исповедничестве и взять образцом Данте или позднего Джона Донна, то это совсем другое. При всех усложнениях и утоньшениях я не представляю христианство без Христа.

— *Не оставляют ли у вас впечатления некоторые стихи Бродского, что он ищет и находит духовную опору больше в языке, чем в вере?*

— Конечно, он сам об этом много и откровенно пишет. Хотя в эссе о Монтале он говорит об орудийности языка относительно внутренней жизни.

— *Чем, как вы думаете, это объясняется? Почему он смотрит на мир через лингвистическую призму?*

— Это очень созвучно большому движению мысли XX века. Я не знаю, как он относится к Хайдеггеру, к его концепции языка как „дома бытия" и к другим философам языка, но есть дух интеллектуальной эпохи, и то, что приходит в голову одному человеку, приходит и другим. Это тема эпохи — язык.

— *В какой мере жизнь Бродского вне русской языковой среды сказалась на том факте, что именно язык выбран им в качестве абсолюта?*

— Иноязычная среда, вероятно, активизирует эту мысль, но сама по себе она может появиться в любых обстоятельствах; Хайдеггер тому пример.

— *Не только в своих эссе, но и в интервью Бродский абсолютизирует язык, в частности, он считает, что единственной формой патриотизма для поэта является его отношение к языку. Вы разделяете эту мысль?*

— Конкретный язык, русский или любой другой, конечно, это родина в самом прямом смысле слова. Но абсолютизация языка, к которой склонен Бродский, для меня неприемлема (может, потому, что я лингвист по образованию). „Имена", о которых я говорила, могут быть воплощены не только в языке, но и в пластике, в музыке (например, образец таких поразительных „имен" неименованного для меня работы М.М.Шварцмана [7]). Это не метафора или почти не метафора: языков как способов выражения или выявления „образа мира" („образ мира, в слове явленный") много, и словесный — просто самый сообщительный, самый доступный и пригодный для развернутого дискурса.

— *Говоря о Цветаевой, Бродский пишет, что она „продемонстрировала заинтересованность самого языка в трагическом содержании" [L:192/IV:75]. Прокомментируйте, пожалуйста.*

— Язык у Бродского — абсолютно активное, ничему не подчиненное начало, вроде фатума. Язык — субъект истории. В Цветаевой он показал свою заинтересованность в трагическом, в Платонове (да и в революции вообще) — тягу к утопии, в Достоевском — нежелание принять благодать. Так что в этой концепции самораскрытия языка через авторов Цветаева — лишь один из примеров. (Сомневаюсь, кстати, что через активность грамматики можно объяснить такое явление, как Пушкин. Хотя...).

— *Вы думаете, что, говоря о Цветаевой, о Достоевском и о других писателях и поэтах, Бродский в значительной степени говорит о себе, приписывает им свое понимание языка?*

— Нет, он им ничего не приписывает, он переводит их содержание на язык своей „грамматической" концепции. При этом он прекрасно понимает других и другое. Это редкий дар в истории нашей литературы. Но идея медиумичности, пассивности автора, отдающегося языку, мне кажется преувеличением. Я вообще не люблю фатализма — и языкового фатализма в том числе: мне интереснее тема свободного решения — и, значит, личности. (Конечно, я имею в виду не „личность" литературных биографий, а примерно так: что человек сделал — простите за слово — со своей душой). И сам Бродский, не только стихи, но и судьба которого представляет собой литературное и культурное событие, менее всего пассивен и „медиумичен". Во всяком случае, так представляется со стороны.

— *Как вам видится это огромное поэтическое здание, которое возводит Бродский? Что положено в его фундамент?*

— Я про это думала: мне хотелось понять, на чем основана его независимость, не только поэтическая, но и человеческая. У меня своя мания: Бродский во всем видит действие языка, а я — в любой частности, стилистической, фонетической — человека. Речь мне больше говорит о том, кто ее произносит, чем о своем предмете. Так понимал дело Толстой, между прочим. Так вот меня больше всего восхищала независимость Бродского. Редкая независимость, не полемическая, а действительно спокойная и отстраненная. Это позиция почти невозможная в нашей ситуации, но, видимо, она не легко дается и на Западе: многие наши нонконформисты стали там конформистами. И я думала: в чем основа этой свободы, этого „самостояния", говоря словами Пушкина? Ведь той религиозной веры, которая „побеждает мир", я все-таки у него не нахожу. И мне показалось, что самое освобождающее начало у Бродского — это переживание смерти. Какой-то ранний и очень сильный опыт переживания смерти, смертности, бренности. Это ключевой мотив многих его вещей:

> Смерть — это тот кустарник,
> в котором стоим мы все. [C:127/I:232]

Но стихи еще ладно. Меня поразило его письмо Брежневу, написанное в той же перспективе — sub specie mortalitatis, именно mortalitatis, а не aeternitatis („мы все умрем") [8]. Таких политических документов я в жизни не встречала! И вот — поразительным образом — смертность, на которую человек закрывает глаза, делает его свободным от множества вещей, политических и т.п. Из одного урока Бродского можно понять безобразие всех проектов рукотворного бессмертия (в духе Н.Федорова [9]). Эта точка зрения открывает широчайший взгляд на мир („Вид планеты с Луны" [НСА:114/II:460]) и на себя, освобождает от себя (уничтожающие автопортреты Бродского в стихах, тоже как бы „с Луны"), от слишком мелких притязаний, обид, привязанностей. Это сближает Бродского с поэзией средневековья и барокко, но больше всего с Экклезиастом (в новозаветное время за смертью, за „триумфом смерти" — одной из любимых тем старого искусства — всегда просвечивает Воскресение).

— *Отражается ли это в поэтике Бродского?*

— Прежде всего в композиции. Композиция его длинных вещей — пластический портрет преходящести, бренности, уравненности важного и неважного. „Все прейдет" — говорит для меня эта как бы размагниченная форма, кружение пыли, частиц в луче. Этой теме, по-моему, посвящен и его „разбитый" ритм, и „тусклые" (это автохарактеристика) слова.

— *Считаете ли вы, как некоторые, что творчество Бродского полно пессимизма? Есть ли в его поэзии попытка преодолеть это и удается ли ему преодоление?*

— Я не думаю, что сознавание смертности — это пессимизм. Это необходимая предпосылка мужества ("courage to be", Paul Tillich). Без этого оптимизм иллюзорен и рано или поздно рухнет или превратится в невроз. Люди, которые находят взгляд Бродского на мир „ужасным", просто боятся смотреть в лицо вещам. Но ужаснее их не видеть и считать, что все более-менее в порядке. Что до преодоления, этическая позиция Бродского (особенно в прозе) — это стоицизм, это не только мужество быть в мире, который нельзя изменить (очень рано в „Пилигримах" [С:66-7/I:24] высказанная мысль), но и бережность, признательность этому бренному миру. Захотел ли такого стоицизма русский язык (говоря по-Бродски), не знаю. Может быть, этого захотел Петербург (я московский человек, и поэтому мне очень ясно петербургское начало в Бродском), мученический город империи. Преодоление я вижу и в его верности культуре, на фоне контркультурных движений, и наших, и западных. Они борются с культурой как с внешней, репрессивной силой, а Бродский видит в ней предмет любви, средство против расчеловечивания человека. Это в нем мне ближе всего.

— *А как это преодоление выражается в поэтике?*

— Это я бы назвала „этосом формы". Самый наглядный пример — сложная строфика Бродского. Из предыдущего (о ритме, композиции) может показаться, что я вижу форму Бродского на грани деструкции. Но это одностороннее впечатление. За мимикрией разрушения, за перечислительностью чувствуется сильная воля, этос. Там, где такого этоса нет, мы получаем действительно бесформенное целое — стихотворения ли, книги. Пример тому — талантливый Парщиков, внеэтический поэт; у него нет — словами Кавафиса — своих Фермопил. Но Бродский — совсем иное дело.

— *Так удается ли ему преодоление?*

— Когда как, по-моему. Некоторые вещи остаются для меня просто памятниками меланхолического состояния или taedium vitae.

— *А что вы скажете о теме времени у Бродского?*

— Время, как язык и смерть, входит в его основную тему. Время выглядит у него как деструктивное начало (мотивы старения, например), как образ смерти („Время создано смертью" [К:59/II:161]). И это вполне в духе экзистенциалистского взгляда на мир. С другой стороны, он всегда имеет в виду расширенное время, далеко превосходящее время частного существования, — время языка, время истории, время культуры. А это уже, по-моему, не экзистенциализм.

— *Какой очередной качественный скачок он обозначил в русской поэзии?*

— Во-первых, он порвал с советской поэзией и в общем положил конец этой литературной эпохе. (Что я называю „советской поэзией", долго объяснять). Он восстановил связь с российской поэзией, с ее последним позитивным течением — акмеизмом — и по-новому разыграл акмеистическую тему „тоски по мировой культуре". Как всякий большой поэт, он предоставил возможность высказаться новым речевым пластам и интонациям. Да всего не назовешь.

— *Как английская традиция преломляется в его стихах?*

— Не только английская: в ранних вещах, мне кажется, заметна польская прививка. Новая встреча с европейской традицией — самая заметная, наверное, и очевидная новость, внесенная Бродским. Это признает каждый. На этом основании Бродского сравнил с Пушкиным Сайтанов в статье „Пушкин и Бродский". Бродский разбил замкнутость русской поэзии, которая к этому времени образовалась. Вместе с этой стихией в русской поэзии появились новые жанры, темы, формы. Нужно не забывать, что русская поэзия — авторская поэзия — очень молода. Она не застала в живых своего средневековья, своего барокко (как у Джона Донна), своих метафизических времен. О лучших духовных эпохах России свидетельствует не поэзия, а иконопись и архитектура. Поэтому встреча с английской поэзией означала и встречу с большими темами (как смерть) и с большими формами дореалистической литературы. Это обновляющие архаизмы. С европейской поэзией, вероятно, связан и новый образ поэта, неизвестный русской поэзии.

— *В чем именно новизна образа поэта у Бродского?*

— У нас был лирический персонажный герой. Это Лермонтов, Блок, Цветаева; сниженный вариант — Есенин. Это поэт биографии, герой собственной драмы. Был имперсональный поэт, к этому стремился Мандельштам; личность исчезла за творческим восторгом: „Лететь вослед лучу, Где нет меня совсем". У Бродского же поэт имперсонален, но иначе, чем Тютчев и Мандельштам: в нем есть everyone, и вместе с тем, это очень конкретно-индивидуальный образ.

— *Если свести лирического героя Бродского к одному лицу, то как вы себе его представляете?*

— Ну, это человек словесности прежде всего. Остальное отступает. Все жизненные перипетии — это строительный материал.

— *Из чего это следует?*

— Из прямых высказываний и признаний, из всего строя его стиха, из какого-то безразличия, с которым перечисляются достаточно важные личные события. По-моему, это не требует особого анализа или реконструкции. Это непосредственно ощущается: я пишу, и в этом мое существование. Причем, важно, что он пишет. Для акмеистов поэзия — нечто звучащее. Они писали с голоса, под диктовку и повторяли голосом, шепотом. Отсюда акмеистическая тема губ, языка, органики и механики речи. А у

Бродского — мозг, чернила. Это литературная работа, а не пифический восторг.

— *Что для вас неприемлемо у Бродского?*

— Неприемлемо — сильное слово. Чуждо — да, но, вероятно, и это из-за моих собственных предрассудков. Как раз язык, который составляет центр его мироздания, сам его язык в конкретности своей для меня, конечно, чужд. И здесь, мне кажется, Бродский, во многом другом продвинув русскую поэзию, делает шаг назад от того тонкого стилистического чутья, которое было у всех русских поэтов, от Пушкина до Ахматовой. Игра разными стилями — это для меня вполне допустимо, но игра сознательная и разграниченная, а не эклектическая смесь, которая дает основание подозревать, что судьба слова безразлична или не так важна для поэта, он как будто не чувствует, что вот этим двум словам рядом нехорошо. И если бы это было отражение языка советского, русской новоречи, как у концептуалистов, это был бы тоже своего рода чистый стиль. Дмитрий Пригов пишет на этом бедном искореженном уродском языке, но от лица подобающих персонажей и о подходящих предметах. А у Бродского предмет другой. Впрочем, я вполне допускаю, что это делается преднамеренно, что это сознательная языковая политика.

— *Не кажется ли вам, что Бродский стремится охватить все пласты современного русского языка? И в этом тоже проявляется его монументальность. Другое дело, удается ли она ему?*

— Все пласты? Быть может. Но одного рода слова там явно нет: того, который Бахтин назвал прямо интенциональным словом. Но в целом действительно; что больше всего и отличает его от других современных поэтов и его поколения, и младшего — это врожденная склонность к универсализму, к монументальности, к охвату жизни с неба до земли и по всем горизонтальным направлениям, „вид планеты с Луны".

— *Или „с точки зрения времени" [НСА:140/III:61]. Присуща ли Бродскому пушкинская универсальность?*

— Я не знаю, действительно ли так универсален Пушкин. Универсальность — категория переменная, для каждого времени своя, она зависит от того, как видится универсум. И если считать, как принято, универсальнейшим поэтом Данте, Пушкин уже не будет универсальным, потому что понятно, каких сфер у него для этого не хватает. И универсальность Бродского в описании современного, актуального состояния мира такова, какой она может быть для этого мира. В этом мире многие вещи отсутствуют — да и весь он, в сущности, описан как мир отсутствия. Это совсем не пушкинская универсальность.

— *Можно ли найти у Бродского стихи, удовлетворяющие любой эстетический вкус, любое эмоциональное состояние?*

— Я могу найти у Бродского только Бродского, а вовсе не „сумму" поэтов, не синтез манер.

— *Как вписывается Бродский в современный пейзаж русской поэзии?*

— По-моему, все эти годы он заинтересованными людьми переживался как центральная фигура. И, соответственно, отношения к центральной фигуре могут быть и центростремительные, и центробежные. Особенно центробежно к нему относились младшие поэты в Ленинграде, что естественно для литературной эволюции. Поэтому на таких поэтов, как Кривулин, Елена Шварц, Стратановский, он действовал скорее как величина отрицательная. В Москве же и в провинции я знаю много стихотворцев, находящихся под прямым влиянием Бродского, подражателей. Это как раз наименее интересное направление. С эпигонами никому не везет. И ему не больше других. Его значение для меня больше всех в том, что это поэт в старом классическом смысле слова, поэт свободный и ответственный. Это величина личности. Я опять к той же теме, потому что почти ни в ком другом именно этого мы не находим. Могут быть другие обаятельные черты, может быть, допустим, прекрасное чувство языка, как у Ахмадулиной, более свежая и изысканная фонетика, как у раннего Вознесенского, более неожиданная образность, как у Ивана Жданова, но чего недостает им, так это его цельности и определенности позиции. А без этого поэт остается все-таки маргинальным, окраинным. Мне кажется, главное, что делает его центральной фигурой, это огромная воля и труд. Его труд культурный и личный труд можно действительно сравнить с пушкинским. Такого огромного развития от ранних стихов к зрелым, пожалуй, ни у кого не найти.

— *Значит ли это, что вы никого из пишущих сегодня по-русски не могли бы поставить рядом с Бродским, через запятую, как мы можем через запятую назвать имена Мандельштама, Ахматовой, Пастернака, Цветаевой?*

— Я боюсь, что я не такой энтузиаст Бродского, как вы, поэтому я скорее уж рядом с Мандельштамом и Ахматовой никого не поставлю. Каждый из них окружен огромным пространством. Просто было какое-то время, какая-то космическая вспышка, когда разом явилось столько больших поэтов в этом поколении и у нас, и на Западе. А в поколении Бродского такой вспышки не было, и поэтому он представляется таким выделенным в кругу ровесников. Среди младших есть поэт первой величины — Елена Шварц.

— *Чем вы объясняете его увлечение античностью?*

— Если идти от жизни, то это Петербург: город, наполненный античными реминисценциями, там античность постоянно чувствуется. Если идти от словесности, то это просто традиция. Европейская большая поэзия и русская немыслимы без двух своих начал, Афин и Иерусалима, античности и Библии. Это два великих источника. Просто в советской школе они оба неизвестны, не только античная, но и библейская традиция. Античные (по-моему, исключительно римские, греческих незаметно) темы Бродского — это знак принадлежности к той культуре, которую он возобновляет или поддерживает среди крушения. Было бы странно, если бы у него их не было.

— *Какие культурные задачи ставите вы перед собой?*

— Меня обрадовало в Нобелевской лекции то место, где Бродский отчетливо говорит о том, что свою задачу (он называет ее задачей своего поколения) он чувствовал как позитивную среди крушения на выжженной земле культуры. Но следующее поколение такой задачи, видимо, не чувствует. В живой литературе почти незаметно желание что-то поддерживать или восстанавливать. Преобладает разрушительное движение. Оно уже намечалось среди ровесников Бродского (Уфлянд), но все это имело комический, шуточный характер. Теперь это делается не в шутку. Пригов и прозаики, которых мы сегодня слушали [10], — ведущая волна. Кроме них, почти никого нет. И чтобы противостоять этой самоубийственной тяге, серьезное искусство (ответственное, доверительное, не знаю, как его коротко назвать) должно быть еще более серьезным, чем было традиционно, более приближенным к духовному труду в настоящем, а не эстетическом смысле („духовный труженик" Пушкина). Что это значит конкретно — не буду уточнять.

— *Бродский часто пользуется термином не просто „культура", а „христианская культура". На каком слове, по-вашему, он делает ударение в этом словосочетании? На каком слове делаете ударение вы?*

— Я думаю, что он все-таки — на втором. Как в ранних стихах Мандельштама, это переживание европейской традиции, главный вдохновитель которой — само христианство — при этом остается где-то в глубине или вдали. Оно как бы порождающая причина, но поэт больше занят конкретными следствиями, культурным творчеством, которое разыгрывалось на этом основании. Меня больше волнует первое слово; я знаю, что христианство — это не только культурное, структурирующее, образующее начало. Оно может быть воплощено в большой и вне-культурной простоте, как это было в XX веке — в афонском старце Силуане. И вообще, в какой мере эта христианская культура остается христианской (во всяком случае после Ренессанса) — это еще вопрос. Ведь недаром евангелическое настроение так часто оборачивалось контркультурным (как у Льва Толстого). Христианство — не только просвещенный консерватизм, как представляется у Мандельштама, это и радикализм, отказ от „мира" со всей его культурой.

— *По тем стихам Бродского, что появились к сегодняшнему дню в советской периодике, заметно ли, что он озабочен темой России?*

— Конечно. Бродский — поэт государства, империи, национальный поэт, как Державин или Пушкин. По-моему, Россия для Бродского значит не меньше, чем Флоренция для Данте.

— *Со стороны так называемых „русских патриотов" то и дело слышатся обвинения Бродскому в том, что он не любит Россию, например, по поводу стихотворения „Пятая годовщина" [У:70-73/II:419-22]* [11].

— Такие патриоты сказали бы, что и Данте не любит Флоренцию, и были бы по-своему правы. Существенно, что они имеют в виду под любовью, но еще важнее, что они имеют в виду под Россией. Их России у Бродского нет. Его взгляд исторический, наследственный, взгляд русской литературы, с XVIII века, на Россию как на государство, Империю. А Империя не может быть предметом простой, семейной любви, как homeland. Это почти исключительно послепетровская городская культура. Крестьянской, древней, церковной Русью (и, кстати, соответственными пластами языка) Бродский не занят. Его страна не Русь, а Россия (вы знаете, что это книжное название: росс, Россия?). И я думаю, сам его отъезд — проявление ответственности по отношению к России.

— *Изменило ли бы что-либо его возвращение в Россию? Насколько оно желательно и реально?*

— Для кого?

— *Для самого Бродского и для русской поэзии.*

— Желательно ли для него — это только он может сказать. А для поэзии? Не знаю. Я не представляю себе такого возвращения, просто не представляю. Хотя теперь происходит множество непредставимых вещей. Его участие в нашей литературе и так значительно, и, может быть, издалека оно плодотворнее, тем более теперь, когда облегчился доступ к его стихам. Но об этом я совершенно не берусь судить...

— *А само его присутствие в поэзии, оно мешает или стимулирует? Можно ли его игнорировать?*

— Игнорировать его невозможно. Каждую его новую вещь необходимо узнать.

— *У вас нет никакого желания или соблазна с ним соперничать и соревноваться?*

— Нет, у меня отношение очень простое — глубокого почтения и благодарности.

— *Встречались ли вы когда-нибудь с Бродским?*

— Никогда [12].

— *В заключение прочтите, пожалуйста, стихотворение, которое, как вы выразились, написано не без мысли о Бродском.*

— Это стихотворение посвящено памяти поэтов моего поколения — Леонида Губанова и Сергея Морозова. Сережа покончил с собой, Леня умер от пьянства. Каким образом это связано с Бродским? Потому что эти стихи о поэзии вообще и, естественно, здесь появляется Первый Поэт. Присутствует он здесь в ритме, и ритм этого стихотворения как бы hommage Бродскому, и, вероятно, в некоторых образах. Называется оно „Элегия осенней воды"[13]:

### 1

Ты становится *вы*,
       *вы* все,
           *они.*
Над концами их, над самоубийством
долго ли нам стоять, слушая, как с вещим свистом
осени сокращаются дни?

### 2

Зима и старость глядят в лицо мне, не по-людски
смелыми глазами глядят зима и старость.
Нужно им испробовать: что там осталось
на волчий зуб, на зуб уничтожающей тоски.

### 3

Поднимись, душа моя, встань, как Критский Андрей
          говорит. Поздно, не поздно — речь
не наша, пусть ее от других услышат.
Зима и старость белое слово пишут
в воздухе еще жарком,
пламя незримых свеч

## 4

в темноте еще зримой. Будущие следы
на снегу, до которого долго. Сережа, Леня,
помните, как земля ахнет на склоне,
увидав внизу факел предзимней воды?

## 5

Со старым посохом я обхожу все те
же нивы, как всегда, несжатые, тайфуны
земляного моря, слабые водные струны,
от которых холмы раскатились, в высоте

## 6

повторяя звук родника, похожий на... да,
молоточки какие-то из восточных —
то ли волосяные гребенки во рту проточных
вод из молчанья выходящих сюда.

## 7

Из огня молчанья в бледном огне
шелеста-бренчанья-полупенья
вниз глядит вода, вниз идет согбенная,
обратясь ко мне,
кто-то говорит:
— Есть ли что воды смиренней?

## 8

Что смиреннее воды? Она
терпенья терпеливей, она, как имя Анна, —
благодать, подающий нищий, все карманы
вывернувший перед любым желаньем дна.

## 9

Каждую вещь можно открыть, как дверь:
в занебесный, в подземный ход потайная дверца
есть в них. Ее нашарив, благодарящее сердце
вбежит — и замолчит на родине.
Мне теперь

## 10

кажется,
что ничто быстрей туда
не ведет, чем эта, сады пустые, растенья
луговые, лесные, уже не пьющие, — чем усыпленье
обегающая бессонная вода

## 11

перед тем, как сделаться льдом, сделаться сном,
стать как веки, стать как верная кожа
засыпавшего в ласке, видящего себя вдвоем
дальше, во сне.
Вещи в саду своем,
вы похожи на любовь — или она на вас похожа?

## 12

Поэт — это тот, кто может умереть
там, где жить — значит: дойти до смерти.
Остальные пусть дурят кого выйдет.
На пустом конверте
пусть рисуют свой обратный адрес.
Одолеть

## 13

вечное любознайство и похоть — по нам ли труд,
Муза, глядящая вымершими глазами
чудовищного коня, иссекшего водное пламя
из скалы, на которой не живут

## 14

ни деревья, ни птицы, ни звери. Только вы,
тонкие тени. И вы как ребенок светловолосый,
собирающий стебли белесой
святой
сухой
травы.

## 15

С этим-то звуком смотрят Старость, Зима и Твердь.
С этим свистом крылья по горячему следу
над государствами длинными, как сон, и
трусливыми, как смерть,
нашу богиню несут —
Музу Победу.

# ПРИМЕЧАНИЯ

[1] „Дружба народов" (No. 10, 1988, С. 120-125).

[2] „Параграф" — свободный московский журнал, издается с августа 1988 года. Издатель — А. Морозов. Статья Сергея Семенюка о поэзии Ольги Седаковой была напечатана в декабрьском выпуске 1988 года, а статья о Бродском — в январском выпуске 1989 года. Под названием „Так девятнадцатый век обрушивается в век двадцатый" перепечатана в „Русской мысли" (7 апреля 1989, С. 10).

[3] Ольга Седакова, „Врата. Окна. Арки. Избранные стихи" (YMKA-Press: Paris, 1986).

[4] Д.С., „Пушкин и Бродский" („Вестник русского христианского движения", No. 123, 1977, С. 127-39). Перепечатано в кн. „Поэтика Бродского" (Hermitage: Tenafly, N.J., 1986), С. 207-18.

[5] „Дикий шиповник" — любимая книга стихов Ольги Седаковой, закончена к 1978 году; выборки из нее были напечатаны в „Вестнике РХД" (No. 145, 1985, С. 172-76); целиком книга не издавалась. Эта книга писалась как целое, наподобие „Цветов зла" Бодлера.

[6] А.К.Шевченко, „Письмо о смерти, любви и котенке" („Философская и социологическая мысль", No. 9, 1989, С. 109-114).

[7] Шварцман Михаил Матвеевич (род.1933) — художник, продолжающий храмовое искусство, „иератику", в терминах самого Шварцмана. Он сторонится публичности и не устраивал до сих пор ни одной открытой выставки.

[8] „Письмо Брежневу" опубликовано Я.Гординым в его исследовании „Дело Бродского" („Нева", No. 2, 1989), С.165-66.

[9] Н.Федоров, „Философия общего дела" (Верный, 1906).

[10] Имеются в виду писатели Е.Попов, В.Сорокин и Ю.Поляков, участвовавшие в фестивале советского искусства в Глазго вместе с поэтами А.Парщиковым, И. Ждановым и О.Седаковой в ноябре 1989 года.

[11] См. полемику по поводу статьи П. Горелова, „Мне нечего сказать..." („Комсомольская правда", 19 марта 1988, С. 4). Отклики: А.Кушнер, Я.Гордин, В.Попов, М.Борисова, М.Чулаки, Д.С.Лихачев. Открытое письмо в „Огоньке" (No. 18, 1988). Статья Сергея Бавина и Марины Соколовой, „....и волны с перехлестом" в „Комсомольской правде" от 13 мая 1988.

[12] Встреча состоялась вскоре после интервью — 22 декабря 1989 года в Венеции в Palazzo Querine Stampalla, где Ольга Седакова выступала с чтением своих стихов и Бродский представил ее слушателям.

[13] Ольга Седакова, „Стихи" („Гнозис"/"Carte Blanche": М., 1994), С. 301-5.

Алексей Максимович Парщиков родился в 1954 году, в Олежской бухте близ Владивостока. Детство провел в Донецке и в Киеве, окончил Киевскую сельхозакадемию (1972), в 1973 году переехал в Москву, где в 1975 году поступил в Литературный институт. По окончании (1982) работал дворником, электромонтером, фотографом, литературным консультантом при ж. „Дружба народов" и „Сельская молодежь". В 1990 году поступил в аспирантуру Стэнфордского университета (США). С конца 70-х годов его стихи начали появляться в советской прессе („Московский литератор", „День поэзии", „Литературная учеба") и немедленно привлекли внимание критиков, которые долгое время не принимали его эстетические установки и оксюморонное выражение мира, замешенное на глубокой иронии. Парщиков близок поэтам, которых Михаил Эпштейн назвал „поколением, нашедшим себя": Александр Еременко, Иван Жданов, Олег Хлебников, Марина Кудимова и др. Под общим названием **„Днепровский август"** (Москва, 1986) вышла первая большая подборка стихов Парщикова вместе с тремя другими молодыми поэтами. Затем его стихи появились в „Литературной газете", в „Юности", в альманахах „Зеркала" и „Весть". В 1989 году вышел его сборник **„Фигуры интуиции"**, само название которого намекает на поэтическое познание мира средствами интуиции и воображения. В его мире все находится в постоянном преобразовании, в нем господствует некая Сила, благосклонная к одаренным и ясновидцам: „Сила уходит... уходил Леонардо, / в обмен насыщались народы, пейзажи щедро". „Сила" „звенит от смены метафор" и становится „другой". Несколько остраненное описание мира указывает на связь и взаимообусловленность природы, животного мира и культуры. В его стихах с открытыми началом и концом, с нерегулярными размерами, без знаков препинания, с неточными рифмами и затейливыми тропами, строчки выползают за поля страницы, форма явно гипертрофирована; в попытке синтеза разных видов искусства все акценты сдвинуты, в пристрастии к самодовлеющим деталям слуховое принесено в жертву визуальному. Стихи Парщикова переведены на многие европейские языки. В 1996 году он издал свой новый сборник **„Выбранное"**.

# АБСОЛЮТНОЕ СПОКОЙСТВИЕ ПРИ АБСОЛЮТНОМ ТРАГИЗМЕ

*Интервью с Алексеем Парщиковым*
*25 ноября 1989, Глазго*

— *Вы, кажется, принадлежите к кругу поэтов, называющих себя мета-метафористами?*

— Этот термин придуман Константином Кедровым. Но почему „мета" — это именно к метафоре? Есть, может быть, вообще метатропия, и это не столько филологическое понятие, сколько мировидческое. А метафора всегда была метафорой.

— *Расскажите о своих поэтических связях, привязанностях.*

— Я связан с американскими поэтами, принадлежащими к так называемой "Language School". Основная часть их живет в Беркли: Лин Хеджинян (Lin Hejinian) и Майкл Палмер (Michael Palmer). Все началось с Аркадия Драгомощенко, который живет в Ленинграде. Его много переводила Лин Хеджинян для американского издательства "Sun and Moon Press". Там есть такой Даг Мессерли (Dug Messerly), который издает книги на свой страх и риск. "Language School" считают, что источник преображения образов находится в самом языке. Они привержены философии языка: Витгенштейн и вся французская структуральная школа. Майкл Молнер (Michael Molnar) [1], который переводит Драгомощенко и занимается Андреем Белым, тоже хорошо знает эту школу. Кроме того, есть еще парижский журнал „Action Poetique", который переводит "Language School", и мой датский переводчик Пьер — все это как бы интернациональная команда. И вот возникла идея издать альманах, который будет называться „Пять на пять": пять американских поэтов из "Language School" и пять советских поэтов.

— *Кто будет переводить американцев?*

— Иван Жданов, Илья Кутик, Надя Кондакова, Драгомощенко и я.

— *Что по существу роднит вас с этой лингвистической школой?*

— Четкой близости нет, поскольку они работают с языком исключительно. У нас язык носит немножко идеологический оттенок, в нем всегда есть идеологическая лексика. Хотя американцы считают, что и у них есть какой-то слой пародийного языка, не связанный с масс-культурой, но мне сложно это оценить. У нас это ассоциируется с идеологией, у них — с так называемыми „яппи". Они пытаются быть независимыми, анти-коммерческими. Разница и в том, что они иначе используют язык, чем мы. Для нас важно максимально деформировать язык, чтобы почувствовать его на разломе и увидеть скелет. Внутри находятся какие-то вещи, которые определяют порядок слов. И этот порядок слов надо нарушить для того, чтобы информация появилась. Если они считают, что язык определяет мышление, то я полагаю, что источники преображений в поэзии находятся не только в языке, они могут вообще·не соприкасаться с языком. Язык просто может окрашиваться этими источниками, но сам по себе не является достаточным чем-то, потому что существует еще огромное поле молчания, паузы, тишины, внеязыковых вещей. Синтаксис — я имею в виду не в грамматическом смысле — определяет какие-то паузы между структурами, это есть в экономике, в географии; паузы ритмизируют появление структур. Эти синтаксические паузы у нас сейчас особенно очевидны, например, перестройка. На самом деле, это гигантская пауза, хотя она и неоднородна и имеет свой ритм, как Французская революция, например.

— *Вы употребляете здесь паузу как метафору?*

— Да.

— *Вернемся в лингвистическую сферу: паузы, ритм, молчание существуют только постольку, поскольку существует речь. Если исчезнет речь, язык, наступит сплошное молчанье. По этому поводу Бродский писал:*

> Молчанье — это будущее слов,
> уже пожравших гласными всю вещность.     [О:206/II:127].

*Помните „Разговор на крыльце" в „Горбунове и Горчакове"?*

— Да, конечно.

— *Следовательно, на глубинном уровне язык для вас тоже важен. И если вы ищете, что происходит на сломах, внутри языка, там, где Хлебников „возился со словом, как крот", по слову Мандельштама, и „прорыл в земле ходы для будущего на целое столетие"* [2], *то вы, как и Хлебников, имеете дело с глубинными структурами языка.*

— Конечно, но я различаю язык и речь. Речь состоит из оппозиций, а язык — это знаковая система отношений текста, контекста и т.д. Когда речь приходит, язык становится речью, поднимается ли он при этом или опускается, неизвестно.

Я сделал один такой забавный опыт с Майклом Молнером. Дело в том, что когда вообще ничего не печаталось из того, что я писал, очень трудно было себе представить, как выглядит стихотворение на бумаге и что за ним кроется: ведь текст меняется после типографии. Я очень мало занимался саморедактированием. Когда Майкл перевел мое стихотворение явно для печати, он немножко его отредактировал, и я получил в результате стихотворение лучше, чем было. Так мне показалось. Я снова перевел его на русский и отправил его Майклу. Он еще раз перевел его на английский. Потом мне показалось, что появились еще какие-то новые углы в этом стихотворении, и я снова перелицевал его на русский. В сумме — пять раз. Стихотворение с переводческим числом пять или шесть — это довольно серьезно, потому что нужно, по крайней мере, пять раз попытаться исчерпать возможности этого текста, чтобы понять, о чем он. А представьте себе стихотворение с переводческим числом восемь или девять! Это, конечно, игра.

— *Это очень интересная игра, представляющая для исследователя поэзии материал неоценимый. Но разве само писание стихотворения не есть отбор вариантов и их исчерпывание? Я помню, как на своих семинарах в Мичиганском университете Бродский часто спрашивал студентов, анализируя стихотворение Рильке или Цветаевой: „Как вы думаете, сколько и какие варианты поэт отверг, прежде чем он остановился на том, с которым мы имеем дело?"* [3]

— Действительно, процессы близкие.

— *Похоже, вы очень сознательно относитесь к тому, что вы делаете, и вас не затруднит ответить на следующий вопрос. В равной ли мере вы реализуете в стихах двустороннюю трансформацию реального мира в поэтический? Имеется в виду одухотворение неживого мира и овеществление живого мира и мира идей.*

— Не знаю, как решить это уравнение. Полагаю, что весь мир живой в принципе, но просто все имеет определенные цели и проявленность. Живость — это просто мира проявленность. Все зависит от того, как человек видит. Можно видеть какие-то царапины на дереве и придавать им значение. Но если мы придаем им значение и вкладываем себя в это, то мы их одухотворяем. Кроме того, существует целый ряд вещей, которые не считаются живыми, но которые требуют нашего участия, чтобы существовать, например, мир техники, компьютеров, который обладает какими-то чертами живого, обратной связью, саморефлексией, слабо выраженной свободой воли. Но в принципе, поскольку этот мир несознателен, это, конечно, мир идиота. Но как рассматривать идиотизм? Это, может быть, святое дело, когда человек не осознает, что он делает. У меня нету, например, предвзятого отношения к всевозможным артефактам. Я думаю, что они находятся в начале пути, если представить, что у них есть эволюция. Есть ли у них цель? Это не совсем ясно, потому что и мы тоже как бы ее не имеем. Мы ходим только вокруг нее. Но есть одна задача у каждого — поставить вещь, слово или предмет в ситуацию, в которой он сможет просветлиться. Вещи беспомощны по сравнению с нами. Но мы всегда можем придать им какое-то значение и поднять их, вытащить их из тьмы. Так вот, эта проблема живого-неживого решается примерно так, то есть в меру моего участия. Есть у Бродского стихотворение „Вещь" или „О вещи".

— *Такого стихотворения у Бродского нет. Вы, видимо, имеете в виду „Натюрморт", его центральную часть, посвященную вещам:*

Вещи приятней. В них
нет ни зла, ни добра
внешне. А если вник
в них — и внутри нутра.                    [K:109/II:271].

*Я вижу, как густо ваши стихи начинены тропами, и мне хотелось понять, какой тип метафор в них доминирует. У вас, с одной стороны, как у Хлебникова, убраны все перегородки между семантическими классами, например, „История — мешок, в нем бездна денег"[4], а с другой, даже в метафорах-копулах у вас tenor и vehicle только сравниваются, но не отождествляются, в отличие от того же Хлебникова или Бродского: „Время есть холод"* [У:119/III:14].

— Да, метафор отождествления у меня мало. Дело в том, что вещи должны оставаться свободными. У Бродского есть строчки: „По сути дела, куст похож на все" [C:141/I:271]. Все можно сравнить и отождествить, если есть необходимость.

— *Когда вы впервые прочитали Бродского?*

— Первую книгу — шесть или семь лет тому назад. Она случайно появилась в Литературном институте.

— *Вы не помните, какой именно из его сборников попался вам в Литературном институте?*

— Это был список стихотворений. Я помню, среди них была „Большая элегия Джону Донну" [C:130-36/I:247-51].

— *Значит, это были ранние стихи.*

— Да, наверное, ранние. Книги ведь как попадали? Кто что привезет. Это ведь сейчас все не то что доступно, но безопасно. Я не знаю, что у него написано раньше, что позже. Но когда до нас дошли „Конец прекрасной эпохи" и „Часть речи", я читал их систематически.

— *Что вам было читать наиболее интересно и что совсем скучно?*

— Я, наверное, сейчас другой человек, чем был тогда, когда читал. Я не очень хорошо включился в систему его юмора, в систему его снижений. Сейчас мне кажется это очень человеческим, а тогда мне казалось, что он немножко преувеличивает в своем негативизме. У меня никогда не было ощущения, что я могу понять, как пишется его стихотворение. Для меня самое главное, пока пишешь стихотворение, это понять, когда стихотворение начинает требовать что-то само по себе. Ну, например, напишешь двадцать строк и надо потом стать читателем своего же стихотворения, чтобы понять, куда же оно клонит. Вот это самый важный пункт для меня. И я никогда не понимал, где у него находится эта граница между тем, что он хочет сказать, и тем, что хочет сказать само стихотворение, где он выходит на ответ к этому стихотворению. Я просто считаю, что писатель и читатель заключаются в самом тексте, и что текст сам по себе требует чего-то. И я всегда это чувствую у других. У него же слишком плавное течение текста, и я не знаю, где он начинает, где заканчивает. И меня как писателя это немножко раздражало.

— *Раздражали ли вас его длинноты?*

— Нет, не раздражали. Я вообще не считаю, что Бродский лирический поэт. Я думаю, что он поэт словаря и эпик языка.

— *Да, он сам сказал, что „Остановка в пустыне" его последняя лирическая книжка* [5].

— Я не знал этого, конечно. Я с ним так и не побеседовал.

— *А вы с ним встречались?*

— На фестивале в Роттердаме этим летом. Он появился, и меня кто-то попросил передать ему что-то. Я сказал, что мы не знакомы. Геннадий Айги представил меня, и мы договорились, что впредь увидимся. Я там болтался всюду, у меня были разные привязанности в Амстердаме. Я подумал, что нужно подождать пару дней, пока мэтр выясняет отношения со своими старыми друзьями. Там были Рейн, Кушнер, Белла Ахмадулина. Однажды ночью я вернулся и на следующее утро пошел в поэтический центр: голландцы накинулись на меня с какими-то газетами и с поздравлениями. Там оказалось интервью с Бродским, в котором он сказал обо мне несколько теплых слов. Я спросил, где автор, и мне ответили, что он уже улетел. Тут надо упомянуть Юкку Малинена. Он был переводчиком Бродского в Хельсинки, приблизительно год назад, и тогда спросил Бродского, знает ли он что-нибудь о новых московских поэтических группах. Бродский сказал, что чуть знаком с концептуализмом, но относится к нему холодно. И тогда Юкка сунул ему какую-то мою публикацию. Из Финляндии Бродский приехал в Копенгаген. Это было приблизительно за месяц до нашего там появления. На фестивале русской поэзии в одном из своих интервью он высказался тепло о моем круге поэтов.

— *Оказал ли Бродский лично на вас какое-либо влияние?*

— Для меня существует два Бродских: Бродский до „Колыбельной Трескового мыса" [Ч:99-110/II:355-65] и после. Я восторгаюсь, как он вдруг изменился. Он всегда был риторическим поэтом и, честно говоря, не очень меня волновал. В моем кинозале, у меня в черепе, не возникало на экране никаких изображений. Начиная с „Колыбельной Трескового мыса" вдруг возник какой-то метафизический мир, непойманная модель, движение которой можно на что-то спроецировать, в частности, я ее спроецировал на себя с большим удовольствием. Я стал его цитировать потом, внутренне, конечно, не в прямом смысле, то есть пользоваться его имиджами.

Но для меня загадка, почему он изменился. Это, должно быть, связано с языком, потому что у него возник сразу какой-то другой язык, может быть, более теплый, более русский. Раньше он писал на ленинградском языке, для меня это был чуть металлизированный язык. Я однажды говорил об этом с Соснорой [6]. Дело в том, что Соснора тоже делит Бродского на периоды. Он как-то сказал: „Раньше с ним мало о чем было поговорить, а теперь, когда с ним есть о чем говорить, то его нет здесь".

(Тут вмешался присутствующий при нашем разговоре с Парщиковым писатель Евгений Попов и спросил: „Извините за цинизм, но не было ли это сказано после того, как Бродский Нобелевскую премию получил?"

— Это было сказано еще до того, как Соснора оглох и до того, как Бродский получил Нобелевскую премию.)

— *Интересно, что Святополк-Мирский писал в свое время, что Баратынский культивировал „своеобразную 'металличность'" своего поэтического языка в противовес „сладкозвучию" стиха Жуковского, Батюшкова и раннего Пушкина [7]. Баратынский, как вы, возможно, знаете, любимый поэт Бродского. Поскольку вы свободно владеете английским, то, вероятно, знакомы с прозой Бродского, в которой содержится так много высказываний о языке. Чем вы объясняете его фиксацию на языке?*

— Бродский попал в ситуацию, где все обсуждают язык. Это насущное дело европейской и американской философии. Это связано и с тем, что мы живем в преувеличенно знаковой среде. Достаточно указать на источник преображения, не называя его, чтобы быть художником. Может существовать указательная поэзия. Источники преображения меняются каждые пять-десять лет, как меняется и язык. Это происходит несколько раз в жизни человека и общества. Может быть, общество это переживает более часто, чем человек. Можно пользоваться этими источниками, либо называя, что есть что, чтобы что-то переменилось в нашем сознании, а можно просто указывать, что это актуально и это актуально. И человек может задумываться об этом. И этого достаточно для того, чтобы человек находился в состоянии художественного опыта. На мой взгляд, ценность Бродского в том, что он очень доверяет среде, которая сама себя описывает. Вот все, что мы здесь на Западе видим, в России все это можно лишь услышать. Там пространство менее структурно, здесь все очень знаково. И Бродский живет в этом перенасыщенном знаковом мире.

— *Не вынуждает ли Бродского само его пребывание в иной языковой среде особенно бережно и внимательно относиться к языку?*

— Уверен. Конечно, теперь у Бродского рафинированный язык, потому что он находится в лингвистической тишине и может перебирать слова и быть свободнее по отношению к словарю. У него есть возможность поштучно отнестись к частям слова.

— *Для Бродского даже Муза — это всего лишь голос языка. Что такое Муза для вас?*

— Муза — это зрение. Я считаю, что наши глаза — это часть мозга, вынесенная на свежий воздух, и только через это мы можем что-то понять. Я думаю, что Муза — это зрительный ряд, а не звуковой.

— *Как вы оцениваете любовную лирику Бродского?*

— Он не искал, мне кажется, языка описания любви. И его вообще нет на русском языке. Я был в восторге в свое время от Генри Миллера, потому что он касается этих вещей, а у нас вообще нет такого языка.

— *Да, посмотрите, как проигрывает „Лолита" Набокова на русском в сравнении с английским оригиналом.*

— Я не читал по-английски, но представляю, что такое может быть, и его предисловие к „Лолите" в этом смысле извинительное.

— *А вы нашли свой язык для этой темы?*

— Дело в том, что я из медицинской семьи: мой папа — профессор медицины, мама тоже. Когда я закончил школу, было очень трудно поступить в медицинский институт, и я поступил в Киевскую сельскохозяйственную академию для того, чтобы заниматься генетикой и селекцией. Я проучился там три года и занимался черт знает чем. Практика наша была от кастрации быков до работы в анатомке. Я тогда еще не понимал смысла умершего мира, где он становится живым, где нет, но мне было дико любопытно посмотреть в середину. А по двору нашей сельхозакадемии ходила какая-то кобыла, уже совершенно старая и никуда не годящаяся. В конце концов ее усыпили, и мы ее разрезали. И когда вся эта вивиксекция происходила, я увидел, что изнутри она фантастически красива. Ей нужно было под каким-нибудь допингом совершить последний в жизни бешеный прыжок, чтобы выразить эту красоту, которой она обладала в середине. Я понял тогда, что вот этот вот расчлененный мир имеет какие-то свои внутренние законы, и я втянулся в созерцание в какой-то момент. Для того, чтобы видеть, созерцать, я считаю, нужен какой-то шок.

Потом, когда я закончил Литературный институт, найти работу было невозможно. Я случайно попал в „Дружбу народов", там я работал в отделе поэзии три года, а до этого — фотографом. Я стал видеть всю эту знаковую систему через объектив, я стал абстрагироваться от этого. Снимал все подряд: свадьбы, похороны, все, за что платили, поскольку денег не было никаких. Приходилось еще снимать квартиру, жизнь была мрачная, и никаких перспектив публиковаться. Фотографировал моды чуть-чуть. И однажды я увидел, что натурщица становится под свет таким образом, что больше свет не стоит настраивать. Я понял, что у нее есть какое-то представление о целесообразности ее работы и ее существования, хотя она совершенно не понимала этого. И я тогда стал употреблять в стихах какую-то пластику, которая, может быть, является языком описания любви.

У меня есть один текст, поэма „Я жил на поле Полтавской битвы" [8]. Я действительно там жил. После института я получил небольшие деньги и купил участок земли с тем, чтобы вернуться к сельскому хозяйству. У меня была хипповая идея зеленая — заняться сельским хозяйством и быть независимым в Совдепии. Короче, в поэме описаны очень неуравновешенные отношения между героем (Иван Мазепа) и героиней (Марфой Кочубей), чуть-чуть гротескные. В результате, меня обозвали в печати порнографом и т.д. Так вот, через порнографию, если хотите, через вещи, которые нас волнуют, вне зависимости от того, что они значат, я попытался набрести на язык описания любви, чтобы у людей в голове возникла ситуация аттрактивности через фотографию, через визуальный ряд. Я много уделяю внимания всякой ерунде, например, make up. Это момент, при котором тело получает какую-то собственную огласку и входит в ситуацию знакового мира. До тех пор, пока тело не участвует в этом, оно не становится красивым. Только тогда, когда оно входит в ситуацию распределения между всеми этими знаками, тогда оно красиво. То есть смысл красоты для меня — это участие во всем, что имеет смысл помимо этого. И еще — постоянное самоуточнение, осознанность. Красота может возникать и исчезать. И возникает она, когда человек оживает, проявляет участие и вписывается. Это может быть очень красиво, хотя объективно это, может быть, ничто. Это надо просто видеть.

— *Вернемся к языку любви Бродского. Если согласиться с вами, что Бродский не искал или не нашел поэтического языка описания любви, то как объяснить феномен книги „Новые стансы к Августе" — собрание стихов, адресованных одной и той же женщине и написанных на протяжении 20 лет, с 1962 по 1982 год? Поэт, столь требовательный к себе, как Бродский, вряд ли стал бы писать стихи о любви, не имея оригинальных средств выражения этой темы?*

— Да, там есть „Двадцать сонетов к Марии Стюарт" [НСА:117-28/II:337-45], очень эротическая штука. Там эротика вызывается через переживания насилия. Это замечательно.

— *„Двадцать сонетов", „Эней и Дидона" [O:79/II:163], „Anno Domini" [НСА:90-93/II:65-67] и другие стихи, не подсказывают ли они нам, что Бродский пользуется мифом и историческими парадигмами как маской для описания любви?*

— Я бы сказал другое. Когда Бродский касается взаимоотношения людей типа императоров, которые обладают полной властью, это, как по закону Архимеда, выталкивает любовь и общепринятые представления о ней. Он очень эротичен в этих сценах.

— *Другой его прием — снижение, например, цитаты из Пушкина:*

> Я вас любил так сильно, безнадежно,
> как дай вам Бог другими — — — но не даст!
> Он, будучи на многое горазд,
> не сотворит — по Пармениду — дважды
> сей жар в крови, ширококостный хруст,
> чтоб пломбы в пасти плавились от жажды
> коснуться — „бюст" зачеркиваю — уст!   [НСА:121/II:339].

— Есть у Сосноры тоже такое: «Я вас любил. Любовь еще — быть может. Но ей не быть» [9].

— *Это столкновение высокого и низкого вообще характерная черта поэтики Бродского. Согласны ли вы со мной, что Бродского нельзя обвинить ни в сентиментальности, ни в мелодраматизме, чем страдают некоторые современные русские поэты?*

— Абсолютно согласен. Я вообще в этом смысле не мог найти никаких друзей, кроме Жданова и Еременко. Люди подменяют свой опыт толкованием его. Они описывают чувства, которых никогда не переживали. На самом деле все происходит иначе, и все это связано, я думаю, с понятием времени.

— *Вы попали в самую точку. У Бродского эта магистральная тема времени вплетена в тему любви:*

> Вот конец перспективы
> нашей. Жаль, не длинней.
> Дальше — дивные дивы

времени, лишних дней,
скачек к финишу в шорах
городов, и т.п.;
лишних слов, из которых
ни одно о тебе.                    [НСА:116/II:461].

*Не могли бы вы развить эту связь времени и любви, потому что она
не очевидна.*

— Да, она не очевидна. Обычно считается, что поэзия, в частности
лирика, описывает переживания, связанные с тем, что человек находится
в подавленном состоянии: он или сидит в лагере, или ему чего-то не дано,
или у него какие-то комплексы, в общем недостаток чего-то. Но есть
совершенно другой тип восприятия мира, когда вы переживаете его пе-
реполненность, а не недостаточность. Я разделил условно всю эту литературу на поэзию Ада и поэзию Рая. В Аду Данте ходит и интервьюирует:
„Как ты сюда попал?" — „Я маму изнасиловал." — „А ты как попал?" —
„Я там убил кого-то." Но в Раю у него совсем другие переживания. Он
не может сопоставить себя и свои возможности с тем светом, с которым
он встречается. И он должен расшириться, выйти за свои рамки, стать
больше, чем он есть. Тем более, что в Раю бесконечное течение времени,
тогда как в Аду постоянная остановка его. В Раю вы находитесь как бы
в постоянных аттракционах: только вы сошли с одной карусели, как по-
падаете на другую и т.д., от одной игры к другой. Вас все время что-то
занимает. Таким образом, вы переживаете изменения, то есть время.

— *В чем вы видите основную заслугу Бродского перед русской поэзией?*

— Он как Жуковский, который перетащил к нам немецкий романтизм.
Через Бродского транслируется западная англоязычная литература. Через
него эти миры сообщаются. Например, я не мог отключиться от впечатления,
что Бродский не мог не проштудировать Лоуэлла.

— *Ну, конечно, он знал его лично, гостил у него, откликнулся на его
смерть элегией, написанной по-английски [PS:135-37], и, наконец, читал
о его поэзии лекции в Ann Arbor.*

— Да? Это интересно. У Лоуэлла есть такой цикл „Near the Ocean",
там такая же скорость письма. У меня есть такое мое личное понятие
„скорость письма", при котором происходят изменения в тексте, не только
в сюжете: стихотворение все время поворачивается куда-то, то есть становится более или менее непредсказуемым. Это скорость предсказания
и получения подарков: вы ожидаете, а вам не дают, а потом снова. Вот
эта игра, я называю ее «скорость письма». Она у Бродского приблизительно
такая же, как у Лоуэлла в „Near the Ocean".

— *Не могли бы вы сказать несколько слов о философско-этическом
фундаменте поэтического мира Бродского?*

— Дело в том, что нам придется касаться каких-то странных вещей.
У него есть очень четкое апокалипсическое видение. Причем, интересно,
что его друзья, тот же Рейн, например, они не трагические поэты. Они
элегисты, у них хорошие элегии. А Бродский, его герой настроен на полный
финиш, то есть он постоянно видит черную дыру. Все это дало какой-то
непредсказуемый мир, которого у нас никогда до него не было. И его
конфликт в том, что он достигает абсолютного спокойствия при абсолютном

трагизме. Он говорит о вещах, которые могут уничтожить все на свете, его самого в частности, но он цепляется за язык, за словарь. Помните у Мандельштама:

> Ты, Мария — гибнущим подмога,
> Надо смерть предупредить — уснуть.
> Я стою у твердого порога.
> Уходи, уйди, еще побудь[10].

Вот это постоянное колебание: стой — иди, стой — иди. Такая стратегия. Он в стихах не нервничает, а создает ощущение как бы полного спокойствия при том, что то, о чем он пишет, если человек понимает конечно, это ужас.

— *Ужас — это то чувство, которое его поразило в стихах Роберта Фроста, которые он читал во время ссылки в Норенскую в 1964-65 годах*[10]. *А как вы оцениваете его увлечение античностью?*

— Ну, во-первых, это эротика: через миф, через историю, через власть он выуживает свои эротические представления. Мы с вами об этом уже говорили. Во-вторых, метафора истории. Она существует в реальном мире, для него это соотнесение очевидно.

— *Чувствуете ли вы, что Бродский занят русским вопросом?*

— Нет, не чувствую. Во всяком случае это не на первом плане.
Мне кажется, что на самом деле он не связывает себя с государством вообще, что он пользуется государством, империей как метафорой.

— *А ностальгическую ноту вы у него чувстуете?*

— Нет.

— *Кого из поколения Бродского вы выделяете?*

— Есть три поэта из 60-х годов, которые очень менялись. Это Белла [Ахмадулина], которая достигла полной бесполезности, чистоты. Никто не понимает природу ее конфликтов и почему она об этом пишет. Считают, что она вышивает. Дальше Соснора. Он более напряжен, он все время играет. Он переменился здорово. По его советским книжкам вообще невозможно восстановить, о чем он думает. Зато по книжке, вышедшей в Ардисе, видно, как он менялся, рос, усложнялся. Он достиг, можно сказать, максимального расхождения с языком. Он деформирует язык настолько, что выключает грамматику, распадеживается, падежи спутаны, но тем не менее все понятно. И третий Бродский, который ни с того, ни с сего переменился. Простите, что я так говорю, его бы это покоробило. Я просто не знаю, как это произошло. Его „Римские элегии" [У:111-17/III:43-48] я обожаю. Вот они втроем из 60-х годов что-то сделали. Остальные менялись, но остались в общем в природе старых конфликтов.

## СИЛА[12]

> Озаряет эпителиальную темень, как будто укус,
> замагниченный бешенством передвижения по
> одновременно: телу, почти обращенному в газ,
> одновременно: газу, почувствовавшему упор.
> Это сила, которая в нас созревает и вне,
> как медведь в алкогольном мозгу и — опять же — в углу

искривившейся комнаты, где окаянная снедь.
Созревает медведь и внезапно выходит к столу.
Ты — прогноз этой силы, что выпросталась наобум,
ты ловил ее фиброй своей и скелетом клац-клац,
ты не видел ее, потому что тащил на горбу
и волокна считал в анатомии собственных мышц.
В необъятных горах с этим миром, летящим на нет,
расходясь с этим миром, его проницая в пути,
расходясь, например, словно радиоволны и нефть,
проницая друг друга, касаясь едва и почти...
Ты узнал эту силу: последовал острый щелчок, —
это полное разъединение и тишина,
ты был тотчас рассеян и заново собран в пучок,
и — еще раз щелчок! — и была тебе возвращена
пара старых ботинок и в воздухе тысяча дыр
уменьшающихся, и по стенке сползающий вниз,
приходящий в себя подоконник и вход в коридор,
тьмою пробранный вглубь, словно падающий кипарис.

## ПРИМЕЧАНИЯ

[1] Michael Molnar, английский славист, переводчик современных русских поэтов, автор "Body of Words: A Reading of Bely's 'Kotik Letaev'" (Birmingham Slavonic Monographs, No. 17, 1987). См. также его статью "The Vagaries of Description: The Poetry of Arkadii Dragomoshchenko" ("Essays in Poetics", Vol. 14, No. 1, April 1989, P. 76-98).

[2] Осип Мандельштам, „О природе слова", „Собрание сочинений в четырех томах" под редакцией Г.П. Струве и Б.А. Филиппова („Терра": М., т. 2, 1991, С. 247).

[3] Из записей лекций и семинаров Бродского по русской и сравнительной поэзии в течение марта-мая 1980 года в Мичиганском университете.

[4] Алексей Парщиков, „Фигуры интуиции" („Московский рабочий": М., 1989, С. 77).

[5] Иосиф Бродский, Интервью Валентине Полухиной. 20 апреля 1980, Ann Arbor, Michigan. Неопубликовано.

[6] Виктор Соснора дебютировал в 1962 году книгой стихов „Январский ливень" с предисловием Николая Асеева. Второй сборник „Триптих" (1965) высоко оценил Борис Слуцкий; к третьему сборнику „Всадники" (1969) предисловие написал Д.С.Лихачев. За ними последовали книги „Аист" (1972), „Стихотворения" (1977), „Кристалл" (1977), „Песнь лунная" (1982), наиболее полное американское издание „Избранное" (Ann Arbor: Ardis, 1987) и, наконец, отечественный сборник „Возвращение к морю. Лирика" (1989). В последние годы Соснора обратился к прозе.

[7] Д.Святополк-Мирский, „Баратынский", в кн. „Статьи о литературе" („Худож. литра": М., 1987, С. 225).

[8] А.Парщиков, „Фигуры интуиции", Ibid., С. 31-69.

[9] Виктор Соснора, „Песнь лунная" („Сов. пис.": Л-д, 1982, С. 105).

[10] Осип Мандельштам, „Собрание сочинений в четырех томах" („Арт-бизнес-центр": М., том 1, 1994, С. 334).

[11] Иосиф Бродский, „Европейский воздух над Россией", интервью Анни Эпельбуан, „Странник" (No. 1, 1991, С. 39).

[12] А.Парщиков, „Фигуры интуиции", Ibid., С. 71-72.

Виктор Альфредович Куллэ родился 30 апреля 1962 года в г. Кирово-Чепецке (Урал). Готовился стать физиком, но, отучившись четыре года, бросил Ленинградский институт точной механики и оптики и целиком посвятил себя литературной работе. Окончил в 1991 году Литературный институт, в 1996 году защитил первую в России диссертацию о творчестве Бродского, посвященную его поэтической эволюции. Статьи Куллэ о поэзии Бродского печатались в „Роднике", „Новом журнале", „Гранях", "Slavica Helsingiensia", "Russian Literature", „Литературном обозрении"[1]. Его стихи опубликованы в отечественной и эмигрантской периодике, переведены на ряд европейских языков. По-английски они напечатаны в "Soviet Poetry Since Glasnost" (San Francisco), "The Hungry Russian Winter" (Moscow), "Essays in Poetics" (Keele). Виктор Куллэ является составителем и издателем альманаха **„Латинский квартал"** (Москва, 1991), по его инициативе и под его редакцией вышел в свет сборник современной русской поэзии с параллельными английскими текстами "The Hungry Russian Winter". Основополагающей для него, как исследователя и издателя современной поэзии, является идея „вертикального поколения", представители которого, при всей возрастной и стилистической несовместимости, связаны „преемственностью нравственных установок и языковой органики"[2]. В сфере интересов Куллэ-переводчика поэзия Томаса Венцловы, Дерека Уолкотта, Роя Фишера, Шеймуса Хини и поэтов-сверстников. Виктор Куллэ стал редактором и составителем сборника Бродского **„Бог сохраняет все"** (Москва, 1992), в котором впервые предпринята попытка собрать вместе основной корпус работ Бродского-переводчика. Поэтическую манеру Куллэ отличает версификационное мастерство и классическая элегантность тропов. Его стихи, существующие в пост-Бродском лингвистическом пространстве, магнетизируются метрическим потоком, и в то же время отдельные строфы могут существовать самостоятельно — наподобие японской зарисовки пейзажа.

# ЛИНГВИСТИЧЕСКАЯ РЕАЛЬНОСТЬ, В КОТОРОЙ ВСЕ МЫ СУЩЕСТВУЕМ

*Интервью с Виктором Куллэ*
*24 июля 1992, Кил*

— *С какого возраста вы начали писать стихи?*

— Я не могу ответить на это точно. У меня не было такого момента в жизни, чтобы я сформулировал, что вот да, это — стихи. Я начинал в подпольной, что ли, культуре; подпольной не в смысле какого-то диссидентского или эстетического подполья, а был такой специфически-питерский „андеграунд" конца 70-х, культура хиппи в отечественном, естественно, варианте. И я писал черт-те что, тексты для рок-групп, какие-то забавные вещицы, хохмы, песенки. То есть когда это стало собственно стихами, а не какими-то домашними опусами, я отследить не могу.

— *Когда появилось у вас какое-то представление об идеальном стихотворении, и как оно менялось?*

— Я думаю, что у меня до сих пор нет представления об идеальном стихотворении. Просто были какие-то векторы развития, идеальные поэты, может быть, или, вернее, идеальные образы поэтов, и они, естественно, менялись, как у всякого советского, без кавычек, человека. Потому что я ведь все-таки сначала узнал Маяковского, не знаю, Евтушенко с Вознесенским, а потом уже я узнал Мандельштама. То есть у меня не было нормального какого-то процесса, и я думаю, что это характерно, это было почти у всех так, за исключением счастливых детей, попавших в счастливые условия, которым культура досталась по наследству. Я почти не знал своего дядю, замечательного поэта, ныне покойного, Сергея Кулле [3]. Вот у кого можно было бы, но поздно об этом, поучиться нормальному вкусу. А так я как-то медленно и мучительно, как и большинство сверстников, тыкался носом, пробовал что-то, отвергал...

— *Я сознательно спрашивала вас не об идеальном поэте, а об идеальном стихотворении, имея в виду ту ситуацию, что вот вы читаете чье-то стихотворение и думаете: „Ах, как бы я хотел написать именно это!" Есть ли у вас такие стихотворения, и появляется ли время от времени такое желание? Определите с сегодняшней точки зрения, что такое для вас идеальное стихотворение.*

— Умничая, можно сказать, что все мы сейчас находимся в ситуации борхесовского Пьера Менара, автора „Дон-Кихота". Ну а если серьезно, то таких стихотворений на самом деле не так уж много, и, может быть, здесь забавно то, что список стихотворений, которые я хотел бы написать сам, и список каких-то безусловных, главнейших и насущнейших для меня поэтических шедевров не совпадают. То есть пересекаются, конечно, но не совпадают, здесь нет закономерности. Может быть, это следствие моего дурного вкуса, может быть, это какая-то такая экзистенциальная загадка.

Наверное... ну, думаю, что здесь я не одинок, я хотел бы написать „Имяреку, тебе" [Ч:31/II:332] или „Ниоткуда с любовью" [Ч:77/II:397]. А „Письма римскому другу" [Ч:11-14/II:284-86], скажем, не входят в этот круг, хотя это, конечно же, великие стихи, и в условный „список шедевров" они для меня входят под каким-то очень весомым номером. И в то же время в этот список стихотворений, которые я бы хотел написать, могут попасть, например, стихи Вознесенского, вот эта песня „Ты меня никогда не забудешь, ты меня никогда не увидишь", хотя она, безусловно, не войдет в список шедевров. Или, например, некоторые песни таких замечательных и, к сожалению, недостаточно оцененных бардов, как Юрий Лорес или Геннадий Жуков. Конечно же, многие, чересчур даже многие стихи Гандлевского... То есть эти поля пересекаются, но пересекаются скорее случайно.

— *По каким критериям вы определяете указанные стихи Бродского как „шедевры"?*

— Думаю, таких критериев вообще не существует. То есть, конечно же, существует некий набор параметров, но это как в математике: „необходимо", но не „достаточно". При желании можно пропрепарировать посредством алгебры гармонию, но в гармонии ведь важно не совершенство пропорций и даже не „величие замысла", а то, почему эти пропорции соответствуют именно этому замыслу, и почему именно этот Мастер взялся воплощать именно этот замысел именно в этих пропорциях; даже более того — насколько избранные пропорции и замысел создавали самого Мастера. То есть своеволие этих троих — замысла, пропорций, Мастера — их взаимонеизбежность, обреченность и, возможно, то, насколько они соотносятся с неким глобальным саморазвитием миропорядка. Я просто знаю, что для меня эти стихи — шедевры. В этом смысле любой литературоведческий анализ не отвечает на вопрос „почему?" — он, скорее, может служить некоей суммой знаний о человеческом в человеке, либо о человеческом в себе самом. Это, кстати, мысль Бродского — об антропологическом предназначении поэзии.

— *А не могли бы вы назвать свои стихотворения, которыми довольны на сегодняшний день?*

— Ну, для меня самое основное то, что я сейчас делаю, это две мои незаконченные поэмы. Это „Перипл Ханнона"[4], который я начал в 85-м году, до сих пор продолжаю и боюсь, что уже не закончу, наверное, потому что слишком многое изменилось, я уже отошел от какого-то начального ощущения этой вещи. И, конечно же, это последняя поэма, вы знаете, я ее читал на вечере[5], которая сейчас без названия. Ну и вообще последние стихи, они кажутся, может быть, более удачными, скорее всего потому, что они более близки ко мне, я еще от них, как бы сказать, не отслоился, что ли. Хотя бывает и так, что приходишь в ужас сразу по написании.

— *В этом смысле вы присоединяетесь к общепринятому поэтическому клише, что последние стихи более дороги?*

— Да, конечно. Но дело в том, что стихотворение, я уверен, имеет некое пост-существование, я бы сказал „посмертие". На самом деле жизнь стихотворения — жизнь до момента его записания на бумагу. Если провести аналогию с человеческим существованием, то стихотворение живет в поэте, и момент его фиксации на бумаге это, собственно, похороны. И я думаю, что после этого существуют некие условные „сорок дней", когда оно еще посещает поэта. Это довольно любопытное состояние.

— *Когда вы почувствовали, когда вы смогли назвать себя поэтом?*

— Я не думаю, что и сейчас могу назвать себя поэтом, разве что сохраняя ироническую интонацию. Я могу примерно сказать, когда захотел стать поэтом, какая-то воля у меня появилась утвердиться именно здесь, даже не утвердиться... просто сначала пришло осознание того, что это неизбежно, что все остальное — скучно и пресно. Это было году в 82-м, или в 83-м, потом мне пришлось расстаться с физикой, пойти в армию... Это было следствием того, что я понял: другого какого-то пути для меня, наверное, нет, чем путь литературы. А сказать, что я Поэт... не знаю. В этом есть какая-то легковесность, что ли... Видите ли, я как-то все время бессознательно произношу это слово с заглавной буквы, оно для меня связано с несколькими конкретными именами, не то чтобы я надеялся, или желал их повторить, но все-таки... Мне очень приятно, когда меня так называют, но всегда как-то неловко говорить об этом самому. Все-таки понятие «стихотворец», которое, кстати, тот же Бродский любит употреблять, более, по-моему, удачно...

— *А когда пошли стихи потоком, или ручьем, был ли такой момент, когда вы почувствовали, что образуется какой-то центр вашего миро-текста?*

— У меня они пошли ручьем как раз в первой половине восьмидесятых, и это был действительно какой-то неудержимый поток, я мог писать ночами напролет, писать по нескольку стихотворений в сутки, подряд, месяцами. И всю свою дальнейшую жизнь я это в себе вытравливал и надеюсь, что вытравил, то есть я научился не записывать то, что я могу не записывать. Ведь есть такой первый импульс — все немедленно записать... вот пришел какой-то гул, ритм, строчка, ход какой-то формальный... Раньше это было такое детское желание зафиксировать, сродни собиранию гербария, а теперь я просто научился сдерживать себя до тех пор, пока не почувствую, что вот все, настало время, и при этом стараюсь обходиться без какого-то волнения, экзальтации. Для меня очень странно в этом смысле понятие „вдохновение"... По-моему, вдохновением являются именно вот эти вспышки, случайно приходящие или увиденные метафоры, ритм, речевые фигуры... Это как в „Чайке", помните, у Тригорина: „вот плывет облако, похожее на рояль"... А сам момент соединения всего этого материала в единый текст — он происходит как раз с абсолютно холодной головой, без какой-то вспышки, без чего бы то ни было постороннего. И думаю, для меня это был правильно когда-то избранный путь: давить себя, не давать себе писать как можно дольше. Может быть, этим я — не знаю, не мне судить — но какой-то концентрации в своих стихах умудрился добиться.

— *Теперь о другом центре. Когда ваши стихи стали группироваться в какой-то миро-образ, т.е. когда вы почувствовали, что существуют какие-то повторяющиеся темы, идеи, образы, что вы озабочены определенными культурными пластами, определенными этическими проблемами? Как это осознавалось вами?*

— Это, естественно, всегда осознается постфактум, по-моему, хотя я знаю и обратные примеры: Тимур Кибиров, который целиком придумывает книгу, а потом ее пишет. Думаю, что я одновременно пишу несколько книг, то есть я не знаю, в какую книгу укладывается стихотворение, которое сейчас вынашивается, потому что параллельно вынашиваются два-три стихотворения, и я не уверен, что все они из одной книги. А какой-то корпус, что ли, установок, взглядов, он, я думаю, где-то в 85-м, в 86-м году более-менее не то чтобы сформировался, но какое-то ядро уже обозначилось. Здесь же важно некое подобие инициации, инициации в том смысле, что для советских людей, для поэтов, живущих в определенных условиях, во многом это было связано с какими-то ужасами столкновений с режимом, с системой. И за это я должен быть немножко благодарен советскому государству, не потому, что стихи рождались из противоречия — естественно, стихи не рождаются в результате конфликта с государством, или рождаются плохие стихи — но вот этот момент какой-то инициации, момент подталкивания тебя к окончательному выбору — потому что не сделав внутреннего выбора все-таки очень трудно стать поэтом — этот момент государство провоцировало. Поэтому я с трудом представляю себе судьбу последующего поколения, того же Димы Кузьмина и остальных ребят [6]. Так или иначе, но я, будучи одним из самых младших в каком-то вертикальном поколении определенной эстетики и культуры, я все-таки еще немножечко побился башкой о кирпичную стену; можно очень долго биться башкой о кирпичную стену и рано или поздно можно эту стену пробить, но ватную стену пробить невозможно. Вот этим ребятам придется биться уже в ватную стену, т.е. у них не будет, им придется искать какой-то свой вариант инициации.

— *А как по-вашему, советское государство, существование которого Бродский, как мог, игнорировал, провоцировало ли оно рождение некоторых его стихотворений?*

— Здесь, прежде всего, следует договориться о терминах. Если под „провоцировало" вы подразумеваете, что столкновение с государством служило прямым поводом к созданию некоего стихотворного отклика, то, конечно же, нет. Но штука в том, что все мы живем в некоем реальном мире, в котором существует и реальность государства. И Бродский, как мне кажется, вовсе не столь уж обитатель башни из слоновой кости, каким его порой любят изображать. Он как раз декларирует „интеллектуальную трезвость", в том числе и в отношении извечного конфликта Поэта и Государства, просто частного человека и государства. У него, естественно, есть стихи, прямо откликающиеся, например, на войну в Афганистане, даже на перипетии его личной судьбы, но все эти реальные поводы к написанию стихотворения, будучи окрашены его „нейтральной интонацией", выводят разговор на несоизмеримо более высокий уровень, нежели то, что обычно подразумевается, когда речь идет о политических стихах. Я имею в виду, например, патетику и декларативность его антипода — Евтушенко. Если же отвлечься от клише, то, скажем, „Письма римскому другу" [Ч:11-14/II:284-86] или „Post aetatem nostram" [K:85-97/II:245-54], да и вообще огромное количество его стихотворений подразумевают в одном из своих прочтений и политический контекст. В конечном счете, включение политики в стихи — вопрос личного вкуса стихотворца. Для мелких талантов, или попросту мелких людей — это убийственно, для тех же, кто вкусом, как „чувством соразмерности и сообразности", обладает, ничего страшного в этом нет.

— *Вернемся к вашему миро-образу. Не могли бы вы обрисовать его составляющие?*

— Все-таки есть одновременно несколько разных „я". Очень характерный пример с этими двумя поэмами, древней и современной, которые как будто написаны разными людьми, и я не знаю, что будет доминировать. Это даже не перемена — вот я был таким, а стал таким — это существует во мне одновременно; может быть, произойдет какой-то синтез. Я очень любил и люблю до сих пор древнюю историю и вообще то, чем мы обязаны и Элиоту, и в нашей поэзии Мандельштаму, Бродскому — это осознание единого потока культуры, который проходит через поэта. Стихотворец становится поэтом не когда он написал десять даже гениальных стихотворений, а когда сориентировал себя и свои стихи в этом вот потоке — отвергая, принимая, не важно, в какие он отношения с ним вступил, но он вступил в эти отношения. Думаю, что я еще нахожусь в поиске этих связей, я их не установил окончательно — может быть, любой стихотворец их всю жизнь устанавливает заново. И еще один очень важный для меня момент. Я это называю „естественной метафорой", то есть имеется в виду использование в работе не того, что я придумываю, что-то чему-то уподобляю, а нечто, что уже есть (в природе, в культуре, в языке) и что нужно просто увидеть. Скажем, вчера мы были с Робертом [7] в пабе и наблюдали одну игру, „darts", — стрелы, которые метают в круг, называемый „бычий глаз". Так вот, „метают стрелы в бычий глаз" — это уже метафора, которая, может быть, для англичанина никак не звучит, но по-русски она звучит достаточно любопытно. Масса таких вещей обнаруживается в древних текстах, или ты получаешь их из путевых впечатлений, поэтому я стараюсь как можно больше ездить, хотя бы по России. То есть главное — отношения с этим потоком культуры и с неким единым древом метафор, которое реально существует... Здесь есть один важный момент. Вот Рой Фишер заметил, что английский язык состоит из огромного количества мертвых метафор [8], но и русский язык, русская поэзия тоже состоит из огромного количества мертвых метафор. Отсюда такая нескончаемая попытка оживить их и наполнить неким суверенным смыслом — то, чем занимаются в той или иной форме все, реально пишущие ныне на русском языке. Это как у моего любимого Чжуан-цзы: слова не имеют смысла, они только чреваты смыслом. И вернуть слову изначальную метафоричность, мифологичность, сделать пустую оболочку метафоры чреватой смыслом — это невероятно важно.

— *Какой конкретно из культурных пластов, из культурных опытов вы персонифицируете в своих стихах?*

— Я думаю, это то, из чего мы все произошли, этого не нужно даже как-то персонифицировать — некая данность, некий эпиграф над всем творчеством — это Мандельштам, это Бродский — то, от чего никуда не уйти... Очень смешно числить свою генеалогию от Пушкина, потому что от Пушкина числят свою генеалогию все, просто невозможно обойтись без этого. Он стал некоей гигантской метафорой, внутри которой все мы находимся.

— *Что из поэтики Пушкина присвоил себе Бродский, что он оживил и обновил?*

— Бродский унаследовал у Пушкина то же, что унаследовали все пишущие стихи — русский язык. Другое дело, как он распорядился этим наследством, то есть ему удалось сделать, на мой взгляд, больше, чем кому бы то ни было во второй половине века для сохранения, развития и, может быть, для выживания этого языка. Параллель с Пушкиным, когда речь идет о Бродском, при всей ее скандальности достаточно неслучайна. Бродский в своем творчестве узаконил некие грандиозные сдвиги в структуре пушкинского языка, сдвиги столь существенные, что, не будучи возведенными в ранг литературы, они могли разрушить все здание. Это, естественно, связано как с десятилетиями советской власти, так и с некоторыми безответственными по отношению к языку экспериментами авангарда начала века. То есть как фактор *лингвистического влияния* он если и не соизмерим, то сопоставим с Пушкиным. И потом, мне кажется, дело заключается в самой его личности, в ее масштабе, в ее универсальности, оригинальности, в особой органике присущей ей свободы. Благодаря этому, не побоюсь сказать, моцартианскому складу личности ему, наверное, и удалось сделать то, что он сделал. У него, кажется, изначально было ощущение законного наследника всей русской поэзии, в то время как значительное большинство пишущих (и ваш покорный слуга в том числе) длительное время изживали и изживают в себе комплекс бастарда.

— *Немного о вашей поэтике. Какие из формальных структур стихотворения вы нагружаете семантикой больше всего и сознательно ли вы это делаете?*

— Я думаю, что процесс все-таки бессознателен, но есть как бы некий постфактум: я недаром говорил, что вынашиваю стихи, потому что бывает так, что несколько каких-то тропов, строчек, каких-то ритмических рисунков одновременно накапливается, все они из разных стихотворений, и я не знаю, что из какого. И вдруг в определенный момент, как правило, когда я бываю в Питере, в каком-то своем любимом месте, ночью обычно, один кусочек начинает притягиваться к другому, и я понимаю, что все это из одного текста. У меня иногда бывает такое ощущение, как у археолога, который расчищает кисточкой существовавшую ранее надпись — на глиняных табличках, на скале — один кусочек, другой, третий, а потом, когда вся пыль снята, надпись видна целиком, он понимает, что вот это один текст, а это — другой... Думаю, для меня самым важным является именно момент соединения этих кусочков, которые раньше, иногда довольно долго, существовали самостоятельно. Это происходит бессознательно, то есть стихотворение как бы всплывает сначала своими более легковесными частями, а самые тяжелые, те, которые, собственно, и порождают синтез — они проявляются позднее. Это во-первых, а во-вторых для меня чрезвычайно важна та *нетрадиционная лексика*, точнее, то нетрадиционное ее употребление, подход к ней, который стал знаком вообще всей русской поэзии второй половины XX века. Это давняя история, она тянется еще с двадцатых-тридцатых годов, когда интеллигенция была вынуждена в каком-то смысле противостоять государству. Я сейчас излагаю не столько свою оригинальную точку зрения, сколько некое синтетическое мнение определенного круга стихотворцев, которое я разделяю... Так вот, интеллигенция, она выстояла, выиграла во всех отношениях, кроме одного — она проиграла в языковом, в лексическом отношении, потому что слэнг стал более полноправной частью нашей речи, нежели литературный язык. Это мы вынуждены признать, и с этим даже бороться глупо, тем паче, что литературный язык был настолько прочно связан с тем ужасным умерщвлением, уплощением, которое произвела в нем „лингвистическая революция" соцреализма. Теперь же новая смещенная лексика — это реальность, тем более, подтвержденная опытом таких столь разных поэтов, как Бродский и, предположим, концептуалисты. То есть она узаконена наиболее влиятельными и диаметрально противоположными эстетиками. Это уже признали все, это часть языка, от которой никуда не деться. Речь, естественно, идет не столько о мате, сколько о том, что Бродский так удачно окрестил „эзоповой феней". Но поскольку стихотворцы все равно не могли этот слэнг, этот некий новояз принять в той форме, в которой унаследовали его от интеллигенции, прошедшей через лагеря, они как бы вычеркнули старую этимологию и совместными усилиями сотворили новую. И вот это переосмысление, присвоение новой семантики внелитературным словам, иногда архаизмам, иногда советским бюрократизмам и т.п. — семантики, порой диаметрально противоположной изначальному смысловому наполнению — то есть некое нетривиальное, экзистенциальное даже употребление лексики, отношение к лексике — все это чрезвычайно сильно окрашивает стихотворение. Что, наверное, в своем роде печальный синдром, поскольку это заведомо непереводимо... Я не знаю, как это интерпретируется в английских версиях стихов Бродского, но думаю, что большая часть все равно непереводима, потому что это процесс, стремительный процесс, который еще не закончился, он до сих пор происходит в языке, и нам сначала нужно самим разобраться с этим языком. Потом уже получится нечто итоговое, синтетическое, я в этом уверен.

— *Что подтолкнуло вас к написанию длинной поэмы?*

— Тоже странный вариант... Я буду сейчас говорить о последней поэме — это именно та история с плитой, которую я расчищаю. Просто оказалось слишком много расчищенных кусочков, и в какой-то момент я понял, что это уже больше, чем просто стихотворение. Дальше я стал ломать голову над тем, почему это произошло, зачем мне — бред какой! — писать поэму? Для меня самого это было огромной загадкой... Писать поэму — дело безнадежное сейчас, мне кажется.

— *Какие опасности вы видите на пути завершения этой поэмы?*

— Я думаю, монотонность, просто ритмическая монотонность. Потому что мне кажется все-таки, что поэма должна быть чем-то единым, должна быть написана одним размером. Я не уверен в своих силах, не уверен в своей изобретательности, в том, что я настолько смогу разнообразить один-единственный размер, что поэма — фонетически, ритмически, интонационно — станет читаема от и до. А создавать некое подобие „Братской ГЭС"[9] я никоим образом не намерен. Кстати, пример Бродского, его „Исаак и Авраам" показывает, что он в этом смысле почти подошел к границам жанра, потому что дальше поэма тоже бы развалилась, я уверен. Бродский в свое время что-то подобное говорил об изобретательности Луговского в „Середине века"[10] — это тоже пример, но там уже видно, что человек арифметически перебирает все возможные варианты. И это, собственно, влияет уже на некую субстанцию текста, то есть это порочный путь. Наверное, поэтому прекратилась и моя первая поэма...

— *Как вы оцениваете длинные стихотворения Бродского, образующие у него почти особый жанр?*

— Думаю, это имеет прямое отношение к сказанному выше. Такие крупные его вещи, как „Большая элегия Джону Донну" [C:130-36/I:247-51], „Исаак и Авраам" [C:137-55/I:268-82], „Горбунов и Горчаков" [O:177-218/II:102-38], незаконченная поэма „Столетняя война" [MC-4] и еще ряд других написаны одним размером[11]. Они, в сущности, представляют собой некий единый эпос, и эпос, как мне кажется, незавершенный по формальным причинам [12]. В „длинных" же стихотворениях (например, в Эклогах) Бродский как бы стремится максимально приблизиться к поэме, оставаясь при этом в рамках стихотворения, никоим образом не переступая некую незримую, им лично открытую границу. В этом смысле особняком стоят, мне кажется, стихотворная повесть „Посвящается Ялте" [К:37-54/II:142-56] и „Колыбельная Трескового Мыса" [Ч:97-110/II:355-65], которая совершенно состоялась именно как поэма.

— *Почему вам до сих пор не удалось опубликовать сборник своих стихов?*

— Ну, с самого начала я, естественно, пытался это сделать, как пытается всякий литератор, а потом, поскольку было столько печальных примеров каких-то клинически больных людей, которые обходили все редакции, старались напечататься в журналах, где-то там еще, просто не могли ни о чем кроме этого говорить... С другой стороны, я встретился — сначала на уровне текстов, легенд, анекдотов, а потом уже и лично встретился, с кем-то подружился, — с некоторыми старшими для меня поэтами, людьми иного поколения, которые заведомо были вне официальной культуры. И я понял, что это безнадежное дело... если ты будешь всерьез заниматься своими публикациями, то попросту перестанешь писать, это неизбежно. И я выбрал писание, потому что такова судьба сейчас и у нашего поколения, и у поколения, которое нас постарше... (Я использую слово „поколение" в кавычках, для меня оно бессмысленно само по себе, как что-то горизонтальное, механическое, что ли... это у „шестидесятников" было „поколение", хотя как раз наиболее яркие представители той генерации „шестидесятниками" себя упорно не считают.) Так вот, до сих пор не опубликованы нормальные книги поэтов „лианозовской школы", если что-то и вышло, то мизерными тиражами, за свой счет... До сих пор нет книг у многих уже ушедших поэтов. Большинство поэтов, являющихся для меня некими и человеческими, и нравственными, и эстетическими авторитетами, до сих пор в России не изданы, или изданы, мягко говоря, недостаточно. Нет книг у Михаила Айзенберга, у Тимура Кибирова, у Льва Рубинштейна, у Айги отечественная книжка вышла только в прошлом году — это же просто стыдно [13]. То есть я сам никогда ничего никуда не ношу. Если мне предлагают, я с радостью отдаю стихи, но ходить, предлагать свою рукопись...

И еще: все-таки одно из достоинств подпольного бытования поэзии в том, что люди, существовавшие в этих условиях, приучились к радости ненапечатанного текста — того младенческого ликования, что вот, меня напечатали, не было дано почти никому. И, может быть, за это даже спасибо нужно сказать советской власти, потому что всегда существовала опасность превратиться в эдакого нового Евтушенко, или еще страшнее — в карикатуру на Евтушенко... Единственным резонансом твоим стихам, единственным критерием стала оценка людей, мнение которых для тебя действительно важно. И то, что, скажем, у меня есть оценка нескольких таких людей — это греет, является каким-то внутренним событием гораздо большим, нежели гипотетический выход моей книжки. Хотя, конечно же, я хочу, чтобы эта книжка вышла. Это во-первых. И, во-вторых, то, почему я издаю вот эти свои альманахи: „Латинский квартал", „Голодную русскую зиму", готов еще выпуск альманаха „Чистая лирика", надеюсь, если деньги найдутся, что он все-таки выйдет... Это моя идея-фикс, моя мания — пафос воссоздания правильной иерархии. Иерархии не эстетической, а попросту хронологической, потому что есть некий единый процесс, поток поэзии, и это чушь собачья, что этот процесс так уж сильно прерывался: даже в самые мрачные времена жили Ахматова, Пастернак, Тарковский, в полной изоляции творили Кропивницкий, Сатуновский, заставшие еще обэриутов, был „поздний обэриут" Оболдуев, был Роальд Мандельштам, еще люди. То есть поэзия существовала[14]. Может быть, у них не было такой прямой эстафеты из рук в руки, это было сильно затруднено, все они существовали в изоляции, но был единый процесс, и я ощущаю, что мое существование без этого невозможно, зависимо от них. То есть существует эта временная иерархия. Мне как-то стыдно было бы прийти со своей вышедшей книжкой и подарить ее кому-нибудь из старших, тому же Мише Айзенбергу, у которого своей книжки еще нет[15]. Я бы чувствовал вину какую-то... И, наверное, когда я перестану это чувствовать, я перестану писать стихи. Словом, для меня сейчас важнее, чтобы вышла книжка, ну, условно, того же Миши Айзенберга, а потом уже вышла моя. Тогда я буду чувствовать себя в более комфортных отношениях с мирозданием.

— *Чьи голоса в сегодняшней поэзии, поверх поколений, для вас наиболее привлекательны?*

— Конечно же, Бродский, с этим все понятно. У нас сейчас вообще, мне кажется, блистательная поэзия, и в этом смысле для меня совершенно неприемлем термин „бронзовый век", как подразумевающий некое снижение. Лично мне очень близки упомянутые уже не раз Миша Айзенберг, Сергей Гандлевский, Тимур Кибиров, потрясающий совершенно поэт Лев Лосев — это какая-то внутренняя необходимость, голоса, от которых я просто зависим, я от них никуда не денусь. И, помимо этого, я чрезвычайно высоко ценю то, что воспринимается более отстраненно, т.е. никоим образом не терминирует меня, мои стихи: Геннадий Айги, Михаил Еремин, Всеволод Некрасов, Лев Рубинштейн. Поэты, перед которыми я где-то преклоняюсь, даже завидую им в каких-то вещах, но это, скорее, такая любовь на расстоянии.

— *Можете вы назвать современных поэтов, которые более склонны эстетизировать действительность, нежели иронизировать над ней, или даже нигилизировать? То есть тех, для кого эстетика абсолютно доминирует?*

— Здесь нам опять нужно сначала договориться чуточку о терминах, потому что на мой взгляд самая совершенная, самая последовательная эстетическая позиция — это опять-таки позиция Бродского, то есть позиция следования языку. Это крайнее проявление эстетизма, и дальше шагу нет, дальше стенка, в которую ты упираешься... Впрочем, то, что я сказал, это немножко утилитарная, внутрицеховая, если можно так выразиться, точка зрения. Ведь всякий стихотворец, оценивая другого, думает немножко о себе, как бы он это сделал, то есть он всегда немножко корыстен, с неким умыслом подходит к чужому опыту.

— *Означает ли ваш ответ, что вы разделяете мысль Бродского о том, что „эстетика — мать этики"?*

— Да, означает, с той неизбежной поправкой, что это все-таки мысль Бродского. Я пока не могу похвастаться какой-то своей собственной более-менее удовлетворительной универсальной системой. Я пользуюсь набором чужих эмпирических правил, и то, что сформулировано Бродским,

мне чрезвычайно близко. Хотя ближе, вероятно, все-таки завещание покойного Венедикта Ерофеева: „совесть и вкус" — то есть аристотелевское
чувство Меры в своих проекциях на этику и эстетику.

— *А какое место вы отводите Бродскому в обрисованном вами поэтическом пейзаже?*

— В ситуации с Бродским есть огромный искус. Бродский ведь появился
как фигура идеального поэта; и, я думаю, он получил некий титул, точнее
пред-титул идеального поэта задолго до того, как стал как-то ему соответствовать. То есть здесь вот этот имидж, этот миф о Бродском — ха-
ризматическом поэте [16], способствовал во многом становлению самого
Бродского. То есть Бродский, по-видимому, старался этому соответствовать.
Многих прочих подобная ситуация могла бы сломать, Бродского же, судя
по всему, только закалила — но это скорее *его личностное достоинство*,
нежели литературное. А из литературных я выделю, в первую очередь,
этот пафос воссоздания культуры заново, о котором он писал в своих
автобиографических эссе. Все-таки он же ПОТОМ познакомился с Ахматовой, он ПОТОМ прочитал что-то, и все они ПОТОМ... Они сначала
просто чувствовали некий дискомфорт, некую невозможность существовать
в тогдашних условиях, и не было альтернативы, не было еще представления
о том, что вот совок это ад, а Запад — это рай... Вообще это удивительно,
откуда им, тогда пятнадцати-шестнадцатилетним, откуда им было знать, что
может существовать какой-то иной мир, иная этика, что на Западе действительно безработные тысячами под мостами не дохнут? Откуда им было
это знать? И поэзия, вообще культура в качестве альтернативы тоже появилась, вероятно, потом... Это удивительный феномен — то, что они, не
только Бродский и его окружение, естественно, не только поэты, но и
физики, филологи, врачи, кто угодно, — как они ухитрились в полном
духовном вакууме почувствовать вот эту смутную невозможность существования, так и не имея никакого еще реального идеала, что ли, одним
индивидуальным чутьем, каким-то компасом, нюхом все-таки первыми вышли
к нормальному человеческому самоосознанию; и то, что мы сейчас можем
думать о каких-то серьезных эстетических, онтологических вопросах —
это заслуга их во многом, потому что с них начался некий перелом менталитета [17].

Ведь действительно, если говорить не о некоей метафизической преемственности, а о реальных вещах, то менталитет был вытравлен войной.
Потому что к тому времени почти вся интеллигенция старая исчезла, во
время блокады уже последние перемерли, оставшиеся так закапсулиро-
вались, что раскопать их было почти невозможно... История „ахматовских
сирот" [18] здесь лишь счастливое исключение... За годы войны остервенение
какое-то укрепилось, стало нормой, что ли; то есть после ужасов войны
прочие ужасы как бы становились не столь ужасны... И вот эти ребята,
которые были первым послевоенным поколением, у них у первых этот
толчок произошел, который позже и привел в итоге к размыванию советского менталитета. Это огромное достоинство не только Бродского, но
и всего поколения; Бродский просто наиболее наглядная фигура. И это
факт не только исторический, но и факт эстетический, потому что это
урок свободы, причем свободы позитивной, не свободы „от", „вопреки",
а — по Фромму — свободы „вне", „для", то есть творческой свободы.

Это одно. Второе — сформулированная Бродским эстетика, ее универсальность; этот поток культуры, это отношение к традиции — то, что

было для нас совершенно чуждо. Его версия взаимоотношений поэта с языком в той или иной форме влияет сейчас на всех, и не может не влиять. Я думаю, что гораздо в меньшей степени фактором влияния будет пресловутая „нейтральная интонация". Это, в своем роде, эстетический тупик, потому что на практике речь идет не о реальной прививке какой-то английской интонации, а все-таки о некоей адаптации ее Бродским. Он как бы пропустил ее через себя и сделал личным достоянием, клеймом Мастера. И всякий человек, который будет этому следовать — он будет следовать не опыту Одена, вообще англичан, а будет просто подражать Бродскому. Литературная эстафета, впрочем, передается через поколение, так что кто знает... Я не думаю, что это станет фактором влияния... то есть образцом для подражания, даже эталоном, это уже стало — но сам Бродский, вероятно, декларируя „нейтральную интонацию", подразумевал нечто иное. Как образец же взаимоотношений поэта и языка, как некая универсальная модель — это очень важно. И, наконец, третье, то, что Бродский — огромный поэт. То есть, помимо всего прочего, это просто невероятный какой-то технический инструментарий, который влияет на всех. Бродский, в сущности, в одиночку (да простят мне прочие представители питерской школы, те же „ахматовские сироты") уравновешивал нашу поэзию, т.е. самим фактом своего существования противолежал всем остальным традициям: и традиции лианозовцев, и концептуалистам, и кому угодно, всей „московской школе" — все это уравновешивалось одним Бродским.

— *Как вы лично открыли для себя Бродского?*

— Я счастливо с ним знакомился, знакомился, начиная, условно говоря, с „Пилигримов" [C:66-67/I:24], то есть со сдвигом по времени, но в хронологическом порядке. До меня доходил какой-то самиздат, некоторые ранние вещи, я совершенно не запоминал, что вот это некий Иосиф Бродский — то есть я потом уже сопоставил все это... Какие-то тексты через меня проходили; я, естественно, что-то отмечал для себя, имя существовало на периферии сознания, но я ничего не знал о самом Бродском и не мог составить для себя какой-либо реальный портрет...

— *Это какие годы?*

— Ну, конец семидесятых, начало восьмидесятых... Потом мне досталась машинопись сборника „Остановка в пустыне", машинопись „Новых стансов к Августе", я их тогда сам перепечатал на машинке... То есть все знакомство происходило исключительно через самиздат.

— *И что вас удивило больше всего, когда вы читали, скажем, „Остановку в пустыне"?*

— Я, может быть, скажу кощунственную для вас вещь, но „Остановку в пустыне" я сначала просто не воспринял, вообще. То есть я ее начал читать и отложил, она мне показалась скучной... А какая-то любовь к Бродскому, понимание его значения — это пришло с „Новыми стансами к Августе" и „Частью речи". Цикл „Часть речи" [Ч:77-96/II:397-416] и „Двадцать сонетов Марии Стюарт" [НСА:117-28/II:337-45] — они меня ошеломили мощью, просто мощью и все. Я думаю, такое ощущение бывает у человека, который никогда в жизни не видел моря и впервые очутился на побережье в двенадцатибалльный шторм. То есть сначала был этот шок оглушающий, а потом уже я начал как-то с ним разбираться, пытаться понять, и вот до сих пор разбираюсь, и думаю, что долго буду этим заниматься.

— *Скажите, учились ли вы у Бродского, и если да, то чему?*

— Думаю, что да. Это, вообще говоря, огромная опасность. Многое из того, что я написал, просто зависимо от Бродского, это во-первых...

— *Можете привести конкретный пример?*

— Ну, хотя бы просто по интонации, тот же „Перипл Ханнона". Я не имею в виду, что это исключительная привилегия Бродского — писать эдаким „советским гекзаметром" пятистопного анапеста. Это, в конце концов, „Золотистого меда струя из бутылки текла"... Но я-то знаю, что воспринял его через Бродского и, значит, окрас интонационный все равно был его. Другое дело, что я все время бессознательно ли, сознательно — стремился оживить этот окрас, уйти от той нейтральной интонации, которая так актуальна для Бродского. То есть первый фактор — это чисто формальная зависимость, это его потрясающий инструментарий; и от него никуда не деться — он просто есть и все. Это такая лингвистическая реальность, в которой я, мы все существуем, вынуждены существовать. А второе — это некое отталкивание, которое происходило уже в силу инстинкта самосохранения. Это происходило совершенно сознательно, и в этом был даже некий постоянный перегиб, т.е. это распространялось даже на те вещи, в которых, может быть, Бродского и не было, но все равно вот этот страх попасть под паровоз — он был. Все равно все время оглядываешься, косишь глазом, и вот это состояние, когда ты косишь глазом — оно очень неплодотворно... Мне еще более-менее повезло, то есть я в каком-то зрелом возрасте с этим столкнулся. А вот кого действительно жалко, так это тех, кто в шестнадцать лет начинают писать, вдохновленные свежепрочитанным Бродским — это может стать смертельно опасным. Я знал одного человека, достаточно, на мой взгляд, способного, который приступал к сочинению собственных стихов так: читал Бродского до посинения, часа три, четыре, восемь — потом начинало что-то в голове свое бурлить и он, вдохновленный, бросался записывать.

— *А как вы отгораживались от этого влияния? Что вы предпринимали?*

— Ничего не предпринимал, то есть каких-то искусственных приемов здесь не было и, наверное, быть не может. Просто у меня, как и у многих, наверное, выработался некий предохранитель, в какой-то момент он в голове щелкал и стихотворение прерывалось. То есть я понимал, что надо охладиться и пойти погулять... Я просто прерывал писание и потом возвращался к этим стихам, или не возвращался, или мог вернуться через год и как-то по-другому их прочитать. Некоторые вещи, безусловно, сознательно апеллировали к Бродскому — это такая попытка, дерзость такая, без которой писать стихи тоже нельзя. Попытка как-то проверить силы, что ли. Я думаю, Бродский сейчас настолько растворен в воздухе, особенно для более молодых, нежели я, что это перестало уже быть прерогативой собственно Бродского, или некоей условной школы — это просто новый этап развития языка. То есть с ним даже „считаться-не считаться" бессмысленно: он просто есть и все тут. Я думаю, молодые уже уверены, что так было всегда, точно так же, как мы уверены — я опять проведу эту параллель — что русский литературный язык всегда был таким, каким мы его знаем после Пушкина. В этом смысле я думаю, что Бродский, как и Маяковский — это люди, которые в значительной степени изменили русский язык. Я сознательно беру из начала века не Мандельштама, и даже не Хлебникова, потому что имею в виду язык как таковой, а не поэтический язык. Бродский ведь изменил не только язык поэтов — вся эта послевоенная солянка, „эзопова феня", она ведь требовала узаконения; и Бродский был одним из первых, кто это не просто узаконил, но возвел в ранг литературного языка, то есть переплавил и очистил от шлака.

*— А как бы вы сформулировали основные причины неприятия Бродского некоторыми поэтами?*

— Я думаю, что причины заведомо экстратекстуальны. Я, может быть, скажу очень жесткие вещи, но я полагаю, что в тех случаях, которые мне известны, это позиция людей обиженных, причем обиженных в самом широком семантическом смысле. Для меня ненормальна та ситуация, в которой любой поэт, пусть даже диаметрально иной эстетики, может тебе мешать. Ведь в начале века почему-то все вместе существовали и никто никому не мешал, не стояло альтернативы какой-то жесткой, это вообще признак больного сознания — жесткая альтернатива. Заинтересовавшись феноменом подобных критик Бродского, я набрел на какие-то любопытные вещи. Во-первых, я заметил, что для всех критиков Бродский — фигура глубоко интимная. Большинство из них — это все-таки стихотворцы, и, думаю, они переживают вот этот комплекс Бродского, трагедию своих односторонних отношений с Бродским едва ли не столь интенсивно, как, я не знаю, переживали бы уход любимой женщины. То, что Бродский их как-то не замечает, или он самим фактом своего существования их отрицает, что ли — это же смешно, ей-Богу. Не только смешно, но и постыдно обсуждать, почему премию дали Бродскому, а не кому-либо еще. Если в кои-то веки Нобелевский комитет совершил счастливую ошибку — так ведь радоваться надо. Можно подумать, что присуждение Нобелевской премии как-то принижает заслуги кого бы то ни было. Я совершенно согласен, что ее можно было бы еще нескольким, вероятно, людям присудить, я уже говорил, что у нас сейчас блистательная поэзия — но что ж поделать, так сложилась судьба. Вообще никогда не бывает, чтобы справедливость торжествовала во всем. Что же теперь, когда она один раз восторжествовала — это уже вроде как и не справедливость, что ли? Мне все разговоры на эту тему кажутся мелкими и, не знаю, безнравственными, безвкусными даже. То есть получается так: нам всем плохо, так пусть и ему тоже будет плохо, и тогда нам всем будет чуточку легче жить.

Здесь есть очень важный момент. Во-первых, большинство поэтов (не все, но многие, по крайней мере — все ленинградцы) в той или иной степени зависимы от Бродского; вся ленинградская школа прошла через этот искус Бродским. Во-вторых, Бродский для многих — воплощение идеальной судьбы поэта. То есть в существующей мифологии к Бродскому вроде бы можно отнести слова Ахматовой о везунке-Пастернаке. Здесь что интересно — та легкость, с которой люди берутся судить о чужой — не важно, дурной ли, хорошей — жизни. То есть ход рассуждений этих, со стороны, без каких-либо этических критериев, приблизительно таков: как у него все складно получается, ну, упрятали в психушку, но ненадолго ведь, и все-таки не вышел оттуда идиотом, а многие идиотами стали; посадили — но опять-таки не в лагерь ведь, а всего-навсего в ссылку, и освободили раньше, и вообще он этому процессу всем обязан; и Ахматова-то его привечала, и Одена он успел застать, и вообще он там как сыр в масле катается, премии получает, а мы тут... То есть получается так, что ему все время везло, что ли, и когда в ссылку отправляли — тоже везло?

А что он при этом чувствовал — никого как бы не волнует. И все исходят из того, что Ахматова обмолвилась про „биографию нашему рыжему"[19], Ахматова, которая имела, кстати, право на такие слова; слава Богу, уж кто-кто не имел, а она имела... А люди, которые теперь об этом рассуждают, — они-то откуда такое право взяли? В конце концов вообще нет каких-то единых критериев. То эмоциональное неблагополучие, о котором Бродский писал как о „едином хлебе поэзии"[20]... черт его знает, что страшнее: двадцать лет лагерей или потеря любимого человека? И на каких весах это можно взвесить? Это, в сущности, грех гордыни. Нельзя ставить себя на место Бога; потому что если ты взвешиваешь, что больше, а что меньше — ты уподобляешь себя Господу на Страшном Суде...

Вообще, это какое-то невероятно советское рассуждение, это и есть пресловутый „совок", причем совок такой метафизический... Люди, пускающиеся в какие-либо рассуждения по поводу Нобелевской премии (и не только о справедливости-несправедливости, но и на предмет того, как получивший ее должен себя чувствовать), в моей системе отсчета — „совки". То есть они могут рядиться в какие угодно маски: эстета, предположим, классициста, моралиста, авангардиста... Просто кто-то умнее, кто-то глупее, темпераменты разные; кто-то любуется своими рефлексиями по поводу Бродского, кто-то брюзжит, кто-то натужно ерничает. Но есть один важный, единый для всех симптом: ни одна из критик, тех, по крайней мере, которые я знаю, не обошлась без „блох". В них всегда есть какая-то червоточина, какой-то изъян. Гипотетически ведь можно сесть и, взяв за аксиому какие-то свои претензии, написать некую идеальную критику на кого угодно, хоть на Мандельштама, на Пушкина... Ну ладно, построй ты ее хотя бы внутренне непротиворечивой, возьми внешнюю тезу и подгони под нее какую-то свою стройную систему. Ведь пишут-то все-таки в большинстве своем люди умные и хорошие литераторы, хорошие стилисты — так куда же все девается? То есть им изменяет вкус, это важно.

— *А среди поколения, не страдающего упомянутым комплексом, например, среди метаметафористов, концептуалистов — в чем здесь, на ваш взгляд, причина неприятия Бродского? Отказываются ведь даже читать, просто знать не желают.*

— Здесь, я думаю, следует провести разделение. Метафористы, вообще те, кого принято называть „новой поэзией" — попросту иное какое-то мирочувствование, это люди, обретавшиеся в некоем полуофициальном состоянии. То есть они достаточно, что ли, социализированными были. Это как раз идея горизонтального поколения, идея некоей группы ровесников, держащихся друг за друга и прущих напролом; и такая идея смешных уровней преемственности, примитивизированных чрезвычайно... Такая карикатурная модель получается: дескать, вот была оттепель, появились „шестидесятники", причем под „шестидесятниками" подразумевается троица — Евтушенко, Вознесенский, Рождественский — и все, что вокруг них; потом оттепель прошла, началось страшное оледенение, и установилась картинка, состоящая из трех уровней. Есть где-то наверху „генералы", палачи и подонки; далее, уровнем ниже, есть те самые „шестидесятники", фрондирующие вроде бы, если повезет, то с ними даже выпить можно, но вполне благополучные; и, наконец, есть мы — нищие и талантливые... Сейчас начинается новая оттепель и уровни должны переместиться. „Генералов" в отставку, их место занимают Евтушенко с Вознесенским, а мы занимаем место Евтушенко и Вознесенского... Все нормально, хэппи энд. И вот из таких скачков вроде бы и должна состоять литература. Зачем им Бродский, зачем им вообще кто бы то ни было? Без него попросту легче жить.

С концептуалистами все конечно же совершенно по-другому. Зачастую это просто ровесники Бродского, даже люди старше его, старые лианозовцы. Это люди, которые его лично знали, с которыми он общался, с некоторыми вместе участвовал в гинзбурговском „Синтаксисе"... Здесь, я думаю, есть и некая ревность, и некая зависть, в данном случае как раз вполне оправданные. Действительно ведь, получается так, что Бродскому достались все лавры и все пенки, а о них до сих пор никто вроде бы и не знает. И это такая обида скорее не на Бродского, а на некую глобальную несправедливость, потому что эти поэты безусловно заслуживают право быть представленными, занять свое, давно и законно принадлежащее им место в общем процессе; а они не представлены, и если известны — то в достаточно узком кругу. А ведь это крупнейшие имена, талантливейшие люди, место которых в истории нашей поэзии уже бесспорно... Но даже когда при перестройке какая-то щель цензурная приоткрылась, что-то начали печатать — туда хлынула „новая поэзия". И старшее поколение опять осталось ненапечатанным.

Это одно. А второе... Я думаю, дело в том, что это совсем другая эстетика, они просто заведомо полярны, они не могут друг друга видеть, не могут друг друга замечать... Могут абстрактно, на расстоянии, осознавать масштаб, но и абсолютную чуждость. Я думаю, что это даже невозможнее, чем, скажем, мне осознать величие поэта, пишущего на суахили. То есть я, наверное, понимал бы, что это огромный поэт, но он пишет на суахили, не по-английски даже, и я его никогда не восприму. Внутри одного языка это выглядит гораздо страшнее..

— *Или, как сказала Елена Шварц: он кошка, а я собака...*

— Да, может быть. Правда, я думаю, что Елена Шварц в меньшей степени попадает в этот ряд. Если уж говорить, то о чистых каких-то оппозициях. Это может быть оппозиция Бродский—Красовицкий, или Бродский—Айги, Бродский—Некрасов, Бродский—Рубинштейн. Вот Бродский любит повторять, что мышление литератора иерархично; окончательной застывшей иерархии конечно же нет, но есть две очень важных вещи: иерархия временная, о которой я уже говорил, то, что достаточно очевидно; и второе — внутрицеховая и очень важная вещь — это некая степень проявленности. Ты можешь быть очень, очень талантливым, но недопроявившимся. Вот степень проявленности тебя в собственной поэтике — это чрезвычайно существенно, это определяет отношения. И люди проявленные до конца, как Бродский, как Айги, как Некрасов — они заведомо не могут друг друга замечать. Но большой поэт, он ведь — вне зависимости от того, хороший он человек или не очень, вздорный или покладистый — он как минимум человек умный. А человек умный все равно абстрактно представляет значение другого большого поэта, хотя это и совершенно отдельно. Если какие-то и есть негативные реакции, то они опять-таки экстратекстуальны, на уровне ворчливого соседства: мы все, дескать, едем в одном трамвае вечности, так что ж ты уселся и ноги положил на соседнее сиденье, а нам стоять приходится?..

— *Что побудило вас выбрать Бродского и его творчество в качестве темы вашей кандидатской диссертации?*

— В сущности, все вышесказанное мной и есть ответ на ваш вопрос. Бродский представляется мне одной из самых значительных фигур нашей поэзии и, безусловно, мощнейшим фактором влияния на последующее ее развитие, так что любая попытка проанализировать сделанное им — благо. И потом, я люблю его стихи более, чем чьи бы то ни было.

— *Есть ли у вас стихи, посвященные Бродскому?*

— Я предложу вам стихотворение, сознательно изобилующее аллюзиями из Бродского; оно так и называется „Палимпсест".


## ПАЛИМПСЕСТ

*И.Б.*

Здесь город, похожий на город,
случайно попавший туда,
где страх затекает за ворот
и строят дворцы изо льда.
Как слипшимся в детстве ресницам
грешно приоткрыться на миг,
здесь люди подобны страницам
случайно прочитанных книг.
И эта холодная воля
тасует тебя так и сяк
от Пряжки до Марсова поля,
где бывшие давят косяк.
Не то что страны и погоста,
берлоги, смешного угла —
не выбрать могилы по росту
в земле, из которой взросла
вся эта болотная нежить,
с которой так сладко играть...
Мне страшно, что я еще не жил
и сразу учусь умирать.
Мне страшно, срываясь с насеста,
питавшего мой кукарек,
на мертвом листе палимпсеста
царапать свое „имя рек" —
бессильное до наважденья,
что это и вправду — броня...
И ежиться от снисхожденья
сказавших свое до меня.
Но это неново (как, впрочем,
и явствует из вышеска-
занного). Так сосредоточим
себя на пейзаже. (Тоска
имеет забавное свойство:
когда вы уже tête-à-tête,
всю мелочность и беспокойство

излить на случайный предмет,
скопленье предметов и даже
рассеянный вид из окна.)
Короче, займемся пейзажем.
Допустим, глухая стена
и чахлые кустики между
видавших свое кирпичей —
как символ, таящий надежду
в бессмыслице белых ночей.
Допустим, священные воды
становятся все зеленей,
когда перемена погоды
не властна над слизью камней.
Допустим, что чайки драчливо
клюют отраженный простор
и ветер, пришедший с залива,
скрежещет свое Nevermore
с картавостью барда (придется
отвлечься от видов реки),
который уже не вернется —
давнишним стихам вопреки —
в свой город, где дышат колонны
и Солнце сквозь медленный дым
встает головою Горгоны
из жирно блестящей воды...
И все-таки, как запятая,
скребя коготком по стеклу,
его голова золотая
мелькает на каждом углу,
двоится в стаканах, блистает
в воздушных фонарных столбах...
И легкие звуки слетают.
И мрамор скрипит на зубах.
Бессмысленно располовинен
чертой горизонта, ничей, —

он тоже отчасти повинен
в белесости этих ночей.
Им тоже отравлен отчасти
бескровных фасадов картон.
Но все-таки в северной части
приют отыскался, и он —
при жизни не имущий сраму —
один исхитрился сберечь
железный язык Мандельштама
и ковкую русскую речь.
А дальше — неловко. И склизкий
смешок возвращает к стыду,
что мой неказистый английский

способен лишь „хаудуюду",
что целая жизнь за чертою
глухих атмосферных помех
страшит не своей полнотою,
а лишь соразмерностью всех
пропорций, что узник вернулся,
оставив весь Рим на бобах
(уснул, и клубочком свернулся,
и мрамор скрипит на зубах),
что в косноязычной вселенной
хоть кто-то вкусил лезвия
свободы. Что речь неизменной
вернулась на круги своя.

*1991*

## ПРИМЕЧАНИЯ

[1] См. В.Куллэ, „Структура авторского 'Я' в стихотворении И.Бродского 'Ниоткуда с любовью'" („Новый журнал", No. 180, 1990, С. 159-72); „Обретший речи дар в глухонемой вселенной... (Наброски об эстетике Иосифа Бродского)" („Родник", No. 3, С. 77-80); "The Linguistic reality in which we all exist", interviewed by V.Polukhina ("Essays in Poetics", Vol. 17, No. 2, P. 72-85); „Бродский глазами современников" („Грани", No. 167, 1993, С. 297-302); „Иосиф Бродский: парадоксы восприятия (Бродский в критике З.Бар-Селлы)" ("Structure and Tradition in Russian Society" ("Slavica Helsingiensia", Vol. 14, 1994, С. 64-82); „Там, где они кончили, ты начинаешь... (О переводах Иосифа Бродского)", в: "Joseph Brodsky. Special Issue" ("Russian Literature" (Vol. XXXVII-II/III, 1995, С. 267-88); „Перенос греческого портика на широту тундры" („Памяти Иосифа Бродского", „Литературное обозрение", No. 3, 1996, С. 8-10).

[2] "The Hungry Russian Winter/Голодная русская зима" (N-Press: М., 1991, С. 2).

[3] Сергей Леонидович Кулле (1936-1984) — ленинградский поэт, принадлежащий в 50-60-х к т.н. „филологической школе" (термин К.Кузьминского). Автор журнала „Синтаксис" Александра Гинзбурга. При жизни на родине опубликовано два стихотворения в сборнике „И снова зовет вдохновенье" (Лениздат, 1962) и ленинградском „Дне поэзии" (1966). Стихи печатались в „Гранях" (No.58, 1965, С. 177-79) и „Антологии новейшей русской поэзии у Голубой лагуны" (Oriental Research Partners, Newtonvill, Mass, 1980; Vol.1, P. 223-31). Посмертно стихи опубликованы в газете „Смена" (9 января 1990), „Антологии русского верлибра" („Прометей": М., 1990, С. 298-99), журнале „Аврора" (No. 8, 1991, С. 9-13).

[4] Виктор Куллэ, „Карфагенская глина" в кн. „Латинский квартал" („День": М., 1991, С. 102-107).

[5] Международные поэтические чтения с участием Виктора Куллэ, Дениса Новикова, Игоря Померанцева, Роя Фишера и Майкла Молнера состоялись 2 июля 1992 г. в Килском университете в рамках международной конференции „Русская культура: структура и традиция", посвященной 70-летию Ю.М.Лотмана. Фрагменты „Из поэмы" В.Куллэ см. „Новый журнал" (No.192/193, 1993, С. 100-104).

[6] Дмитрий Кузьмин (р.1968) — московский поэт, один из основателей Товарищества молодых литераторов „Вавилон". Главный редактор журнала „Вавилон".

[7] Роберт Рид (Robert Reid) — преподаватель кафедры современных языков Килского университета (Англия), переводчик русской поэзии. Им переведены почти все стихи, посвященные Бродскому, для английской версии сборника интервью Валентины Полу-

хиной "Brodsky through the Eyes of his Contemporaries" (The Macmillan Press Ltd: London, New York, 1992), стихи многих современных поэтов, в том числе и Виктора Куллэ, для редактируемого им совместно с Joe Andrew журнала "Essays in Poetics".

[8] См. интервью с Роем Фишером в настоящем издании.

[9] Поэма Евгения Евтушенко, представляющая собою скорее стихотворный цикл. См. Евг.Евтушенко, „Избранные произведения" („Худож. лит-ра": М., том 1, 1975, С. 395-504).

[10] „Чувство перспективы", разговор Томаса Венцловы с Иосифом Бродским („Страна и мир", No. 3, 1988, С. 150). Книгу поэм „Середина века" см. Владимир Луговской, „Собрание сочинений в трех томах" („Худож. лит-ра": М., том 3, 1971, С. 7-256).

[11] К ним примыкает и „большое стихотворение" „Пришла зима, и все, кто мог лететь" [I:398-408]. О „больших стихотворениях" Бродского см. Яков Гордин, „Странник", в кн. И.Бродский, „Избранное" („Третья волна": Москва/Мюнхен, 1993, С. 5-18). Перепечатано: "Joseph Brodsky. Special Issue" ("Russian Literature", Vol. XXXVII-II/III, 1995, С. 227-45). Анализ „лирического эпоса" Бродского предложен в диссертации В.Куллэ „Поэтическая эволюция И.Бродского в России (1957-72)" (Литературный институт им. А.М.Горького, М., 1996).

[12] Так, Ахматова учила: „Иосиф, если вы захотите писать большую поэму, прежде всего придумайте свою строфу — вот как англичане это делают" („Бродский об Ахматовой. Диалоги с Соломоном Волковым" („Независимая газета": М., 1992, С. 18). Бродский отвергает ее совет, вероятно опасаясь повторения истории с „Поэмой без героя": „...строфа эта к ней возвращалась. Как сон — или как дыхание. И тогда начались все эти дописывания, вписывания и так далее. ... Ты оказываешься в такой зависимости от этой музыки, что, в общем, уже не понимаешь пропорции целого. Теряешь способность относиться к этому целому критически. Будь Ахматова жива сегодня, она, я думаю, продолжала бы „Поэму" дописывать" („Бродский об Ахматовой", Ibid., С. 19).

[13] Со времени публикации данного интервью у всех упомянутых авторов вышли вполне представительные издания.

[14] Опыт воссоздания единой картины неофициальной русской поэзии второй половины века предпринят в статье Михаила Айзенберга „Некоторые другие... Вариант хроники" („Театр", No. 4, 1991, С. 98-118).

[15] В 1993 году в издательстве „Гэндальф" вышла в свет книга Михаила Айзенберга „Указатель имен".

[16] См. интервью с Томасом Венцловой и Владимиром Уфляндом в настоящем издании.

[17] См. эссе Бродского „Меньше единицы" [L:3-39/HH:8-30] и „Трофейное" [IV:184-201]. См. также Иосиф Бродский, „Европейский воздух над Россией", интервью Анни Эпельбуан („Странник", No. 1, 1991, С. 35-42).

[18] См. примечание 10 к интервью с Натальей Горбаневской в настоящем издании.

[19] Анатолий Найман, „Рассказы о Анне Ахматовой" („Худож. лит-ра": М., 1989, С. 10).

[20] Иосиф Бродский, предисловие к стихам Эдуарда Лимонова („Континент", No. 15, 1978, С. 153).

Томас Венцлова (Tomas Venclova) — поэт, переводчик, эссеист, филолог. Родился 11 сентября 1937 года в Клайпеде, в семье известного литовского писателя Антанаса Венцловы, министра культуры и председателя Союза писателей Литвы, ушедшего перед смертью (1971) со всех постов. Томас Венцлова закончил Вильнюсский университет (1960), из которого был на год исключен за свою реакцию на венгерские события 1956 года. До отъезда из СССР (1977) жил в Литве, в Москве и в Ленинграде, зарабатывая на жизнь преподаванием в Вильнюсском университете, переводами и журналистикой; был связан с литовским правозащитным движением. Поселившись в Америке, преподавал сначала в Беркли, потом в Калифорнийском университете (Лос-Анджелес), защитил докторскую степень в Йельском университете (1985), где и занимает должность профессора русской литературы на кафедре Slavic Languages and Literatures. Опубликовал множество работ по славистике и литуанистике, в том числе книгу **„Неустойчивое равновесие: восемь русских поэтических текстов"** (New Haven, 1986). По-литовски издано четыре сборника его стихотворений: первый, **„Знак языка"**, вышел еще до эмиграции, последний, **„Разговор зимой"**, опубликован в Вильнюсе в 1991 году. Его переводы на литовский язык поэзии У.Шекспира, Т.С.Элиота, У.Х.Одена, Р.Фроста, Ш.Бодлера, А.Жарри, Ч.Милоша, З.Херберта, А.А.Ахматовой, Б.Л.Пастернака собраны в отдельную книгу и изданы на родине. Там же опубликованы три книги эссеистики. Эссе он пишет по-литовски, по-русски, по-польски, по-английски. Кроме этих языков, первые три из которых являются для него родными, Венцлова владеет французским, немецким и итальянским, знает латынь и греческий. Этот „архаист-новатор", „сын трех литератур" и „продукт их слияния"[1] сплавил в своих стихах глубокий лиризм с интеллектуальной трезвостью, античную символику с северным пейзажем Балтики. „Его сознание и — часто — его дикция замешены на христианской этике"[2].

# РАЗВИТИЕ СЕМАНТИЧЕСКОЙ ПОЭТИКИ [3]

*Интервью с Томасом Венцловой*
*15 декабря 1990, Нью-Хейвен*

— *В своей маленькой статье, написанной по поводу 40-летия Бродского, вы признались, что его стихи направляли ваши поступки и меняли ваше внутреннее пространство* [4]. *Расскажите подробнее, когда вы познакомились с Бродским и с его стихами, какие из них уже тогда вы выделяли?*

— Если не ошибаюсь, я впервые услышал о Бродском 30 мая 1960 года, в день смерти Пастернака. Еще не зная о происшедшем, мы с моим тогдашним близким приятелем Володей Муравьевым ездили к одному из московских подпольных художников, и там Володя читал вслух „Пилигримы" [С:66-67/I:24] и другие очень ранние стихи Бродского. Мне эти стихи показались прямолинейными и попросту слабыми (сам Бродский сейчас называет свои вещи той поры „Киндергартен"). Но совершенно твердо помню, что у меня уже тогда возникло ощущение, не вполне вмещавшееся в слова: Бродский — поэт харизматический, он вне тогдашнего литературного процесса, точнее, выше его, и обладает той аурой избранности, которой нет у многих, пишущих лучше. Позднее я узнавал о Бродском и получал его стихи у многих, чаще всего у Андрея Сергеева, который дал мне „Холмы" [С:123-29/I:229-34], „Два часа в резервуаре" [О:161-65/I:433-37], „Стихи на смерть Элиота" [О:139-41/I:411-13]. Бродский в это время находился в ссылке. О нем и о его делах я много слышал от Ахматовой (тогда выходила книжка ее стихов на литовском языке, к которой я был причастен — и поэтому у нее бывал). К 1965 году для меня стало очевидным, что Бродский в своем поколении не имеет себе равных: я знал наизусть и часто читал себе и другим десятки его вещей, прежде всего „Был черный небосвод" [С:94-95/I:192-93], „Рождественский романс" [С:76-77/I:150-51], „Стихи на смерть Элиота", куски из „Большой элегии Джону Донну" [С:130-36/I:247-51]. Во всем этом, конечно, я был отнюдь не одинок. После ссылки, в августе 1966 года, Бродский приехал в Вильнюс: с этого началась история его отношений с Литвой, но это отдельная тема [5].

— *„Поражает, даже подавляет виртуозность Бродского"*, — *пишете вы* [6]. *Как поэт, не страдали ли вы комплексом Бродского?*

— Да, и очень. Само сознание того, что существует Бродский, часто подводило меня к границе внутреннего паралича, а то и переводило за эту границу.

— *Чему вы научились у него? Переносимо ли что-либо из его поэтики в литовскую поэтическую стихию?*

— В моих стихах нередки ритмические и иные цитаты из Бродского, есть пробы подхвата его тем, диалога с ним. В целом, я думаю, у нас мало общего, если не считать некоторых совпадений в области вкуса, поэтических притяжений, а точнее — поэтических отталкиваний. Можно было бы сказать, что у Бродского учишься трезвости, достоинству, серьезному отношению к слову, сознанию того, что оно оплачивается чистоганом — всей биографией, всей жизнью; и еще пониманию, что стихи суть разговор с предшественниками и предполагают их присутствие. Но этому учит вся настоящая русская и мировая поэзия, хотя мое поколение заново узнавало это прежде всего через Бродского. Гигантская языковая и культурная клавиатура Бродского, его синтаксис, его мышление сверхстрофными образованиями ведут к тому, что читать его стихи означает тренировать душу: они увеличивают объем души (примерно так, как от бега или работы веслами увеличивается объем легких). Что касается литовской поэзии, то она сейчас переживает не лучшую эпоху в своей истории: в ней царит некий культурный изоляционизм, поиски „своего“, „исконного“, беспорядочное нанизывание подлинных и мнимых архетипических символов. Словом, это нечто сходное с русским почвенничеством, хотя и с большей долей модерна: поэзия крестьянской цивилизации, терпящей поражение в современном мире. Не исключаю, что знание Бродского могло бы помочь литовским поэтам выйти из этого немногое сулящего смыслового пространства.

— *Бродский видит в ваших стихах качества, в высшей степени свойственные его собственной поэтике, цитирую: „Интонация Томаса Венцловы поражает своей сознательной, намеренной монотонностью, как бы стремящейся затушевать слишком очевидную драму его существования“* [7]. *Тем не менее вы считаете, что у вас с ним мало общего?*

— Полагаю, в слишком лестной для меня статье Бродский пишет прежде всего о себе.

— *Переводили ли вы лично его на литовский язык и для каких журналов и сборников? Существует ли критическая оценка ваших переводов?*

— Я перевел несколько ранних, весьма мною любимых стихотворений Бродского — „Большая элегия Джону Донну“ [C:130-36/I:247-51], „От окраины к центру“ [O:28-32/I:217-20], „К Ликомеду на Скирос“ [O:92-93/I:48-49], „Сонет“ [O:98/II:61], „Остановка в пустыне“ [O:166-68/11-13], „Эней и Дидона“ [O:99/II:163], „Одиссей Телемаку“ [Ч:23/II:301]. Они печатались в литовском эмигрантском журнале „Metmenys“, а сейчас публикуются и в Литве [8]; в частности, они войдут в двуязычную книгу Бродского, которая должна появиться в Вильнюсе. Большинство вещей для этой книги перевел молодой поэт Гинтарас Патацкас (Gintaras Patackas). Критическая оценка моих переводов дана только в нескольких письмах. Гинтарас Патацкас оценил их восторженно, а знаток поэзии, старинный мой и Бродского друг, Рамунас Катилюс (Romas Katilius) — скептически.

— *Как вы относитесь к переводам Бродского ваших стихов? Что из них опубликовано?*

— Опубликован один перевод — стихотворение „Памяти поэта. Вариант“ [III:305-306] в „Континенте“ [9]. Кстати, слово „вариант“ в заглавии указывает на некоторую зависимость этой вещи от эпитафии Бродского Элиоту (и далее, от эпитафии Одена Йейтсу). Перевод Бродского очень свободен и, несомненно, лучше оригинала. Полагаю, эта публикация сыграла немалую роль в моей судьбе, так как резко ускорила мой отъезд из СССР. Есть еще неопубликованный, точный и хороший перевод стихотворения „Песнь одиннадцатая“ [III:307-308] [10].

— *Можно ли при желании установить стилистическую зависимость Бродского от литовской поэзии?*

— Не думаю. То, что Литва вошла в стихи Бродского — другое дело [11].

— *Вы уже писали о том, что большинство произведений Бродского входят в два разных текстуальных пространства, русское и английское [12]. Что выигрывают и что теряют его стихи, находясь в данной ситуации?*

— Я все же предпочитаю русские стихи Бродского английским и русские оригиналы — английским автопереводам. Быть может, дело тут в моих собственных отношениях с английским языком; а может, и в том, что русская просодия и категории, вернее, формы русского мышления резко отличаются от английских. В то же время английская эссеистика Бродского не имеет себе равных по четкости стиля, образов и наблюдений: здесь английский автоперевод (или оригинал) никак не уступает русскому тексту, бывает и лучше его.

— *Насколько интертекстуальная наполненность поэзии Бродского помогает нам определить его эстетические пристрастия?*

— Эстетические пристрастия всегда лучше определяются по интертекстуальным моментам, чем по прямым высказываниям типа „люблю того-то и то-то". Бывает ироническая, пародийная интертекстуальность, но она свойственна Бродскому, на мой взгляд, менее, чем обычно думают.

— *Как бы вы определили общий стилистический вектор его поэтики?*

— Поэтика Бродского — это продолжение и развитие (или „сверхразвитие") семантической поэтики акмеистов.

— *Изменился ли его поэтический мир после России?*

— Да, очень изменился. Миры эти, пожалуй, различны не менее, чем мир архитектуры Петербурга и мир архитектуры Нью-Йорка. Сейчас Бродскому свойственна нейтральная, „матовая" интонация в сочетании с крайней нагруженностью семантики и синтаксиса, с усложненностью ритма, с негомогенностью материала. Усилилось ощущение вселенского холода — было-то оно всегда, но такой предельной ясности, как, скажем, в „Осеннем крике ястреба" [V:49-52/II:377-80], не достигало. Это разъедает стихи Бродского — и авторскую личность — словно кислота сосуд, причем и стихи, и личность удивительным образом (быть может, по особому Божьему велению) не разрушаются, остаются целыми.

— *Не могли бы вы назвать основные фундаментальные категории, на которых построен, на ваш взгляд, его миро-текст?*

— Такие категории вряд ли следует выделять — получится либо слишком общая структура, применимая ко многим поэтам, либо нечто мелочное и тем самым пародийное. Можно, конечно, задать список типа „время", „город", „пустота", но от него до стихов — дистанция огромного размера.

— *Польский критик Клеменс Поженцкий определил главную тему Бродского как тему зла на том, видимо, основании, что зло есть отсутствие, пустота, минус, нуль — категории, переполняющие стихи Бродского [13]. По мнению Виктора Кривулина, у Бродского „тьма одолевается большей тьмой" [13]. Вы же выделяете в качестве магистральной темы Бродского „бытие и ничто" [15]. Пересекаются ли все эти темы?*

— Разумеется, пересекаются. В свое время я говорил, что в словосочетании „бытие и ничто" логическое ударение может сдвигаться, в частности, его можно поставить на „и", то есть оно может находиться на мотиве границы, перехода (а также тождества). Стоит напомнить, что ничто — весьма сложно и разновидно: для его описания требуется бо́льшая густота поэтических средств, чем для описания предметов и явлений.

— *Есть еще одна любопытная тема у Бродского — тема „после конца". После конца чего?*

— Я склонен в этой связи говорить о посткатастрофистской или постэсхатологической поэзии — поэзии „после конца мира", каковым концом были Гулаг и Освенцим.

— *В свое время вы заметили, что родной город Бродского в его стихах нередко „предстает в апокалиптическом освещении, символизируя цивилизацию, подошедшую к грани катаклизма, точнее, уже перешедшую грань"* [16]. *Есть ли связь между темой города и темой конца?*

— Город есть финальное состояние человечества, примерно так же, как пещера была его начальным состоянием. Это говорят и мифы о блудном Вавилоне и небесном граде, и действительность нашего времени.

— *Вы один из немногих, кто высоко оценил „Путешествие в Стамбул" [L:393-446/IV:126-64]* [17]. *Почему это произведение Бродского столь неприемлемо для многих христиан?*

— На этот вопрос следовало бы ответить тем, кто не принимает „Путешествия в Стамбул". Я говорил, что Бродский ведет себя в нем скандальнее Чаадаева, так как вскрывает авторитарный потенциал, присущий христианству как таковому и даже монотеизму как таковому (правда, из этого не следует, что монотеизм и христианство обречены этот потенциал реализовать; все же исторически он реализовывался не столь уж редко). Кроме того, Бродский утверждает, что метафизический заряд человечества шире христианства, то есть, что христианство не есть единственная истина. На мой взгляд „Путешествие в Стамбул" — выдающееся философское эссе, и при том, что я со многим в нем не согласен (кстати, я был в Стамбуле и вынес оттуда совсем другие впечатления, чем Бродский).

— *Что Бродский извлек из своего пристрастия к Риму?*

— Здесь стоит вспомнить палиндромон «Рим — мир». Рим и тождественен миру, и в то же время обратен ему, как вечное среди временного, смерть среди жизни, камень среди трав. Именно об этом тождестве и зеркальности написаны римские стихи Бродского.

— *Адресатом и субъектом его стихов все чаще становится „Время в чистом виде" [У:122/III:17]. Чем вы объясняете его тенденцию мифологизировать время?*

— Я не убежден, что Бродский мифологизирует время: с равным успехом речь могла бы идти о демифологизации. Так или иначе, на времени в огромной степени построена вся его поэтическая теория и практика. Время, в частности, связано с болью, а „человек есть испытатель боли" [К:63/II:210]. Отсюда же значение биографического текста для корпуса его творчества (свойство, которое Бродский разделяет с романтиками и Цветаевой, но отнюдь не с большинством поэтов двадцатого века).

— *Говоря о Цветаевой, Бродский пишет: „Действительность для нее — всегда отправная точка, а не точка опоры или цель путешествия, и чем она конкретней, тем сильнее, дальше отталкивание" [L:240/IV:108]. О ком он здесь говорит, о Цветаевой или о себе?*

— Все же скорее о Цветаевой.

— *Оказавшись за тридевять земель от родины, и вы, и Бродский невольно смотрите на свое отечество со стороны, что в сильной степени обеспечивает элемент отстранения, столь необходимый, по мнению Бродского, в поэзии [18]. Можно ли проследить у вас с ним явные и скрытые схождения в приемах выражения этого отстранения?*

— Не мне судить о собственных, к тому же немногочисленных эмигрантских стихах. Бродский же всегда смотрел на отечество со стороны, из пространства истории и поэзии („Пускай Художник, паразит, / другой пейзаж изобразит" [Ч:10/II:300]). Эмиграция оказалась чем-то вроде реализации метафоры — того, что в поэзии давно состоялось.

— *Как вы переносите многолетний отрыв от литовского читателя?*

— Я всегда был оторван от литовского читателя: эмиграция меня, как ни странно, с ним сблизила и по сути дела ввела в литовскую литературу. У Бродского это по-другому.

— *Не могли бы вы назвать наиболее решающие факторы самоопределения поэтической персоны Бродского?*

— Укажу, в частности, на миф странника с его многочисленными библейскими и античными коннотациями: странник этот („писатель, повидавший свет, / пересекавший на осле экватор" [O:90/II:66]) наблюдает мир, ничему в нем особенно не удивляясь.

— *Не кажется ли вам, что лирический герой Бродского страдает от излишней неприязни к нему автора, о чем свидетельствуют в стихах метафоры замещения, типа: „отщепенец, стервец, вне закона" [У:161/III:8], „усталый раб — из той породы, / что зрим все чаще" [У:95/III:27], а в прозе — прямые высказывания, например, в разговоре с вами Иосиф сказал, что он чувствует себя „монстром", „исчадием ада"? [19] Какая поэтическая стратегия скрывается за таким автопортретом?*

— С одной стороны, здесь часто идет речь о чужом взгляде и чужой оценке. С другой, это просто нормальное и трезвое отношение к себе как человеку и греховному существу, на которое не каждый способен. Отмечалось, что эта неприязнь к себе уживается с бережностью к своему дару, даже с удивлением перед собой как перед рупором [20]: певец „знает, что он сам лишь рупор" [O:142/I:431].

— *Вы знаете, вероятно, что некоторые критики Бродского в эмиграции считают его „имперским поэтом" [21]. Такое „звание" присвоено ему только ли в связи с тем, что „империя" у него — повторяющаяся метафора государства, или на это есть другие основания?*

— Обвинение Бродского в „империализме" — плод недоразумения, а то и злонамеренности. Империя — емкое и напрашивающееся имя для государства, разговаривающего с поэтами в основном свинцом и железом. Кроме того, есть еще империум культуры — порою также беспощадный.

— *Что, на ваш взгляд, воспринимается некоторыми у Бродского как наиболее чуждое русскому менталитету?*

— Отсутствие „теплокожести". (Бродский в разговорах употребляет более откровенное слово.) У Бродского нет всепрощения, слезливости, умиления, утешительства, веры в неизбежную доброту человека, отношения к природе как панацее и образу Божества, а то и Божеству — всего того, что без особых оснований связывается с Новым Заветом и в изобилии присутствует, например, у Пастернака. Бродский смотрит на мир, ясно понимая, что отчаяние — часто адекватный ответ на вызов мира: „боль — не нарушенье правил" [К:63/II:210].

— *Где, по-вашему, следует искать источники его трагедийного миросознания?*

— Поэт, как правило, есть носитель трагедийного миросознания par excellence. История в меру сил помогает ему в этом.

— *Какую самую беспощадную правду Бродскому удалось сказать о нашем времени?*

— Быть может, Бродский первый сделал адекватные выводы из современного демографического взрыва: взаимозаменимость людей, бесплодность личных усилий, устарелость нашего знания для новых поколений.

— *Вы когда-то сказали, что Бродскому „не с кем соперничать и вступать в диалог среди своих современников"* [22]. *Имели ли вы в виду только русских поэтов, или пишущих по-польски, по-литовски, по-английски и т.д.?*

— Я имел в виду — и продолжаю иметь в виду — только русских поэтов.

— *Известен ли вам круг его чтения?*

— В общем известен, впрочем, в последние годы меньше. Бродский отвергает много книг и авторов с самого начала и, пожалуй, не стремится к полноте познаний, к литературоведческой „широте горизонта". Зато он постоянно вчитывается в любимых авторов — то в Баратынского, то в Цветаеву, то во Фроста, то в Томаса Харди, то в Монтале. Этому свидетелем я был многократно. Заметил также его любовь к австро-венгерским писателям — Музилю, Иозефу Роту.

— *Как вы воспринимаете пасквиль Аксенова на Бродского в романе „Скажи изюм"* [23]*? Чем объясняется такое неблагородство Аксенова?*

— В романе Бродский сталкивается на уровень, ему в высшей степени несвойственный — уровень писательских склок, связанных с карьерой, славой, гонораром. Дело в том, что автор романа, как ни крути, принадлежит к советской литературе. (Это не порицание, а простая констатация факта, с которой Аксенов, вероятно, согласится.) Бродский к ней не принадлежит, и даже в определенном смысле не принадлежит к литературе (области карьеры, славы и гонорара) вообще.

— *„Какую биографию творят нашему рыжему! Как будто он кого-то нарочно нанял",* — *сказала Анна Андреевна о Бродском в 1964 году* [24]*. Вы считаете ее слова пророческими? Что обеспечило в случае Бродского тождественность голоса и судьбы?*

— Слова эти верны, как почти все, что говорила Ахматова. Время не принимало голос как таковой — только отсутствие или фальсификацию голоса (так было и за пределами Советского Союза, хотя в Союзе принимало особенно зверский характер). Сейчас дела — почти всюду — несколько улучшились. Но ситуация неприятия иной раз закаляет, да и дает голосу неожиданный резонанс.

— У вас, насколько мне известно, есть стихотворение „Щит Ахиллеса" [25], обращенное к Бродскому. Скажите, пожалуйста, о нем несколько слов. Когда оно было написано?

— Писано оно в пору, когда Бродский уехал и присылал открытки из Лондона. Построено оно как разговор между нами (Лондоном и Клайпедой), может быть, отдаленно соответствует его „Литовскому ноктюрну" [У:55-65/II:322-331]. Щит Ахиллеса (взятый у Одена) означает лист бумаги и стихи вообще. Свод звука, оковы, скала (естественно, цитата из Евангелия) относятся к той же теме. Речь все время идет о двух мирах, где поэта ожидает более или менее то же самое (отсюда Фермопилы versus Троя и т.д.). Терраферма — слово итальянское и даже венецианское, означает „крепкую землю", материк (в противоположность лагуне). Стиль несколько архаичный, но, может, это и ничего (ориентировка примерно на Норвида).

## ACHILO SKYDAS

*Josifui Brodskiui*

Kalbu tik tam, kad nervų ekrane,
Kaip tu kadaise, aiškiai pamatyčiau
Tuos aptvarus šalia akmens koplyčių
Ir raktą ties tuščia pelenine.
Tu nesuklydai: viskas kaip ir čia.
Tuo tarpu viskas. Net vaizduotės tūris.
Tie patys kilometrai ligi jūros,
       Kuri nakčia

Išgirsta mudu. Po žalia danga
Beveik vienodai švyti sunkios lempos.
Skirtingas laikrodžio rodyklių tempas
Pavojingesnis, nei karti banga
Tarp mudviejų. Nutoldamas erdve,
Daraisi nepažįstamas, lyg medai
Ir graikai. Mes palikom savo gėdai
       Šiame laive,

Kuris ir žiurkėms — nesaugi vieta.
Įsižiūrėjus, tai visai ne laivas,
O mūrai, blizgantys stogai, nelaimės,
Per greit pasikartojusi data —
Žodžiu, brandumo laikas. Ta globa
Mus persmelkia lig smegenų. Tie plotai,
Kaskart tuštėdami, akis užklotų,
      Jei ties riba,

Kame klajoja statmenas lietus,
Nekiltų iškilmingas garso skliautas,
Šią ūmią vasarą beveik sugriautas,
Bet davęs mums palaimintus varžtus,
Kurie turbūt sutampa su dvasia —
Apdegina ir ugdo, lemia formą,
Nes mūsų dangūs, mūsų *terraferma* —
        Tiktai balse.

Ramybė tau. Ramybė man ir tau.
Tebus tamsa. Tegu sekundės bėga.
Pro tankią erdvę, daugiasluoksnį miegą
Kiekvieną tavo raidę įskaitau.
Išnyksta miestai. Vietoje gamtos —
Tik baltas skydas, nebūtį nusvėręs.
Jo raižiniuos abi skirtingos eros
        Atsikartos

(Tenepristinga laimės ir jėgų!)
Lyg vandeny. Ar, teisingiau pasakius,
Lyg tuštumoj. Į krantą vilnys plakas
Ir ardo judrų piešinį. Langų
Kvadratai plieskia juodumu. Sapne
Pro stiklą sunkiasi įšilęs oras.
Už bokštu aidi tolimas motoras
        Ir į mane

Ridena parą. Kartais pamatai,
Kaip aklumoj įsisiūbuoja varpas,
Ir praslenka bekraštis laiko tarpas,
Kol jam dusliai atsako pamatai.
Portalai virpa, dūžio įtempti,
Ir arka siunčia signalus kaimynei,
Ir susišaukia sielos ir žemynai
        Gyvoj nakty.

Prie burių limpa nešvari migla.
Šlapia krantinė kaista ir garuoja.
Regi Termopilus, regėjęs Troją —
Tau duotas skydas. Tu esi uola.
Pilioriai, suręsti ant tos uolos,
Į vėją smeigia spindintį metalą,
Nors ji ir stūkso netoli nuo melo
        Ir nuo tylos.

Mums patikėjęs mūsų likimus,
Žengi dabar į atminimų lygį,
Bet kiekviena akimirka — dvilypė,
Ir dviguba šviesa palydi mus
Kasdien, kasnakt siaurėjančiam rate.
Atoslūgis. Ant smėlio žvilga valkos.
Akis dar neskiria akmens nuo valties
        Tuščiam krante.

# ЩИТ АХИЛЛЕСА

*Иосифу Бродскому*

Затем лишь, чтобы тоже различить,
Как на экране нервов ты когда-то,
Часовен этих каменных ограды,
Пустую пепельницу и ключи.
Ты не ошибся: все и здесь одно
И то же. Вплоть до представлений. Даже
До моря те же километры, так же
       В ночи оно

Внимает нам. Под зеленью слюда
Фонарных ламп различна лишь отчасти.
Иная скорость стрелок на запястьи
Опаснее, чем горькая вода
Меж нами. Удаляясь в пустоту
Пространства, ты неузнаваем — впору
Мидийцам, грекам. К вящему позору,
       Мы на борту,

Небезопасном и для крыс. Смотри:
Блеск мокрых крыш, кирпич стены, невзгоды,
Мелькающие годовщины — годы,
Короче, зрелости. Опека изнутри
Пронзает мозг. Простор, день ото дня
Пустеющий, засыпал бы глазницы,
Когда бы не встающий у границы,
       Где дождь, звеня,

Отвесно ниспадает, бестолков —
Торжественный свод звука, в это лето
Едва не уничтоженный бесследно,
Но даровавший благодать оков,
Тождественных душе — гончарный круг,
Печь обжига, где стекленеет форма.
Лишь голос — наше небо, терраферма.
       Лишь чистый звук.

Так мир тебе. Мир нам обоим. Да
Будет тьма и бег секунд. Сквозь вязкость
Пространства, сна — отчетливою вязью
Любая твоя буква. Города
Не вечны. Белый щит — наперекор,
В противовес небытию — на месте
Природы. Две раздельных эры вместе
       Его узор

Повторит, как вода (достало б сил
И времени), как пустота. О берег
Бьют волны и стирают в мерном беге
Подвижные рисунки. Блеск чернил
В квадратах окон. В многослойном сне
Сквозь стекла воздух теплотой сочится.
За башнями мотор далекий мчится,
              Который мне

Привозит сутки. Иногда слепой
На колокольне колокол качнется,
И, вечность позже, глухо содрогнется
Ему в ответ фундамент под тобой.
Дрожат порталы, стены, потолки,
Аукаются арки, звук все глуше.
В живой ночи друг друга кличут души,
              Материки.

На парус липнет утренняя мгла.
Туман над парапетом влажной пылью.
Ты, зревший Трою, видишь Фермопилы —
Тебе дарован щит. Ты есть скала.
Молчанье, ложь в окрест лежащей мгле,
Но лезвием блистающим упрямо
Разят упругий ветр опоры храма
              На сей скале.

Вручив нам наши судьбы, ты сейчас —
Воспоминаний беглых вереница,
Но каждое мгновение двоится,
И свет двоякий провожает нас
В сужающемся день и ночь кругу.
Отлив. Мерцают лужи. Глаз покамест
Не различает: лодка или камень
              На берегу.

*Перевел с литовского Виктор Куллэ*

## ПРИМЕЧАНИЯ

[1] Иосиф Бродский, „Поэзия как форма сопротивления реальности", Предисловие к сборнику стихотворений Томаса Венцловы на польском языке „Rozmowa w zimie" (Paris, 1989) в переводах Станислава Баранчака („Русская мысль", 25 мая 1990, „Специальное приложение", С. I, XII).

[2] Ibid.

[3] Опубликовано в специальном выпуске „Памяти Иосифа Бродского" журнала „Литературное обозрение" (No. 3, 1996, С. 29-34).

[4] Томас Венцлова, Статья о Бродском, написанная по случаю его 40-летия („Новый американец", 23-29 мая 1980, С. 9).

[5] Эта тема затронута в работах Рамунаса Катилюса „Иосиф Бродский и Литва" („Согласие", No. 24, 1990, С. 5 и „Звезда", No. 1, 1997, С. 151-54).

[6] Томас Венцлова, Статья о Бродском, написанная по случаю его 40-летия, Ibid.

[7] Иосиф Бродский, „Поэзия как форма сопротивления реальности", Ibid., С. I.

[8] Переводы шести стихотворений Бродского на литовский язык вошли в книгу Tomas Venclova, „Pasnekesys ziema" (Vilnius, 1991, S. 282-99).

[9] Томас Венцлова, „Памяти поэта. Вариант", пер. с литовского Иосифа Бродского, „Континент" (No. 9, 1976, С. 5-6).

[10] Перевод стихотворения „Песнь одиннадцатая" впервые опубликован в кн. Иосиф Бродский, „Бог сохраняет все" („Миф": М., 1992, С. 192-94).

[11] См. Томас Венцлова, „Литовский дивертисмент Иосифа Бродского" („Синтаксис", No. 10, 1982, С. 162-75) и „И.А.Бродский. Литовский дивертисмент" в кн. „Неустойчивое равновесие: восемь русских поэтических текстов" (Yale Center for International Area Studies: New Haven, 1986, С. 165-78).

[12] Tomas Venclova, "A Journey from Petersburg to Istanbul", in "Brodsky's Poetics and Aesthetics", ed. L.Loseff & V.Polukhina (The Macmillan Press: London, 1990), P. 135.

[13] Клеменс Поженцкий, „Увенчание несломленной России" („Русская мысль", 25 декабря 1987, „Литературное приложение" No. 5, стр. II).

[14] Виктор Кривулин, „Иосиф Бродский (место)", „Поэтика Бродского", под ред. Льва Лосева (Hermitage: Tenafly, N.J.), С. 227).

[15] Томас Венцлова, Статья о Бродском, написанная по случаю его 40-летия, Ibid.

[16] Tomas Venclova, "A Journey from Petersburg to Istanbul", Ibid., P. 140.

[17] Tomas Venclova, "A Journey from Petersburg to Istanbul", Ibid., P. 135-49.

[18] Joseph Brodsky, "Preface" to "Modern Russian Poets on Poetry", ed. Carl Proffer, Selection & Introduction by Joseph Brodsky (Ardis: Ann Arbor, 1974), P. 8.

[19] Томас Венцлова, „Чувство перспективы", разговор с Иосифом Бродским („Страна и мир", No. 3, 1988, С. 143).

[20] Алексей Лосев, „Ниоткуда с любовью... Заметки о стихах Иосифа Бродского" („Континент", No. 14, 1977, С. 308).

[21] Например, Зеев Бар-Селла в статье „Толкования на..." пишет: „разошлись пути двух диссидентов — империалиста и сепаратиста... литовского поэта и представителя Русской Империи Иосифа Бродского (странно подумать, что до этого еврея настоящего империалиста в русской литературе не было!)" („Двадцать два", No. 23, 1982, С. 231). Критику этой концепции см. Виктор Куллэ, „Иосиф Бродский: парадоксы восприятия (Бродский в критике З.Бар-Селлы) in: "Structure and Tradition in Russian Society" („Slavica Helsingiensia", Vol. 14, 1994, С. 64-82).

[22] Томас Венцлова, Статья о Бродском, написанная по случаю его 40-летия, Ibid.

[23] Василий Аксенов, „Скажи изюм" (Ardis: Ann Arbor, 1985, С. 188-96). Перепечатано: „Скажи изюм" („Инфа": Рига, 1991, С. 168-75).

[24] Анатолий Найман, „Рассказы о Анне Ахматовой" („Худож. лит-ра": М., 1989), С. 10.

[25] Tomas Venclova, „Pasnekesys ziema", Ibid., 1991, S. 98-100.

## ПРИЛОЖЕНИЕ

В силу того, что полный комплект газеты „Новый американец" достать практически невозможно даже на Западе, по просьбе Томаса Венцловы редакция сочла возможным перепечатать его неоднократно цитируемую в интервью принципиально важную заметку из специального выпуска газеты, посвященного 40-летию Бродского. Приводим ее полностью:

Стихи Бродского для меня давно уже не просто поэтический, а жизненный факт. Дело не только в том, что я часто, сам того не замечая, объясняюсь цитатами из Бродского. Я привык смотреть на его стихи как на часть того шифра, который мне посылает жизнь — скажем, впервые увиденный город. Этот шифр по мере разгадки направляет мои поступки и меняет мое внутреннее пространство.

Поражает, даже подавляет виртуозность Бродского. Здесь он равен своим любимым римлянам — вплоть до Персия — или некоторым поэтам средневековья. Чувство стиля сочетается у него с тем внешним, ироническим отношением к стилям, на котором только и могут в нашу далеко не прекрасную эпоху строиться прекрасные стихи. Отсюда — полное отсутствие клише, точнее, преобразование их в „мета-клише". За несерьезным отношением к стилю стоит серьезнейшее отношение к поэтическому дару, как средству построения души, да, видимо, и всего остального.

Не знаю, можно ли Бродского назвать религиозным поэтом: эпитет „религиозный" часто употребляют всуе. В любом случае его тема близка к религиозной. Эта тема — „бытие и ничто" (логическое ударение может сдвигаться). Стихи Бродского написаны с точки зрения „испытателя боли": это придает им глубинную нравственную перспективу, которая помогает выжить — как стиху, так и его читателю.

Бродский относится ко всей предыдущей русской культуре с той свободой, которая естественна для законного наследника. Конечно, он петербургский поэт — поэт того замечательного и страшного города, архитектура которого, как обмолвился Алексей Лосев, вся вышла из Ледяного дома (и, добавлю, была завершена Большим).

В своем поколении Бродский — один. В этом „рассеянном поколении" (рассеянном в любом смысле слова) есть настоящие поэты, близкие ему биографически, да и не только. Но это — спутники, как лицеисты были спутниками Пушкина (не буду настаивать на полноте аналогии). В своей эпохе Бродскому не с кем соперничать и вступать в диалог. Ахматова или Мандельштам были в более счастливом положении.

На том уровне, на котором пишет Бродский, разумнее отмечать не влияния, а сходства и переклички. Вероятно, я выскажу распространенное мнение, если прежде всего вспомню Цветаеву — поэта той же крайности, предельности, внутреннего неблагополучия, нередко и подобных приемов (сверхобилие переносов и др.). Можно вспомнить иных обэриутов (Введенского). Есть, пожалуй, и достаточно неожиданная связь, которую скрадывает внешнее различие судеб, — связь с Маяковским: разумеется, не с тем, которого пережевывают советские и полусоветские авторы.

Бродский освоил западную поэзию органичнее, чем кто-либо из россиян со времен даже не Серебряного, а Золотого века. При этом, как и в Золотом веке, речь идет не столько о современниках, сколько о поэтах, старших на одно-два поколения. Оно и к лучшему.

Есть заметная разница между ранним Бродским — и зрелым, тяготеющим к прозе, к нейтральной интонации. Внешние события содействовали этой перемене, хотя и не предрешили ее. То, что находится на стыке двух манер, по-моему, особенно замечательно — например, „Натюрморт" или „Сретенье". Впрочем, вероятно, я еще недостаточно свыкся с новой манерой, чтобы оценить ее до конца.

Рой Фишер (Roy Fisher) родился 11 июня 1930 года в Хандсворфе, Бирмингем. Поэт, джазовый пианист. Окончил в 1953 году Бирмингемский университет, работал преподавателем в школе и колледже (1953-63), читал лекции в Bordesley College, Бирмингем (1963-71) и Килском университете (1972-82). Сейчас он вольный художник и музыкант. Образцом для его первого стихотворения (1949) послужил Дилан Томас, за ним последовали стилизации под Одена, Йейтса и Элиота. Фишер заслужил репутацию „городского поэта" публикацией своих первых двух памфлетов **„City"** (Worcester, 1961) и **„Hallucinations: City II"** (Worcester, 1962), в которых он продемонстрировал новый подход к материалу путем смешения идей и образов из картин, газет и фотографий. В конце 50-х годов он вместе со многими американскими поэтами работал вне английской поэтической традиции того времени. Фишер приобрел известность благодаря своей последующей книге **„The Ship's Orchestra"** (London, 1967). Это сюрреалистическая поэма в прозе, начатая в 1962 году как эстетический отклик на „Трех музыкантов" Пикассо. В 60-е годы Фишер опубликовал еще несколько сборников: **„Ten Interiors with Various Figures"** (Nottingham, 1966), **„The Memorial Fountain"** (Newcastle upon Tyne, 1967), **„Titles"** (Nottingham, 1969) и наиболее совершенный из них — **„Collected Poems, 1968"** (London, 1969), принесший ему международное признание, престиж и титул „тихого провинциального эксцентрика". Критика оценила его эксцентрическую оригинальность и поэтическое мастерство. Он продолжил эксперименты на границе поэзии и прозы в книгах **„The Cut Pages"** и **„Matrix"** (обе 1971, London), выстраивая некоторые стихотворения по законам музыкальной фразы. Из двух дюжин его сборников основными являются: **„Poems 1955-1980"** (Oxford, 1980), **"A Furnace"** (Oxford, 1986) и **„Poems 1955-1987"** (Oxford, 1988). „A Furnace" — большая поэма, представляющая собой двойную спираль, по определению Фишера, „смесь словарного опыта и физического наблюдения"; она продолжает тему города и производит „ошеломляюще субъективное ощущение одержимости определенным местом". Хотя сам Фишер определяет себя как „русского модерниста 20-х", его стиль столь элегантен и совершенен, вплоть до безукоризненности, использование тропов столь бережно и обращение с лирическим героем слишком аскетично для того, чтобы вписаться в какую-либо русскую модель. Общим с Бродским, тем не менее, для него является использование „медитации как основного состояния".

# БЛАГОРОДНЫЙ ТРУД ДОН-КИХОТА

*Интервью с Роем Фишером*
*5 марта 1990, Кил*

— *Питер Портер писал, что суть вашего высказывания в том, чтобы рассмотреть мистическое в варварские времена* [1]. *Вы с этим согласны?*

— Я не несогласен. Он выдергивает некоторые слова из заключительной части „A Furnace" [2], в которых я обращаюсь к нашим временам как к варварским. Вероятно, я отношу их к варварским в том смысле, что у них нет словаря, нет каких-либо форм для обнаружения того, что он мог бы назвать мистическим. Я буду просто называть это правдой.

— *Критики обычно верно истолковывают ваши стихотворения, или они многое упускают?*

— По-разному. Обозреватели, пишущие обычно в спешке, имеют довольно различные мотивы для написания. Меня никогда не интересовали такие короткие клочки. Недавно было три или четыре более длинных эссе, которые кажутся мне дающими достаточно точное представление о том, что я делаю, поэтому я чувствую, что справляюсь с тем, чтобы быть постижимым.

— *Вы поэт, принадлежащий двум культурам: американской и английской традиции. Куда вы сами себя помещаете?*

— Я никогда не думал об этом. Мне не кажется, что я сделал что-либо большее, нежели понял, как начать, просто организовал пространство вокруг себя, в котором могу работать. Я не думаю, что находился сознательно под прямым влиянием многих поэтов, я не чувствовал большой корпоративности, в глубоком смысле, с творчеством многих поэтов.

— *Какой критерий вы бы выбрали для того, чтобы определить свое место? Ваша техника? Ваше отношение к английскому языку? Ваши основные темы? Ваше отношение к проблемам современности? Что доминирует?*

— Ну, полнейшая бессодержательность моего ответа будет особенно интересна. Я не вижу себя с этого расстояния. Я не знаю, оттого ли, что сам вопрос, даже если вы его детализируете, не является очень значимым для меня, поскольку я испытываю антипатию ко всем этим критериям; или это из-за того, что я настолько солипсист и лишен чувства окружающего, или я понятия не имею, какой из этих критериев ко мне применим. Видите ли, я обычно ставился людьми, которые пытались меня как-то определить, в странное положение, абсурдное, но обладающее для них каким-то смыслом. То есть я был молодым писателем-экспериментатором, затем последовательным экспериментатором, сейчас я, по-видимому, старейший писатель-экспериментатор. Я „охотно идущий навстречу аутсайдер". Меня очень часто ставили в такого рода положение и рассматривали как кого-то, кто довольно упрям, кто следует собственному пути. Я с удовольствием отвечаю согласием людям, которые хотят опубликовать мои работы. Но я не прошу людей что-либо сделать для меня, поскольку, честно говоря, не верю в особенную существенность как той части литературного мира, которая принимает меня, так и той, которая меня игнорирует. Я обхожусь тем минимумом людей, которые приглашают меня что-либо сделать, пишут мне, говорят со мной, знают, очевидно, то; что я делаю; я использую их почти что социально, как людей, составляющих мой круг, благодаря которым я существую.

— *Можете ли вы определить наиболее характерные черты своей поэтики?*

— Думаю, я могу на это ответить только проследив за собственным рабочим процессом. Я отношу себя, как, полагаю, и каждый писатель, к состоянию языка, простого повседневного языка, который слышу вокруг себя и которым пользуюсь. И суть того, по направлению к чему я продвигаюсь, это, в первую очередь, отступить от него к молчанию. Это не совсем то, крайнее философическое молчание Беккета, но нечто подобное. Я ухожу в молчание, в котором я не существую. И молчание доставляет мне удовольствие. Потом я позволю звукам и языку — столь мало, сколь это возможно, столь скупо, насколько возможно — занять свое место в молчании, только потому, что они должны вторгнуться, и я не в силах предотвратить этого. Мне необходимо, чтобы они были там. И я буду извлекать их из очень скупого использования языка, очень осторожного, бережного использования языка; мне нравится продвигаться через этот узкий проход к открытию лирики, или описания, или чувственности, или воссоздания природы в языке. Но только после того, как мой опыт прошел через ничто и молчание.

Я могу временами работать, не злоупотребляя образным языком, потому что мне гораздо более интересен ракурс высказывания, его тон, положение в котором оно направлено вверх, вниз, вбок; положение в котором оно живет, еле живет, уже мертво. Я начинал с этого, и я продолжаю это делать.

— *Чувствуете ли вы какую-либо близость с Бродским?*

— По мне, так это очень аккуратно сбалансированные и да, и нет. Они почти равнозначны. Я уже говорил, что для меня испытывать чувство близости с поэтом почти бессмысленно. У меня нет подобного рода ощущений для другого поэта. Но если я буду искать родство с Бродским, я найду его через разделяющий нас занавес языка. Иногда занавес — это английский язык. Я нахожу, что это совершенно просто, как мне кажется, понять, что значит быть Бродским; что значит для него работа; что значит для него жизнь. И это отчасти потому, что он сам очень красноречиво говорит об этом. Сверх того я продолжаю относиться к нему как к любому другому, видя, где мы с ним расходимся. Бродский на десять лет моложе меня, и он всего лишь присутствовал где-то на периферии моего сознания когда мне было сорок-пятьдесят, так что он никоим образом не стал для меня чем-то формообразующим. Поэтому, думаю, я могу видеть его и ощущать его энергию, его дар наиболее ясно именно в точках наших расхождений. И я чувствую это очень хорошо. Есть место в одном из автобиографических эссе, где он говорит о молодых писателях в Ленинграде, когда он был совсем еще юным. Для них книги были свободой, книги были оппозицией авторитаризму. И „мировая культура“, то, что они могли выбрать из классической литературы (которую он сейчас так много использует) вместе с тем, чем они питались в системе образования — это то, через что они прошли. Я могу видеть, как они приходили потом к книгам, которые являются ядром западных учебных программ, и оценивали их как символы свободы.

Для меня, однако, те же самые составлявшие ядро программ книги были достоянием касты, людей, являвшихся хозяевами, управлявших нашим обществом. Границы авторитарности в этих двух обществах так значительно разнятся, что сравнивать их трудно. Но для меня ощущение возможности использования разрешенной литературы, возможности быть книжным, думать при помощи определенных текстов, общаться с другими людьми посредством литературных аллюзий — все это удушающе и академично. Долгое время я испытывал побуждение работать совершенно антилитературным способом.

Подобным же образом Бродский, несомненно, испытывает, насколько я могу судить о поэзии по переводам, огромное пристрастие к дискурсивной поэзии, к совершенно открытой игре идей и образного языка. Это никогда не могло быть моим путем, поскольку я бы просто отнес себя к совершенно добродушному литературному истэблишменту, никогда не боровшемуся ни за какую свободу, заведомо ею обладая. Какую-то свою свободу я приобрел уходя из этого, утверждая, что я скорее пианист, нежели писатель, и занимаясь писанием таким образом, который не подвергает опасности быть захваченным культурой в качестве любимого сынка.

*— Мне кажется, что у вас с Бродским есть еще нечто общее. Вы, по определению Дональда Дэви, поэт города* [3]*. Бродский обладает особым даром портретирования городов: возьмите такие его стихи, как „Темза в Челси"* [Ч:46-48/II:350-52]*, „Декабрь во Флоренции"* [Ч:111-13/II:383-85] *или „В окрестностях Александрии"* [У:138-39/III:57-58]*, о Вашингтоне. Мне бы хотелось, чтобы вы прокомментировали любое из этих стихотворений.*

— Моя первоначальная реакция на лондонские и флорентийские стихи была экстратекстуальной: никто не должен потворствовать претенциозности исторических столиц и городов-государств, награждая их поэтическими декорациями, пусть и блистательными. Если поэт, делающий это, является всего лишь культурным туристом, работа будет иметь затхлый запах. Но во всех этих стихах очевидно, что Бродский — подлинный чужестранец, имеющий право — в сущности у него нет иного выбора — перенести себя из города своего рождения в эти особенно „священные" места и оценить их как части более глубокого путешествия. Отсюда его неизменное присутствие. Ты сознаешь, что он смотрит из-под прищуренных век на разворачивающиеся перед ним виды; ты сознаешь также, что одновременно он рисует собственные картины этого, вычерчивая их на карте в сравнениях и метафорах, иногда вопиющих. Характерно, что он идет на монументальные самоуподобления мест, в особенности Вашингтона, но не испытывает благоговейного страха. Точно так же, отправляясь во Флоренцию, он вызывает дух Данте и обладает достаточной силой, чтобы справиться с этим. Немногие на такое способны.

То место во второй из замечательной пары строф — четвертой и пятой — „Темзы в Челси", где он, не обращая внимания на характерную скуку Лондона, ныряет в собственную неизбежность, я нахожу наиболее общей основой всего, что Бродский пишет о городах. Я не могу себе представить, чтобы он когда-либо испытывал потребность написать о городе, подобном моему: широкий, поспешный, немилосердный рост без каких-либо свойств метрополии, но с поверхностными притязаниями на имперскую историю — и тем не менее обладающем достаточной силой, чтобы потрясти поэтическое сознание. Хотел бы я увидеть, как он с этим справится.

— *Согласно Чеславу Милошу, Бродский „в экспериментах с поэтическими жанрами — одой, лирическим стихотворением, элегией, поэмой — напоминает Одена"* [4]. *Поскольку жанры лучше, чем что-либо, сохраняются в переводе, видите ли вы какое-нибудь родство между Бродским и Оденом в этом или любых других отношениях?*

— Вижу совершенно отчетливо. Это необычнее всего, поскольку означает, что добрая часть того, чем Бродский занимается по-русски, или по-английски, или по-русски в переводах на английский, выполненных как им самим, так и другими, представляет из себя нечто необщепринятое сегодня в английской поэзии. В значительной степени это жанр, или набор жанров, который, предполагаю, разработал Оден где-то между серединой 30-х и концом 50-х, когда он развивал свой стиль (как бы это сформулировать?) культурной дискурсивности, работая в том или ином неоклассическом варианте. Я не знаю, сколь далеко этот стиль письма вообще может отстоять от чрезвычайно сильной личности самого Одена. Я был озадачен количеством совпадений в открытии Бродским Одена, как своего пути в английскую поэзию.

— *Как вы знаете, Бродский написал два эссе об Одене. Почему, на ваш взгляд, он выбрал Одена из всех прочих английских поэтов этого века?*

— Ну, он сам объясняет это, не так ли, с точки зрения стихов Одена о времени, преклоняющемся перед языком [5]? Меня это объяснение убеждает в том, что тут нет никакой случайности, поглощенность Бродского этим такова, что английский поэт, попавший в его сети, будет, говоря подобные вещи, ему созвучен. Я, возможно, не только не проясню до конца вопрос, но даже затемню его, заявляя совершенно противоположный пример из собственного опыта столкновения с тем, как английский читатель будет воспринимать русскую поэзию. Когда я читал в переводах Пастернака, первым просочившегося вследствие всеобщего интереса к „Доктору Живаго" тридцать лет назад, это был полнейший взрыв чувственности и эмоций, заставивших меня подумать: вот эстетика, которую я привью, это что-то, что я хотел бы написать, и чего нет в английской поэзии. Английская поэзия частенько представляет собой исключительно морализаторскую разновидность. Дидактизм Одена, его готовность к морализаторству, явились, возможно, для Бродского освежающими, поскольку ему несомненно нравится работать на этом уровне, и по иным, чем у Одена, причинам. Он обладает, например, могущественной метафизикой формы и дисциплины. Как он говорит о том, почему рифма так эффективна? Что-то вроде „она придает форму вашей умственной деятельности по меньшей мере более чем одним способом; она становится вашим методом познания" [L:350]. Так что я вижу в этом притягательность Одена. Я могу только сказать, и, предполагаю, практически каждый пишущий сегодня английский поэт скажет, что это наиболее необычный выбор для кого бы то ни было, поскольку Оден был чрезвычайно сильной и влиятельной фигурой эпохи, и заполонил уши целого поколения людей, читателей и молодых писателей, обманчиво внушительной интонацией, которую он разработал. И с тех пор существует реакция против этого.

— *Интересно, что в то время как вы были поражены взрывом эмоций в русской поэзии, Бродский старался культивировать качества, которые обнаружил в поэзии Одена и вообще в английской поэзии: „объективное и беспристрастное рассуждение" [L:319]. Согласны ли вы с тем, что английская поэзия в целом звучит более нейтрально, менее эмоционально, стремится к объективности как интонацией, так и лексикой?*

— Ну, на это существует более чем один ответ. Способ, которым работаю я сам, явно зависит от очень ровной и объективной интонации, поскольку это основа, на которой вы должны стоять перед нарастанием. Я знаю, что нейтральность моей интонации заходит далеко, достаточно далеко чтобы устранить любое осуждение — хотя и полагаю свою работу дидактической. Но в английской поэзии существует тенденция быть утомительно и назойливо осуждающей; в конце 20-х или в 30-е годы средний пласт английской поэзии был во многом всего лишь описательным, всего лишь автобиографическим, почти журналистским, обладая лишь небольшой степенью мягкого осуждения, присущей хорошей журналистике, тогда как поэзия 1930-х, Одена, была сурово осуждающей. Я, скорее, предпочитаю это. Я до некоторой степени имею представление о том, что было сделано. Но это разновидность легкого уровня осуждения, разновидность вежливой морализации; описания вещей, их небольшого усовершенствования, использования некоторых хорошо отобранных фигур речи и придания им смысла.

— *Кроме уже упомянутых имен, кто еще, на ваш взгляд, особенно заметен в поэзии Бродского?*

— Я предполагаю, Данте. Но я снова отделен от поэзии языком. Возможно, я совсем не в состоянии ответить на это, поскольку мои познания в классике не столь хороши, как у Бродского.

— *Я намекаю на английскую поэзию XVII века, на Джона Донна и других метафизиков.*

— О да, в планировке его стихотворений мне виден тот особенный путь, по которому Донн проложил такие свои стихи, как „Nocturnall upon St Lucie's Day" („Ноктюрн на день Святой Люсии"), или „The Flea" („Блоха" [O:221/III:358]). Это определенная протяженность стихотворения. Оно разрабатывается в длинных строфах, включает утверждение, отчасти вербальное, отчасти фантасмагорическое, и содержит в себе грандиозный наплыв чувств и ассоциаций.

— *Вы знакомы со стихотворением Бродского „Бабочка" [Ч:32-38/II:294-98]. Видите ли вы Джона Донна в этом стихотворении?*

— Да, я думаю; я не знаю здесь другого источника, кроме английского XVII века, хотя это и не стилизация. Достаточно интересно — я говорю со своей колокольни и не заглядывая в книги, — что привычку Одена к разработке поминальных либо медитативных стихотворений, особенно с конца 1930-х, будут связывать с прямым влиянием XVII века. Кажется, это тот случай, когда Оден почувствовал, что ухватил сразу интонацию и богатство техники, достаточные для полета, хотя прежде мне никогда не приходило в голову поинтересоваться, где Оден взял все это. Он получал образование в то время, когда метафизики стали должным объектом изучения, это было в конце 20-х. До этого на них не обращали особого внимания.

— *Об английской метафизической поэзии написал Т.С.Элиот. Не писал ли он сам в том же духе?*

— Он откликался на прошлое, закономерно перенося эхо тех времен в будущее. Оден поднимал форму, чтобы создать средство выражения для культивируемой им современной, но не-английской способности движения сквозь непроницаемые абстракции.

— *Бродский открыл английскую метафизическую поэзию до того, как он открыл Одена или Т.С.Элиота. Думаете ли вы, что его интерес к ним обоим частично обусловлен интересом к Донну и другим поэтам-метафизикам, которых он тогда переводил на русский язык?*

— Я достаточно глух к Элиоту тех дней, тех десятилетий, поэтому не вижу никаких связей между его методом и методом Бродского. Я, конечно же, могу увидеть их у Бродского с Оденом, но я настолько сомневаюсь в его принадлежности к Элиотовскому пути развития, что просто не могу продолжить мысль дальше в этом направлении.

— *Продолжим. Том Ганн сказал, что „необходимо быть одержимым чем-либо для того, чтобы написать об этом хорошо"* [6]. *Вы с этим согласны?*

— Согласен. Я думаю, должна быть определенная степень одержимости. И языковой одержимости тоже, так как слова волнуют вне своей обыкновенности, общепринятого уровня. Должно быть нечто, вторгшееся в вашу душевную жизнь, либо существующее внутри ее. Это живет за ваш счет, и вы живете за счет этого.

— *В чем заключается ваша одержимость?*

— В точности не знаю. Мне совершенно ясно, что лет примерно тридцать назад я начал писать, одержимый самим фактом существования своего родного города. Я знал, что в то время была одержимость, но она была готической. Она высилась. Бродский назвал бы это вертикалью. Она высилась надо мной. Она высилась вокруг меня. Я шел сквозь нее, как сквозь ландшафт сновидения, и я не знал, из чего он состоит, зачем он здесь, почему это действует на меня подобным образом. Теперь я знаю кое-что об этом, и всегда полагал, что полностью избавился от одержимости. И тем не менее я все еще бываю захвачен ею врасплох, и одержимость становится все более и более абстрактной, все более и более рафинированной. Я знаю, что обладаю и другой одержимостью, она проявляется в сдвигах употребления языка, на его границах: свет и тьма, день и ночь, жизнь и смерть. Я очень часто беру язык подобного рода пограничный и делаю слова неразделимыми, когда они стремятся к разделению. Я стараюсь, чтобы они чуточку перекрывали друг друга, стараюсь дать такое истолкование, чтобы перегородки между ними не были неизменны. Они противятся этому, но я одержим желанием использовать язык подобным образом. Это, несомненно, опять Беккет. Он возникает здесь снова и снова.

— *Имя Беккета возвращает нас к Бродскому, ведь он обожает Беккета. Надеюсь, вы знакомы с заключительной частью книги „To Urania", поэмой в диалогах „Горбунов и Горчаков"* [7]. *Когда Бродский показал ее в Ленинграде своей подруге из Англии (поэма была написана в 1968 году), та сказала: „Неплохо, Иосиф, но в ней слишком много Беккета". Рассказывая мне эту историю, он добавил: „Я думаю, что это получше Беккета"* [8]. *Усматриваете ли вы Беккета в „Горбунове и Горчакове"?*

— Я помню его рассказ о том, как он влюбился в фотографию Беккета, не прочитав еще у того ни единого слова [L:22/HH:22]. Да, там достаточно Беккета. Я вижу кусочки из „Годо" и я вижу кусочки из романов: эта специфическая разновидность напряжения между двумя фигурами. Полагаю, Бродский считает это лучшим, поскольку оно обладает внешней формой. По мою сторону стены наш идол — идея органической формы, заключающаяся в том, что энергия движения мысли может, сама по себе, привнести оптимальную форму. Вот почему я работаю часто с огромным риском потерять хоть какую-то репутацию в Англии, работаю на стыке поэзии и прозы, очень близко к прозе, разрушаю размер в собственных произведениях, чтобы этот размер не искажал — не само то, что я говорю, но не искажал мою поэзию.

— *Ряд критиков Бродского указывал на „прозаический" характер его поэтического языка. Памятуя, что он сохраняет размер и рифму, в чем, кроме лексики, на ваш взгляд, состоит его прозаизм?*

— Ничего не могу сказать о звучании русского Бродского, насколько оно сопоставимо с остальной русской поэзией, которая, возможно, считается менее прозаизированной. Парадоксально, но его нескончаемая игра метафорами, прочими образами обнаруживает в английском варианте структуру текста гораздо более изощренно сработанную и богатую событиями, нежели жалкая подражательность или велеречивость, характерные для большинства ныне пишущих английских поэтов. Так что мы вынуждены принимать предполагаемый прозаический элемент на веру. Если где и есть несомненное присутствие этого, так в самой его персоне: сфере ее интересов, сухости, иронии. Приемы используются не для перекачки воздуха, а для того, чтобы поддерживать постоянный процесс искусного понятийного домоводства. Лирические сантименты всегда присутствуют, но их полет недолог.

— *Как человек одержимый, можете ли вы распознать одержимость Бродского, не важно в поэзии или в прозе?*

— Я замечаю, в частности, поскольку это заставляет его представлять скопления предметов, что его очаровывает характерная тяга классических культур к прочности: к памятникам, строениям, статуям.

— *Как вы думаете, почему он до такой степени поглощен темой времени?*

— Я ломал над этим голову, поскольку это вещь, которую я воспринимаю как психологическую пытку. Я склонен жить с этим так часто, что не могу от этого избавиться. Я ни на шаг от этого. Так что я не могу говорить об этом, давать этому имя. Вполне возможно, что это моя личная мания, не менее сильная, нежели у Бродского. Это абсурдность каждой прожитой мной минуты. Я могу понять его интерес к этому. Должен сказать, что при чтении его эссе я замечаю, что он говорит об этом, как о первостепенно важном для себя, но я не могу ощутить, почему это для него так первостепенно важно. Те замечательные вещи, мелькающие время от времени по ходу рассуждений об устройстве стиха, специфике цезуры, — как там у него?

— *„...обращаясь к этому средству памяти внутри другого — то есть внутри александрийского стиха, — Мандельштам наряду с тем, что создает почти физическое ощущение тоннеля времени, создает эффект игры в игре, цезуры в цезуре, паузы в паузе. Что есть, в конечном счете, форма времени, если не его значение: если время не остановлено этим, оно по крайней мере фокусируется"* [L:127/HH:34].

— Он говорит об этом, как о способе управления временем или остановки времени. Я нахожу это очень волнующим, или очень взволнованным, очень пьянящим. Он позволяет себе делать грандиозные обобщения и очень широкие замечания подобного рода. Я вижу, что если он где и хочет управлять временем, так это в собственном внутреннем мире и в своем родном языке. Так как у меня отрыжка от английского, я не хочу им управлять. Я почти хочу управлять временем, но противоположным образом. Я хочу совершенно остановить язык, чтобы он стоял неподвижно, поскольку наш язык бежит, бежит поскальзываясь, и это было бы очень здорово — остановить язык. И, по-моему, средства для этого должны быть довольно жесткими. Ты используешь эти средства как машина, углубляющая дорожную колею. В буквальном смысле, я, возможно, буду вынужден вскопать почву поперек бега английского языка, во многом подобно тому, как рубят деревья перед стеной огня. Я должен создавать открытое пространство, и это путь выпавшего мне языка, но не путь языка, выпавшего ему.

— *Язык — еще одна из вещей, которыми одержим Бродский. Для него „поэзия это не 'лучшие слова в лучшем порядке', это высшая форма существования языка" [L:186/IV:71]. Почему Бродский, как видно из всех его эссе, так чрезвычайно одержим языком?*

— В значительной степени это обусловлено тем известным положением, что авторитарное государство может украсть у человека его язык и потом, поскольку язык чрезвычайно уязвим перед запретами, сдать его внаем на поддельных условиях, используя как инструмент социального и психического контроля. Любые лингвистические отступления не могут не обретать магическую силу, да и реальную силу тоже — нагонять ужас на власти, менять ход событий, убивать людей, — тогда как нам язык достается дешево и, если вдуматься, он избыточен, следовательно, не вызывает удивления. Бродский не предстает в своих стихах фигурой романтической или драматизированной, но его поэтический импульс опирается на драматизацию его магического и интимного родства с мощью и судьбой русского языка.

— *Бродский тоже проводит границу между английской литературой и русской, скорее даже европейской литературой. По его утверждению, „европейцы... рассматривают мир как бы изнутри, как его участники, как его жертвы", в то время как английским писателям и поэтам присущ „несколько изумленный взгляд на вещи со стороны"* [9]. *Откуда берется это, столь высоко ценимое Бродским, чувство отстранения? Является ли оно органичной частью самого языка?*

— Могут быть какие-то совершенно неуловимые языковые вкрапления, поскольку наш язык — это язык клонящейся к закату Империи; с латынью тоже в свое время такое произошло, и наш язык унаследовал у латыни много особенностей, так как мы управляли Империей, состоящей из обломков других империй. Возможно, тот факт, что мы распавшаяся Империя, подразумевает, что у нашего языка какой-то путь, обладающий протяженностью, обладающий, если хотите, иерархией, который выведет на сцену новый язык для тех, у кого этого нет. Здесь снова можно увидеть то, чем Оден так созвучен Бродскому — это та же идея мира, чьи модели и порядки могут быть замечены со стороны. Оденовский взгляд на это, насколько я знаю, был сообщен традиционной христианской точкой зрения на историю, в центре которой апелляция к Искупительной Жертве и все, что из этого следует. Существует порядок, и существует представление о порядке, о граде Земном и граде Небесном; и утвержденный порядок действует вне зависимости от следования теологии или ее отрицания. Оденовский взгляд на мировую культуру должен быть привлекателен и для Бродского.

— *Поскольку вы упомянули мировую культуру, почему, на ваш взгляд, Бродский чувствует, что существует крайняя необходимость заниматься защитой культуры в наш век разума и прогресса?*

— Да, для него это несомненно. Я полагаю, он занимает неоклассическую позицию — это, конечно же, единственное, в чем мы сходны, — которая предполагает, что полного расцвета цивилизации никогда не было. То, с чем мы встречаемся там и сям — некие маленькие, хорошо сработанные капсулы цивилизации, выжившие только благодаря уровню мастерства, на котором они были сработаны — оставшиеся нам реликвии, обрывки литературы, обломки скульптуры, драгоценности, своды законов, почитаемые за образцы разрозненные трагедии, острота человеческого восприятия. Поэт, занимающий подобную позицию, будет реагировать на нее в соответствии с собственным темпераментом. Паунд проявил высокую активность и назойливый взгляд на то, что должно быть сделано в реальной культуре. Мой давний друг Бэзил Бантинг (Basil Bunting) ушел на Север и сказал очень мало, но сказал это чрезвычайно страстно. Моя тенденция, пришедшая, как и я, из рабочего класса, в том, чтобы быть циничным и страдающим, отстаивать собственный взгляд на свои убеждения. Бродский, будучи человеком освобожденным, человеком, вышедшим из заключения, стремится, как мне кажется, распространять, накапливать, проповедовать и сохранять культуру — отвратительное слово — бегать вокруг нее, следить, чтобы все пути были открыты, чтобы происходил круговорот. Это ценно.

— *Почему, на ваш взгляд, русская поэзия XX века так сильно притягивает внимание Запада, учитывая, что она почти непереводима?*

— Сами русские заставляют нас признать это хорошим, несмотря на непереводимость. Это очень важный вопрос. Наивный ответ заключается... ладно, есть два наивных ответа и это, вероятно, единственное, что я могу сказать. Во-первых, это все-таки выглядит хорошо. Другое объяснение, столь же наивное и часто сентиментальное, заключается в отважном обращении к аморфности западных, капиталистических, либерально-демократических, каких хотите, культур, которые страдают странным головокружением, не зная, что делать, как относиться к своим художникам во всех видах искусства, как выделить их из потока социальных классов, финансов, журналистики. Они не знают, в каком мире те живут. Не знают, для чего они живут. Они хотят ими обладать. Полагают, что могут их оценить. Но что до мира, в котором есть безвкусный призыв к фундаментализму и есть существующие в драматических ситуациях писатели Восточной Европы, чья обыкновенная игра с языком расценивается как преступление... Это выдвигает все в центр и обращает на себя наше внимание.

В этой стране, если вы поэт, вы можете попасть в печать только двумя способами: если вы поэт-лауреат и если вы избраны профессором поэзии в Оксфорде. Даже приняв во внимание тот факт, что отдельные оксфордские профессора поэзии упорно пытаются зачастую разобраться, в чем же заключаются их обязанности, это две крайне мелкие должности, которые следовало бы упразднить, поскольку они приносят больше вреда, чем пользы, тем, что привлекают тривиальнейшее внимание: маленькое проявление клоунады и мишурной конкурентности непонятно с кем, в сочетании с предположением, что поэзия — это странное маленькое хобби для простачков, предъявляющих свои бесхитростные претензии. Они, причем немногие из них, в буквальном смысле единственное из всего искусства, что реально заметно для широкой публики. Это чрезвычайно трудно для поэзии — столкнуться с авторитарной системой. Если вы представите полную бессмысленность ситуации, в которой писателям, в особенности поэтам, не с кем говорить, кроме как друг с другом, а словоохотливы обычно ремесленники и взаимовосхвалители с кратковременной репутацией, легко понять, как угнетенный писатель, который может быть очень хорошим, как Мандельштам, или гораздо менее хорошим, как Ратушинская, может стать драматической личностью, на которую люди проецируют свои представления о том, каким вообще должен быть писатель. Вы можете сказать, что гибель Мандельштама была ужасна. И вы можете сознавать, что сами не желаете встретить свой конец подобно Мандельштаму. Вы можете также осознавать, что случившееся с Мандельштамом было, насколько я понимаю, вероятно, не имеющим отношения к его действительному поэтическому дару. Это не было путем, соразмерным дару, но стук в дверь, ощущение слежки, подслушивания означают, что поэзия находилась в центре пристального внимания. Сейчас об этом говорит Бродский. Он указывает на то, что жизнь большинства поэтов — это неописуемое постоянное изменение. Это почти то же, что и любая жизнь, и только маленькая частица, сфокусированная на поэзии, или на роли поэта, движется вне частной жизни и становится материалом для других.

Достаточно очевидно, что некоторые писатели — Йейтс, насколько я уверен, вероятно Блок, и конечно же Рильке — расширили поэтическое средоточие своих жизней на любую вероятную сферу вокруг, так что они сами, поэты, стали искусством. Но для нас всегда интересны те, кто находится вне мира, на котором фокусировка происходит силой обстоятельств, если только представить, что личное творчество может быть сжато, уплотнено и энергизировано даже такими ужасающими средствами. В Британии мы относимся к нашим интеллектуалам, художникам, писателям исключительно в зависимости от того положения, которого они добиваются коммерческими средствами. Не существует шкалы полезности для интеллектуалов и писателей самих по себе, только из расчета того, что они делают. Так устроено общество. Это чрезвычайно недейственно, чрезвычайно расточительно, чрезвычайно жестоко и чрезвычайно разрушительно для интеллекта нации, и однажды это нас погубит, дело упорно идет к тому. Но, опять-таки, мы испытываем ностальгию по любой стране, которая обращает на художника внимание, достаточное для того, чтобы поместить в тюрьму, прекрасно при этом сознавая, что мы совершенно счастливы никогда не быть избиваемыми, никогда не быть запрещенными, никогда не быть арестованными. Но мы платим высокой ценой за наше спокойствие.

— *Вы читали всех русских поэтов в переводах: Ахматову, Мандельштама, Блока и других. Никому из них обычно не везло с английскими переводчиками. Как вы оцениваете переводы Бродского, выполненные другими поэтами или им самим, в сравнении с переводами Ахматовой, Мандельштама или Пастернака?*

— Я полагаю, он, вероятно, в одной лодке с прочими. Очень странно, действительно, для человека, чья проза столь доступна, что он вполне может оказаться в той же ситуации, что и принимаемый нами на веру Пушкин: едва ли что-либо из его поэзии остается в живых. Я склонен полагать, что есть некая необработанная энергия, или драма личности, особенно если английский переводчик для этого постарался, и тогда вы ощущаете свою сопричастность поэту. Вы прекрасно знаете, что английские переводчики этих поэтов обычно уклоняются от усилий по воспроизведению стихотворного размера, поскольку если вы будете воспроизводить размер по-английски с достаточной точностью, даже не принимая во внимание тот факт, что метры языка, обладающего категорией склонения, совершенно отличны от метров аналитического языка, размер пострадает от возникающих в сознании читателей случайных ассоциаций с комической поэзией, детской поэзией и стихами на случай. Так что стихотворные размеры не вольны выполнять свою работу, поскольку мы слышим в них иную поэзию. Это очень печально, но тут уж ничего не поделаешь. Поэтому переводчики, исходя из моего опыта, склонны следовать за характерными индивидуальными чертами поэта и попытаться их воспроизвести. С Бродским, который, насколько я знаю, работает в другом направлении...

— *Он не драматизирует себя.*

— Он не драматизирует себя. Это городская персона. Это ощущение ума и языка, играющих на широкой поверхности. Перевод действительно становится очень, очень трудным, насколько я могу предположить. В придачу к этому присутствует и он сам, он может ввязаться в спор о значимости его метрических форм и о том, что их непременно нужно сохранить. И здесь, я думаю, возникают проблемы. У меня сложилось ощущение, что англичане могут научиться массе вещей, систематически работая над переводами Бродского. Например, если я приму во внимание то, что написано Бродским в прозе, где он наделяет рифму едва ли не метафизическим значением, и потом посмотрю на использование им неточных рифм — этого почти невозможно доказать посредством аргументов, поскольку ответ не является разумным — но есть определенные рифмы, которые английское ухо принимает как обоснованные консонансы, и другие, которые режут ухо сильнее, чем просто отсутствие рифмы; снова и снова, когда мы представляемся себе обучаемыми целой школой поэзии, использовавшей этот уровень нерифмованности или частичной рифмовки, принимать их как консонансы или параллелизмы, а не как разрывы, наши уши бывают смущены, тогда когда он стремится их убедить. Думаю, мы хотим опыта убеждающего, а он, напротив, подрывающий, что придает этой поэзии в английском звучании причудливую и игровую внешность, но мы не можем определить степень ее причудливости.

Тут, я думаю, другая проблема, заключающаяся в том, что английский, как всем известно, богатый, утонченный и очень гибкий язык; по моим соображениям, эта гибкость ему не на пользу, поскольку нормативный английский утратил за последние несколько столетий в значительной степени силу своих согласных. Он очень слаб в согласных. Он беден на рифмы. Писать в рифму по-английски становится совершенно запрещено, поскольку ваш выбор очень ограничен по сравнению, скажем, с немецким или русским. К тому же существует тот факт, что английский язык уже включает в себя огромное количество мертвых метафор. Как и большинство языков, я полагаю. Английский в особенности включает в себя массу мертвых метафор, массу погребенного образного языка, так что очень часто то, чем писатель вынужден заниматься — это последовательно удалить метафору, создать пространство и сделать прозрачной ткань текста. Писать, как я это называю, скупо, так, чтобы между образами оставалось пространство. Я знаю, что, реагируя против переводных версий Бродского, могу быть прочитан с моей собственной крайней позиции необходимого минимума, необходимого пространства для того, чтобы каждый троп висел и светился. В музыке есть такое понятие „заселенность", которое подразумевает, что там уйма коротких нот и пауз. Ткань переводов Бродского, как факта английской поэзии, читается мной как „заселенная". Что-то есть деятельное, что-то суетливое на пути поэзии и это как-то нуждается для меня в согласовании, с тем чтобы форма выглядела лучше. Я не могу поверить, что ткань русского языка, или ткань сознания Бродского, когда он пишет по-английски, столь же „заселена", как текст этих переводов. Там происходят великие вещи, и это не вполне систематизировано с тем, чтобы показать свою внутреннюю форму, тот путь, на котором идеи подвешены как планеты на небе. Я не могу видеть трех- или четырехмерные взаимосвязи этих идей, поскольку вижу очень активную единую оболочку. Так что я все еще не вполне доволен.

Я не знаю, в чем здесь решение. Это целительный и совершенно благородный труд, подобный донкихотовскому, — Бродский, пришедший в английский язык и сражающийся, в сущности, за то, чтобы вывернуть наизнанку его отступление, и принципиально, и в благодарность за полученное от него.

— *Есть ли у вас стихотворения, адресованные Бродскому, посвященные ему, или тематически близкие?*

— После написания в самом начале этого года „The Collection of Things" [10], я начал сознавать, что, описывая пейзаж, в котором я могу с легкостью представить прогуливающегося Бродского, я плавал неподалеку от некоторых его тем. Не говоря уже о Жизни, Смерти и Времени, я могу обнаружить такие темы, как выживание поэта в памятнике, сохранение и возрождение классических церемоний (учрежденный Сикелианосом [11] Дельфийский фестиваль), назначение поэзии и языка опережать сознание народа, культурное паломничество. Там есть даже упоминание, редкое для меня, иудео-христианских верований. Некоторые вещи — любовь, размер и рифму — мне не удалось включить даже ради этого.

# THE COLLECTION OF THINGS

I encountered Sikelianos
unexpectedly, in the early evening.
It was in the bare, ungardened patch
around what must have been
his house, or summer place,
or his museum: shuttered,
builders' gear all about; a chained goat;
a telegraph post with a streetlamp slung from it;
Sikelianos
on his plinth in that scruffy, peaceful spot,
surveying the Gulf of Corinth
in the haze below, marble
head and shoulders a little grander
than human, flushed
by the sunset's glance across
Delphi's red-tiled roofs. He was
one more fact. Not a provocation
to any fervour, to any damage.
On a side track along the hill
there was damage: two bullet-holes,
small calibre,
crazing the glass front of a shrine,
erect kiosk of rusted
grey sheet iron, a worn offertory slot
under the locked, tended
display-case. Which contained,
undamaged, a green glass lamp,
oil for it in a pop-bottle,
a torn-out magazine page with a stained ikon.
And another place, below and behind
the poet's head, had a cracked gold
high-heeled slipper. It was an almost empty
grave under the cypresses, cut
shallow and dry in the churchyard rock,
most recently used, for a short spell,
by a woman of the generation
of Sikelianos. Nothing left in it
but the marker recording her death
at ninety, two or three years back,
and a plastic posy, some small bones, the shoe.
Sikelianos is gathered in,
called down from every corner of the air to condense
into that shape of marble, rendered to
a decent conceivable size
and emitting among the hills a clear quiet
sunset tone that owes
no further obligation at all
to detail, description, the collection of things.

## СКОПЛЕНИЕ ПРЕДМЕТОВ

Я наткнулся на Сикелианоса
неожиданно, ранним вечером.
Это было на голом клочке невозделанной почвы,
окружающем то, что должно было стать
его домом, возможно — дачей
или даже музеем: ставни,
причиндалы рабочих; коза на цепочке; столб
телеграфный с раскоканным фонарем;
Сикелианос
в этом мирном гадюшнике, со своего постамента
наблюдающий сверху сквозь дымку
Коринфский залив,
мрамор плеч и его головы
(чуть огромнее, чем
у живого) окрашен закатом над красной
черепицею Дельф.
Он был сущностью. Не побуждавшей
ни к рвению, ни к повреждению.
Повреждение было
на тропе, огибающей холм: пара дырок от пуль
небольшого калибра,
паутиною трещин покрывших стекло
раки, ржавого ящика из листового железа
с щелью, стертой монетами,
ниже закрытой витрины.
Где хранились, целехоньки, лампа
бутылочного стекла,
лампадное масло в бутылке из-под шипучки
и цветная икона, выдранная из журнала.
И другое — ниже и позади
головы поэта — растресканная золотая
толстопятая туфля. Это почти пустая
могила под кипарисами, сухо, неглубоко
выдолбленная в кладбищенском камне; последней
в ней ненадолго осталась
женщина из поколения
Сикелианоса. Почти ничего
не уцелело, кроме доски со смертью
около девяноста, парочку лет тому,
пластикового букета, мелких костей, обувки.
Сикелианос сгущается,
слыша в пространстве
зов затвердеть, обрести постижимый размер
мраморной формы,
струящей меж этих холмов
чистую ноту заката; уже
без никаких обязательств
к подробности, изображенью, скопленью предметов.

*Перевел с английского Виктор Куллэ*

ПРИМЕЧАНИЯ

[1] Peter Porter, "Soliloquies on the City" ("The Observer", 27 April, 1988).

[2] Roy Fisher, "A Furnace" (Oxford University Press, 1986), P. 48.

[3] Donald Davie, "Roy Fisher: An Appreciation" in: "Thomas Hardy and British Poetry" (Routledge & Kegan Paul: London, 1973), P. 152-72.

[4] Czeslaw Milosz, "A Struggle against Suffocation", a review of Joseph Brodsky's "A Part of Speech" ("The New York Review of Books", 14 August 1980, P. 23). Русский перевод А.Батчана и Н.Шарымовой: Чеслав Милош, „Борьба с удушьем" — в нью-йоркском альманахе „Часть речи" (No. 4/5, 1983/84, C. 170). В России пер. Л.Лосева см. „Знамя" (No. 12, 1996, C. 150-55).

[5] Имеются в виду стихи Одена „Памяти У.Б.Йейтса" (In Memory of W.B.Yeats):

> Time that is intolerant
> Of the brave and innocent
> And indifferent in a week
> To a beautiful physique,
> Worships language and forgives
> Everyone by whom it lives;
> Pardons cowardice, conceit,
> Lays its honours at their feet.

О том, как поразила молодого Бродского мысль, что „Время... преклоняется перед языком и прощает его служителей" см. подробнее в одном из двух эссе об Одене, "To Please a Shadow", [L:361-65]. Русский пер. Елены Касаткиной: „Поклониться тени" см. „Иосиф Бродский. Неизданное в России" („Звезда" No. 1, 1997, C. 8-20).
Русский перевод стихотворения А.Эппеля был опубликован в кн. „Западноевропейская поэзия XX века" (М., 1977) и вошел в антологию „Американская поэзия в русских переводах" („Радуга": М., 1983, C. 384-89, с параллельным английским текстом). Там указанные строфы выглядят следующим образом:

> Время, коему претит
> Смелых и невинных вид,
> Краткий положив предел
> Совершенству в мире тел,
> Речь боготворя, простит
> Тех лишь, в ком себя же длит;
> Трус ли, гордый ли — у ног
> Полагает им венок.

Ср. в одной из немногих доотъездных публикаций Бродского на родине — в стихах „Памяти Т.С.Элиота" („День поэзии", Л-д, 1967, C. 134-35) (окончательное название „Стихи на смерть Т.С.Элиота" [O:139-41/I:411-13], датированы 12.I.1965):

> Аполлон, сними венок,
> Положи его у ног
> Элиота, как предел
> Для бессмертья в мире тел.

[6] Thom Gunn, interviewed by John Haffenden, "Viewpoints", "Poets in Conversation with John Haffenden" (Faber & Faber: London, 1981), P. 35.

[7] Имеется в виду английское издание Joseph Brodsky, "To Urania: Selected Poems

1965-1985" (Penguin Books, 1988). „Горбунов и Горчаков" [О:177-218/II:102-38] создавался в 1965-1968 гг.

[8] Иосиф Бродский, Интервью Валентине Полухиной, апрель 1980, Ann Arbor. Не опубликовано.

[9] Иосиф Бродский, „Европейский воздух над Россией", интервью Анни Эпельбуан („Странник" No. 1, 1991, С. 39).

[10] Опубликовано в „Bete Noire" (No. 8/9, Winter 1989/Spring 1990).

[11] Ангелос Сикелианос — греческий поэт. Родился на о.Лефкас. Первая публикация в 1902 году в журнале „Дионисос". Изучал юридические науки в Афинском университете. В юности был актером театра. Успех пришел к Сикелианосу после публикации первого сборника „Ясновидящий" (1907). За ним последовал поэтический цикл „Пролог жизни" (1915), сборники „Матерь Божия" (1917), „Стихи" (1921), „Пасха греков" (1922), „Дельфийское слово" (1927), „Святой путь" (1935), „Просфора" (1943) и др. В 1947 году Сикелианос объединил все свои поэтические произведения в трехтомнике „Лирическая жизнь". Автор лирических драм „Сивилла" (1940), „Христос в Риме" (1946), „Смерть Дигениса" (1947), „Дедал на Крите", „Эскулап", составивших двухтомник „Алтарь" (1950). В годы войны Сикелианос участвовал в движении Сопротивления, возглавлял Союз греческих писателей. В России стихи опубликованы в переводе А.Наймана в антологии антифашистской поэзии „Ярость благородная" („Худ.лит.": М., 1970, С. 244-45) и в переводе А.Ревича в антологии современной греческой поэзии „Геракл и мы" („Радуга": М., 1983, С.280-90).

Дерек Уолкотт (Derek Walcott) родился 23 января 1930 года в Кастри, о.Сент-Люсия. Поэт, драматург. Окончил в 1953 году Университет Вест-Индий (Кингстон), работал учителем в школе, журналистом в „Public Opinion" и "Trinidad Guardian". В 18 лет он опубликовал свой первый сборник „25 Poems" (Port-of-Spain, 1948), за которым последовала вторая книга "Epitaph for the Young" (Bridgetown, Barbados, 1949). Обе были несвободны от влияния английской поэтической традиции. Другими его увлечениями стали живопись и театр: в 1950 году в Кастри состоялась выставка его картин; позднее, в 1957-м, он изучал искусство театра в Нью-Йорке. За истекшие годы Уолкотт написал более дюжины стихотворных драм; „The Sea at Dauphin" и "Six in the Rain" были поставлены в Лондоне (1960), так же как и пьеса „Remembrance" (1990) [1]. Поэзия, тем не менее, осталась его первой и постоянной любовью. Следующие два сборника Уолкотта, "Poems" (Kingston, 1953) и „In a Green Night" (London, 1962), принесли ему успех и признание. Критики отмечали изощренную мысль и чарующее взаимо-притяжение карибской изустной и классической европейской традиций. В дальнейшем все его книги публиковались в Лондоне и Нью-Йорке: "Selected Poems" (1964), „The Castaway, and Other Poems" (1965), "The Gulf, and Other Poems" (1969), „Another Life" (1973), снискавшая себе добрый том критических работ; "Sea Grapes" (1976), „Selected Poems" (1977), "The Star-Apple Kingdom" (1980), „The Fortunate Traveller" (1981), "Midsummer" (1984), „Collected Poems: 1948-1984" (1986). Бродский назвал Уолкотта „метафизическим реалистом" и „великим поэтом английского языка", отмечая, что „потребность в детализации окружающего мира придает уолкоттовской энергии описания подлинно эпический характер" [2]. Эпическая поэма Уолкотта „Omeros" (London-Boston, 1990) является мифологической интерпретацией истории его народа [3]. Приспосабливая дантовские терцины и пользуясь гомеровскими лейтмотивами, он отдает в ней честь двум великим мастерам Поэзии, одновременно вдыхая новую жизнь в персонажей мифа. Эта работа была высоко оценена за ее остроумие и словесную игру, со-вершенство рифм и музыкальную утонченность — качества, присущие твор-честву Уолкотта на всем его протяжении. Дерек Уолкотт стал лауреатом Нобелевской премии по литературе 1992 года.

# БЕСПОЩАДНЫЙ СУДЬЯ[4]

*Интервью с Дереком Уолкоттом*
*29 сентября 1990, Лондон*

— *По-моему, впервые вы встретили Бродского на похоронах Роберта Лоуэлла. Помните ли вы эту встречу?*

— Все мы были потрясены, когда умер Роберт Лоуэлл. Он внушал любовь, был очень приятным человеком, и он был очень добр ко мне, когда я приехал в Нью-Йорк. Впервые я встретился с ним в Тринидаде, и потом он и его жена Элизабет Хардуик были очень добры ко мне и моей жене, когда мы переехали в Нью-Йорк. Это было очень, очень горько. Мы с Сюзан Зонтаг, Роджером Страусом и Пэтом Стронгом, редактором, вылетели из Нью-Йорка в Бостон. Но никаких следов Иосифа, о котором они справлялись, не было. Произошла какая-то путаница в сроках, связанная с вылетом в Бостон. Затем я отправился на похороны, они были очень многолюдны. В церкви какой-то человек подошел и занял место рядом со мной. Я не знал, кто это такой, но у него было очень интересное лицо, прекрасный профиль, он высоко держал голову и был очень сдержан. Но мне было видно, что он тоже переживает это горе. Я предположил, что это может быть Иосиф Бродский. Уже не помню, были ли мы представлены после похорон, на улице, и в какой момент я заговорил с ним. Я думал тогда только о смерти Роберта. После этого мы отправились домой к Элизабет Бишоп, где была уйма народу. Трудно сейчас сосредоточиться на том, когда произошел какой-то контакт, но так случилось, что по возвращении в Нью-Йорк у нас завязалась очень стойкая дружба и мы часто виделись друг с другом[5].

— *Бродский уже знал о вас от Лоуэлла и читал некоторые из ваших стихотворений. Читали ли вы Бродского до этой встречи?*

— Я слышал о процессе[6]. Думаю, я видел пингвиновское издание[7].В то время я прочитал кое-что из русской поэзии.

— *Что вы находите особенно привлекательным в русской поэзии?*

— Русская поэзия, в особенности современная русская поэзия представляется мне непочатым краем работы, почти дебрями, в том смысле, что я не могу продраться к ней сквозь переводы. Конечно же, я знаю Пастернака, но большинство переводов Пастернака ужасающе упрощены, за исключением выполненных Лоуэллом. Лоуэлловского Пастернака я очень люблю. Потом, конечно, я читал „Охранную грамоту", которая превосходна как проза. Я многого не знаю у Цветаевой; я прочитал, опять-таки в переводе, кое-что из Ахматовой. Препятствие всегда заключается в переводе. Все, что было очень, очень сильным — становится сентиментальностью, и это очень рискованно для такого писателя, как Пастернак, который не страшится чувствительности, нежности и тому подобного. Но потом, когда это переводится на английский, мучительность становится слащавостью, которой изначально не было, и это тяжело. Ахматова воспринимается ошибочно по тем же причинам. Как правило, вы не можете отделить русскую поэзию от русской биографии; другими словами, Ахматова потому удостаивается внимания, что ее сын был в заключении, Цветаева — по причине ее самоубийства. Я имею в виду и остальных, например Есенина.

— *Вы хотите сказать, что те, кто не знают русского языка, должны принимать на веру, что они великие поэты?*

— Да.

— *На протяжении многих лет вы наблюдали жизнь Бродского в изгнании. Сами вы также живете в изгнании. Какое воздействие изгнание оказывает на поэта?*

— Вследствие тех политических условий, в которых находится Иосиф, я, по мере становления нашей дружбы, впервые в жизни реально столкнулся с тем, что есть изгнанник, истинный изгнанник, поскольку в большинстве случаев так именуют писателей, которые находятся вне своей страны, но которые могут скакнуть в самолет и вернуться домой, может быть и не для того, чтобы жить там, но просто побывать снова, как, например, вест-индийские писатели Лэмминг и Найпол. У последнего даже есть книга, озаглавленная „Удовольствия Изгнания". Это не подлинное изгнание. Изгнание — это высылка. Я не знаю никого, кто был бы выслан из своей страны и, до известной степени, из своего языка: ситуация та же. Высылка из страны подразумевает, что вам запрещается использовать этот язык, если бы такое было возможно, и в этом полная и конечная цель высылки. Поэтому, исходя из реального положения Иосифа, я начал понимать, что ни мое, ни кого-либо из других живущих за границей писателей изгнание не было таковым. Слишком поверхностное определение для такой боли. Для меня непредставимо, чтобы я никогда не смог снова увидеть своих родителей (мою мать) или мою страну. И я стал осознавать глубину заключенной в этом слове боли. Но индивидуальный пример Иосифа был примером великой стойкости духа, в которой не было никакой жалости к себе, никакого высокомерия, никаких жалоб на свое еврейство и тому подобного — а был грандиозный сарказм по отношению к режиму. Кроме того, что я действительно высоко оценил, так это его сосредоточенность и наглядный пример поэта, который в подобных условиях обладает не только необходимым усердием: это не просто терапевтическое писание, это стало очень серьезным занятием, надстоящим над политикой, надстоящим над самокопанием. И это, прежде всего, благородство поведения Иосифа, которое, я думаю, и привлекает к нему людей. Люди любят Иосифа не за то, что он великий поэт, а за его поразительную стойкость, юмор, пренебрежение к любой жалости по собственному поводу. Я не нахожу в Иосифе никаких качеств, предопределенных еврейством [смеется]. Я имею в виду, что еврейский писатель может вести себя подобно черному писателю, что-то вроде: „Корни! Условия! Гонения!"... что там еще? И когда потом я начал понимать, что большинство гонимых режимом писателей были евреями, это дошло до меня как некая запоздалая истина. Думаю, эти гонения были преимущественно политическими, а не какой-то разновидностью антисемитизма.

— *Марина Цветаева, кстати, поправила бы вас, сказав, что все поэты являются в каком-то смысле евреями* [8].

— Если вы это утверждаете, то скорее как некую привилегию, в том смысле, что если вы поэт, вы становитесь Вечным Жидом. Я понимаю, что она имела в виду, но с этим нужно осторожнее. Это скорее о том, как определенные общества обходятся со своими поэтами.

— *Что, на ваш взгляд, есть в Иосифе, что помогло ему выжить, придало силы для успеха?*

— Прежде всего, вопрос успеха для Иосифа несуществен. Иосиф может чувствовать себя триумфатором по множеству поводов: если он сделал что-либо, что полагает удачным, стихотворение, которое, по его мнению, получилось, и это здорово. Но я думаю, что Иосиф утверждает себя не в прямом состязании, а, скорее, он учреждает образцы для себя, не обязательно образцы, скорее образы равных, современников, тех, кого он считает великими поэтами. Людей вроде Овидия, Вергилия — это огромные имена — к тому же его раздражает современная поэзия. Как там у него эта строчка? „...зачем нам двадцатый век, если есть уже / девятнадцатый век" [У:9/II:395]. Это строка о литературе, но на фоне уровня и достижений писателей конца века масштаб и объем сделанного Иосифом очевиден, поскольку он занимается этим изо дня в день. Для меня он законченный поэт, воспринимающий поэзию не как банальный труд, но как каждодневную необходимость. Поскольку, думаю, большинство нынешних поэтов заявляют: „Мне необходима вспышка, необходим повод для написания стихотворения". Для Иосифа же, думаю, таким поводом является сам по себе любой день. Конечно же, тень смерти, больное сердце и тому подобное. Он поминутно хватается за сердце, но ненавидит тех, кто начинает при этом суетиться вокруг. Суета приводит его в бешенство. Это, в свою очередь, бесит его друзей. Он не любит обращать на себя внимание, Вы знаете, и эта линия поведения чрезвычайно подчеркнута.

— *Есть некоторые темы, которые появляются у вас обоих. Например, Изгнание, Империя, Время. Более того, я замечаю некоторые общие черты на уровне поэтики; например, очень сложный синтаксис, частое использование переносов и определенная техническая виртуозность. Это случайность, или у вас есть для этого объяснение?*

— Иосиф, конечно же, оказал на меня влияние. Думаю, время от времени каждый поэт может очутиться в таком положении. Без всяких сравнений, но когда говорят: „О, это влияние Иосифа," — ну что же, общение влияет, дружба влияет. И если что-нибудь написанное мной вызывает восхищение у Иосифа, для меня это огромная похвала, потому что он очень строгий, беспощадный судья каждому стихотворению. Кроме того, в этом примере есть школа. В том смысле, что вот есть некто, изведавший перипетии политических страданий и знающий, что в конечном счете это незначительно для поэзии. Я бы сказал, что с точки зрения Иосифа политические страдания, политические изменения, все мирское, преходящее, включая и то, что происходит сейчас в России, сравнительно с тем, что случилось в России прежде — незначительно. Это просто события. Просто поведение людей в сиюминутных ситуациях. Так он приходит к понятию непрерывного изменения, но и к понятию статуарности. Это не поэзия. Не мысль. Язык — единственное, чем стоит заниматься. Я, например, мальчишкой был под властью Империи. Но суть в том, чтобы усмотреть исторические параллели между, скажем, Римской империей, Британской империей, Российской империей; в частности, условия, равные тем, что и у Овидия, как если бы Овидий был жив. Я вовсе не утверждаю, что он Овидий. Я говорю только, что условия аналогичны. Но дело не в политических условиях изгнания — у него в России сын и так далее, но он не собирается возвращаться в свою страну, в эту географию от Черного моря до Балтики. Он не проводит эгоцентрического сравнения. Но, невзирая на это, здесь присутствует истина. Это то, кем он был и остается. И совсем в стороне от еврейского вопроса, это несущественно. Так что это пример с точки зрения, скажем, политической, если хотите упростить его до политики. Но слово „Империя", ставшее частью моего лексикона, скорее не от присвоения терминов Иосифа, а от некоей адаптации опыта нашей дружбы, оно воздействует, т.е. попадает в словарь. Потому что есть время в поэзии, время историческое, когда поэты писали письма друг другу на одном языке, эпистолярном языке или языке размышлений. Это было общепринято. Это был способ обмена письмами размышлений. И во многих случаях, когда я писал или обращался к Иосифу, как в книге „Midsummer", это была просто попытка сделать что-то подобное. Иосиф писал о Риме элегии, и я думал: „Что же, на самом деле нет никакой разницы между Римом и Порт-оф-Спейном". Я не имею в виду разницу историческую или культурную. У одного есть руины, есть воспоминания, у другого нет руин и, предположительно, нет воспоминаний. Так что стихи были как бы большими посланиями, в смысле письмами к Иосифу, и, очевидно, взаимообменом, раз в них говорят двое друзей [9].

— *С вашей стороны было очень скромно и великодушно истолковать мой вопрос в смысле влияния на вас Бродского. На самом деле я имела в виду нечто другое. Меня интересует, вступал ли Бродский с вами в соревнование?*

— Нет, нет. У меня есть два самых близких друга, Шеймус Хини [10] и Иосиф Бродский. Я люблю их потому, что они прирожденные поэты, прежде всего, но кроме того я люблю их потому, что они друзья. Здесь нет соревнования.

— *Я задала этот вопрос потому, что сам Бродский признал, что его не оставляет дух соревнования: „Сначала написать лучше, чем [...] твои друзья; потом лучше [...] чем, скажем, у Пастернака или Мандельштама, или, я не знаю, у Ахматовой, Хлебникова, Заболоцкого" [11]. Цветаева единственный русский поэт, с которым он „решил не состязаться" [12].*

— Думаю, что слово «соревнование», даже если Иосиф употребляет его в своем личном значении, неверно. Это не то, что есть на самом деле. Данте соревновался с Вергилием, если хотите. Другими словами, он соревнуется со своим Вергилием; некий Вергилий реально присутствует и может его проверить. У всех литераторов есть воображаемые друзья. Но у всех литераторов есть и воображаемые провожатые. Каким бы он мастером ни был. Поэтому тут как бы идущая впереди тень Овидия, или кого-то еще.

Не знаю, как насчет современной поэзии, которую Иосиф не переносит. С другой стороны, существует пример Александра Кушнера, это удачный пример, личностный. Мы были в Роттердаме [13], и когда я расспрашивал Иосифа о остальных поэтах, он рассказал мне о Кушнере. Я тогда взял книгу с подборкой переводов Кушнера, и это было ужасно. Мне не хотелось читать этого. Это было так банально. Я ощущал невозможность читать это вовсе не из высокомерия. Просто это могло принести лишь огромный вред, и я совершенно не видел смысла читать. Я знал, что Иосиф считает его необычайным. Но я не видел в переводах вообще ничего, что могло бы говорить в пользу Кушнера, и я не хотел выходить на сцену и читать все это. Были еще и другие переводы, и издательство „Farrar, Straus & Giroux" выпустило в свет новую книгу Кушнера. Хотя я не знаю русского, что-то сильное, конечно, проглядывало, но я снова не был удовлетворен переводами. Но когда в Роттердаме был Александр, и он оказался прекрасным парнем, большим другом Иосифа... я это к тому, что Иосиф дружит с другими поэтами. Даже если он и говорит о соревновании, это просто чепуха, потому что он так добр к другим людям. И если он отвергает какой-либо аспект чьей-либо работы, чье-либо стихотворение или что-то еще — это делается ради поэзии, а не из какого-то чувства соревнования. У него, как и у каждой знаменитости, масса явных врагов, завистников. Но в случае с Александром, когда мы были в Роттердаме, было стихотворение, и я начал над ним работать. Я не знаю русского языка, но мы с Иосифом вдвоем работали над стихотворением Кушнера, и то, что стало приоткрываться, было поразительно. Это было прекрасно. И дело не в переводе. На что я стараюсь обратить внимание, так это на щедрость Иосифа по отношению к другим людям, тесно связаную с его любовью к поэзии и с раздражением, которое он испытывает, когда считает, что хороший поэт халтурит. Он очень властен. Он очень вспыльчив и абсолютичен, но в то же время он возбудимый человек, физически возбудимый, так же как футболист во время футбольного матча, солдат на войне, теннисист при игре в теннис. Это физическое возбуждение. Это одна из великих вещей, которые подразумевает опыт встречи с русским поэтом в изгнании. Сам факт, что человек живет внутри поэзии. Большинство английских поэтов, живущих физически в безопасных условиях, они считают поэзию чем-то вспомогательным в своей жизни. Я имею в виду, что у них есть воображение, они делают эту работу, и есть книга, которая движется в каждом из нас... Но быть внутри этого так целиком и так неизбежно, вы понимаете. И у него есть предшественники: Ахматова, Мандельштам, Цветаева... и его друзья Милош, Загаевски — люди такого же склада.

— *Ваш перевод стихотворения Бродского „Письма династии Минь"* {II:426-27} *("Letters from the Ming Dynasty" [PS:132-33]) был оценен как „безупречная работа"* [14]*. В какой степени Иосиф сотрудничал с вами?*

— Буду предельно откровенен. Дик Уилбер, например, до этого сделал перевод стихотворения „Шесть лет спустя" [II:97-98] ("Six Years Later" [PS:3-4]). Прекрасные стихи, правда? Это чудное английское стихотворение, если хотите, американское стихотворение, выполненное Ричардом Уилбером. То же ощущение вызывает перевод „Колыбельной Трескового Мыса" [II:355-65] ("Lullaby of Cape Cod" [PS:107-18]), сделанный Энтони Хектом, и некоторые из переводов Говарда Мосса. В принципе, я не знаю, насколько близки они к русскому оригиналу, но я слушал чтение Иосифа. Я вслушивался в рифмы. Я вслушивался в размер. И я думаю, что Дик Уилбер проделал великолепную работу. Сейчас это, возможно, более Уилберовское стихотворение, чем Бродское, но в то же время я думаю, что это не так уж важно. Переводчик прозы исходит из смысла, из значения, логики и порядка слов. Переводчик поэзии знает, что он должен привить индивидуальность поэта к своей собственной, и поэтому когда Уилбер превращается в Бродского (что не означает обратного, просто Уилбер старается влезть в шкуру Бродского) — это очень, очень искренне.

Что же касается стихотворения „Письма династии Минь", то я его не переводил. Это особенность Иосифа — отпускать чересчур большие комплименты людям, которых он любит. Иосиф выполнил подстрочный перевод. Он сам делает подстрочники. И он свободно владеет рифмой. Помню, я пришел, и мы с Барри Рубином, его переводчиком, потратили, думаю, должно быть, часов шесть на три строчки — втроем на квартире у одного друга. Иосиф начал вздыхать со злостью и раздражением. Он даже заявил шутки ради: „Е... я это все, и вас в придачу". Но мы все вместе старались правильно передать эти три строчки. Иосиф особенно озабочен приближением к размеру подлинника. Но при соблюдении русского размера у вас выпадает артикль. А если вы теряете английский артикль (так как в русском языке артикля нет, его заменяет окончание или что-то там еще), вы серьезно затрагиваете размер стихотворения, потому что, например, вы не можете сказать „the ship", вам нужен лишний слог. Но трудность в том, что он избегает звучания чистого пятистопника. Поэтому он скорее будет насиловать пятистопник сколько возможно, проборматывать его или дробить сознательно на блоки, смысловые блоки, чем пойдет на литературное клише. Я видел это, когда мы вместе работали, это было в Карибском море. Подстрочники уже были готовы. Я только — вместе с ним — стал приспосабливать к ритму какое-то словесное наполнение, метрически довольно близко. Я не утверждаю, что за пределами перевода не осталось что-то важное, что я преуспел в передаче смысла. Но для этого нужно напялить сознание Иосифа. Потом меня спрашивали: „Так вы знаете русский?" Так что слово „перевод" очень преувеличено.

— *Меня интересует, осознаете ли вы зазор, существующий между оригиналом и даже самыми лучшими английскими переводами, будь они выполнены вами, Уилбером, или даже самим Иосифом?*

— Ну, никто ведь не утверждает, что они совершенны. На деле ваш вопрос сводится к тому, какой язык лучше — русский или английский. И, в сущности, по мнению Иосифа, он едва ли не считает английский более подходящим для поэзии, чем русский. Я не хочу сказать, что это в точности его выражение, но Иосиф бывает очень радикален в своих взглядах. Барри Рубин однажды сказал мне: „Ты даже не можешь представить, насколько русский язык Иосифа богат и сложен". Я, конечно же, знаю это. Я думаю также, что сложности при переводе Иосифа возникают из-за его упрямства относительно некоторых аспектов перевода; но это его право — быть упрямым. Когда я касаюсь в разговорах с ним определенных моментов в стихотворении, которые нахожу трудными, ему непросто отступить хотя бы на пядь, поскольку он оценивает все с двух сторон. Прежде всего, он пишет потрясающую прозу по-английски и он может писать, он уже писал хорошие английские стихи. Это тоже изумительно в нем. Я имею в виду, без грубой лести, что единственным, на мой взгляд, человеком, которому удавалось писать стихи по-английски, был Набоков, но Иосиф гораздо более лучший поэт, чем Набоков. Или, скажем, Конрад. Но, возвращаясь к представлению о богатстве и сложности языка Иосифа, — это легко увидеть, поскольку в русском языке возможны строенные рифмы на конце строки. В английском это невозможно. В английском строенная рифма становится иронической, как у Байрона, или даже комической. В английском языке очень трудно оправдать такие окончания, в них есть комическая или ироническая острота. Но, очевидно, в русском языке это возможно; на практике эти рифмы и то, что вы сталкиваетесь со всеми сложностями композиции, соответствует звучанию Бродского. Но я думаю, что попытка достигнуть этого по-английски может привести ко всевозможным нарушениям в структуре стиха.

И чтобы окончательно разобраться с „Письмами династии Минь": да, были вещи, которые я сделал, которыми я доволен, которые понравились Иосифу, и так далее. Но правда заключается в том, что со всеми своими переводчиками Иосиф внушительную часть работы проделывает сам, даже в области ритма, даже в рифмах. То есть он не путается в словах и не нуждается в чьей-либо помощи. Очень часто он бывает на уровне своих переводчиков, так что если вы работаете вместе с ним и наталкиваетесь на какую-то метафору, он готов изменить метафору ради английской рифмы, что немного удивительно, потому что для него важнее найти другую метафору с английской рифмовкой, чем остаться верным оригиналу. Меня это волнует, ибо он как бы говорит: „Я работаю в языке, метафоры, которые обнаруживаются в этом языке, правильны и естественны для языка и так далее, но я привношу в подобные вещи русский ум". Уверен, что поэзия Иосифа обогатила английскую поэзию двадцатого века, так как большинство поэтов двадцатого века, о которых я могу судить, не считают ум необходимым свойством поэзии. Умение думать отнюдь не общепринято. Умение не просто аргументировать, но мыслить не является необходимым атрибутом для большей части поэзии двадцатого века. Я имею в виду, что в ней довольно много борьбы, довольно много невнятицы и тому подобной дряни, но мыслить так умно, с таким изяществом... Думаю, это одна из вещей, которым я научился у Иосифа, — понимание того, что мыслительный процесс является частью поэзии.

— *Как вы знаете, У.Х.Оден занимает в сердце Иосифа особое место. Почему Оден так привлекателен для Бродского?*

— Иосифа привлекает в нем то же, что привлекает любого, кто углубляется в Одена. Оденовская мощь, небрежное изящество, ум — льстят читателю. Помогают почувствовать себя тоже умным. Это первое. И он не делает поэзию просто предметом чувств. Поэзия как производство мысли, даже непреднамеренное, тоже важна. И Оден во всем, за что он брался, вероятно, более смелый поэт, чем кто-либо вокруг. Он смелее Элиота, Паунда или Фроста. Думаю, именно его смелость так притягивает Иосифа. Это, по крайней мере, одна из причин.

— *Давление кого из великих предшественников вы ощущаете на собственном творчестве?*

— Всех. Я имею в виду, я как-то говорил об этом, что не думаю, будто я поэт, я — антология. Но я не имею ничего против этого, просто не принимаю этого в расчет — я, мне, мое... Это совершенно не важно, что я поэт. Вы знаете, поэзия означает для меня гораздо больше, нежели я сам. Так что когда я переживаю любое влияние, меня это не смущает. Я чувствую себя польщенным, это как бы комплимент. Если бы я был художником и кто-то сказал: „Ну, это немного напоминает Леонардо," — я бы ответил: „Нет, это я". И еще я добавил бы: „Огромное спасибо! Это замечательно!" Думаю, мы разделяем это здоровое чувство. Думаю, если есть вспышка Овидия или Одена... вот и Иосиф не стесняясь платит дань Одену... Но это другое. У него есть вещи, которые можно назвать оденовскими, что бы это слово ни означало, но это просто дань признательности Мастеру, и это достаточно необычно для двадцатого века — само использование слова Мастер. Это понятие девятнадцатого века. Это, на мой взгляд, специфически русское: не Гуру, а именно Мастер. Это часть традиции. И реверансы Иосифа перед Оденом — часть русской традиции, поскольку в английской каждый разыгрывает из себя демократа: „Да я ничем не хуже этого парня. Представится шанс, и я его переплюну". Его позиция не такова.

— Мне было бы интересно узнать, близка ли вам интерпретация Бродским поэзии Роберта Фроста. Когда он в 1964 году прочитал Фроста, он был потрясен совершенно иным ощущением. Он считает Фроста „наиболее пугающим поэтом", в чьих стихах речь идет „не о трагедии, но о страхе", и „страх", по-Бродскому, „имеет гораздо больше дело с воображением, чем трагедия" [15]. Разделяете ли вы эту точку зрения?*

— Иосиф мастак на подобные папские вердикты. Сначала вы отмахиваетесь от них, а потом присматриваетесь и начинаете думать: „Да, это так". Трагедия это ведь всегда какое-то решение, трагедия это такое эстетическое мнение, эстетическое соглашение, что вот да, это трагедия, тогда как страх смутен и неопределенен. Я полагаю, что это помрачение сознания. Человек всегда чего-либо страшится, и страх ничем не отличается от благоговения, поскольку страшиться Бога означает благоговеть перед Богом. Но если вы обладаете чувством трагического, да еще придаете ему литературную форму — это меньше, чем страх перед Богом, или страх смерти, или страх того, что Бог заключает в себе смерть. Я имею в виду, что понятие Бога содержит в себе и понятие смерти, поскольку мы не знаем, придем ли мы к Богу, или к смерти. Этого не знает никто. На самом деле, это замечание не столь необязательно, как представляется из разговора. Это одно из утверждений Иосифа. Знаете, это ведь совсем не то, чтобы вы сидели с Иосифом и внезапно начиналась какая-то глубокая платоновская беседа. Просто по ходу разговора возникают замечания, подобные этому, потом он разрабатывает их, и ход разворачивающейся аргументации ошеломляет.

— Чеслав Милош назвал Бродского „истинным потомком английской метафизической школы" [16]. В вас я также ощущаю некоторое родство с этой школой. Что привлекает вас обоих в данном пласте поэзии?*

— Ладно, сейчас, думаю, для примера будет еще одно из „бродских" замечаний: если вы будете сравнивать Данте и Донна, можно заключить, что Данте более великий поэт, чем Джон Донн. Так, думаю, наверно, и есть, если угодно. В Данте вы чувствуете тот страх, или благоговение, о котором говорил Иосиф, в нем есть иерархия развития и, конечно же, есть великая поэма. Но Донн, если отдавать себе отчет, он все-таки выпадает из общего порядка, я имею в виду, что он был настоятелем Святого Павла, все эти сомнения и даже страх богохульства. Донн, как любой великий религиозный поэт, всегда ходил по кромке богохульства — в вопросах секса или чего бы то ни было. Я думаю, преимущественно в вопросах секса, из чего не следует, что это в нем подавлено — у Донна есть масса сексуального восторга, сексуальной радости. Но вот этот постоянный спор, ссора, великая свара между его личной верой и собственно поэзией — это есть у Донна и отсутствует у Данте. Поскольку Данте двигался по пути Аквината, в смысле заданности миропорядка. Все-таки в Донне, возвращаясь к вопросу о его величии, есть мысль, которая изумляет. И извилистый, но ярко освещенный в конце путь этой мысли делает его, конечно же, более интересным и приковывающим внимание поэтом, чем Мильтон, например, или Марвелл, или кто-то еще. Я думаю, эти качества нашли продолжение в Одене, на более умственной, плоской основе, чем у Донна, но несомненно. Оден может рассматриваться как метафизический поэт, а не только лишь как поэт политический. То же самое касается Иосифа.

— В эссе о Бродском вы писали, что „интеллектуальная энергия поэзии Бродского вызывает смятение даже у его читателей-поэтов" [17]. Не кажется ли вам, что в последних работах Бродский слишком увлекается полемикой?*

— Он не полемичен. Он слишком ироничен для того, чтобы ввязываться в полемику. Я не могу его классифицировать. То, что Иосиф впустил в свою поэзию, как и Оден в свою — это банальность окружающего нас мира. Лирическая персона Бродского — банальная фигура человека в плаще, наедине с собой в гостиничном номере. Но это не маска. Это реальная ситуация. Иногда я подшучиваю над Иосифом: „Смотри, Рождество, но ты, кажется, предпочитаешь какую-нибудь дыру в Венеции, где все-таки есть душа, тому, чтобы пойти на вечеринку". Знаете, мы поддразниваем друг друга, мы шутим: „Ты просто обязан вставить в это стихотворение кокос". Или Шеймусу: „Почему бы тебе не вернуться в свое болото?"

— *Как вы оцениваете его тенденцию по направлению к обобщениям и метафизическим размышлениям?*

— Этого нельзя отделять от его опыта. Человек объездил весь мир. Но на самом деле он не привязан ни к одному городу. Русский, но и это, если хотите, в конечном счете ничего не значит. Еврей, но не придающий этому значения. Он одержим идеей христианства, с которой, возможно, ведет тяжбу. Он, конечно же, избрал в поэзии жребий традиционалиста. И он мотается с места на место, нигде не пуская корни; настроение любого в подобной ситуации сходно с настроением человека, обедающего в одиночестве. В одиночестве человек не может довольствоваться только куском хлеба и чашкой чая. И он пережевывает свои размышления. Это следует из подобной ситуации. Это проявляется в назидательности, если нет другого выбора, поскольку человек говорит, чтобы рассуждать, поучать — это не одно и то же, что в спокойных условиях вещать с кафедры. Его кафедра — столик в ресторане, и поэтому он говорит сам с собой. И ход этих медитативных саморазмышлений фрагментарен. Фигура Бродского — это фигура человека, который не покончил с собой, не был убит или замучен — он совершил побег. И всего лишь размышляет о том, чему подвергаются его соотечественники. Другого выбора нет.

— *Я знаю, что у вас есть несколько стихотворений, адресованных Бродскому или посвященных ему. Какое из них я могу включить в свою книгу?*

— Если хотите, можете взять „Лес Европы" [18].

# FOREST OF EUROPE

*for Joseph Brodsky*

The last leaves fell like notes from a piano
and left their ovals echoing in the ear;
with gawky music stands, the winter forest
looks like an empty orchestra, its lines
ruled on these scattered manuscripts of snow.
The inlaid copper laurel of an oak
shines through the brown-bricked glass above your head
as bright as whisky, while the wintry breath
of lines from Mandelstam, which you recite,
uncoils as visibly as cigarette smoke.
„The rustling of ruble notes by the lemon Neva."
Under your exile's tongue, crisp under heel,
the gutturals crackle like decaying leaves,
the phrase from Mandelstam circles with light
in a brown room, in a barren Oklahoma.
There is a Gulag Archipelago
under this ice, where the salt, mineral spring
of the long Trail of Tears runnels these plains
as hard and open as a herdsman's face
sun-cracked and stubbled with unshaven snow.
Growing in whispers from the Writers' Congress,
the snow circles like Cossacks round the corpse
of a tired Choctaw till it is a blizzard
of treaties and white papers as we lose
sight of the single human through the cause.
So every spring these branches load their shelves,
like libraries with newly published leaves,
till waste recycles them — paper to snow —
but, at zero of suffering, one mind
lasts like this oak with a few brazen leaves.
As the train passed the forest's tortured icons,
the floes clanging like freight yards, then the spires
of frozen tears, the station's screeching steam,
he drew them in a single winter's breath
whose freezing consonants turned into stones.
He saw the poetry in forlorn stations
under clouds vast as Asia, through districts
that could gulp Oklahoma like a grape,
not these tree-shaded prairie halts but space
so desolate it mocked destinations.
Who is that dark child on the parapets
of Europe, watching the evening river mint
its sovereigns stamped with power, not with poets,
the Thames and the Neva rustling like banknotes,
then, black on gold, the Hudson's silhouettes?
From frozen Neva to the Hudson pours,

under the airport domes, the echoing stations,
the tributary of emigrants whom exile
has made as classless as the common cold,
citizens of a language that is now yours,
and every February, every „last autumn,"
you write far from the threshing harvesters
folding wheat like a girl plaiting her hair,
far from Russia's canals quivering with sunstroke,
a man living with English in one room.
The tourist archipelagoes of my South
are prisons too, corruptible, and though
there is no harder prison than writing verse,
what's poetry, if it is worth its salt,
but a phrase men can pass from hand to mouth?
From hand to mouth, across the centuries,
the bread that lasts when systems have decayed,
when, in his forest of barbed-wire branches,
a prisoner circles, chewing the one phrase
whose music will last longer than the leaves,
whose condensation is the marble sweat
of angels' foreheads, which will never dry
till Borealis shuts the peacock lights
of its slow fan from L.A. to Archangel,
and memory needs nothing to repeat.
Frightened and starved, with divine fever
Osip Mandelstam shook, and every
metaphor shuddered him with ague,
each vowel heavier than a boundary stone,
„to the rustling of ruble notes by the lemon Neva,"
but now that fever is a fire whose glow
warms our hands, Joseph, as we grunt like primates
exchanging gutturals in this winter cave
of a brown cottage, while in drifts outside
mastodons force their systems through the snow.

## ЛЕС ЕВРОПЫ

*Иосифу Бродскому*

Листва летит, как ноты с фортепьяно, —
овалы, копошащиеся в ухе;
пюпитры, зимний лес походит на
пустой оркестр, и нотные линейки
расчерчены на рукописях снега.
Мозаичная медь дубовых лавров
тебя венчает сквозь кирпичный отсвет

светло как виски, зимнее дыханье
изустных строчек Мандельштама кружит
куда реальней, чем табачный дым.
„И над лимонной Невою под хруст сторублевый..."
Хруст листьев под пятой, хруст задненебных
под языком изгнанья, Мандельштам
светло витает в комнате кирпично-
коричневой, в бесплодной Оклахоме.
Под этим льдом ГУЛАГ, где минеральный
источник долгих слезных ручейков,
избороздивших лик равнин, открытый
и жесткий, как пастушечье лицо
в несбритом снеге, в трещинах от солнца.
От шепотков Писательских Конгрессов
снег кружится казаками над трупом
индейца Чокто, белый ураган
договоров, бумаг; во имя дела
нам ни к чему отдельный человек.
Так полки веток, так библиотеки
полны листвою свежей по весне —
пока бумага вновь не станет снегом;
но память на нуле страданья длится,
как этот дуб, едва прикрытый бронзой.
Состав проследовал терзаемые пыткой
иконы леса, лязг портовых льдин,
иголки мерзлых слез, визжащий пар
над станцией, он близил их к дыханью
зимы, согласные смерзались в камни.
Он зрел поэзию на полустанках,
под облаками с Азию, в округах,
которым Оклахома мельче риса,
не прерии — само пространство столь
необитаемо, что цель смешна.
Кто это темное дитя на парапетах
Европы, где река чеканит профиль
властей на соверенах (не поэтов),
банкнотами шуршат Нева и Темза,
чернеющий на золоте Гудзон?
От льдов Невы к струению Гудзона,
в отъездном гуле — данник эмигрантов,
в изгнанье ставших, как обычный насморк,
бесклассовыми, граждан языка,
принадлежащего тебе; и каждый
февраль, и каждую „оставшуюся осень"
ты пишешь далеко от молотьбы,
пшеницу гнущей, как девичью косу,
и от каналов в солнечном ознобе —
наедине с английским языком.
Архипелаги у меня на Юге —
такая же продажная тюрьма,
пусть пот стихописанья тяжелее

любой тюрьмы, что есть стихи, когда
перебиваемся последней крохой?
Последней крохой хлеба, уцелевшей
в веках, в распаде; по лесу с ветвями
колючей проволоки кружит арестант,
жующий фразу, музыка которой
подолговечнее листвы, сгущенье
которой — мрамор пота на челе
у Ангелов, его иссушат лишь
Гипербореи — от Лос-Анджелеса
к Архангелу — сложив павлиний веер,
и память обойдется без повторов.
Так Мандельштам — в пророческом жару,
затравленный, голодный — сотрясался
любой метафорой, как лихорадкой, гласный
был тяжелее межевого камня:
„И над лимонной Невою под хруст сторублевый."
Сейчас, Иосиф, этот жар в ладонях
у нас, когда мычим по-обезьяньи,
обмениваясь горловыми в зимнем
коттедже, как в пещере, а снаружи
прут мастодонты сквозь сугробы снега.

*Перевел с английского Виктор Куллэ*

## ПРИМЕЧАНИЯ

[1] Пьеса „День поминовения" в переводе Андрея Сергеева опубликована в журнале „Иностранная литература" (No. 3, 1993, С. 5-32).

[2] Joseph Brodsky, "On Derek Walcott" ("The New York Review of Books" 10 November, 1983, P. 39). Вошло с изменениями в "Less Than One", в России фрагмент эссе „Шум прибоя" опубликован в пер. А.Сергеева в журнале „Иностранная литература" (No. 3, 1993, С. 33-34) в качестве послесловия к пьесе „День поминовения".

[3] В России фрагменты книги „Омерос" в переводе А.Шараповой см. „Новый мир" (No. 5, 1995, С. 149-56).

[4] Опубликовано: „Памяти Иосифа Бродского" („Литературное обозрение", No. 3, 1996, С. 16-22).

[5] Об этой встрече Бродский вспоминал в интервью Петру Вайлю по поводу присуждения Уолкотту Нобелевской премии (См. П.Вайль, „Поэты с имперских окраин", „Знамя", No. 12, 1996, С. 143-46).

[6] Уолкотт наводил справки о судебном процессе над Бродским, который состоялся 14 февраля 1964 года в Ленинграде. 19 февраля Бродский был помещен на обследование в психиатрическую лечебницу и по прошествии трех недель признан дееспособным. 13 марта 1964 года второй суд принял постановление о ссылке Бродского сроком на пять лет.

[7] Joseph Brodsky, "Selected Poems" (Penguin Books: Harmondsworth, 1973).

[8] Марина Цветаева, „Поэма конца", „Стихотворения и поэмы", т.4 (Russica Publishers: New York, 1983, P. 185):
В сем христианнейшем из миров Поэты — жиды!

[9] В форме посланий написаны Уолкоттом и посвященные памяти Бродского „Италь-

янские эклоги", переведенные Андреем Сергеевым. См. „Иосиф Бродский. Неизданное в России" („Звезда", No. 1, 1997, С. 5-7).

[10] Шеймус Хини (Seamus Heaney) — родился 13 апреля 1939 г. в Castledawston, графство Дерри. Один из самых значительных поэтов Великобритании и Ирландии. Образование получил в Колледже святого Колумба и в Королевском университете в Белфасте. Преподавал в St.Joseph College, затем в Королевском университете (1966-1972), в Carysfort College (Dublin) и Harvard University. Награжден многочисленными литературными наградами, в числе которых премии Сомерсета Моэма, Джеффри Фейбера, Дениса Делвина, Whitbread Book of the Year award (1987). Опубликовал поэтические сборники "Eleven Poems" (Belfast, 1965), "Death of Naturalist" (London, New York, Oxford, 1966), "Room to Rhyme" (Belfast, 1968), "A Lough Neagh Sequence" (Manchester, 1969), "Door into the Dark" (London, New York, Oxford, 1969), "Night Drive: Poems" (Crediton, Devon, Gilberston, 1970), "Boy Driving His Father to Confession" (Frensham, Surrey, 1970), "Land" (London, 1971), "Wintering Out" (London, New York, Oxford, 1972), "North" (London, New York, Oxford, 1975), "Bog Poems" (London, 1975), "Stations" (Belfast, 1975), "Field Work" (London, 1979), "Selected Poems 1965-1975" (London), "Station Island" (London, 1984), "Sweeney Astray" (tr., London, 1983), "The Haw Lantern" (London, 1987), "The Rattle Bag" (ed. with Ted Hughes, London), "New Selected Poems 1966-1987" (London, Boston, 1990), "Seeing Things" (London, Boston, 1991); книги прозы "Preoccupations: Selected Prose 1968-1978", "The Government of the Tongue"; пьесу "The Cure at Troy". В 1989 году Хини избран профессором поэзии Оксфордского университета, он также является директором Ирландской Field Day Theatre Company. В 1995 году стал лауреатом Нобелевской премии по литературе. Хини посвящено стихотворение Бродского „Я проснулся от крика чаек в Дублине" („Звезда", No. 5, 1996, С. 3). На смерть Бродского он откликнулся стихотворением "Audensque" ("The Times Literary Supplement", February 10, 1996, Р. 11; рус. пер. В.Топорова см. „Звезда", No. 5, 1996, С. 4) и эссе „Песнеслагатель" (см. в пер. Л.Лосева „Знамя", No. 12, 1997, С. 147-48).

[11] Иосиф Бродский, „Европейский воздух над Россией", интервью Анни Эпельбуан („Странник", No. 1, 1991, С. 39).

[12] Joseph Brodsky, interviewed by Sven Birkerts, "Art of Poetry XXVII: Joseph Brodsky" ("Paris Review", No. 24, Spring 1982, Р.104). Русский пер. интервью Свену Биркертсу см. „Иосиф Бродский. Неизданное в России" („Звезда", No. 1, 1997, С. 80-98).

[13] Имеется в виду Роттердамский фестиваль поэзии.

[14] Robert Hass, "Lost in Translation", a review of "A Part of Speech" by Joseph Brodsky ("New Republic", No. 183, 20 December 1980, Р. 36).

[15] Иосиф Бродский, „Европейский воздух над Россией", Ibid. С. 39.

[16] Czeslaw Milosz, "A Struggle against Suffocation", a review of Joseph Brodsky's "A Part of Speech" ("New York Review of Books", 14 August 1980, Р. 23). Русский перевод А.Батчана и Н.Шарымовой см.: Чеслав Милош, „Борьба с удушьем" — в нью-йоркском альманахе „Часть речи" (No. 4/5, 1983/84, С. 177). См. пер. Л.Лосева в журнале „Знамя" (No. 12, 1996, С. 150-55).

[17] Derek Walcott, "Magic Industry", a review of Brodsky's "To Urania" ("New York Review of Books", 24 November 1988, Р. 37).

[18] Derek Walcott, "Collected Poems, 1948-1984" (Noonday Press, Farrar, Straus & Giroux: New York, 1990, Р. 375-78).

Чеслав Милош (Czeslaw Milosz) родился 30 июня 1911 года в Szetejnie, Литва. Поэт, прозаик, переводчик, лауреат Нобелевской премии по литературе (1980). Окончил юридический факультет университета в Вильно (1934), продолжил образование в Париже (1934-1935), работал на польском радио (1935-1939). В годы немецкой оккупации активно участвовал в подпольном движении, сражался в боях во время Варшавского восстания (1944) — событие, описанное им в романе „Узурпаторы" (1955), служил культурным атташе в Вашингтоне и Париже (1946-1951). В 1951 году открыто порвал с режимом и остался на Западе. В 1953 году опубликовал серию эссе, разоблачающих сталинизм, „Порабощенный дух", а в 1955 году два романа: „Захват власти" и „Долина Иссы". С 1960 года живет в Америке, является профессором славянских языков и литературы в Калифорнийском университете в Беркли. Опубликовал множество поэтических сборников, в числе которых: виленские авангардистские книги **„Поэма о застывшем времени"** (1933) и **„Три зимы"** (1936); варшавские военные сборники **„Стихи"** (1940) и **„Освобождение"** (1945); парижские книги **„Дневной свет"** (1953), **„Поэтический трактат"** (1957) и **„Континенты"** (1958), в которых Милош пересматривает свою эстетику и пишет так, „чтобы быть понятым Словацким или Норвидом"[1]. В американский период по-польски стихи продолжают публиковаться в Париже: **„Король Попель и другие стихи"** (1961), **„Метаморфозы Бобо"** (1965), **„Город без названия"** (1969), **„Где восходит солнце и где садится"** (1974); в Лондоне **„Стихи"** (1967) и в Анн Арборе: **„Избранное"** (1973), **„Зимние колокола"** (1978), **„Особая тетрадь"** (1984), **„Собранные стихи (1931-1987)"**. Милош — автор труда **„История польской литературы"** (1969), составитель антологии **„Послевоенная польская поэзия"** (1965), переводчик на польский С.Вайль, У.Уитмена, К.Сэндберга, Т.С.Элиота, Евангелия от Марка и Книги Иова, а на английский — стихов З.Херберта (1968) и А.Вата (1977). Реципиент многочисленных премий и почетных степеней. Хотя написанное в Америке имеет иные горизонты и перспективы, литовские озера и варшавские развалины — доминирующий пейзаж его стихов, а „невыносимое сознание того, что человек не способен осмыслить свой опыт, является одной из кардинальных тем поэзии Милоша"[2]. Станислав Баранчак определяет его и Збигнева Херберта, как представителей „скептического классицизма" в современной польской поэзии[3], на том основании, что, наследуя европейскую гуманистическую традицию, желая восстановить расшатанную веру, они понимают, что прежние представления о сущности человеческой природы поставлены под сомнение. Сам Милош считает, что его поэтические корни „прорастают из старой польской поэзии XVI века, из в том же столетии сделанных переводов Библии", из поэзии Мицкевича[4]. Постоянные антиномии природы и цивилизации, добра и зла, веры и скепсиса сопровождаются полифонией голосов из прошлого и образами из американского окружения. За обманчивой простотой поздних стихов Милоша, порожденной его растущей неприязнью к умничанью и схоластике, скрывается „несколько этажей иронии". В 1993 году в Москве издан том избранного **„Так мало' и другие стихотворения"**.

# ГИГАНТСКОЕ ЗДАНИЕ СТРАННОЙ АРХИТЕКТУРЫ[5]

## *Интервью с Чеславом Милошем*
## *6 октября 1990, Лондон*

— *Бродский вспоминает, как вскоре после приезда в Америку он получил от вас письмо, в котором вы весьма своевременно, как он выразился, предупредили его, что многие не в состоянии заниматься своим творчеством вне стен отечества, добавив, что „если это с Вами случится, что же, вот это и будет Ваша красная цена"* [6]. *Почему вы считали необходимым послать ему столь суровое предупреждение?*

— Я помню это письмо. Он процитировал его не полностью. Я там говорил о первом и самом тяжелом периоде изгнания, который он должен перетерпеть, что потом будет легче. Это также был привет и некоторая поддержка.

— *Позже в своей рецензии на его сборник „Часть речи" вы писали: „Бродский осуществляет то, чего предыдущие поколения русских писателей-эмигрантов не смогли достичь: превращает землю изгнанничества по необходимости в собственную, осваивает ее при помощи поэтического слова"* [7]. *Где, по-вашему, Бродский нашел силы для столь обширной поэтической экспансии?*

— Я не знаю, успех его удивительный. Раньше русские писатели-эмигранты жили в каком-то автономном мире. Некоторые из них писали очень хорошие вещи, Бунин, например, но и он жил в своем собственном мире. Бродский действительно захватил территорию и Америки, и вообще Запада, как культурный путешественник, возьмите его стихи о Мексике, о Вашингтоне, о Лондоне, его итальянские стихи. Вся цивилизация XX века существует в его поэтических образах. Я это объясняю влиянием архитектуры Ленинграда [Смеется].

— *Средство исцеления от „тоски по мировой культуре"?*

— Да, может быть. Я должен сказать вам, что дружба с Бродским мне очень приятна и очень важна для меня, как и моя дружба с литовским поэтом Томасом Венцловой. Мы, три поэта, сделали больше, чем политики, потому что мы установили дружбу между нашими народами.

— *Вы знаете поэзию Бродского и в оригинале, и в английских переводах. По мнению некоторых английских и американских поэтов, знающих русский язык, даже лучшие английские переводы стихов Бродского не приближаются к оригиналам, тем более не заменяют их* [8]. *Как много, на ваш взгляд, Бродский теряет в английских переводах?*

— Я должен признаться, что мне трудно читать поэзию Бродского в оригинале, потому что у него есть много слов, которых я просто не знаю. Его лингвистический подвиг состоит в том, что он приручает современную терминологию. Что касается переводов, я думаю, что вообще русскую поэзию трудно переводить на западные языки. Посмотрите, что остается от

Пушкина. Почему? Потому что русская поэзия очень сильно акцентована, в ней очень сильный ямбический ток. Этим она отличается от польской поэзии, которая прекрасно обходится и без метра, и без рифм. Но русский язык тянет в ритмический поток. И когда вы слушаете, как Бродский читает свои стихи, вы понимаете, что они теряют в переводе.

— *По мнению Бродского, метр и точные рифмы помогают оформить беспокоящие нас мысли куда более функционально, чем верлибр, потому что „в первом случае читатель чувствует, что хаос организован, тогда как в последнем — смысл зависим от хаоса и им детерминирован"* [9]. *У вас можно найти аналогичное высказывание о том, что форма — это постоянное сражение с хаосом и с ничто* [10]. *Не противоречит ли оно только что сказанному вами?*

— Но форма в поэзии — не обязательно означает пользование метром и рифмой. Ранняя моя поэзия была более ритмическая в традиционном смысле этого слова. Например, во время войны я написал много таких стихов, в них встречаются иногда просто детские рифмы. Но в них действительно было намерение борьбы против хаоса. Потом я нашел другие формы. Конечно, я не верю, что существует такая вещь, как free verse, потому что в стихах всегда есть ритмическая структура, но она более сложная.

— *Позаимствовал ли Бродский что-либо из польской поэтической традиции, учитывая, что он переводил Галчинского, Херберта, Норвида, и о своем поколении 60-х годов он сказал: „Нам требовалось окно в Европу, и польский язык такое окно открыл"* [11], *имея в виду, что он впервые читал Пруста, Фолкнера и Джойса в польских переводах?*

— Я не знаю, но когда я читал его „Post aetatem nostram" [К:85-97/II:245-54], я думал о Норвиде, у которого есть поэма „Quidam", действие ее происходит в Риме во времена, я думаю, Адриана. Это анализ той ситуации: восстание в Палестине, в Риме евреи, греки, первые христиане. Очень сложная картина, но не сатирическая, как у Бродского. Вообще, что меня очень интересует у Бродского, это классические темы. Конечно, они всегда существовали в русской поэзии, у Мандельштама, например, но у Бродского они, кажется, доминируют, начиная со стихов „К Ликомеду на Скирос" [O:92-93/II:48-49], „Эней и Дидона" [O:99/II:163], потом „Римские элегии" [У:111-17/III:43-48], эклоги и т.д.

— *Чем вы объясняете его частые путешествия в античный мир?*

— Если бы вы спросили Бродского, он, вероятно, ответил бы: „Это классический Петербург."

— *Расширил ли Бродский лингвистическое поле русской поэзии, в частности, за счет пересаживания на русскую почву поэтики английского концептизма?*

— Конечно, расширил. Вообще континентальной Европе английская поэзия была знакома, но все-таки культурное влияние Англии и Америки было слабым в сравнении с французским влиянием. Французский язык был языком интеллигенции. Я из своего опыта помню, что влияние французского языка длилось еще во время моей юности. Английский начали изучать в Варшаве в конце тридцатых годов. Теперь, когда вы путешествуете в нашей части Европы, по Югославии, Венгрии, Польше, Чехословакии, вы замечаете, что молодое поколение знает английский и не знает французского языка. И это симптоматично. Россия была отрезана от англо-саксонского мира революцией и ее последствиями. И Бродский был первым, кто открыл этот мир. Я часто говорю, что это просто парадокс: когда Т.С.Элиот умер, никто из западных поэтов не написал стихотворения, посвященного его памяти, это сделал только русский поэт.

— *Его „Стихи на смерть Т.С. Элиота" [О:139-41/I:411-13], в сущности, тройной hommage: Элиоту, Одену и Йейтсу в силу их формы и аллюзий.*

— Да, да.

— *Бродский однажды сказал: „Возникни сейчас ситуация, когда мне пришлось бы жить только с одним языком, то ли с английским, то ли с русским, даже с русским, то это меня чрезвычайно, мягко говоря, расстроило бы, если бы не свело с ума" 12. Переживали ли вы нечто похожее в вашей двуязычной, а точнее, многоязычной ситуации? Насколько бы вам недоставало английского языка, если бы вы его неожиданно лишились?*

— Мне трудно ответить на этот вопрос, я не знаю. Я начал переводить английских и американских поэтов очень рано, в 1945 году, во время сталинизма, потому что они были запрещены. Потом, после 1956 года, когда произошла либерализация в Польше, все бросились переводить с английского, и я тогда решил, пусть другие это делают, и прекратил этим заниматься.

— *Значит ли это, что вы, приехав в Америку, могли переводить на английский свои собственные стихи?*

— Я тогда владел английским не настолько хорошо, чтобы переводить свои стихи на английский. Я долго думал, что моя поэзия непереводима. Я начал переводить других польских поэтов, и только постепенно я перешел к переводу своей поэзии на английский. Но я всегда перевожу вместе со своими американскими друзьями, Робертом Хассом (Robert Hass) и Робертом Пински (Robert Pinsky), которые поправляют мои варианты.

— *Я недавно сравнивала английские переводы ваших стихов с переводами на русский, сделанными Горбаневской и Бродским, и заметила удивительные совпадения, лексические, образные...*

— А вы знаете перевод Горбаневской моего „Поэтического трактата"?13

— *Конечно, более того, я заметила, как часто Бродский с вами перекликается, начиная с названия его третьего сборника „Конец прекрасной эпохи", до незакавыченных цитат из ваших стихов, например, у вас о Норвиде:*

> В своих стихах, подобных завещанью,
> Отчизну он сравнил со Святовидом.

*и у Бродского в „Литовском дивертисменте":*

> ...И статуя певца,
> отечество сравнившего с подругой [К:102/I:266].

— Я этого не знаю.

— *Критики Бродского, да и он сам, отмечают эмоциональную нейтральность его стихов, столь нехарактерную, почти неприемлемую для*

*русской традиции. Что заставляет Бродского выталкивать эмоции из сти-*
*хотворения? Или, говоря вашими стихами, „от сильных чувств поэзия*
*смолкает"* [14]?

— Я думаю, что в поэзии всегда много хитростей. В нашем столетии
хочется кричать, потому что слишком много страшных вещей происходило
и происходит. Но спокойный тон, конечно, предпочтительней. У меня есть
строчка „I haven't learned yet to speak as I should, calmly" („Я еще не
научился говорить так, как надо, спокойно") [15]. Бродский, вероятно, научился
говорить спокойно.

— *Как известно, русская литература всегда обсуждала философские,*
*религиозные и этические проблемы. В какой степени Бродский остается*
*верен этой традиции?*

— Я уже писал об этом. Он мне близок еще и потому, что мы очень
чтим одного философа — Льва Шестова [16]. Мне очень нравится то, что
Шестов сказал о русской традиции социального оптимизма у Толстого,
о вере в то, что по мере прогресса человек станет лучше [17]. И Шестов,
и Бродский выступают против этой традиции.

— *Вы определили одну из волнующих вас проблем как „зло мира, боль,*
*муки живых существ как аргумент против Бога"* [18]. *Шестов написал на*
*эту тему целую книгу, „На весах Иова". Можно ли отыскать у вас с*
*ним общую стратегию защиты веры в наш век безверия?*

— Думаю, что да. Шестов был врагом стоицизма. Он говорил, что вся
философия Запада и христианство согласились, что мир так устроен, и
ничего не поделаешь, надо улыбаться. Он говорил: „А я не признаю этого".
У него была идея полной свободы Бога. Говорят, что Бог есть любовь.
Но кто это знает? Может быть, Бог вовсе не любовь. Он делает, что
хочет, у Него нет никаких пределов. И в этом смысле у Шестова есть
крик Иова. Конечно, Шестов — это писатель Ветхого Завета. Даже его
книга „Афины и Иерусалим" — это сопротивление.

— *А ваша стратегия? Бродский назвал вас Иовом, кричащим не о*
*личной трагедии, а о трагедии самого существования* [19].

— Может быть, у меня немножко другая стратегия, потому что я ис-
пытал влияние другого философа нашего столетия — Симоны Вайль. Она
верит, что Бог есть любовь, но Бог находится на большом расстоянии от
мира, и Бог оставил весь мир князю этого мира и инертной материи.
Таким образом, есть две стратегии, и обе исходят из очень острого ощущения присутствия зла в этом мире.

— *Клеменс Поженцкий считает, что „главная тема творчества Брод-*
*ского — зло. Поскольку он писатель глубоко религиозный и исторические*
*события воспринимает в метафизических категориях, он, в согласии с*
*традицией православия, рассматривает зло как отсутствие, пустоту, не-*
*кий минус или нуль"* [20]. *Как вам видится суть творчества Бродского?*

— Бродский принадлежит к тем поэтам, которым на удивление удалось
сохранить традицию христианства и классическую традицию. Может быть,
чтобы писать стихи в XX веке, надо верить в Бога. Западная поэзия,
начиная с Малларме, потеряла эту веру, это — самостоятельное искусство.
Я думаю, что Бродский, да и я тоже, мы сохраняем священное приятие
мира.

— *В свое время вы жаловались, что не нашли у Пастернака философской альтернативы официальной советской доктрине* [21]. *Какую альтернативу предлагаете вы?*

— В этом была сила Пастернака, потому что иначе бы он погиб. Я думаю, что моя поэзия в последние годы становится более и более метафизической. Но, знаете, давать ответ — не дело поэта. Какая программа, например, у Бродского в стихах „Бабочка" [Ч:32-38/II:294-98] или „Муха" [У:163-72/III:99-107]?

— *В них нет программы, но в них содержатся мысли о волнующих его проблемах: вере и поэзии, языке и времени, о жизни и ничто. Говоря вашими словами, в „Бабочке" Бродский „воссоздал, переосмыслил и обогатил английскую метафизическую школу XVII века". Вы также определили одну из его магистральных тем как „человек против пространства и времени"* [22]. *Согласитесь, эта тема стара, как мир. Обновил ли ее Бродский?*

— Трудно ответить на этот вопрос. Я думаю, что поэзия принадлежит традиции литературы данного языка. Думаю, что вы лучше меня знаете, что такое Бродский в традиции русской литературы.

— *Кажется, до него никто не был так поглощен категорией времени.*

— Я должен вам сказать, что некоторое время назад вышла книга стихов Бродского по-польски с моим предисловием [23]. У нас есть блестящий переводчик — профессор Баранчак. Я завидую Бродскому, потому что его изобретательность в области рифм непревзойденная. Мне очень трудно писать в рифму, а Баранчак переводит Бродского на польский, сохраняя его систему рифм.

— *Несмотря на сопротивление польского языка? И это не банальные рифмы?*

— Нет, нет. Это просто удивительно. И эта книга Бродского на польском языке очень странная, потому что она расходится с традицией польской поэзии. Нечто аналогичное произошло и с моим „Поэтическим трактатом", я говорил об этом с Горбаневской, в русском переводе он не совпадает с русской поэтической традицией.

— *Мне хотелось бы вернуться к философской стороне вашей поэзии и поэзии Бродского. О своих стихах вы говорите, что они похожи на „интеллектуальный балет"* [24], *а стихотворения Бродского, написанные в форме путешествий, вы назвали „философским дневником в стихах"* [25]. *Насколько успешно Бродский соединяет философию и поэзию? Не рвется ли поэтическая ткань от тех философских абстракций, которыми иногда изобилуют стихи Бродского?*

— Я думаю, что Бродский делает это успешнее многих западных поэтов. Я сам очень старался двигаться против распространенных течений в современной западной поэзии. И в этом смысле мою поэзию нельзя назвать западной, она скорее ей противостоит. И здесь мы с Бродским соратники.

— *Вы как бы строите мост между славянской и западной поэтическими традициями?*

— Да. Западная поэзия двигается к субъективизму, чреватому серьезными последствиями. В русской традиции, конечно, есть традиция автобиографической поэзии, это старая традиция. И у Бродского много автобиографических стихов, но он стремится к объективности, возьмите все его описания городов, исторических ситуаций, например, в „Колыбельной Трескового Мыса" [Ч:97-110/II:355-65] весьма ощутимо его усилие объективации двух империй. И это сделано в противовес основным западным тенденциям.

— *Бродский, назвав Кавафиса „духовным экстремистом" [L:67/IV:176], заявил однажды, что и „Христа недостаточно, и Фрейда, и Маркса, и экзистенциалистов, и Будды мало"* [26]. *Не свойственен ли самому Бродскому духовный и интеллектуальный экстремизм?*

— Может быть, может быть. Это очень русская черта.

— *Согласны ли вы с Бродским, который считает, что „поэзия гарантирует гораздо большее чувство беспредельного, чем любая вера"?* [27]

— Нет, с этим положением я не согласен. Я не приписываю поэзии такой важной функции, какую ей приписывает Бродский.

— *Язык и время — еще одна дихотомия в поэтическом мире Бродского. Он как-то сказал: „Если существует божественное, это прежде всего язык"* [28]. *Почему он возносит язык на такие метафизические высоты?*

— В наше время язык выдвинут западными профессорами во главу угла. Они отметают все и оставляют только язык, который, якобы, говорит сам за себя и за нас. Это все-таки нигилизм, онтологический нигилизм. Любые поиски истины для них — метафизическая глупость. Для деконструктивистов и прагматиков язык — мастер, язык — все, и все — язык. Но у Бродского нечто иное.

— *Да, хотя Бродский постоянно утверждает, что писатель — слуга языка и орудие языка* [29], *он при этом неустанно подчеркивает божественную природу языка: „Язык, который нам дан, он таков, что мы оказываемся в положении детей, получивших дар. Дар, как правило, всегда меньше Дарителя, и это указывает нам на природу языка"* [30].

— Бродский совсем не похож на тех профессоров и поэтов, для которых язык — это автономная сфера. У него нет лингвистических экспериментов ради экспериментов. Для него язык — конфронтация с миром.

— *...и с временем. Не потому ли он был так потрясен строчками Одена: „Время... / преклоняется перед языком и прощает его служителей" [L:362-63]* [31]? *У вас есть сходная мысль:*

> Я всего лишь слуга незримого —
> Того, что диктует мне и еще кому-то.

*Можно ли усмотреть аналогию между вами как „слугой незримого" и Бродским как „слугой языка"?*

— Я думаю, можно. В любой данный момент, когда поэт появляется на сцене своего родного языка, существует ряд возможностей, которые поэтом должны быть исследованы и усвоены. Он не свободен выйти слишком далеко за пределы этих возможностей. Я говорил об этом с Бродским, спрашивал его, почему существуют такие тенденции в современной русской поэзии, а не иные. По его мнению, непрерывность, которая была прервана революцией, должна быть восстановлена. В этом смысле Бродский осознает свое место, он не может и не хочет двигаться в другом направлении, он пытается сохранить преемственность русской поэтической традиции.

— *Почему, вы думаете, польский язык избрал именно вас быть своим „секретарем", своим медиумом в XX веке, вопреки тому, что вы прожили среди поляков меньшую часть вашей жизни?*

— Я не могу логически объяснить то, что называется судьбой.

— *В „Звезде Полынь" вы пишете: „Вот так-то исполнилась моя молитва гимназиста, вскормленного на польских поэтах: просьба о величии, а значит, об изгнании"* [32]. *Почему вы соединили величие с изгнанием?*

— В польской поэзии существует настоящий миф изгнания, примеры тому — судьбы Мицкевича, Словацкого, Норвида.

— *Вы признались в трудности отождествления со средой, в которой Вы живете* [33]. *Для Бродского же, по его собственным словам, „всякая новая страна, в конечном счете, лишь продолжение пространства"* [34]. *Но на более глубоком уровне, мне кажется, вы с Бродским перекликаетесь. Он считает, что с каждой новой строчкой, с каждой последующей мыслью поэта в изгнании относит все дальше и дальше от берега родной земли. И, в конечном счете, он остается один на один со своим языком. Это и есть его „иная земля". Он даже образовал английский неологизм: „This is his Otherland"* [35]. *У вас в „Поэтическом трактате" есть аналогичная мысль: „.... только речь — отчизна"* [36].

— Это, по-моему, заявление гордеца, хотя, мне кажется, я менее страдаю от гордости, чем Бродский. Я всегда чувствовал ограниченность и поэзии, и языка, ощущал несоизмеримость между миром и словом. Все, что поэт может делать, это только пытаться, стараться что-то выразить. Бродский, как я уже сказал, наделяет литературу слишком большой ответственностью. Одних это восхищает, других раздражает.

— *А разве вы не верите в спасительную роль поэзии? В „Посвящении" к сборнику „Спасение" вы пишете:*

В неумелых попытках пера добиться
стихотворенья, в стремлении строчек к недостижимой цели, —
в этом, и только в этом, как выяснилось, спасенье. [III:294] [37]

— Не знаю, спасение ли, но поэзия действительно может быть защитой от отчаяния, от убожества существования.

— *Во вступлении к „Поэтическому трактату" можно прочитать:*

Как будто автор с умыслом неясным
В них обращался к худшему в себе,
Изгнавши мысль и обманувши мысль.

*Это что, скрытая ирония или упражнение в самоусовершенствовании средствами поэзии?*

— Здесь я, скорее всего, говорю о разнице между поэзией и прозой в нашем столетии. Поэзия XX века все дальше уходит от относительной рациональности прозы, все чаще эксплуатирует очень субъективные ситуации, подсознание человека. В этих стихах также выражено желание восстановить философское содержание поэзии. И здесь опять мы с Бродским сходимся и расходимся с некоторыми поэтами-модернистами.

— *В своей лекции о вашем творчестве Бродский сказал: „Ему свойствен катастрофический, почти апокалиптический склад ума"* [38]. *И дей-*

ствительно, в молодости вы руководили поэтической группой „Катаст-рофисты". Вы осознаете, что вам присущ такой склад ума?*

— Пожалуй, да. Он приближает меня к славянскому типу мышления, ибо это склад ума Соловьева, Достоевского и других. И, конечно, существует польский вариант того же самого. Похоже, Бродский прав, но я не очень этим горжусь.

*— В некоторых ваших стихах доминирует чувство вины. Это потому, что вы выжили, или потому, что вы не пережили все послевоенные страдания Литвы и Польши? И следует ли из этого, что чувство вины — это ваш комплекс Квазимодо, который, по мнению Цветаевой, должен иметь каждый поэт?*

— Я не уверен, что каждый поэт должен страдать таким комплексом. Я знаю, что у меня есть комплекс вины. Я не думаю, что его нужно объяснять историческими событиями, я думаю, что его корни следует искать глубже, в моем случае — чувством судьбы, чувством рока, и появилось это чувство очень рано, почти в школьные годы. Мой друг Адам Михник недавно в разговоре со мной сказал: „Мне нравится твоя поэзия, потому что она кровоточит. Она также демонстрирует, что рана может стать источником силы". Может быть, литература вообще и поэзия в частности вырастают из раны. Надо только преодолеть боль.

*— Бродский взял эпиграфом к сборнику своей прозы „Меньше, чем единица" строку из вашей „Элегии к N.N.": "And the heart doesn't die when one thinks it should"* [39]. *В переводе Бродского она звучит следующим образом: „И как сердце бьется тогда, когда надо бы разорваться" [III:292]* [40]. *Не могли бы вы пояснить этот стих?*

— Здесь я описал очень конкретную ситуацию очень близкого мне человека. Ее сын был отправлен в немецкий концлагерь на смерть, но она продолжала жить. Этот опыт пережили и миллионы русских при сталинизме. У меня есть русская знакомая, ее муж был арестован во время чисток. У нее был ребенок, она никому не могла показать, что случилось что-то страшное.

*— Бродский как-то заметил, что „вам доставляет почти чувственное удовольствие сказать 'нет'"* [41]. *Это правда?*

— Боюсь, что правда [Смеется]. Но дело обстоит сложнее. Я назвал себя „экстатическим пессимистом". Шопенгауэр, на мой взгляд, создал самую лучшую теорию литературы, искусства, объективную, как голландские натюрморты. Я стараюсь ее практиковать.

*— И вы, и Бродский широко пользуетесь категорией отрицания в ваших стихах. Какова их функция?*

— Я человек противоречивый. Я не могу представить себя как цельную личность. Меня постоянно разрывают противоречия.

*— Не потому ли ваша поэзия так трудна, и суть ее так дразняще неуловима для читателя? Не могли бы вы подсказать какие-то пути ее адекватного прочтения?*

— Да, моим читателям нелегко, они не могут понять, почему я так часто меняю свою точку зрения, свои мнения. Я недавно показал своему чешскому другу два стихотворения. Содержание одного из них полностью противоречило тому, что говорится в другом. Я спросил его, стоит ли их публиковать, ведь они исключают друг друга. Он ответил: „Конечно, поскольку это так характерно для тебя, но постарайся поместить их рядом и напиши к ним краткий комментарий". Мои стихи очень иронические, в них много аллюзий к польской поэзии XVI, XVII, XVIII веков.

— *Вы, в сущности, младший современник Ахматовой, Пастернака, Мандельштама, Цветаевой. Как рано вы познакомились с их поэзией?*

— Как это ни странно, я не был большим читателем русской поэзии, русской литературы. Я получил от своего друга году в 1934-м книжку Пастернака „Второе рождение". Я не понял, что „второе рождение" — это аллюзия. Мне его стихи очень понравились. Между прочим, поэт Коржавин сказал кому-то, что он возлагает ответственность именно на эту книгу Пастернака за свое обращение в сталинизм, потому что в ней столько красоты и счастья. О Мандельштаме я узнал очень поздно. Я не думаю, что русская поэзия влияла на меня очень сильно. Я пережил влияние французской поэзии.

— *И английской?*

— Да, но в меньшей степени, потому что французское влияние пришлось на годы моего становления.

— *По вашему мнению, „поэт, прежде чем он будет готов подойти к вечным вопросам, должен следовать определенному непреложному кодексу. Он должен быть богобоязненным, любить свою страну и свой родной язык, полагаться на свою совесть, избегать союза с дьяволом и опираться на традицию"* [42]. *Отвечает ли Бродский всем этим требованиям?*

— Да, безусловно. Я уже сказал, что, может быть, на фоне западной поэзии мы в арьергарде, Бродский и я, но, может быть, и в авангарде. Это никогда не известно, потому что если поэты сильно действуют, то они меняют направление поэзии.

— *Как вам видится сегодня это „гигантское, странной архитектуры, [...] здание поэзии Бродского"* [43]?

— Для меня архитектура — ключ к поэзии Бродского. Он постоянно возвращается к Петербургу. Он сам это подчеркивает в прозе. Контраст особенно разителен в сравнении с Беккетом, для которого архитектура нейтральна, у Бродского она очень важна. Возьмите, например, его пьесу „Мрамор", это очень беккетовская пьеса, с той существенной разницей, что местом действия избран древний Рим, доминируют классические мотивы и играет архитектурное воображение. Бродский — поэт сложного культурного наследия, он использует темы Библии, Гомера, Вергилия, Данте, английских метафизиков и древнерусской литературы. Классические темы делают его поэтическое здание гигантским, но ими подчеркнуто единство европейской культуры. Бродский, я думаю, не страдает ни комплексом неполноценности, ни комплексом превосходства по отношению к Западу.

— *Вы однажды сказали, что не соответствуете американскому представлению о поэте* [44]. *Соответствует ли ему Бродский?*

— Не думаю, потому что в американском представлении поэт должен быть алкоголиком, пережить пару нервных срывов, несколько попыток к самоубийству, посещать психоаналитика и т.д. Давайте закончим на этой юмористической ноте.

— *Насколько я знаю, у вас нет стихотворения, посвященного Бродскому. Можно ли мне взять для этого сборника ваших „Секретарей"* [45], *стихотворение о поэте вообще?*

— Да, уж так получилось, что у меня действительно нет стихотворения, написанного специально для Бродского. Если вам так нравятся „Секретари", пожалуйста, берите.

## SEKRETARZE

Sługa ja tylko jestem niewidzialnej rzeczy,
Która jest dyktowana mnie i kilku innym.
Sekretarze, nawzajem nieznani, po ziemi chodzimy,
Niewiele rozumiejąc. Zaczynając w połowie zdania,
Urywając inne przed kropką. A jaka złoży się całość
Nie nam dochodzić, bo nikt z nas jej nie odczyta.

1975

## СЕКРЕТАРИ

Я всего лишь слуга незримого —
Того, что диктует мне и еще кому-то.
Секретари, мы бродим по свету, не зная друг о друге,
Понимая так мало. Начиная с середины фразы,
Обрывая речь на полуслове. А какое сложится целое,
Не нам понять — ведь никто из нас его не прочтет.

*Перевел с польского Андрей Базилевский*

## ПРИМЕЧАНИЯ

[1] Иосиф Бродский, „Поэзия как форма сопротивления реальности", предисловие к сборнику стихотворений Томаса Венцловы на польском языке в переводах Станислава Баранчака („Русская мысль", 25 мая 1990, Специальное приложение, С. XII).

[2] Иосиф Бродский, „Сын века", пер. с английского Льва Штерна („Новый американец", 9-14 октября 1980, С. 7).

[3] Станислав Баранчак, „Переводя Бродского" („Континент", No. 19, 1979, С. 358). Перепечатано в кн. „Поэтика Бродского" (Hermitage: Tenafly, N.J., 1986, С. 239-51).

[4] Чеслав Милош, интервью, данное Виктору Соколову после награждения Нобелевской премией („Континент", No. 26, 1980, С. 436).

[5] Опубликовано: „Памяти Иосифа Бродского" („Литературное обозрение", No. 3, 1996, С. 23-28).

[6] Иосиф Бродский, „Остаться самим собой в ситуации неестественной". Из выступления Иосифа Бродского в Париже („Русская мысль", 4 ноября 1988, С. 10).

[7] Czeslaw Milosz, "A Struggle against Suffocation", a review of Joseph Brodsky's "A Part of Speech" ("The New York Review of Books", August 14, 1980, P. 23). Русский перевод А.Батчана и Н.Шарымовой опубликован в альманахе „Часть речи", No. 4/5, 1983/4, С. 169-80. Пер. Льва Лосева см. „Знамя" (No. 12, 1996, С. 150-55).

[8] F.D.Reeve, "Additions and Losses", comment on "Selected Poems" by Joseph Brodsky ("Poetry", October, 1975, P. 43).

[9] Joseph Brodsky, "On Richard Wilbur" ("The American Poetry Review", January/February 1973, P. 52).

[10] Rachel Berghash, "An Interview with Czeslaw Milosz" ("Partisan Review", No. 2, 1988, P. 257).

[11] Anna Husarska, "A Talk with Joseph Brodsky" ("The New Leader", December 14, 1987, P. 9).

[12] Иосиф Бродский, „Европейский воздух над Россией", интервью Анни Эпельбуан („Странник", No. 1, 1991, С. 42).

[13] Чеслав Милош, „Поэтический трактат", пер. с польского Натальи Горбаневской (Ardis: Ann Arbor, 1982).

[14] Чеслав Милош, „Поэтический трактат", Ibid., С. 24.

[15] Czeslaw Milosz, "Preparation", in: "The Collected Poems 1931-1987" (Penguin Books, 1988), P. 418. Русский перевод А.Драгомощенко см. „Приготовление" в кн. Чеслав Милош, „'Так мало' и другие стихотворения" (М., 1993), С. 171.

[16] Чеслав Милош, „Борьба с удушьем", Ibid., С. 178-79.

[17] Имеется в виду работа Льва Шестова „Добро и зло в учении гр. Толстого и Ф.Нитше (философия и проповедь)" (YMCA-Press: Paris, 1971).

[18] Чеслав Милош, „Над переводом Книги Иова" („Континент", No. 29, 1981), С. 263.

[19] Записи лекций и семинаров Иосифа Бродского по сравнительной поэзии. Ann Arbor, Michigan, 2 апреля 1980 года.

[20] Клеменс Поженцкий, „Увенчание несломленной России" („Русская мысль", 25 декабря 1987, „Литературное приложение" No. 5, С. II).

[21] Czeslaw Milosz, "On Pasternak Soberly" [1970] ("World Literature Today", Spring 1989, Vol. 63, No. 2, P. 218).

[22] Чеслав Милош, „Борьба с удушьем", Ibid., С. 173.

[23] Josif Brodski, "82 wiersze i poematy" („Zeszytow Literackich": Paris, 1988).

[24] Czeslaw Milosz, "The Collected Poems", Ibid., P. 189.

[25] Чеслав Милош, „Борьба с удушьем", Ibid., С. 172.

[26] Joseph Brodsky, "Beyond Consolation", a review of N. Mandelstam, "Hope

Abandoned" and three translations of Mandelstam's poetry („The New York Review of Books", February 7, 1974, P. 14).

[27] Joseph Brodsky, "Virgil: Older than Christianity. A Poet for the New Age" ("Vogue", October 1981, P. 178).

[28] Joseph Brodsky, interviewed by Sven Birkerts, "Art of Poetry XXVII: Joseph Brodsky" ("Paris Review", No. 24, Spring 1982, P.111). Русский пер. интервью Свену Биркертсу см. „Иосиф Бродский. Неизданное в России" („Звезда", No. 1, 1997, С. 80-98).

[29] „Быть может, самое святое, что у нас есть — это наш язык...", Интервью Натальи Горбаневской с Иосифом Бродским („Русская мысль", 3 февраля 1983, С. 8).

[30] „Быть может, самое святое, что у нас есть — это наш язык...", Ibid., С. 9.

[31] См. примечание 5 к интервью с Роем Фишером в настоящем издании.

[32] Чеслав Милош, „Особая тетрадь: звезда Полынь", перевод с польского Н. Горбаневской („Континент", No. 27, 1981, С. 9).

[33] Чеслав Милош, „Над переводом Книги Иова", Ibid., С. 262.

[34] Белла Езерская, „Если хочешь понять поэта...", интервью с Иосифом Бродским, „Мастера" (Hermitage: Tenafly, N.J., 1982), С. 108.

[35] Joseph Brodsky, "Language as Otherland", лекция, прочитанная в Лондонском университете (SSEES) 28 ноября 1977 года; цитируется по магнитофонной записи.

[36] Чеслав Милош, „Поэтический трактат", Ibid., С. 12.

[37] Чеслав Милош, „Стихотворения", переводы Иосифа Бродского, литературный сборник "Russica-81" (Russica Publishers: New York, 1982, С. 16). В России переводы стихов Милоша, выполненные Бродским, опубликованы в кн. Иосиф Бродский, „Бог сохраняет все" („Миф": М., 1992, С. 195-203). Вошли в „Сочинения Иосифа Бродского" [III:293-300].

[38] Из записей лекций Бродского по сравнительной поэзии, Ibid.

[39] Czeslaw Milosz, "The Collected Poems", Ibid., P. 239.

[40] Чеслав Милош, „Элегия Н.Н.", перевод Иосифа Бродского („Новый американец", 9-14 октября 1980, С. 7; см. также Иосиф Бродский, „Бог сохраняет все", Ibid., С. 195-96 и [III: 291-92].

[41] Из записей лекций Бродского по сравнительной поэзии, Ibid.

[42] Чеслав Милош, „Борьба с удушьем", Ibid., С. 171.

[43] Чеслав Милош, „Борьба с удушьем", Ibid., С. 169.

[44] Rachel Berghash, "An Interview with Czeslaw Milosz", Ibid, P. 260.

[45] Семь стихотворений Милоша в переводе Андрея Базилевского опубликованы в „Специальном приложении" к „Русской мысли" (25 мая 1990), С. IV.

# УКАЗАТЕЛЬ ИМЕН

## УКАЗАТЕЛЬ ПРОИЗВЕДЕНИЙ ИОСИФА БРОДСКОГО

## СОДЕРЖАНИЕ:

Валентина Полухина
## Бродский глазами современников

Редактор — Виктор Куллэ
Корректор — Фрида Аврунина
Технический редактор — Вера Рогушина
Компьютерная верстка — Юрий Смиренников

Лицензия на издательскую деятельность ЛР № 062572 от 29 апреля 1993 г.
Издательство «Журнал «Звезда». Санкт-Петербург. Моховая ул., 20.
Подписано к печати 25.04.97. Формат 70×100 1/16. Печать офсетная.
Усл. печ. л. 27,3. Уч. изд. л. 25. Тираж 5000 экз. Заказ № *178.*

Санкт-Петербургская типография № 1 РАН
199034, С.-Петербург, 9 линия, 12